U0115198

臺灣經學叢刊

歷史敘事與經典文獻隅論

李隆獻　著

目次

自序

　　我的研究，主要是經學與史學，尤其側重《左傳》、《國語》、《史記》；五十歲以後，擴及於觀念史、敘事學，尤其是「復仇觀」、歷史敘事與文化記憶；出土文獻、禮學、民俗學、校讎學、訓詁學、文獻學等領域皆涉獵甚淺，稱不上研究。

　　研究學問，先對材料進行考辨，以確定其真偽及其內容所反映的時代，並正確解讀材料及其意義，乃基本且必要的工夫。故本人於訂正、解釋古書字句的校讎學、訓詁學與文獻學等，雖甚少用功，亦時加措意。

　　本書收錄論文十五篇，分上、中、下三編。材料涵括傳世與出土文獻，雖未必篇篇涉及文獻的考辨／考證，但都論及文獻的解讀與詮釋。上編以歷史敘事與文化記憶為重心，主在論述春秋、戰國時代，乃至漢代的歷史敘事、文化記憶與「人物形象」；中編論禮制與禮俗，尤其是歷代「成年禮」的沿革與特色；下編為文獻與經學史研究，時代由先秦至南北朝，而延及筆者兩位恩師的經學研究。

上編：歷史敘事與文化記憶

　　世界各民族在形成正式的歷史、文學文本之前，應該都經歷過口傳時代，中華民族當不例外。[1]當正式的文本形式成為經典時，前此

1　此議題涉及中國早期書寫型態發展、文獻流傳方式、口頭與書面文本互涉等多重面

的神話、傳說、歷史、文學必定成為歷史／文化記憶。德國專研埃及文化的人類學家揚・阿斯曼（Jan Assmann）曾提出古代文明建構「文化記憶」的理論，認為：文化記憶指某一群體所共同擁有而超越時空限制的記憶；其重要性正如個人記憶對個體產生的自我意識，文化記憶對群體的認同也具有同等重要的奠基、定型作用；文化記憶的載體有儀式、節日、經典文本等多種形式。承載文化記憶的文本，通常經由特殊機構保存與編輯；而對文本進行傳播、教學與解釋的人員，大抵具有政治、社會上相對獨立的地位或身分。[2]而「經典文本」的歷史／文化記憶，歷經某些年代／時代，必定會因為改寫／重寫而再度成為另一種經典「文本」。精研東亞考古，尤其是中國古代青銅器、金文與祭祀的德國學者羅泰（Lothar von Falkenhausen），在其名著《宗子維城》清楚指出春秋時代的「孔子」力圖恢復周公「制禮作樂」的西周史事，其實是一種歷史、文化記憶，是戰國時代的「歷史記憶」。[3]實則張光直先生數十年前早已指出：文獻呈現的思惟／觀

向，遠非本書所能論及，亦非本書重點。相關研究可參〔美〕柯馬丁（Martin Kern）著，李芳、楊治宜譯：〈方法論反思：早期中國文本異文之分析與寫本文獻之產生模式〉，收入陳致主編：《當代西方漢學研究集萃（上古史卷）》（上海：上海古籍出版社，2012年），頁349-385。

2 〔德〕揚・阿斯曼（Jan Assmann）著，金壽福、黃曉晨譯：《文化記憶：早期高級文化中的文字、回憶與政治身份》（北京：北京大學出版社，2015年）。本書側重於「經典文本」的書寫與詮解，與揚氏略有不同。

3 〔德〕羅泰（Lothar von Falkenhausen）著，吳長青、張莉、彭鵬等譯，王藝等審校：《宗子維城：從考古材料的角度看公元前1000年至前250年的中國社會》（上海：上海古籍出版社，2017年）。羅泰說：「孔子生涯以前的時代，幾乎沒有任何（尤其是哲學）文獻流傳下來。不過，孔子及其他諸子顯然是繼承和發揚了更早思想家的智慧。這些智慧產生在周初以來政治實踐的背景之下，並以口頭傳誦或宮廷記錄的方式代代相傳，最終輯錄在諸如《左傳》和《國語》等書裡。此外，周初的一部分宮廷記錄的範本和祭祀的雅頌，在《尚書》和《詩經》中得以保存下來，並成為後來儒家的經典。在百家爭鳴中，周代晚期的思想家不斷回顧孔子以前約五百

念,代表的應是寫作的年代,而非所書寫的歷史年代的史實或史觀。[4]

上述學者都認為「歷史敘事」乃撰作者時代之歷史、文化記憶,而非「實錄」。筆者認同並肯定此一觀點,認為書寫者乃受歷史、文化記憶影響而重塑「歷史」,如《史記》代表的應是西漢時代與司馬遷的史觀與思惟,而〈五帝本紀〉蓋即司馬遷基於其歷史╱文化記憶與經典文本《尚書・堯典》改寫╱重寫而成的另一「經典文本」,而不是「五帝時代」的歷史。由此可見,前一時期或某些時期的歷史╱文化記憶,可以因著不同時代、作者的改寫╱重寫而有不同的側重與面貌,其所代表的正如上述學者所說的乃是該時期╱時代與作者個人對該歷史╱文化記憶的重新詮釋,必然帶有該時代的價值觀與作者個人的創作意圖。最明顯而特出的例子,莫如《史記・孔子世家》。司馬遷乃最先大規模統整各類孔子載述的史家,以編年為經,以孔子行事為緯,採擷《論語》、《孟子》、《左傳》、《國語》、《公羊》、《穀梁》,乃至戰國諸子,將個別而分散的史事統合在孔子一生的行跡之中,並將其分類、整理,重新進行「脈絡化」,型塑孔子為文化上的「聖人」,堪稱最卓著的歷史敘事與文化記憶。[5]筆者近十餘年來陸續

年的歷史,並以當時的文獻、傳統、思想及事件為參照系,因此,與孔子及其以後的諸子爭鳴的三百年一樣,這之前的五百年,也構成了『孔子時代』不可或缺的一部分。」前揭書:〈引論〉,頁9;其詳可參讀〈引論〉,頁1-27。

4 張光直〈商周神話之分類〉:「所謂先殷神話,就我們所有的文獻材料來說,實在不是先殷的神話,而是殷周時代的神話。……它們未必就是先殷的史實。……殷周的神話,首先是殷周史料。殷周的神話中,有無先殷史料,乃是第二步的問題。」收入氏著:《中國青銅時代》(臺北:聯經出版事業公司,1983年),頁287-288。張先生雖旨在討論古代神話,然此一觀念實適用於吾人面對各種時代難以確證、文本層次複雜的先秦文獻。

5 可參拙作:〈先秦漢初文獻中的「孔子形象」〉,收入拙著:《先秦兩漢歷史敘事隅論》(臺北:臺灣大學出版中心,2017年)之〈壹〉。

撰寫相關論文,由不同角度闡發上述觀念,[6]本書〈上編〉亦為其中部分成果。

壹:〈《春秋》始於魯隱公探義〉

本文旨在尋繹《春秋》始於魯隱公的意蘊與褒貶。先歸納前賢之說為五,分別檢討其意義與不足;進而由魯隱公時期周王朝與魯、鄭、齊、宋、衛、陳、晉、楚等國的史實,印證魯隱公之際,上自天子,下至諸侯都發生破壞倫理、崩解禮制的重大情事,以見《春秋》始於魯隱公的深意;最後則詮解《春秋》以魯紀年的可能意義。

貳:〈《莊子》、《列子》中的「孔子形象」〉

本文述論道家學派的《莊子》、《列子》描繪「孔子形象」的類型與特色,進而探論與傳統儒家不同立場的《莊》、《列》二書,對「孔子形象」的不同詮釋與運用。

參:〈先秦漢初雜家文獻中的「孔子形象」〉

本文述論先秦、漢初最為卓然特立的「雜家」《呂氏春秋》、《淮南子》二書的學術傾向、關注議題及其呈顯的「孔子形象」。指出二書皆以孔子的「老師」身分闡述「學」的觀點:《呂氏春秋》重視「學」的效用,《淮南子》則以學為殘生害性;並述論二書之「孔子曰」/「仲尼曰」的類型與運用情形。

肆:〈先秦兩漢傳世／出土文獻中的「夏姬形象」〉

本文透過梳理先秦、兩漢傳世與出土文獻對夏姬事蹟、形象的相

關載錄,分析其四種著名形象:通淫禍國、美色不祥、害人無數、老而無德;並以「夏姬亡陳」史事為例,探論「甚美必有甚惡」觀念的淵源與發展。進而述論《穀梁傳》、《清華簡‧繫年》不同於其他傳世文獻的夏姬載述;《史記》的夏姬敘事則顯示司馬遷對夏姬歷史、文化記憶的統整與改寫,側重國際局勢的發展而非夏姬的個人形象;末則述論《列女傳》編纂者劉向出於「警戒天子」的動機,夏姬形象遂被進一步誇大、渲染,甚至妖魔化。

伍:〈先秦漢初文獻中的「夏姬敘事」與國際局勢〉

本文比較《左傳》、《國語》、《清華簡‧繫年》、《公羊》、《穀梁》的夏姬敘事與鄭、陳、楚、晉、吳等國的相關載述,分析夏姬在不同敘事脈絡中的作用,以及各敘事文本的不同觀點,指出:《左傳》、《國語》主要在「晉楚爭霸」的脈絡中敘述夏姬故實,立場稍偏晉國;《清華簡‧繫年》則傾向以楚國為敘事主線,故對夏姬的敘述,呼應晉吳聯手與楚為敵的形勢;《公羊》、《穀梁》則不由「大國爭霸」的角度切入,而著意辯證「楚伐陳」史事的道德意涵,關注《春秋》的書法褒貶,探討亂世中大、小國間的關係與平衡。

第肆篇以「夏姬形象」為主,第伍篇則側重在夏姬推進情節的敘事效用。二文合觀,可以對夏姬敘事有較為全面的了解。

陸:〈「晉悼復霸」說芻論〉

《左傳》、《國語》皆有「晉悼復霸」之說,《史記‧晉世家》則有「悼公以後,六卿專權」之論。本文比勘先秦、漢初傳世與出土文獻,分析晉悼公與權卿的人格特質及其時的國際局勢。指出:由國際局勢言,謂「晉悼復霸」誠然無誤,然而晉悼雖確屬明君,復有良

臣輔政，唯亦因權卿始能國勢富強，故雖有「復霸」美名，卻也無力
改變權卿專擅之局，君權旁落已成不可抑遏之勢，太史公之論深中
肯綮。

柒：〈《左傳》「獻捷」、「獻俘」、「獻功」事例的省察與詮
　　釋〉

　　本文以《左傳》為核心，輔以金文資料，聚焦於春秋軍禮之「獻
捷」禮儀，析論其名義、類型等相關問題，勾勒「獻捷」在春秋時代
的具體樣貌與儀節之政治意涵，並藉由比勘《左傳》所載獻捷實況，
探論《左傳》「獻捷義例」是否符合春秋實況及其時代意義。

中編：禮制與禮俗

　　中國古代成年禮，乃古禮研究極重要的環節。為對「成年禮」進
行較為廣泛深入的研究，本人與臺大中文系同仁葉國良教授，於一九
九四至一九九五年兩年間，分別投入兩項國科會專題研究計畫：一、
「儀禮士冠禮研究（一）──經學與文化人類學的綜合考察」：葉國
良主持；二、「儀禮士冠禮研究（二）──先秦成年禮與後世成年禮
的比較研究」：筆者主持。期能在資料運用上互補，在觀點詮釋上相
繫，對中國成年禮的觀照與釐清有所助益，並期望喚起社會大眾重新
思考傳統成年禮的精神價值及其社會意義。其後各自撰寫了近四百頁
的成果報告，唯因其中多為資料之收集，論述亦非處處都有創發，遂
彼此約定陸續就其中較具學術意義的相關課題另撰專文發表。以下二
文便是筆者的相關研究。

捌：〈歷代成年禮的特色與沿革
　　　——兼論成年禮衰微的原因〉

　　本文由《儀禮‧士冠禮》出發，採宏觀的視野，由歷時性的角度，考察歷代成年禮的沿革與特色，以「縱向」的、「流變」的觀點，掌握歷代成年禮的演進大勢，從中了解中國歷史文化與社會風俗的主要脈動，並由此歸納出古今禮文雖千頭萬緒，卻有跡可尋的發展規律。其中元代以前雖以貴族皇室為主，但也指出後世成年禮與婚禮合流的現象，進而探討成年禮衰微的原因。

玖：〈近代方志所見民間成年禮及其傳承與變化〉

　　本文以明、清兩代地方志所載各地禮俗材料，探論民間成年禮的傳承與變化，亦為歷時性考察。指出：近代民間成年禮俗雖然明顯式微，但依然具有多樣面貌；也論述了成年禮與婚禮合流的現象，以及特殊的民間成年禮俗。

　　〈捌〉、〈玖〉二文合觀，對歷代漢族成年禮的各種面貌應可有較為完整的了解。

拾：〈由《上博‧四‧內禮》與《大戴禮記‧曾子立孝》
　　　首章之異論先秦倫常次序的相關問題〉

　　本文比較《上博‧四‧內禮》與《大戴禮記‧曾子立孝》載述倫常次序的差異，提出「先秦文獻述及倫常次序時，常與其內容、性質相關」的論點，並舉證分析，指出：以政治、社會為重的文獻，概以「君臣、父子」為序；以孝道、人倫為主的文獻，則皆以「父子、君臣」為序；以男女、夫婦為主的文獻，則以「夫婦、父子、君臣」次序最為常見。並略論面對出土／傳世文獻，二者不應偏廢，而應採取

客觀、開放的態度，方能避免不必要的錯誤，也才能有更豐碩、可靠
的研究成果。

下編：文獻與經學史

本編為文獻與經學史研究，拾壹、拾貳、拾參三篇，皆三十年前
舊作。懷想當年猶擔任助教時，肩隨王師叔岷先生修課之樂，遂不揣
淺陋，收入茲編，雖或不免敝帚自珍之嫌，但取雪泥鴻爪、老僧新塔
之意云爾。拾肆篇乃恭賀王叔岷先生八十嵩壽之作；拾伍篇則應中央
研究院中國文哲研究所經學研究室主辦之「戰後臺灣的經學研究」會
議之邀而作。二文並聊表筆者對先師王叔岷先生（1914-2008）與業
師張以仁先生（1930-2009）的啟迪、教誨之思。兩位恩師仙逝有
年，夙昔思之，不免憮然。唯時時警省，勉力以行，庶幾不負恩師的
殷殷期待，以免愧對學術，有負初衷云爾。

拾壹：〈《文選》宋玉〈對楚王問〉〉箋證及其相關的兩個問題〉

本文旨在論證／箋證宋玉及其〈對楚王問〉。〈對楚王問〉首見於
蕭統《昭明文選》，而宋玉生平難明，故先就粗略翻閱古籍所得，輯
錄宋玉資料。宋玉作品屢見疑於後人，前賢或以為〈對楚王問〉非出
宋玉之手，故次就〈對楚王問〉之真偽略作釐探；又因「對問體」關
涉〈對楚王問〉之真偽與著作時代，故再就「對問體」之起源略加探
討，並蠡測〈對楚王問〉之著成時代。最後則逐字逐句箋證〈對楚王
問〉。

拾貳：〈〈五柳先生傳并贊〉箋證稿〉

　　本文略依先師王叔岷先生《陶淵明詩箋證稿》體例，逐字、逐句箋證陶淵明的自況之作〈五柳先生傳〉，除探尋〈五柳先生傳〉之字、詞根源，文例、體裁所自出外，並引證淵明詩文，以陶解陶。

拾參：〈《劉子》作者問題再探〉

　　《劉子》作者，歷來有北齊劉晝與南朝梁劉勰二說。先師王叔岷先生於一九六一年撰寫《劉子集證》已詳為考辨，論定當為劉晝所撰；不意一九八二年上海學者林其錟、陳鳳金撰《劉子集校》又將《劉子》歸諸劉勰。本文先省察前賢對劉晝、劉勰二說論據是否有效，進而由《劉子》本書的「寫作年歲與著作目的」、「內容思想」、「文風與用典」、「書中透露的不遇之感」、「由〈妄瑕〉〈正賞〉二篇」等五方面，舉證述論《劉子》作者當為北齊劉晝。

拾肆：〈王叔岷先生的《左傳》研究〉

　　王叔岷先生一生治學不倦，著作宏富，名馳四海。本文謹述論先生晚年專著《左傳考校》之學術成就與貢獻，以示對先生之崇敬與嚮往。《左傳考校》由斠讎學與訓詁學雙重角度著手，奠基前人基礎，就《左氏》經、傳之版本、字句、詞語、史實、舊注等進行斠理、詮解、稽考、輯佚，或自出新意，或訂正舊說，或補充舊說，或探索杜《注》源流，或揭示古書引《經》《傳》文字通例，並闡明許慎引《經》《傳》文字，往往改從《說文》，又闡明古注、類書之諸多現象，凡此，先生皆憑其廣博之學識功力，指引後學迷津，值得學界重視、珍惜、借鏡。

拾伍:〈張以仁先生的《春秋》「左傳學」
——以經學研究為重心〉

　　業師張以仁先生一生治學不倦,以專研《國語》、《左傳》、《花間詞》、訓詁學等馳名當世。本文謹述論先生之「左傳學」及其對當代經學研究的貢獻與影響,以示對先生之崇敬與嚮往。先生的《左傳》著作,主要聚焦於兩個主題:一為「春秋學」研究,二為《左傳》與《國語》的關係;本文先舉證述論先生研治「春秋學」對經學研究的重要貢獻;進而指出先生面對《左》、《國》二書的關係與性質,既釐清不同的問題層次,復鉅細靡遺的舉證論析,對此一複雜的學術爭議頗有廓清之功。文末總結先生的學術成就,期望透過述論先生的研究方法,呈顯先生嚴謹細膩的治學態度、淵博精深的學術成就與承先啟後的研究格局。

　　本書諸文皆曾出版或發表,撰作年代最早者為一九八八年,最晚者為二〇一八年,其出版、宣讀之時間、地點並見各篇之末。因時涉久遠,諸文之文字、體例頗欠一致,此次梓行,僅略加董理校正,一以略窺近現代學術風尚的嬗變之跡,亦以呈現筆者個人的研究進徑。

　　感謝國科會／科技部的歷年獎助、各學報的肯定與眾多不具名審查委員的謬賞,以及臺灣大學中文系師友的長期提攜與厚待;更要感謝諸多賢弟付出的精力與心思:魏千鈞、傅凱瑄、蔡瑩瑩、石兆軒諸賢弟,無不好學深思,舉凡蒐集資料、商兌疑義、草擬文稿、核校原文,無不費心盡力;同仁彭美玲教授於「成年禮」之研究出力尤多。默齋陳瑞庚師惠賜題簽,使本書得以金玉其外。又惠蒙「臺灣經學叢刊」編輯委員會青睞,以及萬卷樓圖書公司張晏瑞總編輯的玉成、責任編輯呂玉姍女士的多方協助,使本書得以順利出版;謹此一併致上最誠摯的謝意。

　　筆者樗材淺識，加以諸文之撰作多歷年所，困知勉學，錯謬必多，敬祈海內外博雅君子，惠賜針砭，寔所盼禱焉。

二〇一九年九月二十八日，謹識於
臺灣大學中國文學系，時年六十有六

上編
歷史敘事與文化記憶

壹　《春秋》始於魯隱公探義

一　問題的提出

孔子是否修《春秋》，乃經學史上爭議未決的大論題；[1]但《春秋》始於魯隱公元年，則歷來甚少異說，僅清儒顧炎武以為孔子所修的《春秋》原本不始於隱公，惠公以上至伯禽之間的史料也加以保留，後世流傳的《春秋》不見惠公以上記載，乃因原書亡佚了：

> 《春秋》不始于隱公：晉韓宣子聘魯，觀書于太史氏，見《易象》與《魯春秋》，曰：「周禮盡在魯矣，吾乃今知周公之德與周之所以王也」。蓋必起自伯禽之封，以洎于中世。當周之盛，朝覲會同征伐之事皆在焉，故曰「周禮」。而成之者古之良史也。自隱公以下，世衰道微，史失其官，于是孔子懼而修之；自惠公以上之文無所改焉，所謂「述而不作」者也。自隱公以下，則孔子以己意修之，所謂「作《春秋》」也。然則自惠公以上之《春秋》，固夫子所善而從之者也，惜乎其書之不存也！[2]

---

1 大致而言，自孟子提出孔子作《春秋》之說以至於有宋，未有懷疑孔子修《春秋》之說；宋以後漸起疑端，民國以後懷疑之論大興。可參葉國良、夏長樸、李隆獻：《經學通論》（臺北：大安出版社，2014年），第二編第七章〈春秋概說〉第二節「春秋的作者」對此一問題曾有簡略的歷史性考察（頁266-273）。

2 〔清〕顧炎武：《原抄本日知錄》（臺北：明倫出版社，1970年），卷4，「魯之春秋」條，頁83。

顧亭林認為魯隱公以上的《春秋》，孔子「善而從之」，故「述而不作」，其「作」者僅隱公以下。但司馬遷《史記‧孔子世家》明謂孔子「因史記作《春秋》。上至隱公，下訖哀公十四年，十二公」，[3]明確指出《春秋》起自魯隱公。〈太史公自序〉又說：「孔子知言之不用，道之不行也，是非二百四十二年之中，以為天下儀表」，[4]亦切實指明《春秋》所記乃春秋二百四十二年間史事。是則史公所見之《春秋》確實起於魯隱公元年，並未有魯惠公以上的記載；古來也沒有隱公以上《春秋》亡佚之說，顧炎武根據《左傳》載韓宣子見《魯春秋》事推斷孔子所見《魯春秋》當亦相同，遂推定隱公以前史文孔子亦加保留，又說「自隱公以下，世衰道微，史失其官，于是孔子懼而修之」。其實顧氏之說正可見孔子所修的《春秋》「起自隱公」的深刻用心。姑且不論魯惠公以前之史文是孔子「善而從之」，「述而不作」，或另有其他因素，都與孔子所修《春秋》之始於魯隱公元年不相干涉。

顧炎武之說雖不合《春秋》撰作實情，但其所提出的「自隱公以下，世衰道微，史失其官，于是孔子懼而修之」之說，卻相當程度指出孔子修《春秋》之所以「始於魯隱公」的深意。不過《春秋》之始於魯隱公，是個歷來異說紛紜的問題，並非顧炎武的幾句話即可解決。哀十四年《公羊傳》說：

> 「《春秋》何以始乎隱？」「祖之所逮聞也。所見異辭，所聞異辭，所傳聞異辭。」（《公羊注疏》，卷28，頁12上）[5]

3　〔漢〕司馬遷著，〔日〕瀧川資言考證：《史記會注考證》（東京：東京文化學院東京研究所，昭和七-九年〔1932-1934〕），卷47，頁82。本書引用《史記》皆據此本，不另出注。

4　同前注，卷130，頁21。

5　本書引用之十三經，《經》、《傳》、《注》、《疏》、阮元《校勘記》，皆據臺北：藝文

何休《解詁》：

> 託記高祖以來事，可及問、聞知者，猶曰「我但記先人所
> 聞」，辟制作之害。（《公羊注疏》，卷28，頁12上）

何休以為《春秋》始於隱公乃因所記史事不出「所見」、「所聞」、「所
傳聞」三代間事，其所以如此，乃在既足以徵信，又可以避免「制
作」之評，正所謂「述而不作」之意。何氏之說應合《公羊傳》本
意，但並未真正解決《春秋》始於魯隱公的問題。因「所傳聞」之公
可上推至隱公之父惠公，或下延至隱公之弟桓公，未必非隱公不可。
晉杜預《春秋經傳集解·序》則說：

> 曰：「然則《春秋》何始於魯隱公？」答曰：「周平王，東周之
> 始王也；隱公，讓國之賢君也。考乎其時則相接，言乎其位則
> 列國，本乎其始，則周公之祚胤也。若平王能祈天永命，紹開
> 中興，隱公能弘宣祖業，光啟王室，則西周之美可尋，文武之
> 迹不隊。是故因其厤數，附其行事，采周之舊，以會成王義，
> 垂法將來。所書之王，即平王也；所用之厤，即周正也；所稱
> 之公，即魯隱也。安在其黜周而王魯乎？子曰：『如有用我
> 者，吾其為東周乎？』此其義也。」（《左傳正義》，卷1，頁25
> 上-26上）

杜預之說主要針對《公羊》「黜周王魯」之說而發，認為孔子乃寄厚

望於魯隱公、周平王，翼其能成就王業，以復西周之舊。但東周始於
平王，而與平王時代相埒的魯君乃隱公之父惠公，孔子何以捨惠公不
取，而特斷自隱公？清儒毛奇齡便曾對此提出質疑，其《春秋毛氏
傳‧序》說：

> 若夫《春秋》始魯隱並無義例。或者曰「以平王東遷而王室卑
> 也」。夫平王東遷在魯孝二十七年，又一年而魯惠立：是魯惠
> 之立，正當平遷洛之際；且在位四十六年，正與平之五十一年
> 相表裏，乃舍惠不始，而反始之平王四十九年垂盡之隱公，無
> 是理也！若曰「《春秋》本據亂而作」，則亂不自隱始也。以為
> 王室亂耶？則戎狄弒王，當始孝公；以為本國亂耶？則伯御弒
> 君，當始懿公；以為列國亂耶？則晉人連弒其君，當始惠公。
> 乃舍懿、孝、惠三公不始，而始之隱公，隱亦不受也。至于
> 《公羊》以隱公讓位為賢，曰「《春秋》善善長，當從善始」；
> 《穀梁》以隱成父之惡為惡，曰「《春秋》惡惡之書，當從惡
> 始」，則又誰得而定之？故先仲氏曰：「《春秋》，魯史也。或隱
> 以前亡其書則不修；隱以後有其書而當修則修之。」此非明白
> 了義乎？[6]

毛氏對各家說法的批評誠然不錯；但以為「隱以前亡其書則不修」，[7]則

6　〔清〕毛奇齡：《春秋毛氏傳》，《清經解》（臺北：復興書局影印清咸豐十年庚申
　　〔1860〕補刊阮元學海堂本，1972年），第2冊，卷120，頁11。

7　宋歐陽脩、清江永也有類似之說。歐陽脩〈春秋或問〉云：「或問：『《春秋》何為
　　始於隱公而終於獲麟？』曰：『吾不知也。』……孔子……得《魯史記》，自隱公至
　　於獲麟，遂刪修之。……孔子非史官也，不常職乎史，故盡其所得修之而止焉。」
　　（李逸安點校：《歐陽脩全集》〔北京：中華書局，2001年〕，《居士集》，卷18，頁
　　310-311）又，〔清〕黃汝成《日知錄集釋》卷四引江永之說云：「韓子觀《魯春

前引顧炎武之說正可斷其非，因孔子所見的《魯春秋》既起自周公時，則隱公以前自非「亡其書」。且《春秋》中有善善、惡惡深旨，應可無疑，問題在其所善者與所惡者何在耳，當非如清儒姚際恆所說的「未必有所取義」。[8]是則《春秋》之始於魯隱公，似乎尚可再作深層思考。

二　舊說的意義與不足

三《傳》並未專門就《春秋》何以始於魯隱公加以解釋，《左傳》說隱公「不書即位」，乃因隱公「攝位」而非「即位」。[9]《公羊傳》則說隱公「讓位為賢」，見隱元年《公羊傳》：

> 「公何以不言即位？」「成公意也。」「何成乎公之意？」「公將平國而反之桓。」「曷為反之桓？」「桓幼而貴，隱長而卑，其為尊卑也微，國人莫知。隱長又賢，諸大夫扳隱而立之，隱於是焉而辭立，則未知桓之將必得立也；且如桓立，則恐諸大

秋》，此未筆削之《春秋》也。《春秋》當始伯禽，何為始隱？疑當時《魯春秋》惠公以上，魯史不存，夫子因其存者修之，未必有所取義也。」（〔清〕顧炎武著，〔清〕黃汝成集釋，欒保群、呂宗力校點：《日知錄集釋》〔上海：上海古籍出版社，2006年〕，頁179-180）

8　〔清〕姚際恆《春秋通論》卷一：「《春秋》始於隱公者，必當日祇就魯史原本從隱公而始也。其前或別一史官，或散佚難討，均未可知，無他義也。」收入林慶彰主編：《姚際恆著作集》（臺北：中央研究院中國文哲研究所，1994年），第4冊，卷1，頁130。

9　隱公元年《左傳》：「惠公元妃孟子。孟子卒，繼室以聲子，生隱公。宋武公生仲子。仲子生而有文在其手，曰『為魯夫人』，故仲子歸于我。生桓公而惠公薨；是以隱公立而奉之。……元年春，王周正月。不書即位，攝也。」（《左傳正義》，卷2，頁2上-13下）

> 夫之不能相幼君也，故凡隱之立，為桓立也。」「隱長又賢，
> 何以不宜立？」「立適以長不以賢，立子以貴不以長。」（《公
> 羊注疏》，卷1，頁9上-12上）

《公羊傳》以為隱公「賢且能讓」，故《春秋》加以褒揚。《穀梁傳》
則以為隱公並不值得褒揚，隱元年《穀梁傳》說：

> 「公何以不言即位？」「成公志也。」「焉成之？」「言君之不
> 取為公也。」「君之不取為公，何也？」「將以讓桓也。」「讓
> 桓也[10]乎？」曰：「不正。」「《春秋》成人之美，不成人之
> 惡，隱不正，不[11]成之何也？」「將以惡桓也。」「其惡桓何
> 也？」「隱將讓而桓弒之，則桓惡矣。桓弒而隱讓，則隱善
> 矣。」「善，則其不正焉何也？」「《春秋》貴義而不貴惠，信
> 道而不信邪。孝子揚父之美，不揚父之惡。先君之欲與桓，非
> 正也，邪也。雖然，既勝其邪心以與隱矣，己探先君之邪志而
> 遂以與桓，則是成父之惡也。兄弟，天倫也。為子，受之父；
> 為諸侯，受之君。己廢天倫，而忘君父，以行小惠，曰小道
> 也。若隱者，可謂輕千乘之國；蹈道，則未也。」（《穀梁注
> 疏》，卷1，頁2上-3上）

《穀梁》認為隱公雖有讓位賢行，卻反而彰顯父惡；至於桓公之殺
兄，更是罪大惡極，桓元年《穀梁春秋》僅作「元年春王」，《穀梁
傳》釋之曰：

---

10 「也」當作「正」。
11 「不」當作「而」。

「桓無王，其曰王，何也？」「謹始也。」「其曰無王，何也？」「桓，弟弒兄，臣弒君。天子不能定，諸侯不能救，百姓不能去，以為無王之道，遂可以至焉爾。元年有王，所以治桓也。」(《穀梁注疏》，卷3，頁1)

認為隱、桓二公都該貶抑。

　　無論是《左傳》的「攝位」，或《公羊》以「善善」說解釋《春秋經》之褒揚隱公，或《穀梁》以「惡惡」說貶抑隱公，三者皆非專為解釋《春秋》始於魯隱公而發。不過漢唐以下，《春秋》之始年及其意義，則成為經學史上的一大論題。茲就粗略翻檢所得，大致分為五類，並約略省察各家之說。

（一）「魯隱公賢且讓，故《春秋》始於隱公」說

　　此說創自杜預《春秋經傳集解·序》，文見本文〈一〉，後世亦有類似之說，如日人安井衡：

> 或曰：「惠既立桓為大子矣，而隱自立為君，雖則云『攝』，蓋亦篡耳，《春秋》何以賢之？」曰：「桓年雖不可的知，然即位三年，始娶於齊，則此時蓋不過二、三歲；隱恐其危社稷，故攝立而奉之。十一年《傳》：『公曰：「為其少也，吾將授之矣，使營菟裘，吾將老焉。」』是其志與周公於成王同，《春秋》所以賢之也。」[12]

此說歷來批評者極多，如宋儒劉敞《春秋權衡》便說：

---

12 〔日〕安井衡：《左傳輯釋》（臺北：廣文書局，1967年），卷1，頁2上。

又曰:「《春秋》何以始乎魯隱公?」……又曰:「魯隱公,讓國之賢君也。」「非也,如《左氏》所說,則隱賤桓貴。桓貴當立,而隱不能奉之以立;而己篡其位,雖為讓言,誰知其心哉?此桓公所以疑而殺之,乃非弒君也。……且讓非隱公所得名也,所謂讓者,謂其推己之有以與人也,不謂其奪人之有以與人也。……」[13]

劉氏謂隱公不僅不得稱「讓」,更有「篡位」之嫌。宋儒家鉉翁則以為隱公不當讓而讓,稱不上「賢」:

讓雖美德,隱公不當讓而讓,以此召亂,非聖門之所深取。[14]

此說關鍵在隱公是否為「攝位」,是否有「讓位」之意。這兩個問題,歷來爭議不休,歐陽脩甚至以為《春秋》既稱隱公為「公」,則非「攝」可知,三《傳》說隱公欲「讓」錯誤而不可信;[15]但是否稱「公」便不是「攝」,則很難無異說,[16]故此說是否得實,亦難確說。

---

13 〔宋〕劉敞:《春秋權衡》,《通志堂經解》(臺北:漢京文化出版公司影印鍾謙鈞重刊本,1979年),第19冊,卷1,頁2。

14 〔宋〕家鉉翁:《春秋集傳詳說》,《通志堂經解》,第24冊,〈春秋集傳詳說綱領〉「原春秋託始上」,頁1上。

15 〔宋〕歐陽脩:〈春秋論〉上、中,見《居士集》卷18,頁305-308。文長不錄。

16 如周公之「踐阼」是否為「攝位」便曾引發學界爭論,屈萬里先生主張踐阼乃攝位,徐復觀先生則認為踐阼即稱王。說見徐復觀:〈與陳夢家屈萬里兩先生商討周公旦曾否踐阼稱王的問題〉、〈有關周公踐阼稱王問題的申復〉,並收入《兩漢思想史(一)》(原名《周秦漢政治社會結構之研究》,臺北:臺灣學生書局,1978年),頁420-480;屈萬里:〈關於所謂周公旦「踐阼稱王」問題敬復徐復觀先生〉,《屈萬里先生文存》第2冊,收入《屈萬里先生全集》(臺北:聯經出版事業公司,1985年),第17冊,頁621-647。

（二）「魯桓弒隱公，《春秋》乃為惡桓而作」說

此說乃由《穀梁》之說脫胎而來，以為《春秋》並非為魯隱公而作，而是為誅貶魯桓公弒兄的奸慝行為而作。宋儒王皙《春秋皇綱論》說：

> 仲尼約魯史，修《春秋》，推原堯舜之事，以明亂世之奸慝焉。噫！道德之美，莫過於堯舜之禪讓；人倫之惡，無大於世子之弒其君。今隱公欲讓桓位，是踰父子之親也；而桓公遂弒君兄，是滅臣子之理也，則與世子之弒其君者罪惡鈞矣。是桓公者，固天下之大戮也。故《春秋》獨於桓公不書王，見桓公之無君，王室之無政也。然則不書王之義，特為桓而發也，罪桓之由，特為隱而起也。故《春秋》所以始於隱者，此故也。或曰：「如是，則盍始於桓邪？」曰：「若以桓為始，則不見隱公讓桓之志也；不見隱公讓桓之志，則罪桓之心不切也，又不見隱公不書葬之事也，又不見桓公汲汲君位之意也。」[17]

清儒陳澧《東塾讀書記》也說：

> 其始於隱、桓，何也？春秋之前，魯幽公之弟魏公，弒幽公而自立；懿公之兄子伯御，弒懿公而自立。《春秋》不始於彼者，周宣王伐魯，殺伯御而立孝公，是時天子尚能治亂賊也。至隱公為桓公所弒，天子不能治之，此則孔子懼而作《春秋》也。《穀梁》隱元年《傳》云：「『公何以不言即位？』『成公志

---

[17] 〔宋〕王皙：《春秋皇綱論》，《通志堂經解》，第19冊，卷1，「始隱」條，頁5下-6下。

也，……將以讓桓也。』『讓桓，正乎？』曰：『不正。……隱
不正而成之，何也？』『將以惡桓也。』」桓元年《傳》云：
「桓，弟弒兄，臣弒君，天子不能定，諸侯不能救，百姓不能
去，以為無王之道，遂可以至焉爾。元年有王，所以治桓
也。」然則《春秋》始於隱、桓，為惡桓弒隱，而孔子以王法
治之，大義昭然矣。[18]

此說就「魯史春秋」之作而言甚有道理，其問題在《春秋》應非止於
魯國史，周王朝與他國尚有與魯桓弒君相似之事，不應止於為桓公弒
兄之惡而發，否則《春秋》之意豈非小哉？

（三）「周平王終於魯隱公時，故《春秋》始於隱公」說

此說以為平王東遷，終其身不能復興王業，孔子感發而作《春
秋》，因平王之卒正當隱公之初，[19]遂託始焉。宋儒程頤《春秋傳》卷
首即云：

「春秋」，魯史記之名也。夫子之道既不行於天下，於是因
《魯春秋》立百王不易之大法。平王東遷，在位五十一年，卒
不能復興先王之業，王道絕矣。《孟子》曰：「王者之迹熄而
《詩》亡，《詩》亡然後《春秋》作。」適當隱公之初，故始
於隱公。[20]

---

18 〔清〕陳澧：《東塾讀書記》（北京：生活・讀書・新知三聯書店，1998年），卷
   10，「春秋三傳」條，頁184。

19 周平王卒於五十一年，當魯隱公三年，西元前720。

20 〔宋〕程顥、〔宋〕程頤著，〔朝鮮〕宋時烈分類重編，〔韓〕徐大源校勘標點：《程
   書分類》（上海：上海辭書出版社，2006年），卷4，「春秋」條，頁133。

宋儒孫復《春秋尊王發微》亦云：

> 孔子之作《春秋》也，以天下無王而作也，非為隱公而作也。
> 然則《春秋》之始于隱公者非他，以平王之所終也。何者？昔
> 者幽王遇禍，平王東遷。平既不王，周道絕矣。觀夫東遷之
> 後，周室微弱，諸侯強大，朝覲之禮不修，貢賦之職不奉，號
> 令之無所束，賞罰之無所加。壞法易紀者有之，變禮亂樂者有
> 之，弒君戕父者有之，攘國竊號者有之。征伐四出，蕩然莫
> 禁。天下之政，中國之事，皆諸侯分裂之。平王庸暗，歷孝逾
> 惠，莫能中興，播蕩陵遲，逮隱而死。夫生猶有可待也，死則
> 何所為哉！故《詩》自〈黍離〉而降，《書》自〈文侯之命〉
> 而絕，《春秋》自隱公而始也。……《春秋》自隱公而始者，
> 天下無復有王也。[21]

宋儒呂大圭《春秋或問》也說：

> 或問：「《春秋》何為始於隱公？」曰：「隱公元年，平王之四
> 十九年也。」「周之東遷，非平王之為乎？」「此一時也，固世
> 道升降之一會也：自是而上進，進而升，則其極也，為成、
> 康，為文、武；由是而下騖，騖而降，則其極也，為戰國，為
> 暴秦。世道升降之會，決於此時矣。是以聖人望焉；望之而不
> 足以副吾望也，則深悲之，思昔蒼籙，肇基文、武、成、康，
> 艱難積累以立其國，惻怛忠厚以字其民，德澤浹洽，法度詳
> 明。蓋至於王道浸衰之時，而所以淪浹斯民之心，維持社稷之

21　〔宋〕孫復：《春秋尊王發微》，《通志堂經解》，第19冊，卷1，頁1。

脉者，猶有所恃也：屬雖板蕩，而宣輒中興，幽雖暴虐，而朝廷不替。朝事不幸而犬戎作難，國家陵遲，至於東遷，極矣。然使其時有興衰撥亂之君，勵復中興之志，則澗洛之周尚可以退而為豐鎬之周也。今平王即位已久，至於四十九年而不克自立，則亦無可望矣。此聖人之所深悲而修《春秋》之所從始歟？故嘗謂《書》之末，《春秋》之始也。聖人定《書》，至於〈文侯之命〉而止，……正傷其不能復興王業也。是故《書》至於是而止焉。《書》止於〈文侯之命〉，是平王之初年也；《春秋》始於隱公之元年，是平王之末年也。然則平王之一身固《書》、《春秋》之所為終始歟！」[22]

呂氏謂終平王之身不能復興周室，故孔子託始於魯隱公以為襃貶。宋儒呂祖謙亦謂：

天子之視諸侯，猶諸侯之視大夫也。季氏之於魯，如二君矣，而世不並稱之曰「魯季」；陳氏之於齊，如二君矣，而世不並稱之曰「齊陳」。蓋季氏雖強，猶魯之季氏也；陳氏雖強，猶齊之陳氏也。烏可以君臣並稱而亂其分乎？周，天子也；鄭，諸侯也，左氏敘平王、莊公之事，始以為周鄭交質，終以為周鄭交惡。並稱「周鄭」，無尊卑之辨。不責鄭之叛周，而責周之欺鄭，左氏之罪亦大矣。吾以為左氏信有罪，周亦不能無罪焉。周之東遷也，鄭伯入為卿士，君臣之分猶在也。君之於臣，見賢則用之，見不賢則去之，復何所隱哉？平王欲退鄭伯而不敢退，欲進虢公而不敢進。巽懦暗弱，反為虛言以欺其

---

22 〔宋〕呂大圭：《春秋或問》，《通志堂經解》，第23冊，卷1，「隱公」條，頁6上-7上。

臣，固已失天子之體矣。又其甚，至於與鄭交質。交質，鄰國之事也。今周降其尊，而下質於鄭，鄭忘其卑，而上質於周。其勢均，其體敵，尊卑之分蕩然矣。未交質之前，周為天子，鄭為諸侯；既交質之後，周與鄭等諸侯耳。然亦何所憚哉？溫之麥、洛之禾，宜其稛載而不顧也。向若平王始惡鄭伯而亟黜之，鄭雖跋扈，不過一叛臣耳，吾天子之尊猶自若也。茍與之質，是自處以列國，而不敢以天子自處矣。鄭人之心，以謂彼之子來質於我，我之子往質於彼，見其與吾同，而不見其與吾異。歲推月移，豈知周之為君哉？一旦用兵而不忌，非諸侯之叛天子也，是諸侯之攻諸侯也。使周素以天子自處至尊至嚴之分，鄭遽敢犯乎？惟周以列國自處，故鄭以列國待之，天下亦以列國待之，左氏亦以列國待之。周不自伐，鄭必未敢伐之也。周不自卑，人必未敢卑之也。無王之罪，左氏固不得辭，周亦分受其責可也。雖然，左氏所載君子之言，固出於左氏之筆，然亦推本當時君子之論也。其論周鄭，概謂之二國而無所輕重。是當時之所謂君子者，舉不知有王室矣。戎狄不知有王，未足憂也；盜賊不知有王，未足憂也；諸侯不知有王，未足憂也。至於名為君子者，亦不知有王，則普天之下知有王室者其誰乎？此孔子所以憂也，此《春秋》所以作也，此《春秋》所以始於平王也。[23]

呂東萊由周自降身分與鄭交質，又出兵伐鄭，自取其辱，謂孔子《春秋》之作正在於憂周之自卑。宋儒趙鵬飛《春秋經筌》也說：

---

23 〔宋〕呂祖謙：《足本東萊左氏博議》（臺北：廣文書局影印清光緒十四年〔1888〕錢塘瞿氏校刊足本，1973年），卷1，「周鄭交惡」條，頁4下-6上。

夫子嘗曰：「如有用我者，吾其為東周乎！」蓋將興西周矣。興西周之志不得行於時，而寓於《春秋》，故曰「知我者其惟《春秋》，罪我者其惟《春秋》」，則《春秋》者，中興周室之書也。然則不始於孝，不始於惠，而始於隱，何哉？蓋《春秋》之作，為周也，非為魯也。當孝公之時，平王之初也，庸詎知平王不能興衰撥亂而為西周之宣王乎？初則怠矣；迄惠公之世，平王之中也，庸詎知平王不能勵精改圖，振刷羣弊，卓為賢主，如商之太甲乎？中亦懈矣；初怠中懈，則興西周之業尚何望哉？至隱公之世，則平王之末年也。平王之末，政愈不綱，而天下之亂有加於前，而中興無其人矣。夫子於是憫悼衰世而作《春秋》。《春秋》修中興之教也，故始於隱。非始乎隱，始乎平王之末也，謂周室至是不可不中興矣。諸儒不探夫子之志，妄指一事以為《春秋》之始，是待聖人以不廣也，學者無取焉。[24]

趙氏責人不能「探夫子之志」，但夫子生在平王之後二百年，於平王之不能中興，早已知之，何須待其末年始徹底失望而深責之？既謂周室至此不可不中興矣，則何以託始於與周無涉的魯隱公？清儒姚際恆便曾對此提出質疑：

或以平王為言。魯史無與周事；且何不托始于東遷之時，而托始于其末年乎？[25]

可見孔子若真有感於平王之無法振興王業，欲藉《春秋》以立萬世

24 〔宋〕趙鵬飛：《春秋經筌》，《通志堂經解》，第20冊，卷1，「始隱」條，頁1。
25 〔清〕姚際恆：《春秋通論》，卷1，頁13。

法，自當以平王為紀年，或者至少也應上推至平王初年的魯惠公。宋儒劉敞《春秋權衡》即曾提出質疑：

> 又曰：「《春秋》何以始乎魯隱公？」曰：「周平王，東周之始王也。」「非也，魯惠公亦即位在周平王之初，何不始于惠公乎？」[26]

清儒徐廷垣《春秋管窺》也說：

> 始於隱元年者，以平王東遷，不能振興厥緒；下陵上替，王室日卑。聖人憂紀綱法度漸至泯滅，故取魯史舊文，裁成筆削，寓周公之典禮為一代之憲章。而隱公元年當平王之末，正王者之迹熄，而《詩》亡時也，故於此託始焉。[27]

此說最大問題在與平王同時的魯君乃隱公之父惠公，《春秋》何以不始於與周平王時代更相當之惠公，而此說之解釋又無法讓人滿意。前文〈一〉曾引毛奇齡的批評，可見《春秋》之始於魯隱公，應不只是消極的因其時代恰為周平王末年而已。不過此說雖不能盡愜人意，但其指出平王時代已面臨王綱解紐、法紀蕩然、人倫喪失的現象，則極具見地，說詳下文〈三〉。

（四）「《春秋》始於周桓王，故託始於魯隱公」說

相對於周平王末年乃魯隱公初年，故《春秋》託始於隱公說，又

26 〔宋〕劉敞：《春秋權衡》，卷1，頁2上。
27 〔清〕徐廷垣：《春秋管窺》，《文淵閣四庫全書》（臺北：臺灣商務印書館，1983年），經部第176冊，卷1，頁1下-2上。

有魯隱公與周桓王時代相當之說，宋儒陳傅良《春秋後傳》說：

> 《春秋》非始於平王，始於桓王也。平王東遷，衛、鄭二武入
> 相於周，詩人為之賦〈淇奧〉、〈緇衣〉，凡伯、仍叔、家父皆
> 〈大雅〉舊人也，故五十餘年東諸侯無他故，而秦亦列於〈國
> 風〉。當是時，魯隱之奉其弟軌、宋穆之舍其子馮，諸侯猶有
> 讓千乘之國者也；衛石碏之討州吁、晉九宗五正嘉父之納鄂
> 侯、宋孔父之死于殤公，臣子猶知尊君親上也。……鄭莊公為
> 卿士，王貳于虢，於是周、鄭交惡。隱之三年，平王崩，桓王
> 即位。四年而鄭始朝，身為卿士，而有志於叛王，糾合諸侯，
> 於是入郕，又入許，釋泰山之祀，首為參盟，成宋亂矣。桓不
> 勝忿，自將以伐鄭，繻葛之敗，彝倫攸斁，《春秋》所以作
> 也。是故克段于鄢、盟于石門、來歸祊、來渝平、鄭伯伐取
> 之、以璧假許田、齊侯鄭伯如紀。終莊公之篇皆特筆也，《春
> 秋》數致意焉，則是作《經》之始也。夫子論六經，系〈文侯
> 之命〉於西周之末，託《春秋》之始於隱公，著其世次，以傷
> 周之不競，故曰：「如有用我者，吾其為東周乎！」撥亂世，
> 反之正，則其志誠在《春秋》也。[28]

陳氏指出《春秋》對鄭莊公叛王、抗王、思霸的特筆，極具見地；但
若如其說，則《春秋》何不始於周桓王？因之此說終不能盡愜人意。
孔子以魯隱公為始，除著眼於鄭莊公的敢於對抗周桓王外，應還有其
他用意。家鉉翁《春秋集傳詳說》便說：

28　〔宋〕陳傅良：《春秋後傳》，《通志堂經解》，第21冊，卷1，「隱公」條，頁1上-2
　　上。

平王東遷，在魯孝公之季年，歷孝踰惠，至於隱而《春秋》始作，其故何歟？曰：是其為說多矣。……或又以為《春秋》為桓王而始，不為平王。愚以當時之事而觀，是數說猶未能盡得聖人之意。……以為為桓不為平，尤非確論。蓋《春秋》之作，所以垂王法於後代，明君臣之分，正亂賊之誅，乃王法之大者，是故《春秋》以此始。魯自隱公而降，臣弒其君，弟弒其兄，妻賊其夫，篡弒之事，比世四見，聖人為此隱憂，故因魯史而修《春秋》，首正王法於亂賊。孟子知之，故其言曰「《春秋》成而亂臣賊子懼」，此聖人託始於隱公意也。[29]

家氏對《春秋》何以託始於隱公雖未有明瞭的解釋，但以為《春秋》不止於周桓王之事，則通達有見。

（五）「《春秋》取法天地四時十二月之數」說

此說出自宋儒葉夢得：

《春秋》何始乎隱公？王政不行，而王法絕也。……隱公之始，平王之末也，而惠公先焉，何以不始於惠公而始隱公？是《春秋》之義也。天者，能生殺萬物者也；天子者，繼天以取法者也；《春秋》者，代天子以行法者也。天道運於四時，布於十有二月，備於三百有六十日。周公達而在上，故佐天子者，列天地四時以為之職而作《周官》，設其屬三百有六十以當朞之日，而取法者顯矣。孔子窮而在下，故代天子者，具四時以為年而作《春秋》，斷自隱公，為十有二公以當月之數，

---

29 〔宋〕家鉉翁：《春秋集傳詳說》，〈春秋集傳詳說綱領〉「原春秋託始上」，頁1。

而行法者著矣。[30]

《周官》非周公手著，乃今日常識，葉氏之穿鑿自不待辯而明；況且
孔子若真欲取法四時十二月，則《春秋》起自惠公，或更早之孝公，
或較晚的桓公，又有何不可？諸說中以此說最難令人信服。

三　由史實論《春秋》始於魯隱公的可能意義

《論語・季氏》載孔子之言云：

> 天下有道，則禮樂征伐自天子出；天下無道，則禮樂征伐自諸
> 侯出。自諸侯出，蓋十世希不失矣；自大夫出，五世希不失
> 矣；陪臣執國命，三世希不失矣。天下有道，則政不在大夫。
> 天下有道，則庶人不議。(《論語注疏》，卷16，頁4)

就周王室而言，平王東遷之後，正是「天下無道」，五霸迭興，「禮樂
征伐自諸侯出」的時代，故《春秋》始於周平王可說「名正言順」。
但《春秋》卻不始於周平王，而始於魯隱公，其意義自有討論空間。
歐陽脩〈春秋或問〉有云：

> 或問：「《春秋》何為始於隱公而終於獲麟？」曰：「吾不知
> 也。」問者曰：「此學者之所盡心焉，不知，何也？」曰：
> 「《春秋》起止，吾所知也；子所問者，終始之義，吾不知
> 也。吾無所用心乎此。昔者，孔子仕於魯；不用，去之諸侯；

---

30 〔宋〕葉夢得：《石林春秋傳》，《通志堂經解》，第21冊，卷1，「隱公一」條，頁1。

又不用，困而歸；且老，始著書。得《詩》，自〈關雎〉至於〈魯頌〉；得《書》，自〈堯典〉至於〈費誓〉；得《魯史記》，自隱公至於獲麟，遂刪修之。其前遠矣，聖人著書，足以法世而已，不窮遠之難明也，故據其所得而修之。孔子非史官也，不常職乎史，故盡其所得修之而止耳。魯之《史記》則未嘗止也，今《左氏經》可見矣。」曰：「然則始終無義乎？」曰：「義在《春秋》，不在起止。《春秋》謹一言而信萬世者也。予厭眾說之亂《春秋》者也。」[31]

歐公以為孔子義在《春秋》，可謂通達；但謂孔子編修《詩》、《書》、《春秋》皆一仍舊文，全無別擇之力、寄託深旨，則難令人信服。古人修史，多於首篇寓其深意，相傳《尚書》由孔子編定，首篇即為〈堯典〉；司馬遷撰作《史記》，更以繼承《春秋》為職志，其本紀首〈五帝〉，世家首〈吳太伯〉，列傳首〈伯夷〉，其寄託之深義，前人已多有闡明；[32]若謂孔子修《春秋》以寄託其深沉旨意，而其始於魯隱公僅因適巧隱公以前史料殘闕，不得不如此；甚或純出偶然，如歐陽脩、毛奇齡、江永等人之說，其誰能信？茲略據前節所引各說，參以己意，引證史實，不避穿鑿附會之譏、過度詮釋之嫌，試探《春秋》始於魯隱公的可能意義。

《春秋》雖始於魯隱公，但並非魯一國之史而已，而是列國全史，故而探討《春秋》起始之義，不能僅著眼於魯，更不能止於隱公一人，而須由當時列國，尤其是天子權位之陵替，諸侯、大夫權勢之

---

31 〔宋〕歐陽脩：《居士集》，卷18，頁310-311。

32 如明楊慎云：「《尚書》首〈堯典〉、〈舜典〉，《春秋》首隱公，世家首〈太伯〉，列傳首〈伯夷〉：貴讓也。」見〔明〕凌稚隆輯校，〔明〕李光縉增補，〔日〕有井範平補標：《史記評林》（臺北：蘭臺書局，1968年），卷31，〈吳太伯世家第一〉，頁1上。

高漲作全盤之檢視，始有可能抉發《春秋》始年的意蘊與寄託。宋儒
胡安國《春秋胡氏傳》有謂：

> 逮魯孝公之末，幽王已為戎所斃。惠公初年，周既東矣。《春
> 秋》不作於孝公、惠公者，東遷之始，流風遺俗猶有存者：鄭
> 武公入為司徒，善於其職，則猶用賢也；晉侯捍王于艱，錫之
> 秬鬯，則猶有誥命也；王曰「其歸視爾師」，則諸侯猶來朝
> 也；義和之斃，諡為文侯，則列國猶有請也。及平王在位日久，
> 不能自強於政治，……；至其晚年，失道滋甚，乃以天王之尊，
> 下賜諸侯之妾，於是三綱淪、九法斁、人望絕矣。……《春秋》
> 於此蓋有不得已焉爾矣，託始乎隱，不亦深切著明也哉！[33]

胡氏解《春秋》雖常不免穿鑿之病，於此則能由東周史實與《春秋》
之寄託著眼，頗見深意。

司馬遷《史記・周本紀》綜述東周初年局勢云：

> 平王之時，周室衰微，諸侯彊并弱，齊、楚、秦、晉始大，政
> 由方伯。（《史記會注考證》，卷4，頁66）

平王末年，秦、晉、齊、楚代興：秦襄公因護送平王有功，因得岐西
之地，起於西方；晉文侯護王東遷，平王賜以〈文侯之命〉，命為侯
伯；齊莊公、僖公小伯；楚蚡冒始有濮地。此外，宋、鄭也都有圖霸

---

33 〔宋〕胡安國：《春秋胡氏傳》（上海：商務印書館《四部叢刊續編》影印常熟瞿氏
鐵琴銅劍樓藏宋刊本，1934年），卷1，「隱公上」，頁1。王夫之《春秋世論》則以
為託始於周桓王（桓王元年即魯隱公四年）。

之意，而魯、衛則內亂頻生，周王朝更是內憂外患更迭而至。

　　魯隱公在位十一年，魯桓公在位十八年。茲據《春秋》所記，輔以三《傳》、《國語》、《古本竹書紀年》及《史記》所載，[34]並參酌今人研究成果，將此三十年間，列國發生的大事分國概述於後，並略作析釋，由「史實」視角探討《春秋》始於魯隱公的可能意蘊。

（一）周

1　周、鄭由交惡而交戰

　　鄭莊公原為平王卿士，[35]因鄭國國勢逐漸強盛，平王乃分權於虢，鄭莊怒王，王不敢承認。平王五十一年（魯隱三年，西元前720）周、鄭遂互換人質。桓王即位（魯隱公四年），欲以虢公為卿士，鄭祭仲遂帥師割取溫之麥與成周之禾，以為要脅，史稱「周鄭交惡」。桓王三年（魯隱六年，西元前717），鄭莊公來朝，王不禮。五年（魯隱八年，西元前715），桓王命虢公為右卿士，以分鄭莊之權。八年（魯隱十一年，西元前712），桓王向鄭取得鄔、劉、蔿、邘等土田，而將原本屬蘇忿生的兩塊土田送予鄭國。十三年（魯桓五年，西元前707），桓王奪鄭莊之權，鄭莊遂不朝王；秋，桓王親帥周、蔡、衛、陳之師共伐鄭；桓王自將中軍，與鄭戰於繻葛；鄭祝聃射中王肩，王師大敗，史稱「繻葛之戰」。

34　為免繁瑣，不一一註明出處。

35　甲骨文有「卿史」，晚商及西周金文有「卿事」，傳世文獻均作「卿士」。《說文解字》：「士，事也。」（〔清〕段玉裁：《說文解字注》〔臺北：藝文印書館影印清嘉慶戊辰（1808）經韵樓藏版，1974年〕，1篇上，頁39下）羅振玉《殷虛書契考釋》以為「卿事即卿士」（羅振玉：《殷虛書契考釋》〔臺北：藝文印書館，1969年〕，卷下，〈禮制弟七〉，頁63上）。隱公三年《左傳》杜注：「卿士，王卿之執政者。」（《左傳正義》，卷3，頁5下）

　　此一事件，桓王的所作所為與處理方式雖均欠妥當；但鄭莊膽敢犯君臣上下之分，且用兵於王室，則為前所未見。而桓王發動此次戰役，本擬結合諸侯之力，透過天子親征，以壓制鄭國日益高漲的聲勢，恢復天子日漸衰頹的威權，未料結果如此不堪。自此周王威信掃地，不再具有天下共主之威，「禮樂征伐自天子出」的時代結束，「禮樂征伐自諸侯出」的時代正式來臨。

2 介入晉國內亂

　　晉國的大小宗之爭，跨越西周與東周，時間長達六十七年，[36]波及的國家有鄭、邢、荀、董、虢、芮、梁、賈八國，甚至連王室也牽連在內，其中是非雖難一言而盡，但桓王在曲沃莊伯伐翼時，竟派二位大夫幫助小宗攻打大宗，使晉君戰敗出奔，而得到的結果卻是「曲沃叛王」，此後周王朝更多次介入晉與曲沃之戰，但最後並無法保住晉國大宗的君位（說詳下文「（八）晉」）。

　　此一事件，一般並未由周王朝的角度加以衡量；但此事一則顯示周王朝已無能力調解諸侯國的內亂，反映了王權的衰落實況；再則周王朝本身實不應自失立場，幫助小宗攻打大宗，難怪王朝本身不久也發生了爭位之亂。

3 王室之亂

　　莊王三年（魯桓十八年，西元前694）周公黑肩擬殺莊王而改立王子克；大夫辛伯告知莊王，莊王遂與辛伯合力殺害周公，王子克出奔燕，史稱「王子克之亂」。此後王室一再發生內亂，計有「王子頹

---

36 可參拙作：《晉文公復國定霸考》（臺北：國立臺灣大學文史叢刊之78，1988年），第一章第一節之「貳、曲沃併晉始末」，頁35-38。

之亂」、「王子帶之亂」、「王子朝之亂」等，而「王子克之亂」正是周室內亂的開端與警訊。

（二）魯

1 結黨會盟，屢興戰端

春秋初年，中原地區諸侯，大致分為兩大集團：東為鄭、魯、齊三國，屬橫的聯合；西為宋、衛、陳、蔡四國，屬縱的聯合。此時的魯國，國力頗強，成為鄭國拉攏的對象，於是魯國屢次參與會盟，介入各國間的征戰與君位廢立。

關於會盟、結盟，[37]如：隱公元年（西元前722）三月，公與邾儀父盟於蔑；九月，與宋盟於宿。二年（西元前721）春，魯隱會戎於潛；八月，與戎盟于唐；十月，魯、莒修好，紀子、莒子盟于密。六年（西元前717）五月，魯隱與齊僖盟於艾，乃春秋魯、齊結盟之始。七年（西元前716）夏，齊僖使其弟來聘，以結艾盟。八年（西元前715）九月，魯隱與莒盟於紀邑浮來，以求魯、紀之好。桓公甫即位（元年，西元前711），即修好於鄭；四月，魯桓、鄭莊盟於越。二年（西元前710）九月，魯、戎盟於唐。三年（西元前709）夏，魯桓會杞侯於郕，杞求和之故。十二年（西元前700）夏，魯桓與杞侯、莒子盟於曲池，以和杞、莒。十四年（西元前698）春，魯桓會鄭厲於曹；夏，鄭厲遣其弟至魯結盟修好。十七年（西元前695）春，魯桓與齊襄、紀侯盟於黃，以和齊、紀，並共謀伐衛；又與邾儀父盟於趡。

關於征戰與君位廢立，如：隱公四年（西元前719）春，衛州吁

---

37 以下所述諸事皆據《春秋》、《左傳》，為免繁瑣，不一一註明。

弒其君自立，並請宋共伐鄭，於是魯會同宋、陳、蔡伐鄭。同年秋，魯大夫公子翬會同衛、宋、陳、蔡共伐鄭。七年（西元前716）秋，為討好宋，魯隱伐邾。九年（西元前714）宋殤不朝王，鄭莊為周左卿士，以王命討宋；秋，鄭莊以王命告魯伐宋；冬，魯隱會齊僖於防，共謀伐宋。十年（西元前713）春，魯隱與齊僖、鄭莊會於中丘，結軍事同盟，剋日伐宋；夏，大夫公子翬於約定日期之前，先會同齊僖、鄭莊伐宋；六月，魯隱與齊僖、鄭莊會於老桃，敗宋師於菅，鄭師入郜，又入防，並將兩地送予魯國。十一年（西元前712）夏，魯隱、鄭莊會於郲，謀伐許；秋七月，魯隱會合齊僖、鄭莊攻許，入許，許莊公出奔衛。齊僖擬將許送予魯，魯隱不受，於是送鄭。桓公二年（西元前710）春，宋華督弒其君，三月，魯桓接受華督郜大鼎的賄賂，會同鄭莊、齊僖、陳桓以助成華督之亂。秋七月，杞侯來朝，不敬；九月，入杞，討不敬。十年（西元前702）冬，齊、衛、鄭三國聯軍攻魯，戰於郎。十二年（西元前700）魯桓欲媾和宋、鄭，秋七月，魯桓會同宋莊、南燕君盟於穀丘；宋莊拒絕媾和，魯桓遂與鄭盟於武父，盟後即率師伐宋。十三年（西元前699）春二月，魯桓會紀侯、鄭厲，三國聯軍與齊、宋、衛、燕四國聯軍交戰，敗之。十五年（西元前697）鄭祭仲專擅；夏，鄭厲出奔蔡；冬，魯桓會同宋莊、衛惠、陳莊，謀伐鄭以入鄭厲，弗克而還。同年六月，許叔入許；魯桓會齊襄於艾，謀定許。十六年（西元前696）春，魯桓會宋莊、蔡桓、衛惠於曹，謀伐鄭；夏四月，伐鄭。十七年（西元前695）春，魯桓與邾儀父盟於趡；夏，齊侵魯疆，齊、魯戰於奚；秋，屈從於宋之意願，背盟伐邾。

由上所述，可見這真是《論語》所謂「禮樂征伐自諸侯出」時代的來臨，魯國雖未必為主其事者，但幾乎無役不與；甚至接受宋大夫

華督的賄賂，助成弒君之亂。禮樂文化之國竟一至於斯！

其次，隱公八年宋、齊、衛三國之君的會盟，乃春秋參盟之始，[38]有參盟則有盟主，於是「霸主」的政治型態逐漸成型，開啟春秋「尊王攘夷」的時代風氣，宋儒黃震即說：

> 齊侯為鄭平宋、衛，故盟諸侯，參盟始此。有參盟則有盟主，而伯之漸萌矣。[39]

促成此次參盟行動的正是魯隱公。吾人固不必以傳統「貴王賤霸」的觀念責備魯隱公；但這種現象是時代的自然反應，孔子既心知之，能不「謹而書之」乎？

2 桓公以弟弒兄

魯隱公乃魯惠公長子，根據三《傳》與《史記・魯世家》記載，隱公有意讓位予其弟桓公，[40]但在未讓位之前便已被大夫公子翬聯合桓公殺害，隱公十一年《左傳》記載事情原委：

> 羽父請殺桓公，將以求太宰。公曰：「為其少故也，吾將授之矣。使營菟裘，吾將老焉。」羽父懼，反譖公于桓公而請弒之。壬辰，羽父使賊弒公于寪氏，立桓公，而討寪氏，有死

---

38 隱八年《春秋》：「秋七月庚午，宋公、齊侯、衛侯盟于瓦屋」，《穀梁傳》云：「『外盟不日，此其日，何也？』『諸侯之參盟於是始，故謹而日之也。』」（《穀梁注疏》，卷2，頁9上）

39 〔宋〕黃震：《黃氏日抄》（京都：中文出版社影印日本立命館大學圖書館藏清乾隆三十二年〔1767〕汪佩鍔校刊本，1979年），卷7，「讀春秋」，頁12上。

40 隱公為惠公長子向無異說，但歷來學者對桓公是否為太子——嫡子——的問題則有不同的意見，茲不詳考。

者。(《左傳正義》,卷4,頁26下-27上)

後人多頌揚隱公能讓,並謂《春秋》因此而始隱,說已見前。但隱公實拙於出處:若真欲讓位,則須清楚表明,使桓公知其心意,庶幾免禍;且對奸慝專擅如公子翬者,不加處置,終致被弒,亦難脫無能之譏。若孔子真有褒揚隱公「能讓」之意,於其行為恐亦未能全然同意。

隱公是否讓國,歷來爭論極多,雖三《傳》、《史記》皆主此說,而反對者仍眾,故尚難定論;但魯桓的弒兄則從未有所爭議。[41]孔子身處號稱「秉禮之國」的魯國,眼見如此不堪之事,若真有所寄託、褒貶,發端於此,誰曰不宜?

(三)鄭

春秋初年,最先圖霸者乃鄭莊公,鄭莊堪稱春秋風氣的始作俑者,其對傳統倫理最大的破壞有二:一為上文提及的與王師對抗並射中王肩,這是對「君臣」觀念的挑戰與破壞;其二為「伐弟囚母」,乃對人倫的嚴重挑戰。

1 伐弟囚母

鄭莊因難產而失寵於其母武姜,其弟叔段得寵,武姜甚至要求武公立段為太子,武公不從;莊公繼位,應武姜之請封段於京;接連拒絕大夫祭仲、子封的諫阻,養成弟惡,在共叔段發動軍事叛變前夕,親自帶兵,一舉將段擊敗於鄢,段奔共,又奔衛,勢力被徹底瓦解。

---

41 顧棟高〈春秋宋鄭交兵表敘〉:「當是時,魯桓、衛惠、鄭厲、宋莊,俱負篡弒大惡,號稱四凶,相與逐利棄信,結黨崇奸,競用干戈,朝盟夕改,生民之塗炭極矣。此春秋之一大變也。」〔清〕顧棟高:《春秋大事表》(臺北:廣學社印書館影印清同治癸酉〔1873〕重雕山東尚志堂藏版,1975年),卷37,頁1上。

鄭莊並將武姜囚禁於城潁，誓言「不及黃泉，勿相見也」，後來接受
潁考叔的勸諫，才掘地將武姜迎出。[42]

鄭莊公克弟囚母的事件，雖則其母武姜與其弟共叔段皆有可議，
但鄭莊的作為亦為前此未見。吾人固然不必如宋人以「誅心」的方式
罪責莊公，[43]但此舉實反映了封建宗法中「親親」等倫理觀念的動搖、
崩解。西周時代極重視孝、悌等倫理，而今與天子同姓的鄭國竟然出
兵攻打親兄弟，並膽敢囚禁親母，若在西周，必被視為罪大惡極。重
視宗法觀念，企圖恢復西周舊制的孔子，面對此事，能不深加誅責？
而此事恰正發生於魯隱公元年，孔子寄託於此，殆有所貶責歟？

2 結黨會盟，企圖稱霸

鄭莊在「安內」後，便將矛頭向外。上文指出，鄭為東方勢力的
領導者，莊公結好魯國，利用齊國，以其「周王卿士」的身分，假借
王命以討「不庭」，攻打西方的宋、衛、陳、蔡。鄭莊三十一年（魯
隱十年，西元前713）春，與魯隱、齊僖會於中丘，結軍事同盟，剋
日伐宋；將取自宋的郜、防送予魯國；秋，又敗宋、衛、蔡三國之
師。三十二年（魯隱十一年，西元前712）夏，會魯隱於郲，謀伐
許；秋七月，鄭莊會合齊僖、魯隱攻許，許莊公出奔衛。魯、齊共將
許讓予鄭國，許國遂亡。三十八年（魯桓六年，西元前706），北戎侵
齊，諸侯救之。鄭使太子忽救齊，敗戎於魯郊，齊僖甚至欲嫁女於鄭
太子以為巴結，可見此時鄭國的地位。春秋初期「鄭莊小霸」的局面

---

42 其詳見隱公元年《左傳》、《史記·鄭世家》。此事前人或亦有為莊公鳴冤者，如顧
棟高，見其〈鄭莊公論〉、〈鄭莊公後論〉、〈鄭莊公第三論〉，皆收入《春秋大事
表》，卷49，頁9上-13下，茲不詳引。

43 呂祖謙《東萊博議》卷一〈鄭莊公共叔段〉、〈潁考叔還武姜〉二文可為代表，參
《足本東萊左氏博議》，卷1，頁1上-4下。

於焉形成。

前文提及魯隱公開啟春秋時代霸主政治型態的風氣,而實際實行霸主掌控政治的人即為鄭莊公。鄭莊對於春秋風氣的形成實有莫大的影響,若要選擇一人來代表《春秋》的開始,鄭莊公無疑是最具代表性的人物:鄭莊為周王卿士,因平王貳於虢而質王子;又因桓王畀虢公政而割取周之穀物;甚至因周王分其卿士權位,不使單獨執政,便不肯朝王,且與王師對抗,並射中王肩。又謂天子不復能巡守,便以祭祀泰山的祊田交換許田:凡此所為皆有虧「臣道」。再就事親而言:不勝其母養成弟惡,至有伐段克鄢之役、城潁及泉之誓,所為既有違「孝道」,又不合「弟道」,直如孟子所言之「亂臣賊子」,謂孔子作《春秋》以寄託其褒貶,實非鄭莊莫屬![44]

3 內亂與鄭霸之衰

鄭國因有雄鷙英主莊公,因此得以有限國力、狹小疆域一度稱霸春秋;但鄭莊卒後,國勢迅即衰弱,也無可避免的發生君位之爭:莊公卒後,宋莊誘執祭仲,祭仲與宋人盟,歸鄭厲而立之,鄭昭遂出奔衛。

鄭厲既為宋所立,宋莊於是屢次向鄭索賂,鄭不堪;鄭厲二年(魯桓十三年,西元前699)春,率領紀、魯之師與齊、宋、衛、燕四國聯軍交戰,敗之。鄭厲三年(魯桓十四年,西元前698)冬,宋率諸侯之師伐鄭,報復上年之戰;鄭敗。鄭厲四年(魯桓十五年,西元前697)祭仲專擅,鄭厲患之,派祭仲婿雍糾殺仲,雍姬告知祭仲,仲殺雍糾;夏,厲公出奔蔡;六月,祭仲迎立鄭昭公;冬,魯桓

---

44 魯隱公元年當鄭莊公之二十二年(西元前722);鄭莊公在位四十三年,卒於魯桓公十一年(西元前701)。

會宋莊、衛惠、陳莊，謀伐鄭以入鄭厲，弗克而還。鄭厲五年（魯桓十六年，西元前696）春，魯桓會宋莊、蔡桓、衛惠於曹，謀伐鄭；夏四月，伐鄭。前此，鄭莊欲以高渠彌為卿；鄭昭惡之，固諫，鄭莊不聽；鄭昭即位，高渠彌畏懼鄭昭殺己，鄭厲六年（魯桓十七年，西元前695）十月，遂弒鄭昭而立公子亹。鄭厲七年（魯桓十八年，西元前694）秋，齊襄出師，至衛地首丘，鄭君亹至首丘會見齊襄，高渠彌為相；七月，齊並殺子亹與高渠彌；祭仲至陳迎鄭昭之弟子儀而立之，鄭二君並立。

鄭國在數年之間一再內亂，終於喪失其「小霸」的優勢，東方的齊國遂乘勢而起。

（四）齊

1 繼鄭而起，莊、僖小霸

前文提及，齊、魯、鄭三國結為同盟，以討伐宋、衛等「不朝天子」、「不奉王命」的西方諸侯；但在鄭莊公時權勢大致由鄭國掌控。鄭莊即世後，鄭國內亂，給予齊國絕佳機會。原本歸附於周王室的盟、向二邑，在由周王送予鄭後，向鄭求和，旋即叛鄭，於是齊、鄭、衛在齊僖二十六年（魯桓七年，西元前705）聯手攻伐盟、向，並迫使周王將二邑人民遷於郟。齊僖二十九年（魯桓十年，西元前702）冬，齊、衛、鄭三國聯軍攻魯，戰於郎。齊僖三十年（魯桓十一年，西元前701）春，調和鄭、宋之爭，與宋、衛、鄭盟於惡曹，隱然有大國之勢。齊襄三年（魯桓十七年，西元前695）春，欲滅紀，紀侯求救於魯，魯桓與齊襄、紀侯會於黃，以和齊、紀；但在齊襄五年（魯莊元年，西元前693）齊仍出兵遷紀郱、鄑、郚三邑之民而奪其地，並在齊襄八年（魯莊四年，西元前690）滅紀。此後齊國又屢屢以武力征伐鄰國，即便五霸之首的齊桓公也不例外。

2 齊襄無道，臣弒其君，兄弟爭立

齊襄公荒淫殘暴，《史記·齊世家》說他「殺誅數不當，淫於婦人，數欺大臣」。[45]齊襄三年（魯桓十七年，西元前695）夏，侵魯，齊、魯戰於奚。齊襄四年（魯桓十八年，西元前694）春，魯桓擬與夫人姜氏如齊修好，大夫申繻勸，不聽。齊襄與其妹文姜早有私通；文姜至齊，二人遂又私通；魯桓斥責文姜，文姜訴諸齊襄，齊襄乃使公子彭生拉殺魯桓於車中。魯國於此竟也無可奈何，只能要求將殺人兇手彭生處死了事。[46]

齊襄的胡作非為，導致齊國政局動盪，人人自危，大夫鮑叔牙遂奉公子小白出奔莒，管仲亦奉公子糾出奔魯。齊襄終於在魯莊八年（西元前686）為連稱、管至父、公孫無知聯手殺害，無知自立為君，翌年無知被殺，齊國陷入內亂，遂發生公子糾與小白爭立的著名史事。

（五）宋

1 結為西黨，企圖稱霸

亡國之後的宋，在春秋初期，結合衛國，以及搖擺不定的陳、蔡，企圖對抗齊、魯、鄭。宋殤元年（魯隱四年，西元前719）春，衛州吁弒其君，州吁請宋共伐鄭，於是衛、宋、陳、蔡共伐鄭。同年秋，魯大夫公子翬又會同宋、衛、陳、蔡共伐鄭，鄭敗。宋殤二年

---

45 《史記會注考證》，卷32，頁16-17。

46 桓十八年《左傳》：「公會齊侯于濼，遂及文姜如齊。齊侯通焉。公謫之。以告。夏四月丙子，享公。使公子彭生乘公，公薨于車。魯人告于齊曰：『寡君畏君之威，不敢寧居，來脩舊好，禮成而不反，無所歸咎，惡於諸侯，請以彭生除之。』齊人殺彭生。」（《左傳正義》，卷7，頁25下-26上）

（魯隱五年，西元前718）九月，宋取邾田，邾請師於鄭，鄭會王師伐宋，入郛；十二月，宋伐鄭，報入郛之役。宋殤五年（魯隱九年，西元前714），不朝王，鄭莊以王命討宋。宋殤六年（魯隱十年，西元前713）春，魯隱、齊僖、鄭莊共伐宋；鄭師入郜，又入防。宋殤七年（魯隱十一年，西元前712）冬十月，鄭莊以虢師伐宋，大敗宋師。宋殤十年（魯桓二年，西元前710）春，華督殺孔父，而奪其妻，並弒殤公，召宋莊於鄭而立之，宋遂親鄭。

宋殤窮兵黷武，十年十一戰，企圖稱霸，卻連連戰敗，且落得被殺的下場，而華督的弒君，則為春秋時列國「臣弒君」再添一事證。

2 廢立他國之君以索賄

鄭莊公卒後，宋莊公誘執鄭祭仲，與之盟，歸鄭厲而立之，企圖加以宰制，並屢次向鄭索賂，鄭不堪其擾，終於宋莊十年（魯桓十三年，西元前699）率領紀、魯之師與齊、宋、衛、燕四國聯軍交戰，宋敗。翌年冬，宋率諸侯之師伐鄭，報復上年之戰，敗鄭。

宋莊綁架、勒索，無所不為，簡直流氓行徑，作為文化古國商朝的後代，其遺風早已不復可見。

（六）衛

1 結為西黨，隨宋起舞

作為周文王之後的衛國，衛武公曾在平王東遷時有護送之功；入春秋後，在政治立場上與宋結為西黨，對抗鄭、齊、魯的東黨。衛桓十三年（魯隱元年，西元前722）鄭公孫滑奔衛，衛為之伐鄭。翌年鄭伐衛，討上年之役。衛宣元年（魯隱五年，西元前718）四月，鄭伐衛，以報東門之役。秋，伐郕，報郕趁衛亂時之侵伐。衛宣四年

（魯隱八年，西元前715）齊僖平宋、衛於鄭；秋，宋、衛、鄭會於溫，盟於鄭之瓦屋，鄭、衛東門之役的仇怨始得以化解。

基本上衛國國勢並不強盛，只是隨著宋國起舞而已，但其內亂則並不下於他國。

2 州吁弒君，兄弟相殘

春秋初年，周的近親衛國也無可避免的發生臣弒其君的慘劇：衛莊公生子完，立為太子；寵姜生州吁，長而好兵，衛莊寵之而弗禁。衛桓立，州吁益驕奢，衛桓黜之。衛桓十六年（魯隱四年，西元前719）春，州吁弒其君，開春秋弒君之首例。公子馮出奔鄭，州吁立。九月，石碏等殺州吁，十二月迎立衛宣公。[47]

衛宣雖親歷州吁之亂，卻未從中得到教訓，引為鑑戒，於是發生了兄弟相殘的人寰慘事：衛宣私通夷姜，生急子，託之於右公子；為急子娶於齊，因其美而自娶之，生壽、朔，將壽託之於左公子；宣姜與朔誣陷急子，衛宣使急子出使齊國，擬使人殺之於道中；壽告急子，勸其逃走，急子不肯；壽灌醉急子，盜其旌旗先行，遂被殺；急子至，請求被殺，遂亦被殺；左、右兩公子於是都怨恨衛惠。衛惠四年（魯桓十六年，西元前696）十一月，左、右兩公子立公子黔牟為

---

47 隱四年《左傳》：「四年春，衛州吁弒桓公而立。……州吁未能和其民，厚問定君於石子。石子曰：『王覲為可。』曰：『何以得覲？』曰：『陳桓公方有寵於王。陳、衛方睦，若朝陳使請，必可得也。』厚從州吁如陳。石碏使告于陳曰：『衛國褊小，老夫耄矣，無能為也。此二人者，實弒寡君，敢即圖之。』陳人執之，而請涖于衛。九月，衛人使右宰醜涖殺州吁于濮。石碏使其宰獳羊肩涖殺石厚于陳。君子曰：『石碏，純臣也。惡州吁而厚與焉。「大義滅親」，其是之謂乎！』衛人逆公子晉于邢。冬十二月宣公即位。書曰：『衛人立晉』，眾也。」（《左傳正義》，卷3，頁15上-18上）

君，衛惠出奔齊。[48]衛惠十一年（魯莊五年，西元前688）冬，魯莊會同齊、宋、陳、蔡伐衛以納衛惠。翌年，衛惠入國，流放公子黔牟，殺左、右公子。衛國內亂至此始得以暫時平定。

短短十三年，衛國接連發生兄弟相殘之事，能不令人慨嘆？

（七）陳

叔殺姪

周室同姓諸侯父子兄弟相殘的慘事一再發生，異姓諸侯也不能免疫。陳桓公三十八年（魯桓五年，西元前707）卒，陳亂，陳桓之弟殺太子而自立。此一亂事，桓五年《春秋》、《左傳》似都有所隱諱而語焉欠詳。[49]據襄廿五年《左傳》載子產的追述，事情原委為：

> （陳）桓公之亂，蔡人欲立其出，我先君（鄭）莊公奉五父而立之，蔡人殺之；我又與蔡人奉戴厲公。（《左傳正義》，卷36，頁12下）

事見桓五年《左傳》：

> 春正月，甲戌、己丑，陳侯鮑卒。再赴也。於是陳亂，文公子

---

48 桓十六年《左傳》：「初，衛宣公烝於夷姜，生急子，屬諸右公子。為之娶於齊，而美，公取之。生壽及朔。屬壽於左公子。夷姜縊。宣姜與公子朔構急子。公使諸齊。使盜待諸莘，將殺之。壽子告之，使行。不可，曰：『棄父之命，惡用子矣？有無父之國則可也。』及行，飲以酒。壽子載其旌以先，盜殺之。急子至，曰：『我之求也，此何罪？請殺我乎！』又殺之。二公子故怨惠公。十一月，左公子洩、右公子職立公子黔牟，惠公奔齊。」（《左傳正義》，卷7，頁22上-23上）

49 桓五年《春秋》：「春正月，甲戌、己丑，陳侯鮑卒。」（《左傳正義》，卷6，頁7上）

佗殺太子免而代之。公疾病而亂作，國人分散，故再赴。(《左傳正義》，卷6，頁9上)

《史記‧陳杞世家》則指出太子被殺之因，但仍乏細節：

三十八年正月甲戌、己丑，桓公鮑卒。桓公弟佗，其母蔡女，故蔡人為佗殺五父及桓公太子免而立佗，是為厲公。桓公病而亂作，國人分散，故再赴。(《史記會注考證》，卷36，頁4-5)

可見陳國的叔殺姪事件，也引發了相當大的內亂。但論及春秋時代之內亂，無論時間之長短，情況之慘烈，自無出晉國之右者。

（八）晉

小宗兼併大宗

晉文侯與衛武公、鄭武公、秦襄公一同護送周平王東遷。文侯卒，子昭侯立，封其叔成師於曲沃，自此晉國發生一場長達六十七年的小宗兼併大宗之亂。

春秋之前，晉與曲沃之間已屢屢發生征戰：昭侯七年（西元前739），為大臣潘父所弒。潘父欲迎立曲沃桓叔，晉人發兵攻桓叔，桓叔敗歸。曲沃莊伯即位（西元前730）後，曲沃愈強，孝侯十五年（西元前724）莊伯伐翼，殺孝侯。此時曲沃勢力已強於晉，可說已是兩國並立的局勢。鄂侯五年（曲沃莊伯十二年，魯隱四年，西元前719）焚曲沃之禾而還。次年春，曲沃莊伯率鄭、邢之師伐翼，周桓王使大夫尹氏、武氏助莊伯，翼侯出奔隨。夏，曲沃叛王；秋，王命虢公伐曲沃，莊伯自翼走保曲沃。時鄂侯在隨，晉立太子光於翼，是

為哀侯。哀侯元年（曲沃莊伯十四年，魯隱六年，西元前717）春，晉大夫嘉父迎晉侯於隨，納諸鄂，是為鄂侯。翌年曲沃莊伯卒，曲沃武公立。哀侯三年（魯隱八年，西元前715）伐曲沃，武公請成。哀侯八年（曲沃武公六年，魯桓二年，西元前710）侵陘庭之田，陘庭啟曲沃以伐翼。翌年正月，曲沃武公伐翼，逐哀侯，晉人立哀侯子，是為小子侯。翌年，曲沃武公使韓萬殺哀侯，曲沃益強。小子四年（曲沃武公十一年，魯桓七年，西元前705）冬，曲沃武公誘殺小子侯。翌年春，曲沃武公入翼；冬，桓王命右卿士虢仲討武公殺君之罪，武公自翼退保曲沃；虢公立哀侯弟緡於翼。晉緡二年（曲沃武公十三年，魯桓九年，西元前703）秋，桓王命虢公與芮、梁、賈、荀四國之君共伐曲沃武公。但曲沃武公終於在三十七年（魯莊十五年，西元前679）伐晉，並以寶器賄賂周釐王，取代原來的晉國，合併晉地，正式立為諸侯。

這場跨越東西周，長達數十年，牽連近十國的支子奪宗鬥爭可說是春秋時代最慘烈的血親鬥爭，卻也最可以顯示春秋時代的特質：封建制的「尊尊」、「親親」觀念已完全崩解，而由犯順黷武的風氣所取代。

（九）楚

奮起南方，自封王號，問鼎中原

傳統被視為「蠻夷之邦」的楚國，實際上是個文化古國；而且早在西周晚期便已逐漸壯大，獨霸漢水流域。時至春秋初期，楚武王更將矛頭指向中原，於是楚的勢力延伸至長江流域，並且進一步針對周王室而來。楚武三十五年（魯桓六年，西元前706）伐隨，始略漢東之地。隨乃周分封於漢東的小國首領，楚武王熊通希望透過隨君為之

請立王號於周，周桓王不許，但隨迫於形勢，仍與楚盟，[50]但熊通並不就此滿足，仍於三十七年（魯桓八年，西元前704）夏，會諸侯於沈鹿；黃、隨不會，遂大舉伐隨，隨敗，請和。熊通自封王號，始開濮地而有之：「楚王國」於焉誕生。[51]

翌年，楚、巴夾攻鄾，鄧救鄾，楚軍大敗鄾、鄧。楚武四十年（魯桓十一年，西元前701）屈瑕將盟貳、軫；鄖聯合隨、絞、州、蓼欲攻楚，為楚所敗；翌年，楚又伐絞，大敗之。直至楚武四十二年（魯桓十三年，西元前699）春，屈瑕伐羅時，因態度輕慢，加上羅會同盧戎並肩作戰，楚軍始嘗敗績，屈瑕自縊於荒谷，楚勢始略受頓阻。但此時楚已透過征戰，擁有江漢平原，並打通了進攻中原的隘口。楚武王雖於五十一年（魯莊四年，西元前690）伐隨時，卒於軍，但楚之逐鹿中原已是遲早之事。

綜上所述，可知春秋初期，顯示了下列幾個現象：首先，西周封建宗法制中的「尊尊」、「親親」觀念已經由不斷的挑戰——或臣弒其君、或叔殺其侄、或妻殺其夫、或兄弟相殘——而至於崩解。其次，王權急速衰落：諸侯或對抗王師、或自封王號、或結盟尋霸，要皆不將周天子放在眼中。再次，征伐屢興，結盟尋霸，幾乎無國無之，所謂「禮樂征伐自諸侯出」，正是指此。

孔子身處此一時代末期，自然不能無所感。孟子謂孔子作《春秋》以寄託褒貶，由此觀之，應有其可信性。當時周室傾頹，王權式

---

50 《史記・楚世家》：「（武王）三十五年，楚伐隨。隨曰：『我無罪。』楚曰：『我蠻夷也，今諸侯皆為叛，相侵或相殺。我有敝甲，欲以觀中國之政，請王室尊吾號。』隨人為之周，請尊楚，王室不聽，還報楚。」（《史記會注考證》，卷40，頁10）

51 《史記・楚世家》：「（武王）三十七年，楚熊通怒曰：『吾先鬻熊，文王之師也，蚤終。成王舉我先公，乃以子男田令居楚，蠻夷皆率服，而王不加位，我自尊耳。』乃自立為武王。」（《史記會注考證》，卷40，頁10）

微，政由大夫，各國史官想必面臨相當大的政治壓力，這可由齊太史
秉筆直書「崔杼弒其君」而兄弟接連被殺此一事件看出。[52]當時的史
官在面對強權，隨時有生命危險的情況下，如董狐、齊太史、南史氏
等良史恐已日益減少，在此情況下，孔子毅然決然挑起史官的歷史重
擔，承繼「春秋」的褒貶傳統，加上自己的某些政治理念，在相當程
度內修改《魯春秋》，完成了自己，同時也是歷史性的工作。故《孟
子·離婁下》說：

> 王者之迹熄而詩亡，詩亡然後《春秋》作。晉之《乘》、楚之
> 《檮杌》、魯之《春秋》，一也。其事則齊桓、晉文，其文則
> 史；孔子曰：「其義則丘竊取之矣！」（《孟子注疏》，卷8上，
> 頁12上）

因為褒貶的權責本為史官所專有，孔子眼見「世衰道微，邪說暴行有
作」，遂「竊取」其義而自為之，以寓其是非然否，因此孔子才會說
「知我者其惟《春秋》乎，罪我者其惟《春秋》乎」。而在面對此一
王綱解紐、崇尚武力、人倫盡喪的混亂時代，孔子於是選擇正當其時
的魯隱公作為褒貶寄託之始。

　　但《春秋》何以以「魯」紀年，而不以「周」紀年呢？

四　餘論：《春秋》以魯紀年的可能意義

　　《春秋》之作，或以為為周平王、或以為為周桓王，或以為為魯
隱公、或以為為魯桓公；但《春秋》之以魯紀年，且始於魯隱公則是

---

52 事詳襄廿五年《左傳》。

不可改變的事實。不過《春秋》何以以魯紀年，歷來亦多爭議。

《公羊》家認為《春秋》「革周王魯」，並舉《論語》孔子所說「齊一變至於魯，魯一變至於道」，以為魯可王之證；或以為魯為姬姓，乃周公之後，孔子又常有「吾不復夢見周公」之歎，故其著《春秋》遂主「王魯」。但春秋之時，魯之不道，未滅他國，焉見其「道」可「王」乎？孔子終不致因魯為周公之後，遂不論魯之善、惡而遽以為其可代周而「王」。

孔子著《春秋》之以魯紀年，蓋因其以《魯春秋》為底本，故即以魯紀年耶？前賢於此曾多有推測解說，除上文引述者之外，他如宋儒張洽即謂：

> 元年者，隱公之始年也。古者諸侯之國各隨其君之年以紀事，故不書是年為平王之四十九年。[53]

張說相當可取，宋儒林堯叟也說：

> 孔子因魯史作《春秋》，故以魯紀年。[54]

宋儒呂大奎《春秋或問》引陳傅良之說云：

> 曰：「然則夫子之修史也，何以主魯？」曰：「夫子，魯人也；《春秋》，魯史也。以魯人而修魯史，固其宜也，而何疑之有？且夫子嘗曰：『我欲觀夏道，是故之杞，而不足證也；我

---

53 〔宋〕張洽：《春秋集註》，《通志堂經解》，第23冊，卷1，頁1上。
54 〔晉〕杜預、〔宋〕林堯叟：《春秋左傳杜林合注》（臺北：學海出版社，1975年），卷1，頁3下。

欲觀商道，是故之宋，而不足證也；吾觀周道，幽、厲傷之，吾舍魯何適矣！』此夫子修《春秋》之意也。」[55]

清儒趙翼《陔餘叢考》說：

春秋時，列國雖曰奉周正朔，然紀年皆以本國之君即位之年為紀，如《春秋》以隱公元年起，雖孔子亦不改也。……堂堂共主，正朔咸遵，而紀年莫之或用，蓋當日本無稟奉一王紀年之制，非盡各國僭妄也。[56]

各說皆言之成理。

個人以為孔子之所以以魯紀年，一則，《春秋》既以《魯春秋》為藍本，則一切史實、赴告等悉得之於魯史，依其紀年，可省失實之弊；再者，魯國自隱公遇弒，桓公得國之後，政權遂歸三桓，呈現「政由大夫」的局面，《春秋》正可以此「發凡起例」；三者，孔子可能原本即以魯史為教本教授弟子，既可使弟子對現實政治有所了解，亦可對其政治理想有所掌握，而於修治史書之際，即以魯史紀年，自亦順理成章；四者，修史之事乃史官職掌，孔子既非史官，本不應僭越本分修史，何況修「王朝史」？但因有感於「世衰道微，史失其官」，遂甘冒罪責，毅然「越俎代庖」而修史，而又為免僭越之責，乃以修「國史」方式為之，因而以「魯」紀年歟？

（原載韓國《中國學報》，第36輯〔1996年8月〕，頁67-87）

---

55 〔宋〕呂大圭：《春秋或問》，《通志堂經解》，第23冊，卷1，頁5下。
56 〔清〕趙翼撰：《陔餘叢考》（北京：中華書局，1963年），卷2，「春秋紀年」條，頁34-35。

貳　《莊子》、《列子》中的「孔子形象」

一　前言

　　筆者長年致力於探討「孔子」在先秦、漢初經、史、子文獻中的形象及其嬗變，二〇一〇年發表之〈《左傳》「仲尼曰」敘事芻論〉[1]即透過敘事學觀點，探討《左傳》敘事立場與「仲尼曰」言論間的辯證關係，以及孔子、《春秋》與《左傳》三者的關係，基本上回應經、史學的相關議題，而輔以歷史敘事的觀點，省察《左傳》此一亦經亦史的先秦經典，如何引述孔子、運用其言論。二〇一四年五月發表於「王叔岷先生百歲冥誕國際學術研討會」之〈先秦漢初文獻中的「孔子形象」〉，[2]則由經學延伸至史學、子學範疇，梳理「孔子形象」的歷時性變化，並嘗試分析不同時空情境、學派立場、論述策略與價值觀點，眾多不同學派、背景的文獻與論述，所形塑「孔子形象」的特色，及其學術意圖與意義。

1　文載《臺大中文學報》第33期（2010年12月），頁91-138；後又發表〈試論《左傳》「仲尼曰」敘事的經史學意涵〉，《經學文獻研究集刊》第13輯（2015年4月），頁49-68；二文合併修改後收入《先秦兩漢歷史敘事隅論》（臺北：臺灣大學出版中心，2017年）之〈玖、《左傳》「仲尼曰敘事」芻論〉，頁425-503。

2　臺灣大學中國文學系主辦（2014年5月24-25日）；文載《文與哲》第25期（2014年12月），頁21-76；收入《先秦兩漢歷史敘事隅論》之〈壹〉，頁45-110。

在爬梳先秦至漢初文獻時，發現後世所謂道家「學派」[3]的文獻——尤其是《莊子》、《列子》——對孔子的論述頗為特別，且饒富文學趣味。而上述諸文因涉及文獻眾多，討論之先秦諸子亦不限一家，故對相關文本之梳理分析，僅能簡略提及，而多未暇全面論述。本文爰就《莊》、《列》二書論述、形塑「孔子形象」的特色作一較為統整之述論，以期對先秦漢初「孔子形象」能有更完整的認識。

（一）前賢研究述略

關於近世以來之孔子研究，拙作〈先秦漢初文獻中的「孔子形象」〉之〈一〉已有概略論述，[4]茲不複述。[5]先師王叔岷先生〈論莊子所了解之孔子〉，[6]詳盡分析《莊子》中「本於《論語》之文」、「合乎孔子意旨之文」、「與孔子言行相反之文」等不同類型的孔子相關敘述，並專節討論「詆訾孔子」之議題，多方闡釋《莊子》開闊了儒家典籍中的孔子形象，並認為「莊子獨能跳出經典之外去了解孔子，他所了解的孔子，我認為更高一層」，[7]進而指出：

> 莊子假託孔子很多故事，往往透過一層來論述。有時表面上是抑孔，是排孔，其實他在暗示了解孔子不要執著。要去掉形

---

3 「學派」一詞可能遲至漢司馬談〈論六家要指〉始見，但《莊子‧天下》已述及儒、墨、道、法、陰陽五家「道術」的淵源。戰國時雖未必有「學派」一詞，隱約之中似乎已有類似概念，茲姑援引後世觀念稱之。

4 可參該文注2-13。

5 歷代「莊子學」之研究，當推方勇《莊子學史》（北京：人民出版社，2008年）最為詳贍，第3冊末更附有「一百年來莊子研究論文輯目」230餘頁，其中頗有討論《莊子》中之「孔子形象」者。

6 王叔岷先生：〈論莊子所了解之孔子〉，《慕廬雜稿》（臺北：大安出版社，2001年），頁1-25。

7 同前注，頁21。

　　跡，要存真。[8]

叔岷師提出一個頗值得深思的觀點：表面上看似「負面」的形象描
繪，不必然等同於「詆訾」的意圖。這也讓我們得以更深入思索：
《莊子》所描繪的「孔子形象」，有時乃具有文學／修辭——以《莊
子》本身之語彙言，即「寓言」或「重言」——的功用，委婉曲折地
傳達某些概念，而非蓄意捏造或不諳相關史實。

　　關於《莊子》的孔子敘述，歷來有「抑孔」、「尊孔」二派，徐聖
心〈「莊子尊孔論」系譜綜述——莊學史上的另類理解與閱讀〉[9]已有
相當詳盡的統整與詮釋。實則此一議題，清儒林雲銘早已論及，其
《莊子因》卷首之〈雜說〉有云：

> 莊子另是一種學問，與老子同而異，與孔子異而同。今人把莊
> 子與老子看做一樣，與孔子看做二樣，此大過也。
>
> 莊子宗老而黜孔，人莫不以為然，但其言曰：「《春秋》經世，
> 先王之志，聖人議而不辨。」何等推尊孔子！若言其宗老也，
> 則老聃死一段，何又有「遁天倍情」之譏乎？要知著書之意，
> 是非固別有在，難與尋章摘句者道也。[10]

明白指出詮釋《莊子》不宜執著於「尊孔」／「抑孔」。不過，不論
認為《莊子》「尊孔」或「抑孔」，此類研究實際上仍以莊學為主，旨

8　王叔岷先生：〈論莊子所了解之孔子〉，《慕廬雜稿》，頁22。

9　徐聖心：〈「莊子尊孔論」系譜綜述——莊學史上的另類理解與閱讀〉，《臺大中文學
　　報》第17期（2002年12月），頁21-66。

10　〔清〕林雲銘撰，〔日〕秦鼎增註：《增註莊子因》（臺北：廣文書局，1968年），
　　〈雜說〉，頁1上、1下-2上。

在探討莊子如何回應孔學／儒學，儒、道二家有無會通之可能等，大抵偏向思想、哲學的探討。此外，關於其他道家文獻，如《列子》中的孔子形象，或因部分與《莊子》重疊，或因文獻性質較具爭議，前賢也較少探論。

前賢論述儒道互動、莊子「尊孔」或「抑孔」等思想議題外，近人針對《莊子》中的「孔子形象」進行論述者，篇幅亦多：或以內、外篇為別，[11] 或以孔子形象類型為別，[12] 又或探討相關思想意義、文

---

11 相關研究如曹小晶：〈從《莊子‧內七篇》中兩個不同的孔子形象談莊子之思想〉，《西安石油學院學報（社會科學版）》第10卷第1期（2001年2月），頁77-80；秦瑞：〈論《莊子‧內篇》中的孔子〉，《語文學刊》2008年第11期（2008年11月），頁119-121；唐桃：〈從《莊子》內篇看莊周心中的孔子〉，《曲靖師範學院學報》第27卷第5期（2008年9月），頁54-59；陳林群：〈莊子筆下的孔子〉，《社會科學論壇（學術評論卷）》2008年第11期（2008年11月），頁5-20；陳林群：〈《莊子》外雜篇孔子形象疏證〉，《社會科學論壇（學術評論卷）》2009年第9期（2009年9月），頁5-16；劉予希：〈淺議《莊子‧內篇》中的孔子形象〉，《魅力中國》2009年第35期（2009年12月），頁108；胡穎佳：〈從《莊子》內篇看莊子眼中的孔子形象〉，《西南農業大學學報（社會科學版）》第9卷第8期（2011年8月），頁143-146。

12 相關研究如謝祥皓：〈略談《莊子》中的孔子形象〉，《齊魯學刊》1985年5期（1985年10月），頁86-90；殷南根：〈對《莊子》書中的孔子形象的分析〉，《復旦學報（社會科學版）》1990年第3期（1990年4月），頁109-112；陳品川：〈《莊子》中的孔子形象〉，《汕頭大學學報（人文科學版）》第10卷第3期（1994年8月），頁15-21；李霞、李峰：〈從《莊子》中的孔子形象看先秦儒道衝突〉，《安徽史學》1996年第1期（1996年1月），頁15-17；任振鎬：〈《莊子》的孔子人物形象論〉，《江蘇教育學院學報（社會科學版）》1998年第2期（1998年4月），頁76-77；張岩：〈由儒而道及道家的代言人──《莊子》中的孔子形象分析〉，《遼寧工程技術大學學報（社會科學版）》第1卷第2期（1999年6月），頁64-65+68；馬麗婭：〈試論孔子在《莊子》中的形象〉，《浙江師範大學學報（社會科學版）》第28卷第4期（總126期，2003年8月），頁67-70；高慶榮、黃發平：〈《莊子》中不同的孔子形象分析〉，《通化師範學院學報》第25卷第1期（2004年1月），頁42-45；姚海燕：〈試析《莊子》一書對孔子形象的改塑〉，《湘潮（下半月）》，2007年第12期（2007年12月），頁52-53；尚建飛：〈寓言化的孔子形象與莊子哲學主題〉，《西北大學學報（哲學社會科學版）》第37卷第3期（2007年5月），頁64-67；燕鋒：〈試析《莊子》中的孔子形象〉，《作家》2009年10

學技巧、比較各家差異等。[13]上述研究，約可歸納為二：一、《莊子》中的「孔子形象」並不一致，甚至可能有所矛盾；二、多數論者認為《莊子》內篇的「孔子形象」偏向正面，外、雜篇則爭議較大。[14]

　　上述前賢研究為本文提供了一定的基礎；然而，筆者在爬梳諸多前賢研究時，也發現論者有時相當程度將「儒道之辨」與「形象正反」比併而論，如《莊子》雜篇〈漁父〉中的孔子，李琴、朱倩認為乃呈現「自愧不如得道者，謙虛好學」[15]的形象，李霞、李峰卻認為

期（2009年10月），頁103-104；李琴、朱倩：〈《莊子》中的孔子形象及其意義〉，《安康學院學報》第22卷第5期（2010年10月），頁54-56；沈綉卿：〈潛藏的傳道者——試論《莊子》中孔子形象的兩面性及其轉變〉，《大眾文藝》2011年第17期（2011年9月），頁143-144。

13　相關研究如方勇：〈論《莊子》中孔子形象的多面性與解說者的偏執〉，《中國文學研究》1994年第2期（總33期，1994年4月），頁50-54；周淑舫：〈簡論《莊子》書中孔子形象的文學價值〉，《吉林廣播電視大學學報》1994年第3、4期合刊（1994年11月），頁31-33。霍松林、霍建波：〈論《孟子》、《莊子》中的孔子形象〉，《蘭州大學學報（社會科學版）》第32卷第4期（2004年7月），頁10-15；徐克謙：〈莊子與老年孔子〉，《許昌師專學報》第19卷第6期（2000年12月），頁81-84。

14　本文初稿於「北大臺大中國古典文學與文獻學術研討會」（北京大學中國語文學系主辦）宣讀，蒙評議人常森教授惠予指教：「《莊子》內篇之孔子形象較好，相對的，老子的地位較低；外、雜篇則相反，老子地位抬升而有貶抑孔子的現象。」案：此一論述可分為幾個層次討論：第一、《莊子》內篇對老子均稱「老聃」，外、雜篇始有「老子」之稱。就稱呼言，或許暗示外、雜篇對老子較為尊崇，不過就內容言，內篇的老子相關敘述也不至太低。第二、孔子在內篇與外、雜篇的形象差異與原因，詳下文，而老子形象之高低則非本文論題；不過在《莊子》中，孔子與老子的關係，是否必然對立，或一正則一反，本文持保留態度，主要乃因《莊子》好用寓言、重言，加以詼諧靈動，往往借用人物某一面的形象加以擴充、誇張，以論述自身哲理，又敢於諧擬嘲諷，故而即使大開孔子玩笑，也未必出於尊崇老子；即使尊崇老子，亦不妨其欣賞孔子之說，是故老子與孔子形象的升降是否有必然關係，仍待察考。第三、所謂外、雜篇孔子形象不佳，主要見於〈盜跖〉，其他則與內篇並無極端差距。整體而言，《莊子》顛覆孔子形象的敘寫頗多，不拘內、外、雜篇，但「顛覆」未必等同於「負面形象」或「詆訾」孔子，說詳下文。

15　李琴、朱倩：〈《莊子》中的孔子形象及其意義〉，頁54。

是「拘禮循規的偽君子」。[16]何以同一文本中的孔子，其形象在某些論者眼中屬正面，對其他學者而言卻是負面？筆者以為可能原因有二：一、對同一形象描繪，論者的詮釋選擇不同；二、基於「儒道對立」，以及史遷所謂莊子「作〈漁父〉、〈盜跖〉、〈胠篋〉，以詆訿孔子之徒，以明老子之術」[17]的印象，遂認為《莊子》所描繪的孔子形象必然不會全善，故即使「謙虛」的描寫也自然被理解為「偽君子」。

面對上述情形，筆者以為可說者有三：一、先秦時期，後世所謂的「道家」學派尚未完全定型，尤其以莊子之獨特超群，未必即依附於任一學派；而所謂的「儒家」，在先秦時代則派別眾多，非僅後世主要以子思、孟子為主的儒家而已；[18]則所謂「儒道對立」之議，在面對先秦文獻時，實須以較寬之標準看待，不宜以為《莊子》論「儒」必然與「道家」勢不兩立、水火難容。二、戰國時期，孔子言行事蹟之流傳及其形象之發展，已有相當的累積，在戰國諸子間逐漸形成某些具有共識的形象，則《莊子》所形構的「孔子形象」若有其特殊之處，理當為回應其當代形成的各種「孔子形象」，而不會只是針對「儒家」而已。三、承前所論，孔子具有不同的形象，實乃相當尋常之事，如《墨子》中即並存極度詆毀孔子與肯定孔子學說的篇章，[19]更值得注意的問題應是這些形象有無特殊意涵。

---

16 李霞、李峰：〈從《莊子》中的孔子形象看先秦儒道衝突〉，頁15。

17 《史記・老子韓非列傳》，《史記會注考證》，卷63，頁10。

18 《韓非子・顯學》：「自孔子之死也，有子張之儒，有子思之儒，有顏氏之儒，有孟氏之儒，有漆雕氏之儒，有仲梁氏之儒，有孫氏之儒，有樂正氏之儒。……孔、墨之後，儒分為八，墨離為三。」見張覺：《韓非子校疏》（上海：上海古籍出版社，2010年），卷19，頁1234。

19 說可參拙作：〈先秦漢初文獻中的「孔子形象」〉之〈三、出土文獻與先秦諸子的孔子形象及其表現形式〉之（二）「儒墨二家對孔子地位的爭讓」，收入拙著：《先秦兩漢歷史敍事隅論》之〈壹〉。

　　綜而言之，在討論所謂道家「尊孔」或「抑孔」之前，更需仔細分析、思辯的問題是：《莊》、《列》二書中的孔子究竟具有何種形象？其形象與其書／學派所欲傳達的內容又如何配合？換言之，若果《莊》、《列》出現符合儒家概念或孔子自身事蹟的形象，而作者強烈批評之，則當然可視為反對孔子及其學說的表現。然而，若其已將「孔子形象」進行顛覆或負面描繪，則理應視為一種「寓言」，或「正言若反」的文學修辭，則即使《莊》、《列》二書對此一「孔子」大加推尊崇仰，也不應完全視為肯定；而若其對此一形象嚴厲批判，則也很有可能是一種委婉的肯定，或者如王叔岷先生所謂「跳出經典之外去了解孔子」的表現。

（二）研究方法與研究材料

　　承上所述，本文研究方法與前賢的不同切入點主要在於：一、在前述綜觀先秦、漢初資料中的「孔子形象」之類型與演變基礎上，重新省察《莊》、《列》二書描繪的「孔子形象」有何學術／學派特色。二、《莊》、《列》二書，除富哲理之外，亦富文學價值。本文將探討其運用文學技巧呈現「孔子形象」的意涵。

　　筆者〈先秦漢初文獻中的「孔子形象」〉曾統整、歸納孔子具有良臣／政治家、老師、聖賢等三大形象。「政治家」形象的孔子，往往與孔子周遊列國而不遇之事蹟，以及其於諸侯間推行「禮」、「仁」思想的言行相關；「老師」形象的孔子，則往往伴隨著博物多聞、好學不倦的事蹟，以及涉及孔子與諸弟子間的對問言論；「聖賢」形象的孔子，則有修訂「六經」、無所不知、評斷是非等近乎完美無瑕的權威表現，也包含獲麟、為素王等相關論述。上述形象雖強調重點不同，大體皆屬正面；不過先秦、漢初文獻也有少數較為不堪，甚或幾

乎背離孔子行事的負面形象。[20]

　　世所公認的「道家」文獻，《老子》未有片言隻語提及孔子，本文之主題又偏向探討「人物形象」，故主要就較富文學表現的《莊子》、《列子》進行論析。《列子》的文獻性質，長期以來多遭學者質疑，指為漢、晉偽作，謂其乃雜抄諸子書而成。[21]本文仍討論《列子》的主要原因有二：一、其收錄之孔子事蹟，在道家文獻中，數量僅次於《莊子》，且可與《莊子》參照、比較。二、即使《列子》成書時代較晚，或有漢晉人「以意附益」、[22]「採集道家之言湊合而成」，[23]其收錄、附益之材料，雖未知原本是否屬於《列子》，[24]但仍可反映先秦兩漢之部分道家思惟，實尚有探討、論析之價值。

　　至於其他道家文獻，如《文子》、《鶡冠子》、《鬻子》等，除相關篇幅極少外，尚因成書性質複雜，並有偽作、晚出等疑慮，又限於篇幅，本文無暇論及，讀者察之。

二　《莊子》中「孔子形象」的特色

　　筆者〈先秦漢初文獻中的「孔子形象」〉已提出《莊子》中的「孔

---

20 說可參拙作：〈先秦漢初文獻中的「孔子形象」〉〈三〉之（二）。

21 相關論述，可參楊伯峻：《列子集釋》（北京：中華書局，1979年）〈附錄三‧辨偽文字輯略〉所收歷代研究。

22 《列子集釋‧附錄三‧辨偽文字輯略》收姚鼐《惜抱軒文後集‧跋列子》語（頁295）。

23 《列子集釋‧附錄三‧辨偽文字輯略》收梁啟超《古書真偽及其年代》語（頁299）。

24 王師叔岷根據《淮南子》所見之《列子》文字，謂：「今傳張湛《注》本《列子》，雖後人有所增益，而各篇之文，實多出先秦，與《莊子》關係尤鉅。」說見《先秦道法思想講稿》（臺北：中央研究院中國文哲研究所中國文哲專刊之2，1992年），頁161-162。

子形象」，最具特色的重點在顛覆／諧擬孔子流傳於先秦諸子間的既有形象。其詳約可歸納為三：一、維持孔子部分既有形象，而代換以帶有《莊子》思想特色的言論；二、顛覆既有形象，嘲諷孔子，傳達《莊子》所欲表達的某些概念；三、形塑完全不符孔子的言行，營造負面形象，寄寓對當世的憤懣之情。此處所謂「顛覆」，指孔子本有某一形象，作者卻刻意作出相反的描繪，如孔子以好學不倦聞名，作者竟故意寫孔子「絕學」；而所謂「負面」、「不符孔子言行」，則指孔子在先秦經、子、史文獻中絕少出現如此形象，如諂媚人主、屈服強權等。此類「孔子形象」不論在古代或現當代，可說均非共識，即前文所謂將對其他後學儒者之批判與負面觀感歸諸孔子。以下分別舉例述論之：

（一）維持孔子既有形象，而為《莊子》立論代言

誠如諸多前賢指出，《莊子》內篇與外、雜篇對「孔子形象」的描繪略有不同：內篇之「孔子」通常維持上述既有形象，尤其是師弟問的對話型態、重視「為政」之道的相關論述。典型的例子，如〈人間世〉孔子分別與將前往他國的顏淵、葉公子高對話，均涉及現實中如何治國與為政的論述，但其言論重點則為傳達《莊子》思想。在與顏淵的對話中，顏淵乃主動辭行，秉持「治國去之，亂國就之」的想法，希望輔佐衛君；孔子卻大潑冷水，指其「強以仁義繩墨之言術暴人之前」，並且進一步轉而論述道家專屬的「心齋」：

> 若一志，无聽之以耳而聽之以心，无聽之以心而聽之以氣。聽止於耳，[25]心止於符。氣也者，虛而待物者也。唯道集虛。虛

25　〔清〕俞樾：《諸子平議・莊子一》：「『聽止於耳』當作『耳止於聽』，傳寫誤倒

者，心齋也。[26]

葉公子高則是被派遣出使齊國而滿心惶恐，孔子雖勉勵其努力建功立業，最後卻仍不忘點出「忘身」、「遊心」的道家論述：

> 自事其心者，哀樂不易施乎前，知其不可奈何而安之若命，德之至也。為人臣子者，固有所不得已。行事之情而忘其身，何暇至於悅生而惡死！夫子其行可矣！……
>
> 且夫乘物以遊心，託不得已以養中，至矣。何作為報也！莫若為致命，此其難者。（《莊子集釋》，卷2中，頁155、160）

〈人間世〉此二則對話篇幅相銜，皆藉由孔門人物談論為政處世之艱難，呈現「人間世」之複雜，並點出「心齋」等莊子獨到的重要概念，實非儒家學派之「孔子形象」。

　　值得進一步討論的是，就先秦文獻言，不論《墨子》、《孟子》、《荀子》與《韓非子》，甚或出土文獻，孔子的對話與互動對象，概以魯國君臣、孔門弟子為主，他如葉公子高、衛靈公等，也都是與孔子同時、有文獻可徵的歷史人物。在上述例子中，此一基本框架仍然維持。實則借「孔子」之口為自身學說代言的現象，絕不限於《莊子》，《荀子》、《韓非子》、《列子》等也都有此現象。必須思考的是，對於《莊子》內篇孔子所具有的較正面形象，學者有時不免欣欣然以為儒

也，乃申說『無聽之以耳』之義。言耳之為用，止於聽而已，故『無聽之以耳』也。」見俞樾：《春在堂全書》（臺北：中國文獻出版社影印清光緒二十五年〔1899〕重定本，1968年），第2冊，卷17，頁8下。

26 〔清〕郭慶藩著，王孝魚點校：《莊子集釋》（臺北：華正書局影印北京中華書局本，1982年），卷2中，頁147。本書引用《莊子》皆用此一版本，不另出注。

道可以會通，卻忽略了這其實是先秦諸子共通的一種論述方式：借用較為知名的人物為己說背書；[27]而既然是作為自身學說的代言人，自然不會營造過於負面的形象。然而，這並不能做為儒、道學說可以會通的充分條件；若僅因「孔子」闡發莊子之理論便援引為二家學說可以會通之理據，則法家論述之孔子也時有替法家代言者，豈不也可說「儒法會通」？換言之，吾人必須認識到，就先秦諸子的論說習慣而言，運用「知名人物」為自身學說代言，乃極為普遍的現象，既不完全等同對該人物的崇敬，也不保證對其學派具有理解或嚮往。[28]

　　上述〈人間世〉論述的「孔子」，若放在先秦諸子對「孔子形象」的使用類型中，其實並不特出。然而，在〈德充符〉、〈大宗師〉以及外、雜諸篇中，部分載錄雖仍維持孔子既有的形象，但與「孔子」對話者則多跳脫孔門弟子，以及實有可徵之人以外，呈現亦真亦幻、時儒時道的多種面貌。如〈德充符〉載錄「兀者叔山无趾踵見仲尼」事：

> 魯有兀者叔山无趾，踵見仲尼。
>
> 仲尼曰：「子不謹，前既犯患若是矣。雖今來，何及矣！」无趾曰：「吾唯不知務而輕用吾身，吾是以亡足。今吾來也，猶有尊足者存，吾是以務全之也。夫天無不覆，地無不載，吾以夫子為天地，安知夫子之猶若是也！」孔子曰：「丘則陋矣。夫子胡不入乎，請講以所聞！」
>
> 无趾出。孔子曰：「弟子勉之！夫无趾，兀者也，猶務學以復

27　如《荀子》中有名的「誅少正卯」、《韓非子》中假借孔子推行法治等，說可參拙作：〈先秦漢初文獻中的「孔子形象」〉之〈三〉。

28　近年出土之楚簡亦有不少藉孔子論述其學說的情形，或亦當如是觀。

補前行之惡，而況全德之人乎！」

无趾語老聃曰：「孔丘之於至人，其未邪？彼何賓賓以學子為？彼且蘄以諔詭幻怪之名聞，不知至人之以是為己桎梏邪？」老聃曰：「胡不直使彼以死生為一條，以可不可為一貫者，解其桎梏，其可乎？」无趾曰：「天刑之，安可解！」（《莊子集釋》，卷2下，頁202-205）[29]

文中的孔子，保有「好學」與謙虛的形象，以及勉勵弟子的話語，與《論語》中的孔子幾無差別。然而與其對話的叔山无趾，應屬寓言式的虛擬人物，且與「老聃」評論孔子。這在先秦文獻中堪稱特別，因為通常都是論者使用「仲尼曰」／「孔子曰」來評論人、事。孔子本身做為「被評論」的對象，除了儒家學派偶有讚美、崇敬孔子之語外，並不常見。除了本例之外，最為知名的即是大量孔子與「老聃」的對話與互動；此外尚有與楚狂接輿、王駘、痀僂承蜩者、大公任、子桑雽、溫伯雪子、盜跖、漁父等人的互動，都不讓孔門弟子專美於前，而與孔子有種種論辯或往來。這些人物均尟少見於史冊或其他子書，很可能是《莊子》學派想像力的發揮或寓言寄託的產物。就此一特色而言，或許莊子乃是希望跳脫「名」的束縛：在寓言式的書寫中，其人雖名曰「孔子」，然論其內涵或「聞道」與否，卻未必優於那些殘疾老弱、甚或盜寇、狂徒之流；而唯有超越表象與虛名，不執著於身分與成見，直視內在、返歸本心，方為道家追求之境界，此乃《莊子》既能發揮想像與創意，又能結合其重要哲思的高超文學表現。

---

29 關於「天刑之，安可解」，歷來眾說紛紜，或以為直接批評孔子受禮教之桎梏，或以為乃隱涵對孔子際遇之慨歎。因前賢論述已多，且本文主在討論人物形象、對話型態等，故此不深入論述個別文句之詮釋。

（二）顛覆既有形象，諧擬、嘲諷孔子

　　先秦諸子書中，孔子的「老師」形象可謂確立不移，且有愈益崇高的趨勢，從單純的師弟對問，到為政者求教、問政於孔子，並採納其意見，孔子的形象逐漸由「人師」發展而至於「王者師」。諸子透過「對問」模式，給予孔子很大的發言空間，闡述各種理念；而在敘史文獻中，孔子「博物多聞」的形象，也使其往往體現為「解答者」、「評論者」的角色；[30]但在《莊子》中，此一形象與對問角色，同樣被顛覆，有不少載錄，孔子成為「對問」模式中的「聽話者」而非闡述者，如〈大宗師〉載：

> 顏回曰：「回益矣。」仲尼曰：「何謂也？」曰：「回忘仁義矣。」曰：「可矣，猶未也。」
>
> 他日復見，曰：「回益矣。」曰：「何謂也？」曰：「回忘禮樂矣。」[31]曰：「可矣，猶未也。」
>
> 他日復見，曰：「回益矣。」曰：「何謂也？」曰：「回坐忘矣。」仲尼蹴然曰：「何謂坐忘？」顏回曰：「墮肢體，黜聰明，離形去知，同於大通，此謂坐忘。」仲尼曰：「同則无好也，化則无常也。而果其賢乎！丘也請從而後也。」（《莊子集

30　可參拙作：〈先秦漢初文獻中的「孔子形象」〉之〈三〉。

31　王師叔岷曰：「案：《淮南・道應篇》『仁義』二字與『禮樂』二字互錯。審文意，當從之。《老子》云：『失道而後德，失德而後仁，失仁而後義，失義而後禮。』（原注：本書〈知北遊篇〉亦有此文）《淮南・本經篇》：『知道德，然後知仁義之不足行也；知仁義，然後知禮樂之不足脩也。』（偽《文子・下德篇》亦有此文）道家以禮樂為仁義之次。禮樂，外也；仁義，內也。忘外以及內，以至於坐忘。若先言忘仁義，則乖厥旨矣。」見《莊子校釋》（臺北：臺聯國風出版社影印中央研究院歷史語言研究所專刊之26，1972年），卷1，頁61下-62上；亦見《莊子校詮》（臺北：中央研究院歷史語言研究所專刊之88，1988年），頁268。

釋》，卷3上，頁282-285）

此段載錄可分為三節：前二節孔子仍保有「老師」形象，指點顏回
「可矣，猶未也」；第三節則呈現對顏回達到的「坐忘」境界感到驚
奇、不解，轉而求問於顏回，顏回則論述何謂「坐忘」云云。文末的
孔子成為求教者，甚至說「丘也請從而後也」，堪稱《莊子》對既有
「孔門師弟對問」模式做出的一種翻轉與諧擬（parody）。[32]

　　另外，不論《左傳》、《國語》，或儒、墨諸子，對孔子「好學」、
「多聞」形象，通常表現出正面的稱許；《莊子》書中，此一常見的
特質也經常被刻意顛覆、翻轉，如外篇〈山木〉描寫孔子「絕學」：

> 孔子問子桑雽曰：「吾再逐於魯，伐樹於宋，削迹於衛，窮於
> 商周，圍於陳蔡之間。吾犯此數患，親交益疏，徒友益散，何
> 與？」
>
> 子桑雽曰：「子獨不聞假人之亡與？……夫以利合者，迫窮禍
> 患害相棄也；以天屬者，迫窮禍患害相收也。夫相收之與相棄
> 亦遠矣，且君子之交淡若水，小人之交甘若醴。君子淡以親，
> 小人甘以絕，彼无故以合者，則无故以離。」
>
> 孔子曰：「敬聞命矣！」徐行翔佯而歸，絕學捐書，弟子无挹
> 於前，其愛益加進。（《莊子集釋》，卷7上，頁684-686）

若將此段載錄與《論語·衛靈公》相較，則有幾個值得注意的特徵：

---

32 《莊子》或揚孔或抑孔，對老子亦然，蓋皆欲破除「聖跡」之執著，此意叔岷師多
　有發揮，說可參《莊子校詮》。

　　在陳絕糧，從者病，莫能興。子路慍見，曰：「君子亦有窮乎？」子曰：「君子固窮，小人窮斯濫矣。」（《論語注疏》，卷15，頁1下）

兩相對比，可見《莊子》對孔子「老師形象」的顛覆與諧擬表現在幾方面：一、孔子綜述周遊列國之不遇，並為此感到困惑、挫折，乃求教於子桑雽，子桑雽則扮演解惑者的角色，這在《論語》或其他史書殊為少見，如〈衛靈公〉所載，子路對師徒一行遭遇有所不滿與埋怨，孔子卻安然勉勵之，〈山木〉所載卻正好相反。二、子桑雽所謂「君子、小人」云云，似乎帶有對《論語》常見的孔子言論以「君子小人」對比的模仿意味。三、最後孔子欣然受教，並「徐行翔佯而歸，絕學捐書」，而弟子「愛益加進」，此種形象描繪，與《論語》中「學而不厭，誨人不倦」[33]的孔子形象，也呈現倒反而有趣的對比。

　　《莊子》對孔子「老師」形象與「博學」特色的刻意倒反描繪，乃至嘲諷諧擬者，數量相當可觀。這樣的「顛覆」——將孔子從「老師」轉換為「學生」、將其由「博學」翻轉為「絕學」——並不必然等同於對孔子的負面評價。筆者以為，在《莊子》諸篇成書時期，孔子的老師形象與相關事蹟，在戰國諸子之間，當已具有一定程度的共識，在此基礎認識上，《莊子》借用孔子最為知名的「博學」形象而刻意翻轉之，讓這位當世公認的學者／老師承認自己的困惑、無知，甚至轉而被學生教導、乃至絕學捐書。這種形象的反差，或許正是為了呈顯「知識」實有其極限，進而指出生命的價值與智慧不應受限於書本的字句或歷史的陳跡，若如儒家學派徒然局限於知識的講求，將

33　《論語·述而》：「子曰：默而識之，學而不厭，誨人不倦，何有於我哉？」（《論語注疏》，卷7，頁1下）

無法觸及生生不已、變化無窮的性命之道。[34]在此一意旨下,論者所謂儒、道之爭或「詆訾」之議,顯然並非《莊子》的論述重點,而其所描繪的孔子形象,正是在承認其既定形象的基礎認識上,刻意做出的諧擬、寓言式論述,若欲討論其屬正面或負面,可說只有文學描繪的意義,而不能直接等同於哲學思想的會通或敵對。

(三)不符孔子既有形象,寄寓對當世之憤懣

上述兩種《莊子》中呈現的孔子形象,可說都非針對孔子本人的事蹟或學說進行批判或論斷,而僅借用孔子既定的某些形象加以變化運用。然而,如同許多學者指出,《莊子》也確實可見某些「詆訾」孔子的論述;先師王叔岷先生〈論莊子所了解之孔子〉即曾專節討論此一議題,在此基礎上,本文僅補充討論此類論述中的「人物形象」論題。

在雜篇〈盜跖〉中,學者爭論的重點通常聚焦於盜跖痛斥孔子的種種話語,如:

> 盜跖聞之大怒,目如明星,髮上指冠,曰:「此夫魯國之巧偽人孔丘非邪?……多辭繆說,不耕而食,不織而衣,搖脣鼓舌,擅生是非,以迷天下之主,使天下學士不反其本,妄作孝弟而徼倖於封侯富貴者也。……矯言偽行,以迷惑天下之主,而欲求富貴焉,盜莫大於子。天下何故不謂子為盜丘,而乃謂我為盜跖?」……

---

34 〈養生主〉開篇即云:「吾生也有涯,而知也无涯。以有涯隨无涯,殆已;已而為知者,殆而已矣。」(《莊子集釋》,卷2上,頁115)〈秋水〉:「計人之所知,不若其所不知;其生之時,不若未生之時;以其至小求窮其至大之域,是故迷亂而不能自得也。」(同前,卷6下,頁568)並為此意,皆欲破除對知識之執著。

> 孔子再拜趨走，出門上車，執轡三失，目芒然无見，色若死灰，據軾低頭，不能出氣。(《莊子集釋》，卷9下，頁991-992、996、1001)

誠如叔岷師所論，通觀盜跖言論，其所「詆訾」的對象既多且廣，上至黃帝、堯、舜，下至伯夷、叔齊，可謂罵盡天下之聖賢，非僅針對孔子一人而已。其言論雖嫌偏激，但也確實點出人世間之虛偽矯作，並痛陳各種暴行、私慾乃假借忠孝仁義之名而行；就此觀之，盜跖／《莊子》的言論實際上並非針對「孔子」進行批判，而是藉此抒發其對當世風氣的種種感慨與憤懑。

另外，學者較少注意的是，〈盜跖〉中的孔子言行，與常見的孔子形象不甚符合，反而較近於戰國時期的說客形象：

> 孔子<u>趨而進，避席反走，再拜盜跖</u>。……
>
> 孔子曰：「丘聞之，凡天下有三德：生而長大，美好无雙，少長貴賤見而皆說之，此上德也；知維天地，能辯諸物，此中德也；勇悍果敢，聚眾率兵，此下德也。凡人有此一德者，足以南面稱孤矣。今將軍兼此三者，……而名曰盜跖，丘竊為將軍恥不取焉。<u>將軍有意聽臣，臣請南使吳、越，北使齊、魯，東使宋、衛，西使晉、楚，使為將軍造大城數百里，立數十萬戶之邑，尊將軍為諸侯，與天下更始，罷兵休卒，收養昆弟，共祭先祖。</u>此聖人才士之行，而天下之願也。」(《莊子集釋》，卷9下，頁993-994)

文中之孔子對大盜竟俯首稱臣，甚至以劃地封侯為利誘，此種形象明

顯近於戰國時期遊說人主以求榮華之說客,而迥異於《論語》、《左傳》等經、史文獻中的孔子形象。[35]這樣的「孔子」,莫說盜跖,即若真孔子復生,恐怕也不會肯定。然而有趣的是,周淑舫指出,所謂「詆訾孔子之徒」的〈盜跖〉、〈漁父〉等篇,對「孔子」形貌動作的描繪,反而最為仔細,且富文學性:

> 《莊子》書中孔子動作描寫比較連貫完整的是〈盜跖〉篇。……趨、進、避、反走、再拜、趨走、出門、上車、執轡、失、據、低,一氣哈成,連用了十二個動詞,把孔子拜見盜跖的過程描寫出來,從中惟妙惟肖地展示了孔子前後截然不同的性格。去見盜跖,躊躇滿懷;見過盜跖,情緒頹喪。
>
> 除了〈盜跖〉篇外,比較連貫的動作描寫還有〈漁父〉篇。……這些描寫,與後世文學創作中塑造人物的行動描寫,實在談不上是成熟的藝術方法。但是,在刻劃人物性格上,它不失為同時代著作中的獨到之筆。[36]

〈盜跖〉花了頗多筆墨描繪孔子的言行舉止,卻形塑出戰國說客的形貌,似乎說明了對所謂「孔子」的文學性創造與誇飾意圖,實高於對真實歷史的考量與對孔子人格的掌握。這種其實並非孔子的「孔子形象」,是否算是一種「醜化」,[37]意見容或不一,但筆者認為,《莊子》

---

35 如《論語》中,孔子對權臣季孫、陽貨等,向來不假辭色,遑論諂媚討好(相關事例可參考《論語注疏》,如〈八佾〉篇,卷3,頁1;〈陽貨〉篇,卷17,頁1等);《左傳》中,面對大國武力相脅,孔子也臨陣不亂、不卑不亢,見定公十年《左傳》(《左傳正義》,卷56,頁2上-4上)。文長不具引。

36 周淑舫:〈簡論《莊子》書中孔子形象的文學價值〉,頁33。

37 當然,學者或可指責《莊子》不顧史實,不過若以「符合史實」為標準與否而論,則儒家學派過度推尊孔子的種種論述,恐也應受同樣的質疑與批評;且先秦諸子為

／盜跖在此所「詆訾」的對象，應是更為廣義的「孔子之徒」[38]——即號稱尊崇孔子為宗師的各派儒者——而非針對孔子；只是當《莊子》所欲批判的對象既號稱「孔子後學」，則以孔子為一「箭垛式人物」，[39]並將後學儒者的負面形象歸諸其「宗師」，似乎也是相當合理的選擇。

　　綜而言之，《莊子》中不乏負面的孔子形象，雖限於篇幅無法一一舉證討論，但面對這些較為特殊的「孔子形象」時，實應先審慎分辨此種描繪是否符合「孔子形象」在先秦時期的發展軌跡，再省察《莊子》對此形象的評價。當《莊子》所描繪的孔子，其實已經出之於文學誇飾，或代表、寄託更廣義的儒者弊端時，或許應當超越「孔子形象」之表象，而專注於《莊子》所欲寄寓的意涵，以免治絲益棼。

三　《列子》中的「孔子形象」

　　相對於《莊子》書中的孔子有多種多樣的形貌與創意，時代較晚的《列子》並未超越《莊子》的文學表現，其所呈現的孔子形象，或承襲《莊子》而發展，或符合先秦時期常見的孔子形象。以下略舉數

　　文，乃以論道陳說為首要目的，嚴謹的歷史載錄本非其核心關懷，故此暫不討論諸子描繪的孔子形象是否符應歷史的問題。

38　《史記・老子韓非列傳》即謂《莊子》「作〈漁父〉、〈盜跖〉、〈胠篋〉，以詆訿孔子之徒」（《史記會注考證》，卷63，頁10）。

39　此一名詞由胡適之先生提出，指某些著名人物如黃帝、周公、包拯等，其形象與事蹟在民間長期流傳之下，遂逐漸疊加更多傳說與故事。說見胡適：〈《三俠五義》序〉，《中國古典小說研究》，《胡適作品集》（臺北：遠流出版社，1986年），第13冊，頁89-123。孔子雖非傳說人物，但就先秦諸子書中所見，孔子事蹟的流傳廣度，並不下於黃帝、周公。

例述論之。

(一) 踵承《莊子》對孔子形象的發揮

前賢多已指出《列子》有不少篇章承襲《莊子》，其中關於孔子的載錄，如〈黃帝〉篇所載「孔子答顏淵論津人操舟」、[40]「孔子問諸呂梁善水者」、[41]「孔子問諸痀僂承蜩者」[42]諸章，皆近似《莊子‧達生》。而上述《莊子》對孔子形象描繪的特色，如孔子與道家人物的大量互動、嘲諷孔子的博學多識等，也見諸《列子》部分篇章，如〈天瑞〉篇載孔子與林類的對話：

> 林類年且百歲，底春被裘，拾遺穗於故畦，並歌並進。孔子適衛，望之於野。顧謂弟子曰：「彼叟可與言者，試往訊之！」
>
> 子貢請行。逆之壠端，面之而歎曰：「先生曾不悔乎，而行歌拾穗？」林類行不留，歌不輟。子貢叩之不已，乃仰而應曰：「吾何悔邪？」子貢曰：「先生少不勤行，長不競時，老無妻子，死期將至：亦有何樂而拾穗行歌乎？」林類笑曰：「吾之所以為樂，人皆有之，而反以為憂。少不勤行，長不競時，故能壽若此。老無妻子，死期將至，故能樂若此。」子貢曰：「壽者人之情，死者人之惡。子以死為樂，何也？」林類曰：「死之與生，一往一反。故死於是者，安知不生於彼？故吾知其不相若矣。吾又安知營營而求生非惑乎？亦又安知吾今之死不愈昔之生乎？」

---

40 楊伯峻：《列子集釋》，卷2，頁59-61。文長不具引。

41 同前注，頁62-64。文長不具引。

42 同前注，頁64-67。文長不具引。

> 子貢聞之，不喻其意，還以告夫子。夫子曰：「吾知其可與言，果然；然彼得之而不盡者也。」[43]

文中的孔子不僅肯定林類，並且相較於子貢之「不喻其意」，堪稱林類的知音。此段載錄一方面展示了孔子對道家人物的傾慕與尊崇，另方面也維持了常見的孔門弟子互動模式。此種描寫，以孔子與可能是虛構的道家人物互動，展現孔子對這些「得道者」的認同，頗類《莊子》中孔子與漁父、老聃等人的互動描寫。

　　較值得注意的是，《列子》有〈仲尼〉篇，前半部描述孔子的相關事件堪稱豐富，如孔子與顏淵論「知」：

> 仲尼閒居，子貢入侍，而有憂色。子貢不敢問，出告顏回。顏回援琴而歌。孔子聞之，果召回入，問曰：「若奚獨樂？」回曰：「夫子奚獨憂？」孔子曰：「先言爾志。」曰：「吾昔聞之夫子曰：『樂天知命故不憂』，回所以樂也。」孔子愀然有閒，曰：「有是言哉？汝之意失矣。此吾昔日之言爾，請以今言為正也。汝徒知樂天知命之無憂，未知樂天知命有憂之大也。今告若其實：修一身，任窮達，知去來之非我，亡變亂於心慮，爾之所謂樂天知命之無憂也。曩吾修《詩》《書》，正禮樂，將以治天下，遺來世；非但修一身，治魯國而已。而魯之君臣日失其序，仁義益衰，情性益薄。此道不行一國與當年，其如天下與來世矣？吾始知《詩》《書》、禮樂無救於治亂，而未知所以革之之方。此樂天知命者之所憂。雖然，吾得之矣。夫樂而知者，非古人之所謂樂知也。無樂無知，是真樂真知；

43　《列子集釋》，卷1，頁23-25。

故無所不樂，無所不知，無所不憂，無所不為。《詩》《書》、
禮樂，何棄之有？革之何為？」顏回北面拜手，曰：「回亦得
之矣。」出告子貢。

子貢茫然自失，歸家淫思七日，不寢不食，以至骨立。顏回重
往喻之，乃反丘門，弦歌誦書，終身不輟。[44]

此段敘事值得注意者有三：一、其內容以子貢、顏回與孔子互動對話
為主，基本架構仍是常見的師弟對問型態；二、「夫子曰樂天知命故
不憂」云云，並非出自《論語》，而語出《易傳》，[45] 此處將之歸諸孔
子，當是漢代經學昌盛以後的思想；三、以孔子之口，卻宣傳道家式
論述，如「《詩》《書》、禮樂無救於治亂」、「無樂無知，是真樂真
知」等觀念，與《莊子》中刻意描寫孔子「絕學」的面相頗為近似。

（二）延續先秦時期發展出的孔子形象

　　承上所論，就創造性與文學性而言，《列子》的孔子形象描繪，
之所以不能超越《莊子》，也表現在大量使用先秦諸子既定的孔子形
象。綜觀《列子》全書，絕大多數孔子的相關載錄，大抵視孔子為聖
賢、博學多聞者，並有許多視孔子為權威性「評論者」的段落，如
〈黃帝〉篇孔子與弟子論晉國寵臣「商丘開」；[46]〈周穆王〉篇著名的
「鄭人獲鹿」故事，稱世間唯「黃帝、孔丘」能辨覺夢之際；[47]〈說
符〉篇論魯施氏二子或好兵，或好學，文末有「使若博如孔丘，術如

---

44 《列子集釋》，卷4，頁114-117。

45 《易·繫辭上》：「樂天知命，故不憂；安土敦乎仁，故能愛。」（《周易正義》，卷
　　7，頁10上）

46 《列子集釋》，卷2，頁53-57。文長不具引。

47 同前注，卷3，頁107-108。文長不具引。

呂尚，焉往而不窮哉」之言。[48]此類展現博物多聞、論斷人事的孔子形象，正是先秦諸子最常見的型態。

不同於《莊子》對孔子不時做出大膽的諧擬與嘲諷，《列子》則以肯定孔子的論述居多，只不過其肯定的面向轉為具有道家色彩的論述，如〈說符〉載孔子評論趙襄子：

> 趙襄子使新穉穆子攻翟，勝之，取左人中人；使遽人來謁之。襄子方食而有憂色。左右曰：「一朝而兩城下，此人之所喜也；今君有憂色。何也？」襄子曰：「夫江河之大也，不過三日；飄風暴雨不終朝，日中不須臾。今趙氏之德行無所施於積，一朝而兩城下，亡其及我哉！」
>
> 孔子聞之曰：「趙氏其昌乎！夫憂者所以為昌也，喜者所以為亡也。勝，非其難者也；持之，其難者也。賢主以此持勝，故其福及後世。齊、楚、吳、越皆嘗勝矣，然卒取亡焉，不達乎持勝也。唯有道之主為能持勝。」
>
> 孔子之勁，能拓國門之關，而不肯以力聞。墨子為守攻，公輸般服，而不肯以兵知。故善持勝者以彊為弱。[49]

此段載錄先敘趙襄子攻翟而有憂色，乃論德行積累之重要；次記孔子對趙氏的肯定評論，點出有道者方能「持勝」；末則為《列子》作者對孔子的評論，指其有力而「不肯以力聞」，得出「善持勝者以彊為弱」的結論。若略去末段評論，則此種以孔子評論為政者之言行的記

48　《列子集釋》，卷8，頁245-246。文長不具引。

49　同前注，頁251-252。

述,實與《左傳》「仲尼曰」/「孔子曰」的型態相當類似,[50]且孔子仍以正面形象出現,其所論以賢主當懷憂患之心,警惕因勝而驕必致敗亡云云,亦屬常見之論,未必能定為道家之說;但加上末段針對孔子的論述與推崇,強調「以彊為弱」的概念與詮釋,乃確為道家推崇的「守柔」、「不爭」思惟。

綜上所述,可知《列子》雖公認為道家文獻,但仍有以孔子為聖人的傾向,同時並無太多嘲諷、抨擊孔子或儒家後學的篇章,這或許是增入了漢代以後文獻的結果。少數看似並不推崇孔子的篇章,其意旨則尚有討論空間,如〈湯問〉載「兩小兒辯日遠近」事:

> 孔子東游,見兩小兒辯鬥。問其故。一兒曰:「我以日始出時去人近,而日中時遠也。一兒以日初出遠,而日中時近也。」一兒曰:「日初出大如車蓋;及日中,則如盤盂:此不為遠者小而近者大乎?」一兒曰:「日初出滄滄涼涼;及其日中如探湯:此不為近者熱而遠者涼乎?」孔子不能決也。兩小兒笑曰:「孰為汝多知乎?」[51]

此則載錄以孔子遭兩小兒奚落「孰為汝多知乎」作結,似乎意在挑戰孔子「博學多聞」的形象,但晉人張湛《注》則以《莊子》「六合之外,聖人存而不論」詮釋之,[52]唐人盧重玄《解》則曰:

> 一曲之辯,聖人所以未嘗說也。夫不決者,非不知也。世人但

---

50 相關事例可參拙作:〈《左傳》「仲尼曰敘事」芻論〉。
51 《列子集釋》,卷5,頁168-169。
52 張湛《注》:「所謂六合之外,聖人存而不論。二童子致笑,未必不達此旨,或互相起予也。」(《列子集釋》,卷5,頁169)

以問無不知為多，聖人以辯之無益而不辯。若有理無理一皆辯之，則聖人無益之勞實亦多矣。[53]

是則此則載錄究係借用孔子說明知識有其極限，抑呈現某些事情乃「辯之無益」，似待商榷。若屬前者，則與《莊子》嘲諷孔子者近似；若為後者，則仍推崇孔子為聖人。不過整體而言，此類載錄在《列子》中究屬少數，不似《莊子》活潑且大膽地挑戰、嘲弄孔子。

綜上所述，可知《列子》對孔子雖少負面形象，但也經常運用或利用孔子的既定形象，為己說代言，或將孔子詮釋為道家觀點的「聖人」。整體而言，《列子》中的孔子形象在文學創造的層面上，無法超越《莊子》；在利用孔子闡發自身學說、作為特定人事之評論者等事例上，則與先秦諸子常見的運用手法並無太大差別，其「孔子形象」，並不鮮明靈動，殊無特殊之處。

四　結論

透過上文粗略省察《莊子》、《列子》中的「孔子形象」，可歸納出幾個值得思考的議題：

首先，就孔子形象在《莊子》、《列子》二書中的整體特色言：儘管「孔子形象」自戰國以降，似已具有某些固定的樣態，如：博聞、老師、地位可與聖王並列等；各家的「孔子論述」也大體已有常見的模式，如「師弟對問」之體裁、以「孔子曰」作為評論等，但因學說、論述目的之不同，各「學派」仍在這些既定模式中，變創出不同的孔子形象與論述，立場迥異於儒家的《莊子》，創發性尤為明顯，

53　《列子集釋》，卷5，頁169。

如對既定論述模式的顛覆、對人物關係的重新詮釋等。道家講求超越表象、擺落世俗成見、追求正道，或許也體現在其勇於挑戰、顛覆孔子的既有形象之上，企圖透過這些別致而不同尋常的論述，促使讀者產生反思。

其次，就《莊》、《列》二書對孔子的評價言：孔子形象之「正面」或「負面」，可能正是道家所欲去除之「形跡」，未必能等同於「尊孔」或「抑孔」。如《莊子》雖運用各種文學化、寓言化手法，對孔子形象不無嘲諷，甚至有不符孔子人格，甚或醜化的誇張敘述，但此種誇張與顛覆，並不影響與孔子相關之既定歷史事實，反而促使吾人產生更多反思。同時我們也必須認識到，先秦諸子之立說，乃以陳說已見、辯難說服為最重要目的，其所援引之事例、人物，往往以能吸引受諫者為優先考量，是否符合歷史事實則較少慮及與重視；「孔子」因其重要之學術地位，在先秦諸子中被多方運用。道家之外，法家與儒家各派，未嘗不借用「孔子故事」來論理陳說，其中究有多少真實，殊未可知，實不宜輕易以後世「儒道對立」之既定印象，評斷道家文獻中的孔子形象。筆者以為，與其斷然判定某「學派」尊孔或抑孔，不如嘗試以同理、欣賞的態度，省視在不同理論與觀點的詮釋下，不同於儒家的學者，對於孔子此一文化／學術巨人，如何做出相應的敘述，以及「孔子形象」如何轉化、運用於各種多元的學說、理念之中，進而發揮其不同的效用。

復次，就《莊》、《列》二書之「孔子形象」異同言：《莊子》對孔子形象的描繪堪稱豐富多樣，甚或正反矛盾，也大膽的挑戰某些孔子既定的形象與特徵；這些描繪可說都呼應《莊子》獨特的文學風格，透過此類獨特的「孔子形象」，促使讀者在乍看之下雖則可能令人詫異，卻也耐人尋味的描述中，反思有關「知識」、「生命」與「道

德」等議題。相對的，時代晚於《莊子》的《列子》，其「孔子形象」則顯得較為單一，沒有超越《莊子》的獨到創發，大抵沿用既有的孔子形象，雖無明顯批評、醜化孔子之跡，亦無太大變創，給與讀者的閱讀效果遠不如《莊子》之引人深思。

（原載《東亞觀念史集刊》，第8期〔2015年6月〕，頁311-341）

參　先秦漢初雜家文獻中的「孔子形象」

一　研究材料論略

　　在漫悠的中國歷史文化長流中，學術之濫觴或可推源於孔子。孔子之前，《易》乃卜筮之書，《書》與其他史官著作似僅供統治階層鑑往知來，《詩》、《禮》則屬貴族之言行準則。除此之外，似乎未有脫離尋常日用之著作及思想傳世，唯有老子，其人其書是否先於孔子，學界至今猶紛呶不休，未有定論。[1]

1　關於老子的生平與年代，《史記》已語焉欠詳，造成此一問題的根本原因，乃是載述孔子問禮於老子，似老子年壽長於孔子；然《老子》書多有戰國特色，兩相矛盾，因而聚訟紛紜。前賢關於此一問題，約有三說：或以為《老子》作者即孔子問禮者，以胡適、嚴靈峯為代表；或區分著書的老子與孔子問禮者為二，以清儒汪中、近賢錢穆為代表；或據《老子》之語言、用韻、語法，主張《老子》出於戰國中晚期，有梁啟超等人。地不愛寶，出土材料中亦屢見《老子》，如一九七三至一九七四年，湖南長沙馬王堆三號漢墓出土帛書甲、乙本《老子》，其中甲本不避劉邦諱，疑劉邦即位（西元前202）前寫本。此二本並〈德經〉在前，〈道經〉在後，據此推測，帛書《老子》可能屬法家傳本。一九九三年湖北荊門市附近挖掘的郭店一號楚墓，出土大量竹簡，中有《竹簡老子》，出土時已經散亂，抄寫在三種不同形制的竹簡上，據周鳳五先生研究，「甲組《老子》是一個經過戰國時代儒家學者改編的本子，盡量淡化道家宇宙論與形上思想的色彩，並刻意修改文字，避免與儒家『五行』之說正面衝突，是一個已經『儒家化』，甚至『子思學派化』了的道家經典。」而「乙組《老子》⋯⋯內容著重君子的立身處事之道，強調相反對立、無為、清靜，完全不採錄《老子》的宇宙論。丙組《老子》篇幅更小，僅僅摘錄君人南面之術與自然、無為之說。」（周鳳五：〈郭店竹簡的形式特徵及其分類意義〉，

　　孔子作為春秋時代／中華民族的思想巨擘，並被公認為儒家的宗師，其後更被賦予政治、教育、文化極高、極大的意義，其言行舉止自為春秋末期士人的歷史、文化記憶無疑。戰國以降，無論具有經傳、史學性質的《左傳》，或具有「語體」而深具教化性質的《國語》，以及戰國諸子都重新書寫了孔子的歷史、文化記憶；諸子更力圖以其型塑的「孔子形象」掌握發言權，闡發自己學派的理論，希望可以說服諸侯乃至帝王，達到政治與教化的目的，自儒家的《論語》、《孟子》、《荀子》、墨家的《墨子》、道家的《莊子》、法家的《韓非子》莫不如此。

　　中國之學術既可能發軔於孔子，孔子也對此後之學術思想發揮難以估量的影響力，戰國諸子或祖述其說，續加闡發；或針鋒相對，質疑論難。各家對孔子的認知自不盡相同，又或因其學派需要與個人企圖而特意變造，爰此，孔子形象之紛呈多樣實屬必然。

　　筆者曾撰〈先秦漢初文獻中的「孔子形象」〉，就詮經、敘史、諸子等不同性質的文獻，探論「孔子形象」的變嬗，歸納出「良臣」、「老師」、「聖賢」三種形象，此三種形象又因不同的時空情境、學派

《郭店楚簡國際學術研討會論文集》〔武漢：湖北人民出版社，2000年〕，頁54）二〇〇九年北京大學獲贈一批西漢竹簡，其中《老子》現存約五三〇〇餘字，乃目前保存最完整之出土竹簡《老子》，推測抄寫時間約在漢武帝後期到宣帝以前，參北京大學出土文獻研究所：《北京大學藏西漢竹書》（上海：上海古籍出版社，2012年）。綜上可見《老子》受到各學派的廣泛傳抄，然對於老子其人之史實考訂，並無突破性的進展。參胡適：《中國哲學史大綱（上卷）》（上海：商務印書館，1947年），頁47-48。嚴靈峯：〈辨老子書不後於莊子書〉，《無求備齋學術論集》（臺北：臺灣中華書局，1969年），頁171-202。〔清〕汪中著，王清信、葉純芳點校：〈老子考異〉，《汪中集》（臺北：中央研究院中國文哲研究所籌備處，1990年），頁143-148。錢穆：〈老子雜辨〉，《先秦諸子繫年》（香港：香港大學出版社，1956年），頁202-226。梁啟超：〈評胡適之《中國哲學史大綱》〉，《梁任公學術講演集第一輯》（上海：商務印書館，1927年），頁17-21。

立場、文獻性質,甚至不同創作者的個人觀點而各有偏重。如《左傳》因重視各國政治事件、國際形勢與人物作為的「記事」特質,相對完整提供了孔子作為政治人物／「良臣」的行事載述;其重視道德與偏儒家立場則表現於強調、推崇孔子的「老師」身分與敘述孔門弟子的關係等層面。《國語》則傾向記言,重視「嘉言善語」,其載錄孔子各種展現博學之材的言論,使其較《左傳》更傾向「博物多聞」;而其採用的「對問」形式,更是由師弟問答擴充至君臣問答,然其本源仍是孔子的「老師」形象。《孟子》則是先秦文獻中率先提出「孔子作《春秋》」議題者,並以此申說孔子傳承文王、周公之道統,形塑孔子之「聖賢」形象。《史記》進而融裁漢代以前文獻的孔子事蹟,著力描寫孔子之「良臣」形象,更連結「不用」之際遇與其學術事業,成功融合「聖賢」與「老師」形象。筆者又於〈《莊子》、《列子》中的「孔子形象」〉,[2]析論「道家」學派的「孔子形象」,指出《莊子》雖也採取孔子「博聞多識」的「老師」形象,卻翻轉、顛覆其意涵,促使吾人深入反思「知識」、「生命」與「道德」等議題。《列子》雖與《莊子》同為道家文獻,但其所述與先秦諸子既定的「孔子形象」並無太大不同,也少抨擊孔子或儒家後學的篇章。凡此,在在顯示敘事意圖與敘事形式對形塑「孔子形象」的影響,也是重寫歷史、文化記憶的必然結果。

　　尚有可論者,乃「雜家」文獻中的孔子形象。「雜家」是否能成為學派,歷來學者多所論議,張舜徽《四庫提要敘講疏·雜家類敘》云:

　　　　考周秦諸子,未嘗有雜家之名。惟《荀子》嘗言「雜能旁魄而

_____

2　文載《東亞觀念史集刊》第8期(2015年6月),收入本書之〈貳〉。

無用」，楊倞注以「雜能」為多異術，或即指雜家之徒言之。然當時所言學派，究無此名；而為此學者，亦未嘗標雜家之目。司馬談〈論六家要指〉，亦無雜家。雜家之名，蓋起于劉歆、班固簿錄群書之時。故所為《七略》、〈藝文志〉，悉以書分類，不依人分類。其於兼括諸家之書，不能分隸於諸家之下者，盡歸之雜家焉。斯名既立，後之簿錄群書者多因之耳。[3]

張氏認為先秦文獻未見「雜家」之名，而今所存雜家文獻亦不以「雜家」自稱，可見先秦並無「雜家」概念，雜家亦無共同之自我認知，遂謂雜家並非「學派」名稱，而是《七略》、《漢志》因其不能分隸諸家者，遂盡歸之雜家，後世因之。亦有學者因雜家未有一貫宗旨，質疑「雜則非家」，如江瑔〈論九流之名稱〉云：

> 既曰雜，則並畜兼收，宗旨必不純一。古之名為一家之學者，必有純一之宗旨，以貫澈其初終。既雜矣，何家之可言？雜則非家，家則不雜，未可混而一之。[4]

以上質疑，導因於以學術立場區分學派，認為雜家缺乏一貫宗旨，是以不能成「一家之言」。

今存最早界定「雜家」涵義者當推班固《漢書・藝文志》：

> 雜家者流，蓋出於議官。兼儒、墨，合名、法，知國體之有此，見王治之無不貫，此其所長也。及盪者為之，則漫

3　張舜徽：《四庫提要敘講疏》，《舊學輯存》（山東：齊魯書社，1988年），頁1804。
4　江瑔：〈論九流之名稱〉，《讀子卮言》（臺北：泰順書局，1971年），卷1，頁22上。

羨而無所歸心。[5]

細審班固之言，雜家之宗旨即在「知國體之有此，見王治之無不貫」。所謂「國體」、「王治」，顏師古《注》以為即「治國之體」、「王者之治」，[6]可見雜家特別重視治術效用。潘俊杰〈先秦雜家的特徵〉云：

> 雜家的學術宗旨正是《漢書》：「知國體之有此，見王治之無不貫」和《隋書》中所言：「見王治之化，無所不冠者也」，即把政治實用主義的「王治」作為其學術思想的最終目標和宗旨。[7]

明白指出雜家之目的為明確的政治實用主義。而《漢志》「兼儒、墨，合名、法」，當理解為雜家所使用的方法乃有意識兼取各家學說之長，呂思勉云：

> 諸子之學，除道家為君人南面之術，不名一長外，餘皆各有所長；猶人身百骸，闕一不可；故曰「知國體之有此」。雜家兼容而并包之，可謂能攬治法之全。[8]

---

5 〔漢〕班固撰，〔清〕王先謙補注，上海師範大學古籍整理研究所整理：《漢書補注》（上海：上海古籍出版社，2008年），卷30，頁2999。本書引用《漢書》皆據此一版本。

6 顏師古《注》：「治國之體，亦當有此雜家之說」、「王者之治，於百家之道，無不貫綜」（同前注）。

7 潘俊杰：〈先秦雜家的特徵〉，《西北大學學報（哲學社會科學版）》第38卷第1期（2008年1月），頁154。

8 呂思勉：《先秦學術概論》（昆明：雲南人民出版社，2005年），頁167。

呂氏指出，雜家追求治術的目的與其兼取諸子之長的方法之間，其實
互為表裡，正因其目的在政治實效，故方法上網羅眾論，捨短取長。
程千帆〈雜家名實辯證〉則賦予雜家新的定義：

> 雜家者，百家所從入，期於為治最切，蓋秦學也。[9]

程氏之說顯較《漢志》明確，且避免雜家缺乏明確宗旨的誤解。然若
如此定義「雜家」，似嫌不足，如陳志平即以為當區分「目錄學上雜
家類」與「思想史上雜家」，[10]並謂：

> 《七略》、《漢志》小序論雜家類特點，取「兼儒、墨，合名、
> 法」之義，實是思想史之雜家；而其本身又是書籍目錄，故又
> 用「漫羨而無所歸心」之義，以囊括諸書。[11]

所謂「諸書」，指的是雖列於「雜家」，但既不屬於思想史中的雜家學
派，也無法歸入任一學派的書籍，即雜家類小序雖說明了思想史上的
雜家特點，但也提到其所列之書包括無可歸屬於其他學派的書籍。清
儒章學誠《校讎通義·漢志諸子第十四》即云：

> 《漢志》始別九流，而儒、雜二家，已多淆亂。後世著錄之
> 人，更無別出心裁，紛然以儒、雜二家為蛇龍之菹焉。凡於諸

9　程千帆：〈雜家名實辯證〉，《閑堂文藪》，《程千帆全集》（石家莊：河北教育出版
　　社，2000年），第7卷，頁198。

10　陳志平：〈雜家考論（下）〉，收入方勇主編：《諸子學刊》第六輯（上海：上海古籍
　　出版社，2012年），頁311。

11　同前注，頁315。

家著述，不能遽定意指之所歸，愛之則附於儒，輕之則推於
雜。夫儒、雜分家之本旨，豈如是耶？[12]

實齋雖旨在說明後世書目率意歸納宗旨／學派不明之書於儒、雜二
家，唯上溯《漢志》，其所指出〈諸子略〉的儒、雜二家之書實已標
準不一，難怪後世淆亂難分。

　　本文述論限於先秦漢初之《呂氏春秋》、《淮南子》二書。自《漢
書・藝文志》至《四庫全書總目》，雜家類之書或有出入，然未有擯
除此二書於雜家之外者，可見各家書目對雜家之認知雖有歧異，然此
二書向來符合各家對「雜家」之理解。田鳳台云：

　　　　觀夫漢前雜家之書，其足稱者，《呂氏》而外，《淮南》、《論
　　　　衡》，然《淮南》泛採而逞文，《論衡》博收而乖說，其采雖
　　　　博，非皆以治道是尚。自斯而後，雜家不純。[13]

田氏雖對《淮南子》與《論衡》有所不滿，但亦認為純然雜家者唯
《呂氏春秋》、《淮南子》、《論衡》三書而已，三書以外則「雜家不
純」。然而《論衡》是否宜歸雜家，尚有可議。《漢志》區別諸子為十
家，乃針對先秦至漢初之學術立論；東漢以降的思想家，如亦強合於
此十家，恐不免牽強之嫌。[14]《論衡》一書，其目的既非出於政治實

---

12 〔清〕章學誠著，葉瑛校注：《文史通義校注》（北京：中華書局，1985年）附《校
　讎通義校注》，頁1038。

13 田鳳台：《呂氏春秋探微》（臺北：臺灣學生書局，1986年），頁1。

14 《隋書・經籍志》略謂：荀勗《中經新簿》因循鄭默《中經》，改《漢志》之「六
　略」分類為「四部」分類法，並分乙部為「古諸子家、近世子家、兵書、兵家、術
　數」等子目，而不採傳統「九流十家」的子目分類，蓋即考量近世子家在思想體系
　上的獨特性，難以附會於先秦「九流十家」之中（卷32，頁906）。

用，其方法亦非有意兼採各家學說，如田鳳台即云：

> 王充思想，紛歧雜出。其於先秦諸子之學，<u>或有所承，難言所</u>
> <u>宗</u>。……與《呂氏》、《淮南》之書，相近而難相企。要皆因其
> 隨事立說，不能自持所致也。[15]

由「或有所承、難言所宗」，可見田氏並不肯定《論衡》具備雜家學
派有意兼取各家之長的特色，是以《論衡》在書目中雖歸諸雜家，當
出章學誠所言：「凡於諸家著述，不能遽定意旨之所歸，愛之則附於
儒，輕之則推於雜」，而非具有學術上的雜家特質。程千帆認為：

> 呂氏成書，所以備一代之典要，<u>固純乎雜矣</u>。而其他學雖雜
> 出，或各有所長。……《淮南子》則章學誠所謂「自托於道家
> 之支流」者也。要之不害其為雜家，以其通眾家之意，而成一
> 家之言也。[16]

由「固純乎雜矣」之評，具體可見程氏肯定《呂氏春秋》為雜家中之
粹然者，而《淮南子》雖自托於道家，但其書融會眾家而成，亦足以
為雜家學派之代表。

　　本文旨在述論《呂氏春秋》、《淮南子》二書的「孔子形象」及其
成因與特色。二書之撰作時代有別，社會背景亦異，說詳下文〈二〉
之（一）、〈三〉之（一）。

---

15 田鳳台：《王充思想析論》（臺北：文津出版社，1988年），頁41-42。
16 程千帆：〈雜家名實辯證〉，頁199-200。

二　《呂氏春秋》「孔子形象」的承轉與特色

　　《呂氏春秋》乃第一部有意識兼取各家之長以成經國之典的著作，其編纂目的迥異先秦諸子，其所反映的時代特色也不同於其他學派。《呂氏春秋》的「孔子形象」亦然，既有傳承先秦文獻的孔子形象，亦有其特出之處。茲先略述《呂氏春秋》的成書背景與編纂動機，次論其「孔子敘事」之取材，再論其所形塑「孔子形象」的特色。

(一)《呂氏春秋》成書年代、編纂動機與思想特質

　　《史記‧呂不韋列傳》載始皇立，尊不韋為相國，號稱「仲父」，十年以嫪毐事牽連免相，十二年徙蜀自殺。[17]《呂氏春秋》成書年代向有二說：一說採《呂氏春秋‧序意》言「維秦八年」，即秦莊襄王滅周後八年（秦王政六年）；一說採《史記‧太史公自序》「不韋遷蜀，世傳呂覽」，即秦王政十年。陳奇猷考證二說，以為〈十二紀〉成於秦王政六年，〈八覽〉、〈六論〉成於遷蜀之後。[18]王利器則在陳說的基礎上以為〈六論〉、〈十二紀〉作於秦王政六年，〈八覽〉則呂不韋死後門客所作，此乃考量呂不韋遷蜀後二年即歿，未必能完成〈六論〉、〈八覽〉。[19]二說皆以為《呂氏春秋》非成於一時一地，然二說皆乏決定性證據，唯可說明此書約略成於秦一統天下以前。《呂氏春秋》成書時代雖難確考，但由司馬遷〈報任安書〉與《史記‧太史公自序》並云：「不韋遷蜀，世傳《呂覽》，韓非囚秦，〈說難〉、〈孤

17　《史記‧呂不韋列傳》，《史記會注考證》，卷85，頁9-14。

18　參陳奇猷：〈《呂氏春秋》成書的年代與書名的確立〉，《晚翠園論學雜著》（上海：上海古籍出版社，2008年），頁132-135。

19　參王利器：〈呂氏春秋注疏序〉，《呂氏春秋注疏》（成都：巴蜀書社，2002年），頁12-16。

憤〉」之言衡之，史公既以韓非與呂不韋並舉，而〈說難〉、〈孤憤〉皆成於韓非囚秦之前，是則《呂覽》之成書時代亦極可能在「不韋遷蜀」之前。

呂不韋著書目的，古來說法不一，司馬遷謂不韋自恥不如戰國四公子之多賓客，遂亦招士至食客三千：

> 呂不韋以秦之彊，羞不如，亦招致士，厚遇之，至食客三千人。是時諸侯多辯士，如荀卿之徒，著書布天下，呂不韋乃使其客人人著所聞，集論以為〈八覽〉、〈六論〉、〈十二紀〉，二十餘萬言，以為備天地萬物古今之事，號曰《呂氏春秋》。（《史記會注考證》，卷85，頁10）

史遷謂不韋有意著書，以與戰國諸子一別高下。唯此意圖似嫌不夠明確。錢賓四先生則主不韋有取秦而代之意，《呂氏春秋》即其具體主張：

> 余疑此乃呂家賓客借此書以收攬眾譽，買天下之人心。儗以一家《春秋》，托新王之法，而歸諸呂氏。如昔日晉之魏，齊之田。為之賓客舍人者，未嘗不有取秦而代之意。即觀其維秦八年之稱，已顯無始皇地位。當時秦廷與不韋之間，必有猜防衝突之情，而為史籍所未詳者。始皇幸先發，因以牽連及於嫪毐之事。不韋自殺，諸賓客或誅或逐，其事遂莫肯明言，而乃妄造呂政之譏，與嫪毐自不韋薦身之說，同為當時之誣史而已。[20]

---

20 錢穆：〈呂不韋著書攷〉，《先秦諸子繫年》，頁487-488。

蕭公權先生採錢賓四先生之說，又加推闡，並論《呂氏春秋》之思
想云：

> 蓋呂氏既欲代秦自帝，則勢必攻擊秦之傳統政策而別樹立國之
> 道。……是呂書不徒致譏於始皇，實儕秦於六國之列，並孝公
> 以來所行富強兼併，任法尚功之政而根本否定之也。吾人既知
> 《呂氏春秋》為反秦之書，則其重己貴民道體儒用之政治思
> 想，乃針對商、韓而發，毫不足異。〈十二紀〉中持論每陰抑
> 法家。先秦諸子如孔、墨、黃、老、莊、列、管、田、子華等
> 均在稱引之列，而未嘗一及申、商、韓非。……故呂書之政治
> 意義為立新王以反秦，其思想之內容則為申古學以排法。[21]

諸說並不矛盾，或可並存。至其思想，則融會先秦各家學說，自儒、
道、墨、法、陰陽五行等學派汲取養分，[22]以成一家之言。首為此書
作注的高誘於〈呂氏春秋序〉總括此書之大旨云：「此書所尚，以道
德為標的，以無為為綱紀，以忠義為品式，以公方為檢格。」[23]可見

---

21 蕭公權：《中國政治思想史》（臺北：聯經出版事業公司，1982年），第四章第三節
　　「呂氏春秋」，頁359。

22 徐復觀〈呂氏春秋及其對漢代學術與政治的影響〉云：「《呂氏春秋》全書，係統合
　　儒、道、墨、陰陽五家思想而成。」（獻案：「墨」下疑脫「法」字）見氏著：《兩
　　漢思想史（卷二）》（臺北：臺灣學生書局，1989年），頁2。牟鐘鑒云：「書中容納
　　了老莊的天道觀和法天地的思想，墨家尚功利、主尚賢的思想，儒家別貴賤、重教
　　化的思想，陰陽五行家論陰陽、序五行的思想，法家重法審勢的思想，以及義兵、
　　重農等思想，它們之間本來就不互相矛盾，僅僅存在著看問題所由方面和角度的差
　　別。」見氏著：《《呂氏春秋》與《淮南子》思想研究》（濟南：齊魯書社，1987
　　年），頁30。綜合二家之說，可知《呂氏春秋》之學雜有儒、道、墨、法、陰陽五
　　行五家學說。

23 參王利器：《呂氏春秋注疏》，頁28。劉咸炘〈呂氏春秋發微〉闡發此段意涵云：
　　「道德固儒、道之所同，無為亦儒、道、法家同有之目的，而虛靜無為則道家之所

其思想蓋以儒家為宗。[24]

(二)《呂氏春秋》「孔子敘事」之取材

　　正如《呂氏春秋》兼取諸子立說,其「孔子敘事」亦多所踵承,相似記載見諸《論語》、《墨子》、《孟子》、《莊子》、《荀子》、《韓非子》、《文子》、《尸子》、《公孫龍子》、《左傳》、《國語》等文獻,可見《呂氏春秋》取材之廣。然而「引述」與「被引述」之間並不僅止於複製而已,實存在多樣而複雜,甚至斷裂的關係。《呂氏春秋》顯然有其取捨標準。以先秦文獻創造出最具顛覆與變創之「孔子形象」的《莊子》而言,《呂氏春秋》僅從中引述兩則敘事,其一見〈慎人〉:

> 孔子窮於陳、蔡之間,七日不嘗食,藜羹不糝,宰予備矣。孔子弦歌於室,顏回擇菜於外。子路與子貢相與而言曰:「夫子逐於魯,削迹於衛,伐樹於宋,窮於陳、蔡,殺夫子者無罪,藉夫子者不禁;夫子弦歌鼓舞,未嘗絕音,蓋君子之無所醜也若此乎?」顏回無以對,入以告孔子。孔子憱然推琴,喟然而歎曰:「由與賜,小人也。召,吾語之。」
>
> 子路與子貢入。子貢曰:「如此者可謂窮矣。」孔子曰:

詳,即合天道之說也。公方為檢格則儒家之所詳,及修人(獻案:「人」蓋「仁」之誤)義之說也。忠義為品式者,亦即儒家之仁義。」見氏著:《劉咸炘學術論集(子學編)》(桂林:廣西師範大學出版社,2007年),頁287。綜合而言,屬儒家者四、屬道家者三、屬法家者一,可見其旨歸。

24 〔清〕紀昀等撰:《四庫全書總目》(臺北:藝文印書館影印清同治七年〔1868〕刻本,1979年)論《呂氏春秋》云:「大抵以儒為主而參以道家、墨家,故多引六籍之文與孔子、曾子之言。其他如論音則引〈樂記〉,論鑄劍則引《考工記》,雖不著篇名,而其文可案。所引《莊》、《列》之言,皆不取其放誕恣肆者。墨翟之言,不取其〈非儒〉、〈明鬼〉者。而縱橫之術、刑名之說,一無及焉,其持論頗為不苟。」(卷117,頁14下)

「是何言也？君子達於道之謂達，窮於道之謂窮。今丘也拘仁義之道，以遭亂世之患，其所也，何窮之謂？故內省而不疚於道，臨難而不失其德。大寒既至，霜雪既降，吾是以知松栢之茂也。昔桓公得之莒，文公得之曹，越王得之會稽。陳、蔡之阨，於丘其幸乎！」

孔子烈然返瑟而弦，子路抗然執干而舞。子貢曰：「吾不知天之高也，不知地之下也。」

古之得道者，窮亦樂，達亦樂，所樂非窮達也，道得於此，則窮達一也，為寒暑風雨之序矣。[25]

此蓋本諸《莊子・讓王》：

孔子窮於陳、蔡之間，七日不火食，藜羹不糝，顏色甚憊，而弦歌於室。顏回擇菜，子路、子貢相與言曰：「夫子再逐於魯，削迹於衛，伐樹於宋，窮於商、周，圍於陳、蔡，殺夫子者无罪，藉夫子者无禁。弦歌鼓琴，未嘗絕音，君子之无恥也若此乎？」顏回无以應，入告孔子。孔子推琴喟然而歎曰：「由與賜，細人也。召而來，吾語之。」

子路、子貢入。子路曰：「如此者可謂窮矣。」孔子曰：「是何言也！君子通於道之謂通，窮於道之謂窮。今丘抱仁義之道以遭亂世之患，其何窮之為！故內省而不窮於道，臨難而不失其德，天寒既至，霜雪既降，吾是以知松栢之茂也。陳、蔡之隘，於丘其幸乎！」

---

25 王利器：《呂氏春秋注疏》，卷14，頁1532-1542。

> 孔子削然反琴而弦歌，子路扢然執干而舞。子貢曰：「吾不知
> 天之高也，地之下也。」
>
> 古之得道者，窮亦樂，通亦樂，所樂非窮通也，道德於此，則
> 窮通為寒暑風雨之序矣。（《莊子集釋》，卷9下，頁981-983）

文中載述孔子阨於陳、蔡，回答弟子質疑何以君子而有此遭遇，進而
提出對窮達的看法。此事蓋據《論語‧衛靈公》鋪衍：

> 衛靈公問陳於孔子，孔子對曰：「俎豆之事，則嘗聞之矣，軍
> 旅之事，未之學也。」明日遂行。在陳絕糧，從者病，莫能
> 興。子路慍見，曰：「君子亦有窮乎？」子曰：「君子固窮，小
> 人窮斯濫矣。」（《論語注疏》，卷15，頁1）

參較之下，《莊子》較《論語》增添更多細節，人物對話更為生動，
但基本上不違史實，其所闡發之窮達觀也與儒家思想無異，表現出雖
阨處窮困，仍執守仁義的積極態度。《呂氏春秋》更增添齊桓公遭無
知之亂，出奔莒；[26]晉文公遇驪姬之亂，流亡各國，過曹，為曹共公
所辱；[27]越王句踐與吳戰，大敗而降，棲於會稽[28]三事為例，說明處
困辱而能堅持，終能成就大事。然而同樣是「窮於陳蔡」的情節在
《莊子‧山木》則有不同的鋪衍：

> 孔子窮於陳、蔡之間，七日不火食，左據槁木，右擊槁枝，而

---

26 事詳莊八年《左傳》、《國語‧齊語》、《呂氏春秋‧貴卒》。茲不繁引。
27 事詳僖二十三年《左傳》、《國語‧晉語四》、《呂氏春秋‧上德》。茲不繁引。
28 事詳哀元年《左傳》、《國語》〈吳語〉、〈越語上〉、《呂氏春秋‧順民》。茲不繁引。

歌焱氏之風，有其具而无其數，有其聲而无宮角，木聲與人聲，犁然有當於人心。

顏回端拱還目而窺之。仲尼恐其廣己而造大也，愛己而造哀也，曰：「回，无受天損易，无受人益難。无始而非卒也，人與天一也。夫今之歌者其誰乎？」

回曰：「敢問无受天損易。」仲尼曰：「飢渴寒暑，窮桎不行，天地之行也，運物之泄也，言與之偕逝之謂也。為人臣者，不敢去之。執臣之道猶若是，而況乎所以待天乎！」

「何謂无受人益難？」仲尼曰：「始用四達，爵祿並至而不窮，物之所利，乃非己也，吾命其在外者也。君子不為盜，賢人不為竊。吾若取之，何哉！故曰，鳥莫知於鷾鴯，目之所不宜處，不給視，雖落其實，棄之而走。其畏人也，而襲諸人間，社稷存焉爾。」

「何謂无始而非卒？」仲尼曰：「化其萬物而不知其禪之者，焉知其所終？焉知其所始？正而待之而已耳。」

「何謂人與天一邪？」仲尼曰：「有人，天也；有天，亦天也。人之不能有天，性也，聖人晏然體逝而終矣。」（《莊子集釋》，卷7上，頁690-694）

同樣以阨於陳、蔡為背景，〈山木〉之孔子與弟子的問答又不同於〈讓王〉。文中孔子擔憂顏回誤認其志向遠大而萌生進取之心，憐惜自己之遭遇而生悲哀之情，因而提出隨順任化、安晏自適的思想主張。此段文字主在闡發道家思想，情節已背離史實，自屬《莊子》之創發。《呂氏春秋·慎人》取〈讓王〉而捨〈山木〉，實乃捨道取儒，與其思想傾向儒家息息相關。

其二見〈精諭〉：

> 孔子見溫伯雪子，不言而出。子貢曰：「夫子之欲見溫伯雪子
> 好矣，今也見之而不言，其故何也？」孔子曰：「若夫人者，
> 目擊而道存矣，不可以容聲矣。」

> 故未見其人而知其志，見其人而心與志皆見，天符同也。聖人
> 之相知，豈待言哉？[29]

此蓋本諸《莊子・田子方》：

> 溫伯雪子適齊，舍於魯。魯人有請見之者，溫伯雪子曰：「不
> 可。吾聞中國之君子，明乎禮義而陋於知人心，吾不欲見
> 也。」至於齊，反舍於魯，是人也又請見。溫伯雪子曰：「往
> 也蘄見我，今也又蘄見我，是必有以振我也。」出而見客，入
> 而歎。明日見客，又入而歎。其僕曰：「每見之客也，必入而
> 歎，何耶？」曰：「吾固告子矣：『中國之民，明乎禮義而陋乎
> 知人心。』昔之見我者，進退一成規，一成矩；從容一若龍，
> 一若虎；其諫我也似子，其道我也似父。是以歎也。」

> 仲尼見之而不言。子路曰：「吾子欲見溫伯雪子久矣，見之而
> 不言，何邪？」仲尼曰：「若夫人者，目擊而道存矣，亦不可
> 以容聲矣。」（《莊子集釋》，卷7下，頁704-706）

《呂氏春秋・精諭》、《莊子・田子方》皆述孔子見溫伯雪子事，〈田
子方〉之溫伯雪子疑為《莊子》作者杜撰的有道之士，對比中國之民

呶呶不休「明乎禮義」的行為，孔子「見之無言」則表現出「知人心」的特質。如此描述，孔子形象恰與「明乎禮義」相對，為《莊子》有意的倒反，意在譏彈儒家禮義的虛矯。但《呂氏春秋》的引述省略溫伯雪子對「中國之民」的評論，便使此一敘事聚焦於「聖人不待言而相知」的寓意，進而避免譏評禮義的孔子形象。

由上述二則援引《莊子》事例，即可具見《呂氏春秋》雖亦取材對孔子形象有較多變創性的道家文獻，但或捨去《莊子》運用「諧擬」與「倒反」所塑造的獨特「孔子形象」；[30]或藉由刪省敘事，避免呈現《莊子》顛覆的孔子形象，凡此皆可證《呂氏春秋》的孔子不出先秦普遍流傳的既有孔子形象。

此外，對同一故實而有不同的詮解，亦可反映對孔子地位的不同認知，如〈義賞〉云：

> 昔晉文公將與楚人戰於城濮，召咎犯而問曰：「楚眾我寡，奈何而可？」咎犯對曰：「臣聞繁禮之君，不足於文；繁戰之君，不足於詐。君亦詐之而已。」文公以咎犯言告雍季，雍季曰：「竭澤而漁，豈不獲得？而明年無魚。焚藪而田，豈不獲得？而明年無獸。詐偽之道，雖今偷可，後將無復，非長術也。」
>
> 文公用咎犯之言，而敗楚人於城濮。反而為賞，雍季在上。左右諫曰：「城濮之功，咎犯之謀也。君用其言而賞後其身，或者不可乎！」文公曰：「雍季之言，百世之利也；咎犯之言，一時之務也。焉有以一時之務先百世之利者乎？」

---

30 其詳可參拙作：〈《莊子》、《列子》中的「孔子形象」〉，本書之〈貳〉。

> 孔子聞之，曰：「臨難用詐，足以卻敵；反而尊賢，足以報
> 德。文公雖不終始，足以霸矣。」[31]

此則述晉、楚城濮之戰，[32]晉文公問計於咎犯與雍季，採咎犯之謀而
終得勝利，戰後封賞卻以雍季為上；並引孔子之言給予晉文「足以
霸」的評價。《韓非子・難一》所載略同而文稍異：

> 晉文公將與楚人戰，召舅犯問之，曰：「吾將與楚人戰，彼眾
> 我寡，為之柰何？」舅犯曰：「臣聞之：『繁禮君子，不厭忠
> 信；戰陣之閒，不厭詐偽。』君其詐之而已矣。」文公辭舅
> 犯，因召雍季而問之，曰：「我將與楚人戰，彼眾我寡，為之
> 柰何？」雍季對曰：「焚林而田，偷取多獸，後必無獸；以詐
> 遇民，偷取一時，後必無復。」文公曰：「善。」辭雍季，以
> 舅犯之謀與楚人戰以敗之。歸而行爵，先雍季而後舅犯。群臣
> 曰：「城濮之事，舅犯謀也，夫用其言而後其身，可乎？」文
> 公曰：「此非君所知也。夫舅犯言，一時之權也；雍季言，萬
> 世之利也。」
>
> 仲尼聞之，曰：「文公之霸也，宜哉！既知一時之權，又知萬
> 世之利。」[33]

二書針對孔子的評論顯有不同認知。《呂氏春秋・義賞》於「孔子聞
之曰」後續云：

---

31 王利器：《呂氏春秋注疏》，卷14，頁1484-1488。

32 城濮之戰見僖公二十五年至二十八年《左傳》，其詳可參拙作：《晉文公復國定霸考》，
　　第六章第二節，頁252-262。

33 張覺：《韓非子校疏》，卷15，頁933。

賞重則民移之，民移之則成焉。成乎詐，其成毀，其勝敗。天
下勝者眾矣，而霸者乃五，文公處其一，知勝之所成也。勝而
不知勝之所成，與無勝同。秦勝於戎而敗乎殽，楚勝於諸夏而
敗乎柏舉。武王得之矣，故一勝而王天下。眾詐盈國，不可以
為安，患非獨外也。[34]

《呂覽》認為人君之獎賞將導致人民的刻意追求，進而引領風氣。風
氣不善，將招致敗亡，是以人君之賞罰須慎重考慮是否合於義。《韓
非子‧難一》之載述則異乎此，在「仲尼聞之曰」後又云：

或曰：雍季之對，不當文公之問。凡對問者，有因問小大緩急
而對也。所問高大，而對以卑狹，則明主弗受也。今文公問以
少遇眾，而對曰「後必無復」，此非所以應也。且文公不知一
時之權，又不知萬世之利。戰而勝，則國安而身定，兵強而威
立，雖有後復，莫大於此，萬世之利，奚患不至？……故曰：
雍季之對，不當文公之問。且文公又不知舅犯之言，舅犯所謂
「不厭詐偽」者，不謂詐其民，請詐其敵也。敵者，所伐之國
也，後雖無復，何傷哉？……舅犯前有善言，後有戰勝，故舅
犯有二功而後論，雍季無一焉而先賞。「文公之霸，不亦宜
乎」，仲尼不知善賞也。[35]

文中詳論是非，先批評雍季之答不切實際，接著肯定舅犯用詐乃是詐
敵而非詐民。舅犯有二功而賞後雍季，實賞罰不當，以此駁斥孔子對

34 王利器：《呂氏春秋注疏》，卷14，頁1490-1493。
35 張覺：《韓非子校疏》，卷15，頁934-935。

晉文公「既知一時之權，又知萬世之利」的肯定評價。《呂氏春秋・
義賞》、《韓非子・難一》俱引晉文公之問與「孔子曰」闡明論旨，可
見孔子之言論已屬當時流行之說。《韓非子・難一》顯係針對當時盛
行的儒家學說提出詰難，《呂氏春秋》則接受儒家學說，為其背書。
二者雖皆引述同一故實，但因學說立場不同，《呂覽》贊同孔子所
論，《韓非子》則駁斥孔子之言，二書之宗旨與思想自然呈現，而其
思想傾向也導致孔子地位與形象的迥然殊異。

　　省察《呂氏春秋》的取材與引述，可見其對孔子形象的認知較偏
儒家立場，故雖亦引述《莊子》之文，但捨棄《莊子》較具顛覆性的
孔子形象敘事。就其引述孔子之言的立場，《呂氏春秋》與《韓非
子》截然不同，前者多引孔子之言以為佐證，後者則徵引而加以反
駁，由此可以具見《呂氏春秋》對孔子的推崇及偏儒家的學術立場。

（三）《呂氏春秋》所載「孔子形象」的特色

　　《呂氏春秋》所載孔子事跡，雖或前有所承，唯亦有別具特色
者：首先，孔子作為事件、人物行止的權威評論者，往往出現在事件
之末，用以臧否褒貶、評價善惡。如〈去私〉載：

> 晉平公問於祁黃羊曰：「南陽無令，其誰可而為之？」祁黃羊
> 對曰：「解狐可。」平公曰：「解狐非子之讎邪？」對曰：「君
> 問可，非問臣之讎也。」平公曰：「善。」遂用之。國人稱善
> 焉。居有間，平公又問祁黃羊曰：「國無尉，其誰可而為
> 之？」對曰：「午可。」平公曰：「午非子之子邪？」對曰：
> 「君問可，非問臣之子也。」平公曰：「善。」又遂用之。國
> 人稱善焉。

孔子聞之，曰：「善哉！祁黃羊之論也，外舉不避讎，內舉不避子。祁黃羊可謂公矣。」[36]

晉平公兩度詢問祁黃羊任官的適當人選，祁黃羊親、仇兩無隱，薦舉皆適任，並獲國人肯定。《呂氏春秋》為強調此一事件的寓意，援引孔子為評論者，對祁黃羊處事公正給予正面評價。此類「孔子曰」、「孔子聞之曰」的用法，始自《左傳》、《國語》，先秦諸子踵承之，且往往稱引作為評論、說理之依據。至於何者為孔子之真實言論，何者乃藉孔子之口以為「重言」，則界線頗難論定。如若考慮文獻與故實流播產生之「傳聞異辭」，則情況更為複雜，如本則故實可能源自襄三年《左傳》：

> 祁奚請老，晉侯問嗣焉，稱解狐，其讎也，將立之而卒。又問焉，對曰：「午也可。」於是羊舌職死矣，晉侯曰：「孰可以代之？」對曰：「赤也可。」於是使祁午為中軍尉，羊舌赤佐之。
> 君子謂：「祁奚於是能舉善矣。稱其讎，不為諂；立其子，不為比；舉其偏，不為黨。〈商書〉曰：『無偏無黨，王道蕩蕩』，其祁奚之謂矣！解狐得舉，祁午得位，伯華得官，建一官而三物成，能舉善也。夫唯善，故能舉其類。《詩》云：『惟其有之，是以似之』，祁奚有焉。」（《左傳正義》，卷29，頁12）

《左傳》繫此事於魯襄三年，當時晉君為悼公而非〈去私〉之平公。事亦見載《國語·晉語七》：

> 祁奚辭於軍尉，公問焉，曰：「孰可？」對曰：「臣之子午可。

---

36 王利器：《呂氏春秋注疏》，卷1，頁130-134。

人有言曰:『擇臣莫若君,擇子莫若父。』午之少也,婉以從
令,遊有鄉,處有所,好學而不戲。其壯也,彊志而用命,守
業而不淫。其冠也,和安而好敬,柔惠小物,而鎮定大事,有
直質而無流心,非義不變,非上不舉。若臨大事,其可以賢於
臣。臣請薦所能擇而君比義焉。」

公使祁午為軍尉,歿平公,軍無秕政。[37]

魯襄三年即晉悼四年。〈晉語〉謂「祁奚辭於軍尉」,祁奚因晉悼之
問,遂薦舉其子祁午。《左》、《國》並謂祁奚「請老」,晉悼在位十六
年而卒,子平公嗣立,距祁奚請老已十二年,晉平公不太可能徵詢早
已退休的祁奚,祁奚甚至可能早已辭世。《呂覽》之作「平公」,或因
〈晉語七〉文末「歿平公,軍無秕政」而誤。三書對事件之因由亦有
所不同:《左》、《國》乃晉悼詢問祁奚退休後之繼任人選,《呂覽》則
是詢問南陽令與軍尉二職之適任人選。除去這些差異,《呂覽》的
「孔子曰」極可能源自《左傳》的「君子曰」,[38]《呂氏春秋》改《左
傳》「君子曰」為「孔子曰」,一方面可能記載了同一故實的不同版
本,更可能出於對「孔子作《春秋》」的認知,而認為《左傳》的
「君子曰」即「孔子曰」,遂徑改「君子謂」為「孔子聞之曰」歟?

《呂氏春秋》為何以「春秋」名書,歷來眾說紛呶。司馬遷於
〈十二諸侯年表序〉列敘孔子、左丘明、鐸椒、虞卿與呂不韋等人作
「春秋」之意,齊等五人著書之功業,[39]呂不韋有可能效法孔子作

---

37 上海師範大學古籍整理研究所標點:《國語》(上海:上海古籍出版社,1998年),
 卷13,頁439-440。本書所引《國語》皆據此本,不另出注。

38 《左傳》「君子曰」/「仲尼曰」的相關論題,可參拙作:〈《左傳》「仲尼曰敘事」
 芻論〉,《先秦兩漢歷史敘事隅論》之〈玖〉,頁425-503。

39 《史記·十二諸侯年表序》:「是以孔子明王道,干七十餘君,莫能用,故西觀周

《春秋》褒善貶惡，遂將其書名為《呂氏春秋》。[40]如此，則頗可能改《左傳》的「君子曰」為「孔子曰」以彰明孔子與《春秋》的關係。然而《呂氏春秋》中的「孔子曰」並非全為踵承或改寫，如〈義賞〉所載當出《呂氏春秋》自創：

> 趙襄子出圍，賞有功者五人，高赦為首。張孟談曰：「晉陽之中，赦無大功，賞而為首，何也？」襄子曰：「寡人之國危，社稷殆，身在憂約之中，與寡人交而不失君臣之禮者惟赦，吾是以先之。」
>
> 仲尼聞之，曰：「襄子可謂善賞矣。賞一人而天下之為人臣者莫敢失禮。」
>
> 為六軍則不可易。北取代，東迫齊。令張孟談踰城潛行，與魏桓、韓康期而擊智伯，斷其頭以為觴，遂定三家，豈非用賞罰當邪？[41]

晉陽之圍在周貞定王十四年（西元前455），時孔子早歿，[42]不可能對此

室，論史記舊聞，興於魯而次《春秋》，上記隱，下至哀之獲麟，約其辭文，去其煩重，以制義法，王道備，人事浹。七十子之徒口受其傳指，為有所刺譏褒諱挹損之文辭不可以書見也。魯君子左丘明懼弟子人人異端，各安其意，失其真，故因孔子史記具論其語，成《左氏春秋》。鐸椒為楚威王傅，為王不能盡觀春秋，采取成敗，卒四十章，為《鐸氏微》。趙孝成王時，其相虞卿上采春秋，下觀近世，亦著八篇，為《虞氏春秋》。呂不韋者，秦莊襄王相，亦上觀尚古，刪拾春秋，集六國時事，以為〈八覽〉、〈六論〉、〈十二紀〉，為《呂氏春秋》。」（《史記會注考證》，卷14，頁6-8）

40 王利器〈呂氏春秋注疏序〉「春秋、素王、大一統」對此議題論述詳審，可參。見《呂氏春秋注疏》，頁1-9。

41 王利器：《呂氏春秋注疏》，卷14，頁1493-1497。

42 孔子卒於魯哀公十六年，西元前479。

事有所評論。《呂氏春秋》橫空自造「仲尼」之言，無非借重孔子地位
與權威為其理論張本，故在「仲尼曰」之後，進一步就趙襄子的成就
點出「賞罰當」的主旨，一方面彰顯孔子的權威地位，一方面加強孔
子褒善貶惡的形象。此一褒善貶惡形象之形成，可能源於孔子作《春
秋》的事蹟已普遍被接受；唯《呂覽》並未如《孟子》將孔子作《春
秋》之事功接續於堯、舜、禹、文王、周公相繼而下的聖賢譜系。

　　《呂氏春秋》又常敘寫孔子因小見大，洞燭機先的形象，如〈察
微〉載：

> 魯國之法，魯人為人臣妾於諸侯，有能贖之者，取其金於府。
> 子貢贖魯人於諸侯，來而讓不取其金。孔子曰：「賜失之矣。
> 自今以往，魯人不贖人矣。取其金則無損於行，不取其金則不
> 復贖人矣。」
> 子路拯溺者，其人拜之以牛，子路受之。孔子曰：「魯人必拯
> 溺者矣。」
> 孔子見之以細，觀化遠也。[43]

魯國法令獎勵贖回遭擄至諸侯為奴的魯人，子貢贖人而不取賞金，孔
子遂預見魯國此後必因此義行未獲獎勵，將不再有人願意贖人。而子
路拯救溺水者，並接受溺水者以牛作為報答，孔子遂預見魯國此後必
因可得報償而願意拯救溺水者。贖人、拯溺之事，不見於更早的文
獻，或許即為《呂氏春秋》藉用孔子師弟角色創造的故事。其中孔子
站在較高的角度，見微知著的預言子貢、子路二人行為所產生的影
響，符合孔子的「老師」／「智者」形象，且其所產生的影響實寓有

43　王利器：《呂氏春秋注疏》，卷16，頁1879-1881。

褒貶意涵。由此可見孔子作為「老師」的形象至戰國末期應已深植人心，且歷久不衰。又如〈當染〉所載：

> 孔子學於老聃、孟蘇、夔靖叔。魯惠公使宰讓請郊廟之禮於天子，桓王使史角往，惠公止之，其後在於魯，墨子學焉。此二士者，無爵位以顯人，無賞祿以利人，舉天下之顯榮者，必稱此二士也。皆死久矣，從屬彌眾，弟子彌豐，充滿天下，王公大人從而顯之，有愛子弟者，隨而學焉，無時乏絕。

> 子貢、子夏、曾子學於孔子，田子方學於子貢，段干木學於子夏，吳起學於曾子。禽滑釐學於墨子，許犯學於禽滑釐，田繫學於許犯。

> 孔、墨之後學顯榮於天下者眾矣，不可勝數，皆所染者得當也。[44]

文中一方面肯定孔子好學，老聃之外，孔子之師又多了孟蘇與夔靖叔，二人並未見載其他文獻；另一方面則是孔子「善教」，其弟子與再傳弟子非唯能全身遠禍，且能顯榮天下。[45]特別值得注意的是，孔子的老師形象在先秦文獻已經確立，但賦予墨子老師形象則頗為少見。孔、墨並稱，且形象逐漸同化，乃《呂氏春秋》之一大特色。

---

44 王利器：《呂氏春秋注疏》，卷2，頁230-235。
45 〈尊師〉亦載：「故凡學，非能益也，達天性也。能全天之所生而勿敗之，是謂善學。子張，魯之鄙家也；顏涿聚，梁父之大盜也；學於孔子。段干木，晉國之大駔也，學於子夏。高何、縣子石，齊國之暴者也，指於鄉曲，學於子墨子。索盧參，東方之鉅狡也，學於禽滑黎。此六人者，刑戮死辱之人也，今非徒免於刑戮死辱也，由此為天下名士顯人，以終其壽，王公大人從而禮之，此得之於學也。」（《呂氏春秋注疏》，卷4，頁423-428）〈尊師〉所載類似〈當染〉，而尤著墨於弟子的個性殘暴狡獪或出身盜匪，但因所學得當，故能全身遠禍。

　　除敘述孔、墨二人好學而善教外，《呂氏春秋》也著意營造孔、墨皆有大才、志於道而不遇，不能一展抱負的形象，如〈諭大〉直言「孔丘、墨翟欲行大道於世而不成，既足以成顯名矣」；[46]而所以欲行道而不成，當因不見用之故，是以《呂氏春秋》屢屢強調孔子的「布衣」身分，如〈不侵〉載：

> 湯、武，千乘也，而士皆歸之。桀、紂，天子也，而士皆去之。<u>孔、墨，布衣之士</u>也，萬乘之主，千乘之君，不能與之爭士也。自此觀之，尊貴富大不足以來士矣，必自知之然後可。[47]

〈順說〉亦載：

> 孔丘、墨翟，<u>無地為君，無官為長</u>，天下丈夫女子莫不延頸舉踵而願安利之。[48]

前引〈當染〉亦云：「此二士者，無爵位以顯人，無賞祿以利人」，一方面強調其布衣、無官無爵的身分，另方面也藉此表現二人雖為布衣，但擁有極大的號召力與影響力，以至於君主「不能與之爭士」，而天下「莫不延頸舉踵」。凡此種種，皆有濃厚戰國時代平民崛起的風氣與特色。

　　相較而言，《呂氏春秋》全然未見作為貴族身分以及捍衛禮樂制度的孔子形象；而作為「良臣」形象的孔子事蹟亦僅一見於〈樂成〉：

---

46 王利器：《呂氏春秋注疏》，卷13，頁1342。文亦見〈務大〉，卷26，頁3047。

47 同前注，卷12，頁1191-1193。

48 同前注，卷15，頁1730。

孔子始用於魯。魯人鬻誦之曰：「麛裘而韠，投之無戾；韠而麛裘，投之無郵。」用三年，男子行乎塗右，女子行乎塗左，財物之遺者，民莫之舉。大智之用，固難踰也。子產始治鄭……。

使鄭簡、魯哀當民之誹訕也而因弗遂用，則國必無功矣，子產、孔子必無能矣。非徒不能也，雖罪施，於民可也。今世皆稱簡公、哀公為賢，稱子產、孔子為能。此二君者，<u>達乎任人</u>也。[49]

文中雖提及孔子治魯成效，但如何治魯卻非要旨。不同於其他文獻屢屢強調禮樂教化，或因其學說思想特質而塑造善於用法的孔子，[50]《呂覽》此文明顯重在闡述其君賢於任人。「君臣遇合」議題顯為時人關注焦點，是以在敘述孔子故實時，多敘寫其如何自托於君主，或如何周遊求用以闡發其對君臣遇合之理念，如〈遇合〉載：

凡遇，合也。<u>時不合，必待合而後行</u>。故比翼之鳥死乎木，比目之魚死乎海。孔子周流海內，再干世主，如齊至衛，所見八十餘君，委質為弟子者三千人，達徒七十人。七十人者，萬乘之主得一人用可為師，不為無人，以此游，僅至於魯司寇，此天子之所以時絕也，諸侯之所以大亂也。亂則愚者之多幸也，幸則必不勝其任矣。任久不勝，則幸反為禍。其幸大者，其禍亦大，非禍獨及己也。故君子不處幸，不為苟，<u>必審諸己然後</u>

---

49 王利器：《呂氏春秋注疏》，卷16，頁1855-1862。

50 說可參拙作：〈先秦漢初文獻中的「孔子形象」〉，〈三〉之（三）「道法二家對孔子形象的變創」，《先秦兩漢歷史敘事隅論》，頁86-93。

　　任，任然後動。[51]

文中借孔子周遊列國、干君求用事蹟為說，並指孔子不受重用，官僅
至魯司寇，故「天子之所以時絕也，諸侯之所以大亂也」。可見《呂
覽》視孔子為「命世之才」，惜其不逢時運，其大旨頗近於出土文獻
《郭店楚簡‧窮達以時》：

> 有天有人，天人有分。察天人之分，而知所行矣。<u>有其人，亡
> 其世，雖賢，弗行矣</u>。苟有其世，何難之有哉！舜耕於歷山，
> 陶拍於河浦，立而為天子，遇堯也。皋陶衣枲褐，帽経蒙巾，
> 釋板築而佐天子，遇武丁也。呂望為臧棘津，守監門棘地，行
> 年七十而屠牛於朝歌，舉而為天子師，遇周文也。管夷吾拘囚
> 梏縛，釋械柙而為諸侯相，遇齊桓也。百里遱鬻五羊，為伯牧
> 牛，釋板築而為朝卿，遇秦穆<u>也</u>。孫叔三謝恆思少司馬，出
> 而為令尹，遇楚莊也。……<u>窮達以時，幽明不再。故君子勇於
> 反己</u>。[52]

〈窮達以時〉舉舜、皋陶、呂望、管夷吾、百里奚、孫叔敖等賢臣，
遭逢堯、武丁、周文、齊桓、秦穆、楚莊等明君，皆為「有其世」[53]
之境況，此乃由正面論說；《呂氏春秋‧遇合》則舉孔子周遊列國而
諸侯莫之能用，由反面申論「時不合」。二者皆以為君臣之遇合出於
時運，而時運不可期，故唯「審己」而已，是以〈遇合〉言「必審諸

51　王利器：《呂氏春秋注疏》，卷14，頁1545-1550。
52　荊門市博物館：《郭店楚墓竹簡》（北京：文物出版社，1998年），頁145，簡文採寬
　　式隸定，通假字逕改為通行字，補字加方框，讀者察之。
53　「有其世」指合於時運。若時運不濟，雖有賢能之才，仍不得行於世。

已而後任」,〈窮達以時〉言「窮達以時,幽明不再,故君子勇於反己」,[54]文雖有異,而皆歸本於自身之修持。此二文獻,雖地域懸隔,而有相同之關懷,具體可見「君臣遇合」議題在戰國時期之普遍性。

《呂氏春秋》又述及兩次孔子主動求用的事蹟,〈貴因〉載:

> 禹之裸國,裸入衣出,因也。墨子見荊王,錦衣吹笙,因也。孔子道彌子瑕見釐夫人,因也。湯、武遭亂世,臨苦民,揚其義,成其功,因也。故因則功,專則拙。因者無敵。國雖大,民雖眾,何益?[55]

文中以孔子因衛靈公嬖臣彌子瑕引介而得見南子;禹欲推行教化於風俗慣裸之國,必先裸身入其國;墨子雖崇儉非樂,但欲說服楚王亦得投其所好,錦衣吹笙;湯、武如不逢亂世民苦之時,則革命難以成功。以此數例,說明欲成功皆須有所因憑假借,非徒依靠自身能力而已。〈舉難〉亦載:

> 季孫氏劫公家。孔子欲諭術則見外,於是受養而便說,魯國以訾。孔子曰:「龍食乎清而游乎清,螭食乎清而游乎濁,魚食乎濁而游乎濁。今丘上不及龍,下不若魚,丘其螭邪!」
>
> 夫欲立功者,豈得中繩哉?救溺者濡,追逃者趨。[56]

---

54 「勇於反己」的釋讀,參考周鳳五:〈上博五〈姑成家父〉重編新釋〉,《臺大中文學報》第25期(2006年12月),頁11,注40;收入氏著:《朋齋學術文集:戰國竹書卷》(臺北:臺灣大學出版中心,2016年),頁366,注41。

55 王利器:《呂氏春秋注疏》,卷15,頁1765-1768。

56 同前注,卷19,頁2403-2405。

文中以季孫氏把持魯政為背景,孔子欲勸諫而不得入,是以受養為季
孫家臣以諫。此事之所以大受訾議,乃因季孫跋扈僭禮,孔子卻躬受
其養,豈非助紂為虐?《呂覽》則藉由孔子之自白,表明欲立功行
道,不宜拘泥於個人立場與慣常標準,正如欲救溺者不可能不濡濕衣
裳、追逐逃亡者不得不急奔。〈貴因〉、〈舉難〉二則故實皆可歸類於
「君臣遇合」、「求用」範疇,不同於〈遇合〉以「時運」為遇合條
件,呈顯更多主動求用以立功行道的意味。

　　綜上所述,可以略見《呂氏春秋》的「孔子敘事」與「孔子形
象」特色。形成這些特色蓋有二因:一是《呂氏春秋》屬雜家,故書
中孔、墨並舉,孔、墨二人形象也有交融的傾向,如敘述墨子亦著墨
於其好學善教,甚至也好先王之術。孔、墨並舉最早見於《韓非子·
顯學》援引儒、墨之言互為批駁,以證二家學說俱非,其目的當在藉
由抨擊儒、墨,爭取君王採納法家學說。[57]《呂氏春秋》兼容並包的
雜家性質,使其採取不同於《韓非子》的方式,並不駁斥儒、墨學
說,而是將其吸納消化,亦即《漢書·藝文志》所言:「雜家者
流……兼儒、墨,合名、法。」二是反映平民崛起的時代背景,《呂

---

[57] 《韓非子·顯學》:「孔子、墨子俱道堯、舜,而取舍不同,皆自謂真堯、舜,堯、
舜不復生,將誰使定儒、墨之誠乎?……墨者之葬也,冬日冬服,夏日夏服,桐棺
三寸,服喪三月,世主以為儉而禮之。儒者破家而葬,服喪三年,大毀扶杖,世主
以為孝而禮之。夫是墨子之儉,將非孔子之侈也;是孔子之孝,將非墨子之戾也。
今孝、戾、侈、儉俱在儒、墨,而上兼禮之。漆雕之議,不色撓,不目逃,行曲則
違於臧獲,行直則怒於諸侯,世主以為廉而禮之。宋榮子之議,設不鬥爭,取不隨
仇,不羞囹圄,見侮不辱,世主以為寬而禮之。夫是漆雕之廉,將非宋榮之恕也;
是宋榮之寬,將非漆雕之暴也。今寬、廉、恕、暴俱在二子,人主兼而禮之。自愚
誣之學、雜反之辭爭,而人主俱聽之,故海內之士,言無定術,行無常議。夫冰炭
不同器而久,寒暑不兼時而至,雜反之學不兩立而治,今兼聽雜學繆行同異之辭,
安得無亂乎?聽行如此,其於治人又必然矣。」(張覺:《韓非子校疏》,卷19,頁
1234-1239)

氏春秋》全然不提孔子的貴族身分，也全然不載述孔子好禮、守禮形
象。隨著平民崛起，戰國末期士人關注的議題已由學說論爭轉為君臣
遇合、行道求用，因此強調統治者任用賢者，且聽從教導的優點，故
《呂氏春秋》雖有良臣形象的孔子，但其所盛稱的則是魯哀公之「達
乎任人」，孔子如何施行教化反非重點。此外，孔子作為「老師」的
形象相當突出，甚至同化墨子，但並非如其他文獻以「師弟問答」的
形式來闡明學說，而是表現在孔、墨弟子因其師而得以全身遠禍，甚
至顯榮天下的功效，強調從師學習的重要，至於所學何事，則非其關
注焦點。《呂氏春秋》尤其強調孔子周流列國，干君求用而不得，或
憑藉德行有虧、行為有爭議之人以求行道之事蹟，這同樣出於重視
「君臣遇合」議題，也可見時人普遍熟悉孔子之生平際遇，故舉以為
例證。《呂氏春秋》並未將孔子聖人化，孔子形象顯為當時游士普遍
際遇的投射縮影——雖有大才而不見用，欲行其道而事不成，這可說
是戰國末期運用歷史、文化記憶重塑「孔子形象」的具體呈現。

三　《淮南子》「孔子形象」的承轉與特色

（一）《淮南子》的成書背景、編纂動機與思想特質

　　《淮南子》成書的確切年代，史無明文，唯《漢書‧淮南王傳》
謂建元二年（西元前139）入朝獻內篇之書。其著作目的，則多異說。

　　據《漢書》本傳，文帝元年（西元前179）安生，六年，安父長
因謀反遭誅，八年文帝封安為阜陵侯，十六年封淮南王，時年十六，
景帝前元三年（西元前154）吳、楚七國反，吳遣使至淮南，安本
欲發兵反，後仍從漢。建元二年（西元前139）獻書武帝，武帝方
好藝文，祕愛之。元狩元年（西元前122），安謀反事覺，自剄而死。

[58]是則《淮南鴻烈》一書當成於文帝（西元前179-157在位）、景帝（西元前156-141在位）之間。時竇太后掌權，行黃老治術。本傳述及劉安門客著書有云：

> 淮南王安為人好書，鼓琴，不喜弋獵狗馬馳騁，亦欲以行陰德拊循百姓，流名譽。招致賓客方術之士數千人，作為〈內書〉二十一篇，〈外書〉甚眾，又有〈中篇〉八卷，言神仙黃白之術，亦二十餘萬言。時武帝方好藝文，以安屬為諸父，辯博善為文辭，甚尊重之。每為報書及賜，常召司馬相如等視草乃遣。
>
> 初，安入朝，獻所作〈內篇〉，新出，上愛祕之。使為〈離騷傳〉，旦受詔，日食時上。又獻〈頌德〉及〈長安都國頌〉。每宴見，談說得失及方技賦頌，昏莫然後罷。[59]

史遷或因劉安造反受誅自殺而對劉安撰作之事語焉欠詳。蕭公權先生有謂：

> 今觀〈要略篇〉列舉太公、孔子以及申子、商鞅等八家學術，而不及黃老，二十篇中於儒、墨、名、法、神仙諸家言各有所駁正而不及道家，則作者殆陰奉黃老為正統，復「采儒墨之善，撮名法之要」以極其用。……劉安著書之用意亦在顛覆時君，其所採之體例亦為兼收眾說。然其宗旨獨重黃老而與《呂氏》相殊者，殆以《鴻烈》成書適當漢代黃老驟盛轉衰，儒家初受朝廷尊崇之際，故偏重虛靜，圖與「內多欲而外施仁義」

---

58 《漢書·淮南衡山齊北王傳》，王先謙：《漢書補注》，卷44，頁3532-3543，茲不繁引。

59 《漢書·淮南衡山齊北王傳》，同前注，頁3534。

者相抗，藉以收取士民之心歟？[60]

　　蕭先生推測劉安重黃老，可能有意與逐漸興起的儒家思想抗衡，也有可能出自政治目的。而這些可能原因都指向其內容偏向道家思想的特質。

　　綜合上述各家之說，劉安之著書，除可能有其政治目的外，都指向漢初盛行黃老政治思想的背景。牟鐘鑒指出《淮南子》的思想來源有老子、莊子、儒家、法家、陰陽五行說、墨家、黃老著作、《呂氏春秋》等八家，[61]而其宗旨則如高誘〈淮南子序〉所言：「其旨近《老子》，淡泊無為，蹈虛守靜」，「然其大較歸之於道」，[62]可見《淮南子》雖綜合當時流行之思想，其主旨則明顯傾向道家。陳麗桂先生〈《淮南子》解老〉曾歸納《淮南子》之思想特色云：

> 劉安及其賓客一方面能深入了解《老子》思想之核心要義，又能配合時代需求，依照自己南方楚地特有風格，轉化《老子》原意，作創造性詮釋。……
>
> 《淮南子》全書基於經世尚用立場，對《老子》許多理論顯實、轉化、甚至歧出、改造，應是刻意之創造性詮釋。不論其詮釋成效與《老子》原旨有多少距離，其應用《老子》，而非轉述《老子》思想之用心，明白可見。從《老子》與《莊子》之理論中，走出自我途徑，堅持自我風格，以切合其大時代之用。[63]

---

60 蕭公權：《中國政治思想史》，第十章第四節「淮南鴻烈」，頁364-365。

61 牟鐘鑒：《《呂氏春秋》與《淮南子》思想研究》，頁164-168。

62 〔漢〕高誘：〈敘目〉，劉文典撰，馮逸、喬華點校：《淮南鴻烈集解》（北京：中華書局，2010年），頁2。

63 陳麗桂：《漢代道家思想》（臺北：五南圖書出版公司，2013年），頁172、174。

陳先生指出《淮南子》雖雜採各家之說，而終究偏向道家之《老子》，甚具卓識。

（二）《淮南子》「孔子敘事」之取材

　　《淮南子》的「孔子敘事」較少，其援引的材料也遠不如《呂氏春秋》豐贍。根據筆者粗略蒐羅，其所取資者計有《論語》、《韓詩外傳》、《莊子》、《荀子》、《列子》、《韓非子》、《呂氏春秋》等。

　　相較於《呂氏春秋》取材於《莊子》的保守傾向，《淮南子》對《莊子》所載的孔子敘事，則有不同的處理方式，如〈齊俗〉載：

> 人性欲平，嗜欲害之，惟聖人能遺物而反己。夫乘舟而惑者，不知東西，見斗極則寤矣。夫性，亦人之斗極也。有以自見也，則不失物之情；無以自見，則動而惑營。譬若隴西之游，愈躁愈沉。
>
> 孔子謂顏回曰：「吾服汝也忘，而汝服於我也亦忘。雖然，汝雖忘乎，吾猶有不忘者存。」
>
> 孔子知其本也。[64]

文中「孔子謂顏回」云云，蓋出《莊子・田子方》：

> 顏淵問於仲尼曰：「夫子步亦步，夫子趨亦趨，夫子馳亦馳；夫子奔逸絕塵，而回瞠若乎後矣！」夫子曰：「回，何謂邪？」曰：「夫子步，亦步也；夫子言，亦言也；夫子趨，亦趨也；

---

[64] 劉文典：《淮南鴻烈集解》，卷11，頁352。

夫子辯，亦辯也；夫子馳，亦馳也；夫子言道，回亦言道也；及奔逸絕塵，而回瞠若乎後者，夫子不言而信，不比而周，无器而民滔乎前，而不知所以然而已矣。」仲尼曰：「惡！可不察與！夫哀莫大於心死，而人死亦次之。日出東方而入於西極，萬物莫不比方。有目有趾者，待是而後成功，是出則存，是入則亡。萬物亦然，有待也而死，有待也而生。吾一受其成形，而不化以待盡，效物而動，日夜无隙，而不知其所終；薰然其成形，知命不能規乎其前，丘以是日徂。吾終身與汝交一臂而失之，可不哀與！女殆著乎吾所以著也。彼已盡矣，而女求之以為有，是求馬於唐肆也。<u>吾服女也甚忘，女服吾也亦甚忘。雖然，女奚患焉！雖忘乎故吾，吾有不忘者存。</u>」（《莊子集釋》，卷7下，頁709）

兩相比對，明顯可見《淮南子》少了《莊子》鋪排的故事情節，文意亦略有不同。《莊子·田子方》中孔子之言乃針對顏回對孔子隨物而化感到無所適從而答，是以所謂「吾有不忘者存」，郭象《注》云：「不忘者存，謂繼之以日新也。雖忘故吾而新吾已至，未始非吾，吾何患焉！故能離俗絕塵而與物不冥也」。[65]《淮南子·齊俗》則斷章取義，以孔子猶有不忘者乃人之性，故視孔子為「知其本」。《淮南子》並未因此事蓋出《莊子》之虛構而不錄，反而斷章取義以佐證己說，坐實《莊子》所載孔子言行的真實性。

　　此外，《淮南子》取材先秦文獻往往省略情節，而以短短數語簡述故實，如〈主術〉載：

65　〔清〕郭慶藩：《莊子集釋》，卷7下，頁711。

孔子學鼓琴於師襄，而諭文王之志，<u>見微以知明矣</u>。[66]

此蓋出自《韓詩外傳》卷五：

> 孔子學鼓琴於師襄子而不進。師襄子曰：「夫子可以進矣！」
> 孔子曰：「丘已得其曲矣，未得其數也。」有間，曰：「夫子可
> 以進矣！」曰：「丘已得其數矣，未得其意也。」有間，復
> 曰：「夫子可以進矣！」曰：「丘已得其人矣，未得其類也。」
> 有間，曰：「邈然遠望，洋洋乎！翼翼乎！必作此樂也，默然
> 異，幾然而長，以王天下，以朝諸侯者，其惟文王乎？」師襄
> 子避席再拜曰：「善！師以為〈文王之操〉也。」孔子持文王
> 之聲，知文王之為人。師襄子曰：「敢問何以知其〈文王之
> 操〉也？」孔子曰：「然。夫仁者好偉，和者好粉，智者好
> 彈，有殷勤之意者好麗。丘是以知〈文王之操〉也。」[67]

相較於《韓詩外傳》引人入勝的豐富細節，《淮南子》僅以短短三語
概述此一故事及其喻義。又如〈繆稱〉載：

> 紂為象箸而箕子嘰，魯以偶人葬而孔子歎，見所始則知所終。[68]

此蓋典出《孟子·梁惠王》：

> 梁惠王曰：「寡人願安承教。」孟子對曰：「殺人以梃與刃，有

66 劉文典：《淮南鴻烈集解》，卷9，頁276。
67 屈守元：《韓詩外傳箋疏》（成都：巴蜀書社，1996年），卷5，頁456-457。
68 劉文典：《淮南鴻烈集解》，卷10，頁339。

以異乎？」曰：「無以異也。」「以刃與政，有以異乎？」曰：
「無以異也。」曰：「庖有肥肉，廐有肥馬，民有飢色，野有餓
莩，此率獸而食人也，獸相食，且人惡之。為民父母，行政不
免於率獸而食人。惡在其為民父母也？仲尼曰：『始作俑者，其
無後乎！』為其象人而用之也，如之何其使斯民飢而死也？」
（《孟子注疏》，卷1上，頁10下-11上）

《淮南子》省略了《孟子》的議論與孔子的言論，而改以「孔子嘆」
表達孔子對偶人葬的批判立場，完全忽略了《孟子》憂民的政治主
張。〈說山〉亦載：

> 陳成子恒之劫子淵捷也，子罕之辭其所不欲，而得其所欲，孔
> 子之見黏蟬者，白公勝之倒杖策也，衛姬之請罪於桓公，子見
> 子夏曰「何肥也」，魏文侯見之反被裘而負芻也，兒說之為宋
> 王解閉結也，此皆微眇可以觀論者。[69]

〈說山〉所載數例，並不限於孔子事蹟，而皆僅以簡單數語點出這些
先秦普遍流傳的「故事」，而省略對話與細節，正可見《淮南子》之
敘事特色。造成此一現象的原因可能是：較之敘事詳盡與情節動人，
《淮南子》更著重故實所反映的寓意，而這些有關孔子的事蹟在當時
應已廣為流傳，士人也已習以為常，故《淮南子》並不詳加敘述。值
得注意的是「孔子之見黏蟬者」、「子見子夏曰：『何肥也？』」二事，
前者即《莊子·達生》孔子見承蜩者事，[70]後者則典出《韓非子·喻

---

69 劉文典：《淮南鴻烈集解》，卷16，頁526-527。
70 《莊子·達生》：「仲尼適楚，出於林中，見痀僂者承蜩，猶掇之也。仲尼曰：『子
　巧乎！有道邪？』曰：『我有道也。五六月累丸二而不墜，則失者錙銖；累三而不

老》，[71]唯見子夏者在〈喻老〉為曾子。此二文獻皆與道家思想密切相
關，且俱屬變創敘事，但《淮南子》將其與史實並列，亦可證《淮南
子》多視道家文獻載述的「孔子事蹟」為史實，可說幾乎毫無保留地
接受，由此正可佐證《淮南子》思想傾向道家的立場。

綜上所述，可見《淮南子》「孔子敘事」取材的兩大特色：一是
對道家文獻──尤其是《莊子》──所載述較具變創的「孔子敘事」
一概接受，且幾與史實並觀；再者，《淮南子》較著重故事所反映的
寓意，而不重視情節之是否豐贍細緻，對先秦流傳的敘事有概括化的
傾向。

（三）《淮南子》所載「孔子形象」的特色

《淮南子》的思想立場明顯傾向道家，此一文獻特質的具體反映
是「仲尼曰」／「孔子曰」地位的明顯下降。《淮南子》雖仍借孔子
為「評論者」，但在「孔子曰」之後往往又添加「老子」之語，以闡
明其道家旨趣，抬高老子地位。如〈道應〉載：

> 荊有佽非，得寶劍於干隊。還反度江，至於中流，陽侯之波，
> 兩蛟挾繞其船。佽非謂枻船者曰：「嘗有如此而得活者乎？」
> 對曰：「未嘗見也。」於是佽非瞑目教然，攘臂拔劍，曰：「武

墜，則失者十一；累五而不墜，猶掇之也。吾處身也，若厥株拘；吾執臂也，若槁
木之枝；雖天地之大，萬物之多，而唯蜩翼之知。吾不反不側，不以萬物易蜩之
翼，何為而不得！』孔子顧謂弟子曰：『用志不分，乃凝於神，其痀僂丈人之謂
乎！』」（《莊子集釋》，卷7上，頁639-641）

71 《韓非子·喻老》：「子夏見曾子，曾子曰：『何肥也？』對曰：『戰勝，故肥也。』
曾子曰：『何謂也？』子夏曰：『吾入見先王之義則榮之，出見富貴之樂又榮之，兩
者戰於胸中，未知勝負，故臞。今先王之義勝，故肥。』是以志之難也，不在勝
人，在自勝也。故曰：『自勝之謂強』。」（張覺：《韓非子校疏》，卷7，頁447）

士可以仁義之禮說也，不可劫而奪也。此江中之腐肉朽骨，棄劍而已，余有奚愛焉！」赴江刺蛟，遂斷其頭，船中人盡活。風波畢除，荊爵為執圭。

孔子聞之，曰：「夫善哉！腐肉朽骨棄劍者，佽非之謂乎！」故老子曰：「夫唯無以生為者，是賢於貴生焉。」[72]

此則記載亦見《呂氏春秋・知分》：

荊有次非者，得寶劍于干遂，還反涉江，至於中流，有兩蛟夾繞其船。次非謂舟人曰：「子嘗見兩蛟繞船能兩活者乎？」船人曰：「未之見也。」次非攘臂祛衣拔寶劍曰：「此江中之腐肉朽骨也。棄劍以全己，余奚愛焉！」於是赴江刺蛟，殺之而復上船，舟中之人皆得活。荊王聞之，仕之執圭。

孔子聞之，曰：「夫善哉！不以腐肉朽骨而棄劍者，其次非之謂乎？」[73]

《呂覽》亦引「孔子曰」以為論定，但《淮南子》於「孔子聞之曰」之後，復援引《老子》之言以證成其說。《呂覽》之孔子稱善次非，乃盛讚其知命有勇，《淮南子》則加上《老子》之言，使得此段敘事與「孔子曰」皆成為發揚《老子》哲理的注腳。唯若進一步考察，即

---

72 劉文典：《淮南鴻烈集解》，卷12，頁413-414。〔清〕王念孫撰，徐煒君、樊波成等校點：《讀書雜志》（上海：上海古籍出版社，2014年），〈淮南內篇第十二〉「瞋目教然攘臂拔劍」條：「念孫案：『瞋目』二字與『攘臂拔劍』事不相類，『瞋目』當為『瞋目』。……又案：『教然』二字當在『瞋目』之上。而以『教然瞋目攘臂拔劍』作一句讀。」（頁2254）

73 王利器：《呂氏春秋注疏》，卷20，頁2467-2472。

可發現其援引《老子》之文實屬斷章取義,《老子》之「無以生為」
云云乃指不刻意維持生命,遠勝於汲汲求生、養生。[74]犯險搏蛟,置
己身於險境,顯然違背《老子》重生宗旨,由此可見《淮南子》勉強
的綰合之跡。如此編輯可能出自對先前文獻的吸收與利用,其所發揮
的旨意雖不合乎道家的正統詮釋,卻可在爭讓儒、道地位上發揮作
用,也可見《淮南子》試圖調和儒、道二家的意圖。

　　《莊子》有意識使用「重言」進行創作,並在〈寓言〉、〈天下〉
等篇一再提及「重言」,莊子自謂:「重言十七,所以已言也,是為耆
艾。」[75]陸德明《釋文》釋「重言」云:「為人所重者之言。」[76]意即
為了止辯,遂假借名人之口、長者言論,闡述己說以取信於世。《淮
南子》雖不如《莊子》虛構孔子故事以為「重言」,但也深知「孔子
曰」的效用,如〈脩務〉載:

> 聖人見是非,若白黑之於目辨,清濁之於耳聽。眾人則不然,
> 中無主以受之。譬若遺腹子之上隴,以禮哭泣之,而無所歸
> 心。故夫孿子之相似者,唯其母能知之;玉石之相類者,唯良
> 工能識之;書傳之微者,惟聖人能論之。今取新聖人書,名之
> 孔、墨,則弟子句指而受者必眾矣。[77]

---

74 文見《老子》七十五章:「民之饑,以其上食稅之多,是以饑。民之難治,以其上
　之有為,是以難治。民之輕死,以其求生之厚,是以輕死。夫唯無以生為者,是賢
　於貴生。」王弼《注》:「言民之所以僻,治之所以亂,皆由上不由其下也。民從上
　也。」(〔三國魏〕王弼等:《老子四種》〔臺北:大安出版社,1999年〕,頁63)

75 語見〈寓言〉,《莊子集釋》,卷9上,頁949。

76 〔唐〕陸德明撰,〔清〕盧文弨校:《經典釋文》(臺北:漢京文化事業公司影印清
　乾隆五十六年〔1791〕盧文弨抱經堂重雕本,1980年),卷28,〈莊子音義下〉,頁
　16下。

77 劉文典:《淮南鴻烈集解》,卷19,頁657。

《淮南子》明確指出唯聖人能明辨是非、分判優劣，世人則多缺乏判斷力，故若有新聖人之書出而託名孔、墨，從學者將慕名而來，可見《淮南子》雖有明確的道家傾向，仍意圖借重儒家的孔子作為其理論代言人，故亦常藉「孔子曰」為「重言」敘事。

《淮南子》的道家立場也使其對儒家的重視禮樂有所譏評。同樣採取孔子的「老師」形象，《呂氏春秋》因強調學習的重要而著重於孔門弟子因勤學而受益；《淮南子》則多言孔子弟子因力學而遭弊，如〈精神〉篇載：

> 今夫儒者，不本其所以欲而禁其所欲，不原其所以樂而閉其所樂。是猶決江河之源而障之以手也。……
>
> 夫顏回、季路、子夏、冉伯牛，孔子之通學也。然顏淵夭死，季路菹於衛，子夏失明，冉伯牛為厲。此皆迫性拂情而不得其和也。[78]

文中所舉四人，皆為孔門最優秀弟子，[79]然皆不得善終，暗示學儒越深，桎梏越大，乃至逆情傷性，深受其害。此蓋借由世人熟知的孔門師弟，特別著墨於弟子的負面下場，藉以凸顯儒家之弊。

《淮南子》亦針砭儒家汲汲用世的態度，強調儒家僅得學術之一偏，不慮世道之異、時代有別，遂往往適得其反。如〈氾論〉載：

---

78 劉文典：《淮南鴻烈集解》，卷7，頁241。
79 《論語・先進》：「子曰：『從我於陳、蔡者，皆不及門也。』德行：顏淵，閔子騫，冉伯牛，仲弓。言語：宰我，子貢。政事：冉有，季路。文學：子游，子夏。」（《論語注疏》，卷11，頁1下）

　　夫弦歌鼓舞以為樂，盤旋揖讓以修禮，厚葬久喪以送死，孔子
之所立也，而墨子非之。兼愛尚賢，右鬼非命，墨子之所立
也，而楊子非之。全性保真，不以物累形，楊子之所立也，而
孟子非之。趨捨人異，各有曉心。故是非有處，得其處則無
非，失其處則無是。丹穴、太蒙、反踵、空同、大夏、北戶、
奇肱、脩股之民，是非各異，習俗相反，君臣上下，夫婦父
子，有以相使也。此之是，非彼之是也；此之非，非彼之非
也，譬若斤斧椎鑿之各有所施也。[80]

文中以孔子、墨子、楊子、孟子之相非，說明各家學說皆各有一得，
但也都僅得一偏，正如斤、斧、椎、鑿，功用不同而各有擅場，以此
強調融會貫通、適處而用的重要，表現出雜家兼取各家之長的思想特
質。為了說明一家之學有其局限，不足遍施於天下，《淮南子》亦以
孔子與古聖王為例，強調其雖為聖主、賢相、博通之人，但皆猶有不
能。如〈主術〉載：

　　湯、武，聖主也，而不能與越人乘幹舟而浮於江湖；伊尹，賢
相也，而不能與胡人騎騵馬而服駒騄；孔、墨博通，而不能與
山居者入榛薄險阻也。由此觀之，則人知之於物也，淺矣，而
欲以偏照海內，存萬方，不因道之數，而專己之能，則其窮不
達矣。[81]

商湯、周武皆聖明之君，乘舟卻非其所長；伊尹乃賢明之臣，然其騎
術遠不及胡人；孔、墨皆以博通聞名，但入山林、行險阻則非其所

---

80 劉文典：《淮南鴻烈集解》，卷13，頁436-437。
81 同前注，卷9，頁278。

長。上述諸人皆為史上最超卓特異之士，而仍有所不能，可見人的能力實有局限，以此比喻各家學說皆未盡完善，實宜兼採各家之長。

相對於各家學說僅得道之一偏，《淮南子》認為「道」乃萬物共通之理，〈齊俗〉有言：

> 今屠牛而烹其肉，或以為酸，或以為甘，煎熬燔炙，齊味萬方，其本一牛之體。伐梗枏豫樟而剖梨之，或為棺槨，或為柱梁，披斷撥檖，所用萬方，然一木之樸也。故百家之言，指奏相反，其合道一體也。[82]

文中以烹牛、剖木為喻，謂雖口味不同，所本皆出一牛；剖木以為器，雖功用不同，所本皆同一木。遂謂百家之言雖旨趣有殊，要皆本原於「道」，充分呈現《淮南子》以道家思想為主幹，吸收各家學派之長的意圖。此種意圖反映在其對理想人格之型塑，如〈人間〉載：

> 人或問孔子曰：「顏回何如人也？」曰：「仁人也。丘弗如也。」「子貢何如人也？」曰：「辯人也。丘弗如也。」「子路何如人也？」曰：「勇人也。丘弗如也。」賓曰：「三人皆賢夫子，而為夫子役。何也？」孔子曰：「丘能仁且忍，辯且訥，勇且怯。以三子之能，易丘一道，丘弗為也。」孔子知所施之也。[83]

所載近同《列子·仲尼》，[84]可見《淮南子》與道家文獻的因襲關係。

---

82 劉文典：《淮南鴻烈集解》，卷11，頁362-363。

83 同前注，卷18，頁616。

84 《列子·仲尼》：「子夏問孔子曰：『顏回之為人奚若？』子曰：『回之仁賢於丘也。』曰：『子貢之為人奚若？』子曰：『賜之辯賢於丘也。』曰：『子路之為人奚若？』

文中藉孔子弟子為說,謂顏回之仁、子貢之辯、子路之勇皆超過孔子,但皆為「一偏之材」,不若孔子之博通兼材又能持守,故能為三人之師。在如此形塑下,孔子的形象近乎聖賢,然而不同於儒家聖人必有事功,道家傾向的《淮南子》認同的則是著重內在修養的道家式聖賢。由此,對於「孔子形象」的塑造實包涵兩個面向:如欲說明各家學說皆有局限,則以博通的孔子尚有不能之事為譬;若欲說明兼容並蓄之長,則以兼有弟子專才之長的孔子為喻,唯皆不離雜家兼容各家之長的學術宗旨。

尚有可說的是,《淮南子》特別提到魯國行孔子之術,但也因此而「地削名卑,不能親近來遠」,說見〈齊俗〉:

> 故魯國服儒者之禮,行孔子之術。地削名卑,不能親近來遠。越王句踐劗髮文身,無皮弁搢笏之服,拘罷拒折之容,然而勝夫差於五湖,南面而霸天下,泗上十二諸侯皆率九夷以朝。[85]

衡諸史實,孔子於魯執政時日非長,且遭季氏掣肘,恐尚未能使「魯國服儒者之禮,行孔子之術」。[86]此一違背史實的認知或許其來有自,《莊子·田子方》便曾假魯哀公之口道:「魯多儒士」、「舉魯國而儒服」:

子曰:『由之勇賢於丘也。』曰:『子張之為人奚若?』子曰:『師之莊賢於丘也。』子夏避席而問曰:『然則四子者何為事夫子?』曰:『居!吾語汝。夫回能仁而不能反,賜能辯而不能訥,由能勇而不能怯,師能莊而不能同。兼四子之有以易吾,吾弗許也。此其所以事吾而不貳也。』」(楊伯峻:《列子集釋》,卷4,頁122-123)

85 劉文典:《淮南鴻烈集解》,卷11,頁355。

86 可參魯定公年間之《左傳》與《史記·孔子世家》。

莊子見魯哀公。哀公曰：「魯多儒士，少為先生方者。」莊子
曰：「魯少儒。」哀公曰：「舉魯國而儒服，何謂少乎？」莊子
曰：「周聞之：儒者冠圜冠者，知天時；履句屨者，知地形；
緩佩玦者，事至而斷。君子有其道者，未必為其服也；為其服
者，未必知其道也。公固以為不然，何不號於國中曰：『无此
道而為此服者，其罪死！』」於是哀公號之五日，而魯國无敢
儒服者，獨有一丈夫儒服而立乎公門。公即召而問以國事，千
轉萬變而不窮。莊子曰：「以魯國而儒者一人耳，可謂多乎？」
（《莊子集釋》，卷7下，頁717-718）

由此可見《淮南子》與先秦道家文獻的承傳關係。《淮南子》成書於
漢初，其時魯地確已深受孔子及其弟子影響，而有濃厚的儒學風氣。
《史記‧項羽本紀》載：

項王已死，楚地皆降漢，獨魯不下。漢乃引天下兵欲屠之，為
其守禮義，為主死節，乃持項王頭視魯，魯父兄乃降。

始，楚懷王初封項籍為魯公；及其死，魯最後下，故以魯公禮
葬項王穀城。（《史記會注考證》，卷7，頁74）

司馬遷特意記載項羽敗亡後，魯地堅決不降的事蹟，除項羽初封為魯
公的客觀因素外，「守禮義」、「為主死節」二語也反映了魯地長久浸
染儒家風氣之要因，可見孔子歿後，儒學持續在魯地發展，因而習染
儒家的道德風氣，《淮南子》蓋即由此歷史、文化記憶，遂有「魯國
服儒者之禮，行孔子之術」之言。

　　綜上所述，影響《淮南子》中的孔子形象與孔子敘事的因素，一

方面為其傾向道家學派的立場。孔子作為評論者，以「孔子曰」的形式闡明事理仍是一大表現方式，只是「孔子曰」似乎成為《老子》的注腳，不再代表最終的權威，具體反映《淮南子》對儒、道地位升降的爭讓。儒家重視學習教化的思想也被認為違背自然、殘生害性，以刻意凸顯孔門弟子「好學」，而適足以造成其「不得善終」的下場。

次則反映雜家欲兼取各家之長，鎔鑄治國之道的意圖。針對先秦諸子汲汲推行自家學說，《淮南子》則站在古今是非各異、南北習俗相反的立場，認為沒有任何一家學說足以遍行天下，而須兼容博取，乃能近於道，是以針對「孔子形象」，一方面著重於其雖天才博通有如聖人，但仍有不能，用以表明各家學說即使良善，仍有不能適用的局限；另一方面，在理想人格的描繪上，則藉由敘寫孔子兼具弟子的一偏之才，表明其學說重視兼採各家之長。此二形象雖看似扞格，但都可推源於同一思想——以兼取調和為美善。

四 結論

透過省察《呂氏春秋》、《淮南子》二書的「孔子形象」，可約略歸納幾個論題：

首先，就二書之著作時代與性質言：《呂氏春秋》之成書在秦一統天下之前，呂不韋宜有以此書為治國之企圖，並力圖與秦之以法治國抗衡；而在雜家「知國體之有此，見王治之無不貫」的宗旨下，運用孔子有助於治國的形象，重新形塑孔子形象。《淮南子》編成於西漢文、景年間，企圖透過一套系統而完整的黃老思想體系，作為治國藍圖，或亦有其政治目的，故憑藉其歷史、文化記憶，重新形塑孔子，唯其立場明顯偏向道家。

　　其次，就二書之取材言，所引「孔子敘事」來自各家學派，即使其引述某一學派文獻，也不足以說明二者有思想上的必然關連，而須視其引述的宗旨而定，故難以單純藉由取材來源說明其學術思想傾向。但若考察二書如何處理《莊子》虛構的「孔子敘事」與變創的「孔子形象」，則可知《呂氏春秋》乃有限度的接受，而未選擇過於顛覆性的孔子敘事；《淮南子》則接納《莊子》虛構的孔子敘事，並賦予史實地位。兩相比較，《呂氏春秋》顯然近於儒家而《淮南子》則近於道家。

　　再次，二書敘述孔子側重的論題完全不同：《呂氏春秋》探討的主題為「君臣遇合」，孔子、墨子往往並舉，一方面敘寫孔、墨打破原則以干君求用的事蹟，另方面則又成為能以「布衣」身分顯名四海的代表。此種孔子形象，似乎寄託了戰國縱橫辯士的普遍遭遇與理想。《呂氏春秋‧遇合》更直接援引孔子周流干君，不被重用的遭遇，藉此論述時運與遇合的關係。此一論題，亦見出土《郭店楚簡‧窮達以時》，顯現其頗受時人重視。《淮南子》則藉孔子論述各學派得之一偏的局限，以倡導兼取並用的雜家之美，是以其筆下的孔子，皆能與湯、武、伊尹、墨子相提並論，都代表當時最具才智德性之人，然尚有所不能，用以證明任何完善的學說亦可能因時、地之異而無法普遍推行。又以孔子具備各弟子的一偏之才，以全德為理想人格的特質，寄寓最佳之學說並非一家一派，而是截長補短，融會兼採。由此可見，同一文獻闡發同一論題之「孔子形象」，仍可因論述角度的不同，而對孔子形象有不同的取捨，因而產生不同的變貌。

　　復次，二書思想宗旨不同，亦影響了其對「學」的態度：《呂氏春秋》關注「君臣遇合」議題，強調學習的重要，以冀人主虛心就教於賢臣；《淮南子》傾向道家無為自適之道，自對「學」有所譏評，認

為「力學」適足以殘生害性。孔子的「老師」形象，亦成為二書闡述「學」之議題的引證之資。二書同樣以「學」的效用為證，《呂氏春秋》藉由敘寫孔門弟子之顯榮，闡明學習的正面助益；《淮南子》則著墨於孔門弟子的夭病死傷，以證重學之殘性害情。由此可見，說理文獻往往於歷史、文化記憶中各取所需立論，而非以傳述事實為主要目的。

又次，二書之引用「孔子曰」／「仲尼曰」亦頗有可論者：《呂氏春秋》、《淮南子》的「孔子曰」依其用途可分為三類：一是針對事件提出評斷，臧否人物，此一用法與春秋戰國流傳的「孔子形象」相去不遠，《論語》、《左傳》已見許多孔子臧否人物行事的言論，而孔子作《春秋》以褒善貶惡，亦是戰國流行之說，可見此一形象的流行實況，以及孔子作為歷史、文化記憶的無所不在。二是藉孔子之言闡述其學派所欲闡述之事理，而此事理並不屬於儒家學說，此即《莊子》所謂之「重言」。以上兩種用途《呂覽》、《淮南》並見。三則是以孔子之言為《老子》注腳，即在孔子的評論之後，又添加《老子》原文，使「孔子曰」成為《老子》哲理的闡發者，此種「孔子曰」僅見於《淮南子》。雖然此一用法明顯可見縐合之跡，其所闡發的道家哲理也未必符合《老子》原意，但如此安排卻可調和儒、道衝突，提高道家地位。無論「孔子曰」的用途如何，顯然孔子已成為提供準則的權威者以及應當效法的標準，使用「孔子曰」即是希望讀者服從其論點，即便學說立場傾向道家的《淮南子》，也意圖避免孔子與老子針鋒相對，而企圖使其相互發明，可見孔子地位越趨權威化的演變軌跡。

綜上所述，可見《呂氏春秋》與《淮南子》的「孔子形象」並無特殊創發，而皆出於說理的需要，因而有所取捨、偏重。如論「學」則側重其「老師」形象，論說「君臣遇合」則忽略其出身貴族後裔而

強調「布衣」身分，可見秦末漢初之際，孔子形象已然成為趨近固型的「傳統記憶」，難有突破，對孔子之歷史、文化記憶有窄化的趨勢。此外，由二書「孔子曰」的論述方式觀之，孔子的權威性顯然更為明確而普及，這也使得傳統的「孔子形象」益趨穩固，難有突破，要到漢武帝獨尊儒術，以及東漢讖緯盛行之後，孔子形象才有較為鉅大的轉變。

（原載《政大中文學報》，第29期〔2018年6月〕，頁127-174）

肆　先秦兩漢傳世／出土文獻中的「夏姬形象」

一　前言

　　「女禍說」與「夏姬」故實蓋為春秋時代士人不能或忘的歷史／文化記憶，戰國乃至漢代／後代士人重加書寫，自有其側重／偏重。本文即擬由此切入，進行考索詮釋，冀能辨析、釐清其間差異及其緣由。

　　傳統經、史學者研治春秋時期之「人物」，大抵以史論與評點為主；前代學者較專門針對女性之研究，有清代王士濂輯《左女彙記》，[1]顧棟高《春秋大事表》則有〈春秋列女表〉。[2]近賢或考證人物生卒、名號，或進一步由相關歷史背景切入，如先師劉德漢先生《東周婦女問題研究》，[3]全面梳理、歸納傳世文獻，勾勒東周婦女生活的各種面向；業師張以仁先生則針對傳統「女禍說」，著有〈從鄶亡於叔妘說到密須與鄀之亡亦與女禍有關〉與〈鄧曼亡鄧之說的檢討〉二文，[4]檢討、探悉個別女性人物與「女禍說」之關係；劉詠聰《女性

1　〔清〕王士濂輯：《左女彙記》，《叢書集成續編》（臺北：新文豐出版公司，1989年），史地類第272冊。
2　〔清〕顧棟高：《春秋大事表》，卷50。
3　劉德漢先生：《東周婦女問題研究》，臺北：臺灣學生書局，1990年。
4　並收入張以仁先生：《春秋史論集》（臺北：聯經出版事業公司，1990年），頁183-203；頁249-267。

與歷史——中國傳統觀念新探》、[5]《德·才·色·權——論中國古代女性》[6]二書，則詳論古代中國女禍、女德、婦女形象等不同議題，企圖勾勒「女德」、「女禍」等觀念產生的時代背景與歷史意義。亦有由「文學」角度切入者，或探究《左傳》描繪女性人物的類型與藝術技巧，或引介「敘事學」理論進行分析，如官翰玫、[7]陳鳳珠、[8]王靖宇、[9]何新文、[10]莊映雪、[11]王敏芳、[12]高方[13]等。至於針對單一女性人物之研究，則鄧曼、息媯、驪姬、夏姬等春秋時代著名女性，皆有學者進行專門論述。

綜觀春秋時期之眾多女子，晉之驪姬與陳之夏姬，可謂負面形象最為顯著者，後世對其事蹟更多有附會、誇張，唯恐未必盡符史實，而多文學筆墨。[14]拙作《晉文公復國定霸考》曾論析驪姬之亂與晉公子重耳之亡，指出驪姬雖在晉國興風作浪、害人無數，卻間接促成晉文公成就霸業，其間禍福頗難遽斷，則所謂「負面人物」的形塑與功

5　劉詠聰：《女性與歷史——中國傳統觀念新探》，臺北：臺灣商務印書館，1995年。

6　劉詠聰：《德·才·色·權——論中國古代女性》，臺北：麥田出版公司，1998年。

7　官翰玫：《左傳婦女形象初探》，臺北：國立政治大學中國文學研究所碩士論文，簡宗梧教授指導，1985年。

8　陳鳳珠：《左傳人物性格刻畫舉隅》，臺中：逢甲大學中國文學研究所碩士論文，劉正浩教授指導，1992年。

9　王靖宇：《中國早期敘事文研究》，上海：上海古籍出版社，2003年。

10　何新文：《《左傳》人物論稿》，北京：中國社會科學出版社，2004年。

11　莊映雪：《《左傳》女性傳記藝術研究》，高雄：國立高雄師範大學國文學系碩士論文，周虎林教授指導，2006年。

12　王敏芳：《左傳女子的資鑑意涵》，臺北：國立臺灣師範大學國文學系碩士論文，劉正浩教授指導，2007年。

13　高方：《左傳女性研究》，哈爾濱：黑龍江大學出版社，2010年。

14　〔明〕馮夢龍，〔清〕蔡元放編：《東周列國志》（北京：人民文學出版社，1979年）；〔日〕宮城谷昌光著，孫智齡譯：《夏姬春秋》（臺北：實學社出版公司，1995年）皆屬之。

過，實堪玩味深思。今則嘗試討論夏姬之相關事件，亦希望就其負面形象深入思考，抉發其歷史、文化意涵。

傳世文獻的夏姬故實，主要見於《左傳》、《國語》、《穀梁傳》、《史記》、《列女傳》。《左傳》所載有魯宣九、十、十一年「陳夏氏之亂」事件，以及魯成二、七年「申公巫臣奔吳」事件；另在魯襄廿六年、魯昭廿八年再度被提及。《國語》則在〈周語中〉、〈楚語上〉提及夏姬與申公巫臣的相關事件。《穀梁》所載僅有片段，不過部分異於傳世文獻，如夏姬之身分異說，相當值得重視。《史記》對夏姬的載錄，主要見於〈陳杞世家〉，內容與《左傳》大同小異。劉向《列女傳》之夏姬故實，主要依據《左傳》，然部分細節有所加強、渲染。出土文獻則主要為《清華簡・繫年》第十五章，該章以「吳楚爭霸」為主線，前半以夏姬由陳適楚，再隨申公巫臣奔晉的經歷，帶出楚對周邊國家的征伐與內部矛盾；後半則以巫臣通吳、晉伐楚為端，敘述吳楚歷經楚靈、平、昭諸王的連年戰亂。[15]

前賢歸納之夏姬形象，大抵有下列幾項負面特質：一、通淫禍國，二、美色不祥，三、害人無數，四、老而無德。前二項或屬事實，不過若將這些特質與《左傳》、《國語》所載事例相較，夏姬的作為其實稱不上特別邪惡。真正導致夏姬形象趨於極端負面，實為後二項特質，尤其經由《列女傳》的渲染，夏姬遂成為禍國殃民的代表人物。透過考察夏姬的負面形象與特質，並比較其他類似人物的言行，或許更能梳理先秦兩漢「女禍說」與「夏姬形象」的形成脈絡。

---

15 清華大學出土文獻研究與保護中心編，李學勤主編：《清華大學藏戰國竹簡（貳）》（上海：中西書局，2011年），頁170-173。釋文者為李均明。以下簡稱《清華簡・繫年》。又，簡文採寬式隸定。另可參蔡瑩瑩：〈《清華簡・繫年》楚國紀年五章的敘事特色管窺〉，《成大中文學報》第55期（2016年12月），頁51-94；拙作：〈先秦漢初文獻中的「夏姬敘事」與國際局勢〉，收入本書之〈伍〉。

　　傳統之夏姬研究，大抵可分為兩大面向：一、針對夏姬的個人形象進行論析或辯證：如上引官翰玫、莊映雪等即將夏姬歸類為「紅顏禍水」的「禍國」人物；也有部分論者嘗試更精審的辨析或翻案，如楊博涵、[16]董常保、熊剛[17]均指出《列女傳》有意操作特定觀念，誇飾夏姬的負面形象，陳惠齡、[18]漆娟、[19]尹雪華、[20]高方[21]亦皆指出夏姬故實的人物形象乃透過男性視角／作者主觀之投射，夏姬本身的被動、靜態與沉默，說明了女性在男權社會身不由己的悲劇。二、就夏姬之史實進行考證：《清華簡·繫年》問世後，夏姬的身分有了不同的認知。傳世文獻所載，夏姬為夏徵舒之母，向少異說；《繫年》卻作徵舒之妻。學者如程薇、[22]蘇建洲、[23]魏慈德、[24]馬楠、[25]侯文學、

16　楊博涵：〈美女破國與醜女興邦的二重奏——《列女傳》的女性觀及其文學表現〉，《學術交流》2008年第4期（2008年4月），頁140-143。

17　董常保、熊剛：〈淺析《列女傳》對夏姬形象的改造〉，《蘭臺世界》2011年第13期（2011年6月），頁46-47。

18　陳惠齡：〈從《左傳》中的夏姬鏡像開展複調式多聲部的文化闡釋〉，《政大中文學報》第2期（2004年12月），頁89-114。

19　漆娟：〈《左傳》的女性悲劇形象〉，《宜賓學院學報》2004年第3期（2004年5月），頁61-63。

20　尹雪華：〈《左傳》中的女性——男性敘事話語中的沉默者〉，《福建師範大學學報（哲學社會科學版）》2007年第2期（2007年3月），頁114-117。

21　高方：〈男權視角與夏姬之名〉，《綏化學院學報》第34卷第9期（2014年9月），頁1-5。

22　程薇：〈清華簡《繫年》與夏姬身份之謎〉，《文史知識》2012年第7期（2012年7月），頁108-112。

23　蘇建洲、吳雯雯、賴怡璇編著：《清華二《繫年》集解》，臺北：萬卷樓圖書公司，2013年。

24　魏慈德：〈《清華簡·繫年》與《左傳》中的楚史異同〉，《東華漢學》第17期（2013年6月），頁1-48。

25　馬楠：《清華簡《繫年》輯證》（上海：中西書局，2015年），「陳夏姬之亂」條，頁218-219。

李明麗[26]等均有相關比較與論證。侯文學、宋美霖更詳細比較二書的敘事傾向，指出《繫年》或因敘事減省，「紅顏禍水」的觀念與形象，明顯較《左傳》淡薄。[27]

　　上述研究，不論宏觀或微觀，皆累積相當豐碩的成果，唯有三點或可稍作補充：一、針對「女性人物」，前賢往往先行分類，如將夏姬與其他「紅顏禍水」歸為一類，再進行比較論述。如此分類固無不可，但在「概念先行」之下，論者往往重視其「同」多於辨析其「異」，可能限縮了夏姬故實與其形象的觀察視野。二、針對「夏姬」的個案研究，常見為其負面形象翻案，相對而言，對夏姬故實在各文獻發揮的情節作用，及其所牽涉的國際局勢之論述明顯較少。三、夏姬形象在《左傳》、《繫年》等先秦傳世／出土文獻並未特別惡劣，何以後世將其渲染至極度不堪，[28]也較少研究者深入探究。筆者不揣淺陋，就此三端稍加舉例析論，期能對既有之研究成果稍有釐清、補充。

二　通淫與禍國：「夏姬亡陳」說的省思

　　夏姬之所以招致罵名，最實際的理由為君臣宣淫，導致諫臣洩冶被殺，徵舒憤而弒君，甚至招致陳國幾近滅亡。其相關事件主要為

26　侯文學、李明麗：《清華簡《繫年》與《左傳》敘事比較研究》，上海：中西書局，
　　2015年。

27　侯文學、宋美霖：〈《左傳》與清華簡《繫年》關於夏姬的不同敘述〉，《吉林師範大
　　學學報（人文社會科學版）》第4期（2015年7月），頁36-41。另見侯文學、李明麗：
　　《清華簡《繫年》與《左傳》敘事比較研究》，第三章〈人物敘寫〉第三節「女性
　　形象・夏姬」，頁169-182。

28　昭二十八年《左傳》載叔向母曰「子靈之妻，殺三夫」下，孔穎達《正義》曰：「三
　　夫皆自命盡而死，其死不由夏姬，而云『殺三夫』者，婦之配夫，欲其偕老。其夫
　　數死，是妻之薄相，故以為夏姬之咎。」（《左傳正義》，卷52，頁24上）《正義》僅
　　言夏姬「薄相」而澄清「殺夫」之說，乃少數為夏姬主持公道的「持平」之論。

「陳夏氏之亂」與「申公巫臣奔吳」二事。本節先以《春秋》、《左傳》所記為主,略述其始末,並加省思。

「陳夏氏之亂」以陳大夫洩冶被殺為端,宣九年《春秋》書:

> 陳殺其大夫洩冶。(《左傳正義》,卷22,頁9下)

《左傳》詳敘其始末云:

> 陳靈公與孔寧、儀行父通於夏姬,皆衷其衵服,以戲于朝。洩冶諫曰:「公卿宣淫,民無効[29]焉,且聞不令。君其納之!」公曰:「吾能改矣。」公告二子。二子請殺之,公弗禁,遂殺洩冶。
>
> 孔子曰:「《詩》云:『民之多辟,無自立辟』,其洩冶之謂乎!」(《左傳正義》,卷22,頁10下)

《左傳》記男女通淫之事雖多,然君臣如此肆無忌憚,荒淫無恥,乃至殺害忠諫之臣,誠屬罕見。果然次年夏徵舒即忍無可忍,乃至弒君,宣十年《春秋》書:

> 五月……癸巳,陳夏徵舒弒其君平國。(《左傳正義》,卷22,頁11下)

《左傳》述其事云:

---

29 〔清〕阮元《挍勘記》:「民無『効』焉,補刊《石經》、宋本、淳熙本、岳本,『効』作『效』,是也。《釋文》作『傚』。」(〈春秋左傳注疏卷二十二挍勘記〉,頁4上)

> 陳靈公與孔寧、儀行父飲酒於夏氏。公謂行父曰：「徵舒似
> 女。」對曰：「亦似君。」徵舒病之。公出，自其廄射而殺
> 之。二子奔楚。（《左傳正義》，卷22，頁13）

徵舒難忍嘲諷，憤而弒君，唯雖洩一時之忿，卻落人口實，致使陳國
遭楚攻伐，宣十一年《春秋》載：

> 冬十月，楚人殺陳夏徵舒。
> 丁亥，楚子入陳，納公孫寧、儀行父于陳。（《左傳正義》，卷
> 22，頁14下-15上）

《左傳》述其事云：

> 冬，楚子為陳夏氏亂故，伐陳。謂陳人：「無動！將討於少西
> 氏。」遂入陳，殺夏徵舒，轘諸栗門。因縣陳。陳侯在晉。
> （《左傳正義》，卷22，頁16下-17上）

楚莊藉口討伐夏徵舒而伐陳，陳侯奔晉，形同亡國；楚莊聽從申叔時
之諫，始復封陳國。[30]《左傳》並以稱揚的口氣謂《春秋》書「楚子

30　宣十一年《左傳》載楚莊與申叔時對話：「申叔時使於齊，反，復命而退。王使讓
　　之，曰：『夏徵舒為不道，弒其君，寡人以諸侯討而戮之，諸侯、縣公皆慶寡人，
　　女獨不慶寡人，何故？』對曰：『猶可辭乎？』王曰：『可哉！』曰：『夏徵舒弒其
　　君，其罪大矣；討而戮之，君之義也。抑人亦有言曰：「牽牛以蹊人之田，而奪之
　　牛。」牽牛以蹊者，信有罪矣；而奪之牛，罰已重矣。諸侯之從也，曰討有罪也。
　　今縣陳，貪其富也。以討召諸侯，而以貪歸之，無乃不可乎？』王曰：『善哉！吾
　　未之聞也。反之，可乎？』對曰：『吾儕小人所謂「取諸其懷而與之」也。』乃復
　　封陳。」（《左傳正義》，卷22，頁17）

入陳。納公孫寧、儀行父于陳」乃因其「有禮」。[31]宣十二年《春秋》又載：

　　春，葬陳靈公。（《左傳正義》，卷23，頁1上）

《左傳》、《穀梁》皆無傳，唯《公羊傳》由討賊者非其臣而猶得書葬的「體例」詮釋，而未詳述史事。[32]

　　《春秋》簡淨，每不多載，而於陳靈之弒竟多達四條，可見其重視程度，蓋「弒君」乃對君臣關係之重大破壞，故不憚煩屢屢載籍；亦可見此事在當時必流傳甚廣。《詩‧陳風》亦有二詩疑與此事有關，[33]若《詩序》可信，則陳靈淫於夏姬乃至見弒的荒唐事蹟，已淪為陳人流傳講唱之談資，或許更是深刻、難忘的歷史、文化記憶，無怪乎《春秋》重筆著墨，詩人感發吟詠。唯《左傳》所載雖詳審，但人物細節不多，夏姬更是自始至終僅出現短短一句「不得尸，吾不返矣」，實難確實勾稽其負面形象，堪稱「無言」的女性，不免令人懷疑此乃出自古代男性本位主義價值判斷下的「女禍」事例。[34]

　　「申公巫臣奔吳」事見成二年《左傳》：

---

31 《左傳正義》，卷22，頁17下。杜預《集解》：「沒其縣陳本意，全以討亂存國為文，善其復禮。」（同前）阮元《校勘記》：「善其『復』禮，岳本、監本、毛本，『復』作『得』，與《正義》合。」（〈春秋左傳注疏卷二十二校勘記〉，頁6下）

32 《公羊傳》：「討此賊者，非臣子也，何以書『葬』？君子辭也。楚已討之矣，臣子雖欲討之，而無所討也。」（《公羊注疏》，卷16，頁5）

33 〈株林‧小序〉：「〈株林〉，刺靈公也。淫乎夏姬，驅馳而往，朝夕不休息焉。」（《毛詩正義》，卷7之1，頁14上）又〈澤陂‧小序〉：「〈澤陂〉，刺時也。言靈公君臣淫於其國，男女相說，憂思感傷焉。」（同前，卷7之1，頁15下）

34 古籍載錄女子足以召禍之論可謂屢見不鮮，《詩》、《書》、《易》、《論語》、《楚辭》，乃至《荀子》、《韓非子》、《呂氏春秋》皆有相關論述，說可參劉詠聰：《德‧才‧色‧權——論中國古代女性》第二、三篇，頁43-144。

> 楚之討陳夏氏也，莊王欲納夏姬。申公巫臣曰：「不
> 可。……」王乃止。子反欲取之，巫臣曰：「<u>是不祥人
> 也</u>。……」子反乃止。王以予連尹襄老。襄老死於邲，不獲其
> 尸。其子黑要烝焉。巫臣使道焉，曰：「歸，吾聘女。」又使
> 自鄭召之，曰：「尸可得也，必來逆之。」姬以告王。王問諸
> 屈巫。對曰：「其信。知罃之父，成公之嬖也，而中行伯之季
> 弟也，新佐中軍，而善鄭皇戌，甚愛此子。其必因鄭而歸王子
> 與襄老之尸以求之。鄭人懼於邲之役，而欲求媚於晉，其必許
> 之。」王遣夏姬歸。將行，謂送者曰：「<u>不得尸，吾不反
> 矣</u>。」巫臣聘諸鄭，鄭伯許之。
>
> 及共王即位，將為陽橋之役，使屈巫聘于齊，且告師期。巫臣
> 盡室以行。申叔跪從其父，將適郢，遇之，曰：「異哉！夫子
> 有三軍之懼，而又有〈桑中〉之喜，宜將竊妻以逃者也。」及
> 鄭，使介反幣，而以夏姬行。將奔齊。齊師新敗，曰：「吾不
> 處不勝之國。」遂奔晉，而因郤至以臣於晉。晉人使為邢大
> 夫。（《左傳正義》，卷25，頁19上-21上）

巫臣費盡心計，終於成功奪取夏姬；然抱得美人歸的代價則是得罪楚
國君臣，導致巫臣本族被戮，雙方反目成仇，也因此開啟了吳、楚間
的連年戰亂。[35] 成七年《左傳》追述巫臣與子反結怨經過，進而指出
巫臣通吳對楚造成的影響：

> 子反欲取夏姬，巫臣止之，遂取以行，子反亦怨之。及共王即
> 位，子重、子反殺巫臣之族子閻、子蕩及清尹弗忌及襄老之子

---

35 說另詳拙作：〈先秦漢初文獻中的「夏姬敘事」與國際局勢〉，本書之〈伍〉。

黑要,而分其室。子重取子閻之室,使沈尹與王子罷分子蕩之
室,子反取黑要與清尹之室。巫臣自晉遺二子書,曰:「爾以
讒慝貪惏事君,而多殺不辜,余必使爾罷於奔命以死。」

巫臣請使於吳,晉侯許之。吳子壽夢說之,乃通吳于晉,以兩
之一卒適吳,舍偏兩之一焉。與其射御,教吳乘車,教之戰
陳,教之叛楚。寘其子狐庸焉,使為行人於吳。吳始伐楚、伐
巢、伐徐,子重奔命。馬陵之會,吳入州來,子重自鄭奔命。
子重、子反,於是乎一歲七奔命。蠻夷屬於楚者,吳盡取之,
是以始大,通吳於上國。(《左傳正義》,卷26,頁16下-17下)

由上述重大事件,確實可見夏姬屢屢成為各種爭端的導火線,影
響春秋晚期局勢甚鉅,尤其是吳、楚關係;此事也成為各國談資,如
《國語‧楚語》「蔡聲子論楚材晉用」章即舉以為例:

昔陳公子夏為御叔娶於鄭穆公,生子南。子南之母亂陳而亡
之,使子南戮於諸侯。莊王既以夏氏之室賜申公巫臣,則又畀
之子反,卒於襄老。襄老死于邲,二子爭之,未有成。恭王使
巫臣聘於齊,以夏姬行,遂奔晉。晉人用之,寔通吳、晉。使
其子狐庸為行人於吳,而教之射御,導之伐楚,至于今為患,
則申公巫臣之為也。(《國語》,卷17,頁539)

然而查考夏姬「通淫禍國」事蹟,若僅是與丈夫以外男子發生不倫關
係,則在《左傳》並非特例:《左傳》寫男女通淫情節,本即經常作
為國政動盪、君臣鬥爭的背景因素;夏姬之外,尚有頗多類似情節,

如文姜通淫齊襄因遂謀害魯桓、[36]齊莊通淫東郭姜導致崔杼憤而弒
君、[37]齊大夫慶克通聲孟子引發內亂，驪姬故實在《國語》中，也有
通淫優施，共謀讒害太子申生的載述。[38]相對而言，夏姬並未主動挑
撥君臣或父子，似也並無介入國政之意圖。

　　《左傳》因男女私情而主動干涉國家大事，乃至圖謀不軌者，所
在多有。以魯之穆姜、齊之聲孟子為例，與夏姬稍加比較，即可知夏
姬堪稱低調。成十六年《左傳》載穆姜威脅魯成公事云：

> 宣伯通於穆姜，欲去季、孟而取其室。將行，穆姜送公，而使
> 逐二子。公以晉難告，曰：「請反而聽命。」姜怒，公子偃、
> 公子鉏趨過，指之曰：「女不可，是皆君也。」公待於壞隤，
> 申宮、儆備、設守，而後行，是以後。使孟獻子守于公宮。
> （《左傳正義》，卷28，頁14下-15上）

穆姜私通叔孫僑如，為了幫助僑如除去季、孟二氏，竟在其子魯成公
將赴鄢陵之戰前夕出言要脅；甚至因魯成不肯屈從，竟然指著二位公
子，狂妄說出「女不可，是皆君也」，潑辣狠戾，鮮活可見。齊之聲
孟子亦不遑多讓，成十七年《左傳》載：

> 齊慶克通于聲孟子，與婦人蒙衣乘輦而入于閎。鮑牽見之，以
> 告國武子。武子召慶克而謂之。慶克久不出，而告夫人曰：
> 「國子謫我。」夫人怒。國子相靈公以會，高、鮑處守。及

36　事見桓十八年《左傳》，《左傳正義》，卷7，頁25下-26上。文長不錄。

37　可參拙作：〈《左傳》「弒君敘事」舉隅──以趙盾、崔杼為例〉，《國文學報》第48
　　期（2010年12月），頁1-33；收入《先秦兩漢歷史敘事隅論》之〈參〉，頁161-192。

38　《國語‧晉語一》，卷7，頁268-269。《左傳》則無驪姬、優施通淫事。

還，將至，閉門而索客。孟子<u>訴之曰：「高、鮑將不納君，而</u>
<u>立公子角，國子知之。</u>」秋七月壬寅，刖鮑牽而逐高無咎。無
咎奔莒。高弱以盧叛。……

仲尼曰：「鮑莊子之知不如葵，葵猶能衛其足。」（《左傳正
義》，卷28，頁22）

聲孟子乃國母而與臣下慶克通淫，竟因慶克遭鮑牽、國武子責難，怒
而構陷忠臣，導致齊國內亂；又與叔孫僑如有私，其恣意妄為具體可
見。二女之行為與形象，均較夏姬主動、狠辣。若然，則何以夏姬
「通淫禍國」形象，遠較上述女性受到更多的批判或醜化？這或許因
其相關事件上達「滅國」程度：陳因夏徵舒之弒君，幾遭覆滅；之後
巫臣竊夏姬以逃，聯吳復楚，攻陷郢都，楚幾近亡國。相對而言，《左
傳》其他負面女性人物，所涉事件通常屬於國內動亂或國君廢立，雖
非小事，但與「國家存亡」層級相較，夏姬所涉情節確較嚴重。

值得反思的是，男女關係有違倫常究屬私領域；當事人或許確實
以私害公，但公開批評他人隱私也未必能得到好結果。《左傳》男女
通淫或有違倫常之事多矣，當事人固然多遭嚴厲批判；但口誅筆伐或
執意力諫，也多未能善終，甚至未能獲得正面評價。最典型例證即是
夏姬事件中的洩冶及「慶克通聲孟子」事件中的鮑牽，二人竟同遭
《左傳》「仲尼曰」批評，前者被評為「民之多辟，無自立辟」，後者
則直指其「不知」。吳闓生曾對此現象提出解釋：

洩冶忠諫而反譏之，乃痛世變而為此激宕之論也，猶言舉世混
濁，無得獨為君子，乃忿世至切之言。若公卿宣淫，正無待誅

伐矣。[39]

筆者曾於〈《左傳》「仲尼曰敘事」芻論〉分析此二事例，認為就事件之現實層面言，此二諫臣所言並非公事，而觸及上位者隱私，當事人自易惱羞成怒，遂不免遭到誅殺；然而就《左傳》所欲呈現的春秋局勢與褒貶之意而言：

> 洩冶、鮑牽的犧牲固然可悲，其處事亦稱不上明智，但絕非全無意義，二人的個別遭遇，反而以一種嘲諷、無奈的姿態，映照了整個大時代的動盪、價值觀的崩毀。[40]

整體而言，《左傳》對此類不倫、無德事件固然有所貶斥，但更為重要的敘事意涵，似非針對個人或個案撻伐其所作所為，而意在呈顯整個時代的動盪不安、道德淪喪。換言之，一國、一時代之興衰，有許多層面與因素，某些人物或許會起關鍵作用，或恰正處於重大轉捩點上。後世讀史者，實宜綜觀全局，而非簡單的認為單憑少數人物之成敗，便可左右國家之興亡。

進一步言，因男女通淫導致內亂尚可理解，但引發國與國間的爭戰，則恐屬託辭。楚對周邊小國之野心可謂路人皆知，陳國以外，鄭、蔡二國也常遭楚國以各種理由侵伐。《左傳》所載因女子導致的國際戰爭，也非僅夏姬一例，如僖三年《左傳》載齊桓與蔡姬乘舟爭執事，最後齊桓竟因蔡姬歸蔡後再嫁，怒而侵蔡：

---

39 吳闓生：《左傳微》（臺北：臺灣中華書局，1970年），卷4，頁12上。
40 拙作：《先秦兩漢歷史敘事隅論》，頁472。

> 齊侯與蔡姬乘舟于囿，蕩公。公懼，變色；禁之，不可。公怒，
> 歸之，未絕之也。蔡人嫁之。（《左傳正義》，卷12，頁8下）

次年齊桓即率諸侯侵蔡，旋即伐楚：

> 春，齊侯以諸侯之師侵蔡。蔡潰，遂伐楚。（《左傳正義》，卷
> 12，頁10下）

是則蔡姬可說也導致蔡、楚動亂，唯並無淫亂之行耳。歷代論者都同
意蔡姬事件只是齊桓伐楚的託辭，顧棟高〈春秋時楚始終以蔡為門戶
論〉所論尤為透闢：

> 楚在春秋，北向以爭中夏，首滅呂、滅申、滅息；其未滅而服
> 屬於楚者，曰蔡。……蔡自中葉以後，於楚無役不從，如虎之
> 有倀，而中國欲攘楚，必先有事於蔡。……殊不知齊桓以天下
> 之故而伐楚，積謀二十餘年，豈為一姬？其曰蔡姬者，或反借
> 此為兵端。[41]

蔡姬與夏姬都曾間接引發國與國的爭戰，雖然前者之「蕩舟」、「再
嫁」，或許並無後者「通於國君」之嚴重違反道德，但不可否認的
是，二女恐都只是引發戰爭的藉口。蔡姬或許因齊桓扛著「攘夷」大
纛而甚少被責怪；夏姬卻因楚國向來被視為蠶食中原的洪水猛獸遂蒙
禍國惡名，由此可見撰作者價值觀的影響力。

　　女子引發戰爭之例，尚有晉、齊鞌之戰的蕭同叔子。晉執政郤克

---

41 〔清〕顧棟高：《春秋大事表》，卷28，頁22上-23上。

出使齊國，齊頃公竟「帷婦人使觀之。郤子登，婦人笑於房」，郤克不甘受辱，憤而發誓「所不此報，無能涉河！」[42]因此引爆晉、齊鞌之戰，郤克傾盡國力務求勝戰，二國可謂兩敗俱傷。直至最後和談，郤克仍要求「必以蕭同叔子為質」，[43]賓媚人一再引經據典的勸諫，《左傳》仍未載郤克之回應，可見郤克確實對蕭同叔子懷怨深重，似已不只是引發戰爭的藉口。以一女子之「笑」可以動搖晉、齊兩大國，影響不可謂不大，但蕭同叔子並未如夏姬之屢遭惡評。究其原因，可能因其形象不顯著，或因其情節較少。這也令吾人反思：女子之負面形象，一方面視其作為而定，一方面卻不免有好事者的過度渲染，更或許因敘事者隱然帶有「女禍」觀有以致之：美貌女子較易獲得注目，卻也更易被「消費」，或許自古及今皆然。

三 「甚美必有甚惡」：「美色不祥」觀念的承變

夏姬之美，蓋無爭議，唯也因而被視為「不祥」之人。評議夏姬之「美色」與「不祥」最經典的段落有二：一為魯成二年申公巫臣阻

---

[42] 並見宣十七年《左傳》（《左傳正義》，卷24，頁16上）、《國語‧晉語五》（《國語》，卷11，頁400）。拙作〈《左傳》「仲尼曰敘事」芻論〉對此事亦有簡要述論，參《先秦兩漢歷史敘事隅論》，頁439-441。

[43] 成二年《左傳》在晉、魯鞌之戰，晉國大勝魯國後，載：「晉師從齊師，入自丘輿。擊馬陘。齊侯使賓媚人賂以紀甗、玉磬與地。『不可，則聽客之所為。』賓媚人致賂，晉人不可，曰：『必以蕭同叔子為質，而使齊之封內盡東其畝。』對曰：『蕭同叔子非他，寡君之母也。若以匹敵，則亦晉君之母也。吾子布大命於諸侯，而曰必質其母以為信，其若王命何？且是以不孝令也。《詩》曰：「孝子不匱，永錫爾類。」若以不孝令於諸侯，其無乃非德類也乎？先王疆理天下，物土之宜，而布其利。故《詩》曰：「我疆我理，南東其畝。」今吾子疆理諸侯，而曰「盡東其畝」而已，唯吾子戎車是利，無顧土宜，其無乃非先王之命也乎？反先王則不義，何以為盟主？……』」（《左傳正義》，卷25，頁13下-14下）

止子反納夏姬之論：

> 子反欲取之，巫臣曰：「<u>是不祥人也</u>。是天子蠻，殺御叔，弒
> 靈侯，戮夏南，出孔、儀，喪陳國，何不祥如是？人生實難，
> 其有不獲死乎！天下多美婦人，何必是？」（《左傳正義》，卷
> 25，頁19下）

巫臣明確指陳夏姬為「美婦人」，同時也是「不祥人」；不過巫臣卻用
盡千方百計奪取夏姬，則此段評論或可視為巫臣出於私心而故意誇大
其辭，恐嚇子反。另一則為昭公廿八年《左傳》載叔向母「甚美必有
甚惡」之論：

> 叔向欲娶於申公巫臣氏，其母欲娶其黨。叔向曰：「吾母多而
> 庶鮮，吾懲舅氏矣。」其母曰：「<u>子靈之妻殺三夫，一君、一
> 子，而亡一國、兩卿矣，可無懲乎？吾聞之：『甚美必有甚
> 惡。』</u>是鄭穆少妃姚子之子，子貉之妹也。子貉早死，無後，
> 而天鍾美於是，將必以是大有敗也。……<u>夫有尤物，足以移
> 人。苟非德義，則必有禍</u>。」（《左傳正義》，卷52，頁24上-26
> 上）

叔向母阻止叔向娶夏姬之女，當然不免「欲娶其黨」之私心，不過其
謂女子「美色」必招致「罪惡」，確為「女禍」說的經典論述。然
而，若將眼光移往夏姬以外的事例，或可更深入思辨先秦兩漢文獻對
「美色」的相關理論及其嬗變軌跡。

　　《左傳》載述之諸多禍事誠然常起於女子之「美」，如桓二年《左
傳》載宋華父督攻殺孔氏的內亂，即因華父督覘覦孔父妻之美貌：

> 宋華父督見孔父之妻于路，目逆而送之，曰：「美而豔。」
> （《左傳正義》，卷5，頁3上）
>
> 宋督攻孔氏，殺孔父而取其妻。公怒，督懼，遂弒殤公。（《左傳正義》，卷5，頁5上）

華父督見美女，竟「目逆而送之」，甚至出口稱其「美而豔」，並因而攻伐孔氏，殺人奪妻；又因國君不滿其淫行，最後乾脆狠心弒君，其嚴重程度與夏姬導致的「夏徵舒弒君」實不遑多讓。可見「美色」確有召禍的「魔力」。唯「甚美必有甚惡」觀念，並不限於描述女子，《左傳》被形容為「美」者，也非全屬女子，如襄廿一年即載叔虎「美而有勇力」：

> 初，叔向之母妒叔虎之母美而不使，其子皆諫其母。其母曰：
> 「深山大澤，實生龍蛇。彼美，余懼其生龍蛇以禍女。女，敝族也。國多大寵，不仁人間之，不亦難乎？余何愛焉？」
>
> 使往視寢，生叔虎，美而有勇力，欒懷子嬖之，故羊舌氏之族及於難。（《左傳正義》，卷34，頁18）

《傳》文明言叔向母「妒」叔虎之母「美」，頗堪玩味。其先論叔虎之母，論調同前引「甚美必有甚惡」；然而後文亦以「美」稱叔虎，並述其因「美」而受欒懷子嬖寵，導致叔向家族捲入欒氏之禍，幾乎滅族。[44]另，《左傳》中堪稱惡名昭彰的楚靈王，尚為令尹，參與晉楚

44　其詳可參拙作：〈先秦敘史文獻「敘事」與「體式」芻論——以晉「欒氏之滅」為例〉，原載《臺大文史哲學報》第80期（2014年5月），頁1-41；收入《先秦兩漢歷史敘事隅論》之〈陸〉，頁297-343。

盟會時，也曾被魯大夫叔孫穆子略帶嘲諷地評為「美」，見昭元年
《左傳》：

> 三月甲辰，盟。楚公子圍設服離衛。叔孫穆子曰：「楚公子美
> 矣，君哉！」（《左傳正義》，卷41，頁6上）

蓋其時令尹子圍之儀仗、言行幾與國君無二，故叔孫穆子有此譏諷之
言；另鄭、蔡、齊、陳、衛、宋等卿士大夫，也都對此出言評論。[45]
該年十一月，便有公子圍弒君自立事：

> 冬，楚公子圍將聘于鄭，伍舉為介。未出竟，聞王有疾而還。
> 伍舉遂聘。十一月己酉，公子圍至，入問王疾，縊而弒之，遂
> 殺其二子幕及平夏。（《左傳正義》，卷41，頁29）

上文列舉諸多事例，並非要為夏姬因「美」而蒙受惡名翻案，而意在
說明《左傳》所謂「甚美必有甚惡」可能是較寬泛的觀念，對象並不
限於女子，男子之「美」同樣有可能招致禍患。

　　若加細勘，則非唯女子、男子可以「美」稱之，且因而招來罪
惡、禍害。根據《左傳》、《國語》載述，車服、宮室之美，同樣可能
帶來罪惡、禍害，如《國語・楚語上》「伍舉論臺美而楚殆」章即傳
達此種觀念，其批判對象同為楚靈王：

> 靈王為章華之臺，與伍舉升焉，曰：「臺美夫！」對曰：「臣聞
> 國君服寵以為美，安民以為樂，聽德以為聰，致遠以為明。<u>不</u>

---

45 《左傳正義》，卷41，頁6上-7下。因與本文無涉，不具引。

> 聞其以土木之崇高、彤鏤為美，而以金石匏竹之昌大、囂庶為
> 樂；不聞其以觀大、視侈、淫色以為明，而以察清濁為聰。……
> 夫美也者，上下、內外、小大、遠近皆無害焉，故曰美。……
> 若於目觀則美，縮於財用則匱，是聚民利以自封而瘠民也，胡
> 美之為？夫君國者，將民之與處；民實瘠矣，君安得肥？……若
> 斂民利以成其私欲，使民蒿焉忘其安樂，而有遠心，其為惡也
> 甚矣，安用目觀？……夫為臺榭，將以教民利也，不知其以匱
> 之也。若君謂此臺美而為之正，楚其殆矣！」（《國語》，卷
> 17，頁541-545）

伍舉之論層次分明，指出對「美」的追求若僅停留於表面的豔麗或個人私慾的享受，則國必危殆；唯有心懷社稷，遍施於民，使遠近四方皆能安居樂業，方屬真「美」。〈楚語上〉的論述一語道破各種因「美」而起的亂事，真正招禍的並非「美」本身，而是人的私慾。襄廿七年《左傳》載慶封「車美」事例亦傳達類似概念：

> 齊慶封來聘，其車美。孟孫謂叔孫曰：「慶季之車，不亦美
> 乎！」叔孫曰：「豹聞之：『服美不稱，必以惡終。』美車何
> 為？」
> 叔孫與慶封食，不敬。為賦〈相鼠〉，亦不知也。（《左傳正
> 義》，卷38，頁3下）

叔孫豹之評，同樣指出過度之「美」必將以「惡」終；同時《左傳》也載述儘管有美車陪襯，慶封的人文素養卻相當不堪，對禮儀與賦詩或倨傲、或無知。果然，次年慶封即遭大夫圍攻，狼狽出奔。襄廿八年《左傳》又載慶豐奔魯之後，意圖以「美車」行賄事：

> （慶封）來奔，獻車於季武子，美澤可以鑑。展莊叔見之，
> 曰：「<u>車甚澤，人必瘁，宜其亡也</u>。」
>
> 叔孫穆子食慶封，慶封氾祭。穆子不說，使工為之誦〈茅
> 鴟〉，亦不知。（《左傳正義》，卷38，頁28下）

展莊叔認為器物過於美麗反而對人有害，《左傳》再次透過叔孫穆子強調慶封的無禮、無知。

綜觀此類載述，共同傳達的概念應是：過度或者耽溺於表象的「美」，將會招致禍患或罪惡。此一概念甚易與女子之美貌連結，卻又不僅限於女子。或許可說，「甚美必有甚惡」之論確實出自《左傳》、《國語》，但二書卻未將此概念局限於「女禍」。

由上文論述，可知「甚美必有甚惡」觀念在《左傳》、《國語》指涉可能比較寬泛；「美女亡國」應屬此一概念的延伸與渲染，是則此種概念的延伸或轉換，或許反映了由春秋至戰國乃至兩漢「女禍觀」的承變。《左傳》、《國語》大抵隨著時代越後，「進獻美人」的現象漸多。如襄十一年、昭廿八年《左傳》有以「女樂」賄賂的載錄，[46]可見除了極少數女性人物如夏姬外，對「美女」的作用與強調，似乎仍屬少見。《國語・越語上》「句踐滅吳」章載：

> 越人飾美女八人，納之太宰嚭，曰：「子苟赦越國之罪，又有
> 美於此者將進之。」（《國語》，卷20，頁634）

---

46 襄十一年：「鄭人賂晉侯以師悝、師觸、師蠲，……及其鏄、磬，女樂二八。」（《左傳正義》，卷31，頁20下-21下）昭廿八年：「梗陽人有獄，魏戊不能斷，以獄上。其大宗賂以女樂。」（同前，卷52，頁31上）

《國語》非成於一時一人，〈越語上〉之成書時代，學界普遍認為較晚，或已近戰國末期，則「進奉美女」之風恐不甚早；至於吳越爭霸史事中著名的美女西施，則在一般認為成書時代更晚的《越絕書》、《吳越春秋》始出現。可能成書於戰國末期的《越絕書》[47]〈越絕內經九術〉載文種獻滅吳「九術」之第四術云：

> 昔者，越王句踐問大夫種曰：「吾欲伐吳，奈何能有功乎？」大夫種對曰：「伐吳有九術。……四曰遺之美好，以為勞其志。」……越乃飾美女西施、鄭旦，使大夫種獻之於吳王。……吳王大悅。[48]

已具體指出越國進獻之美女為西施、鄭旦。東漢趙曄《吳越春秋》亦有類似之說而文益詳，〈勾踐陰謀外傳第九〉載文種滅吳九術之第三術云：

> 越王謂大夫種曰：「孤聞吳王淫而好色，惑亂沉湎，不領政事。因此而謀，可乎？」種曰：「可破。」……乃使相工索國中，得苧蘿山鬻薪之女，曰西施、鄭旦，飾以羅縠，教以容步，習於土城，臨於都巷，三年學服，而獻於吳。……吳王大悅。[49]

---

47 《越絕書》之成書時代歷來聚訟紛紜，筆者以為倉修良「最早成書於戰國後期，歷經秦漢魏晉常有人作『附益』」之說，最為通達。說見張仲清：《越絕書校注》（北京：國家圖書館出版社，2009年），倉修良：〈序〉，頁20。

48 張仲清：《越絕書校注》，頁280-281。「勞其志」，於義難通。張仲清《越絕書校注》引錢培名之說謂「勞」當作「煢」，惑也，形近而誤（頁280）。錢說於義較合，可從。

49 周生春：《吳越春秋輯校彙考》（上海：上海古籍出版社，1997年），頁147。

《史記・越王句踐世家》載文種之言曰:「夫吳太宰嚭貪,可誘以利」,「於是句踐乃以美女、寶器,令種閒獻吳太宰嚭」。[50]太史公並未具體舉出「美女」名姓。不知史公係未見《越絕書》之相關記載,抑見而有所取捨。由上所述,或可見「美色」觀念由較寬泛、抽象而逐漸具象,並衍生出某種焦點人物的嬗變軌跡。[51]

《戰國策》則屢見利用寵姬美妾達成遊說、誘惑等目的之載錄。如〈楚策二〉「楚懷王拘張儀」章載靳尚透過鄭偄[52]拯救張儀事:

> 楚懷王拘張儀,將欲殺之。靳尚為儀謂楚王曰:「拘張儀,秦王必怒。天下見楚之無秦也,楚必輕矣。」
>
> 又謂王之幸夫人鄭偄曰:「子亦自知且賤於王乎?」鄭偄曰:「何也?」尚曰:「張儀者,秦王之忠信有功臣也。今楚拘之,秦王欲出之。秦王有愛女而美,又簡擇宮中佳〔瓱〕麗好瓱習音者以懽從之;資之金玉寶器,奉以上庸六縣為湯沐邑,欲因張儀內之楚王。楚王必愛。秦女,依強秦以為重,挾寶地

---

50 《史記會注考證》,卷41,頁6。

51 饋贈「女樂」亦常被指為可以召禍,如《史記・孔子世家》即載齊景公:「選齊國中女子好者八十人,皆衣文衣而舞康樂,文馬三十駟,遺魯君,陳女樂、文馬於魯城南高門外。季桓子微服往觀再三,將受,乃語魯君為周道游,往觀終日,怠於政事。子路曰:『夫子可以行矣。』孔子曰:『魯今且郊,如致膰乎大夫,則吾猶可以止。』桓子卒受齊女樂,三日不聽政;郊,又不致膰俎於大夫。孔子遂行。宿乎屯,而師己送,曰:『夫子則非罪。』孔子曰:『吾歌可夫?』歌曰:『彼婦之口,可以出走;彼婦之謁,可以死敗。蓋優哉游哉,維以卒歲!』師己反,桓子曰:『孔子亦何言?』師己以實告。桓子喟然歎曰:『夫子罪我以羣婢故也夫!』」(《史記會注考證》,卷47,頁34-36) 此足以呈顯史遷之「女禍觀」;唯仍乏具體細節。

52 范祥雍:《戰國策箋證》:「鮑本、吳本『偄』作『褻』。下同。吳曾祺云:『(偄)字宜作「褻」』。〔范祥雍〕按:『偄』即『褻』,乃『褻』之俗作,猶『褻』字之俗作『褻』也。褻,古『袖』字。」見〔漢〕劉向集錄,范祥雍箋證,范邦瑾協校:《戰國策箋證》(上海:上海古籍出版社,2006年),卷15,頁829。

以為資,勢為王妻以臨于楚。王惑於虞樂,必厚尊敬親愛之,<u>而忘子,子益賤而日疏矣。」鄭傀曰:「願委之於公,為之奈何?」曰:「子何不急言王出張子。張子得出,德子無已時,</u>秦女必不來,而秦必重子。<u>子內擅楚之貴,外結秦之交,畜張子以為用,子之子孫必為楚太子矣</u>,此非布衣之利也。」鄭傀遽說楚王出張子。[53]

上引文字至少呈現三種現象:一、鄭袖對楚王的影響力、說服力不亞於謀臣;二、女子獲得寵幸,非僅關乎個人幸福,也代表雙方背後勢力的結盟;三、女子或為維持盛寵不墜,或為保障子嗣地位,對政局之涉入頗深,乃至與策士交流共謀、裏應外合,此一現象恐也晚至戰國時期始較多見。[54]〈楚策四〉「魏王遺楚王美人」章又載魏王送美人意圖分寵(或誘惑)楚王,而夫人鄭袖用計翦之的鬥爭故事。[55]顯然不論戰場上或宮闈中,都存在劇烈的角力與競爭。其他事例,如〈燕策三〉記太子丹「間進車騎美女,恣荊軻所欲」[56]的籠絡手段;〈趙策三〉「秦圍趙之邯鄲」章載魯仲連與辛垣衍之辯難曰:「彼又將使其子女讒妾為諸侯妃姬,處梁之宮,梁王安得晏然而已乎?而將軍又何以得故寵乎?」[57]凡此,皆可見遣送美女深入宮闈,在君王之側興風作浪,蓋為戰國時期常見的鬥爭手段。

---

53 范祥雍:《戰國策箋證》,卷15,頁828。「佳龥麗」於義難通,范祥雍箋證:「鮑彪曰:『衍「龥」字。』吳師道曰:『一本無。』〔按〕此蓋涉下『龥』字而衍。」(頁829)

54 較早事例為驪姬,可參拙作:《晉文公復國定霸考》,第一章第三節,頁43-48。

55 范祥雍箋證:《戰國策箋證》,卷17,頁868。

56 同前注,卷31,頁1789。

57 同前注,卷20,頁1132。「處梁之宮」,「宮」,范祥雍《箋證》本作「官」。由文義與他本證之,應為「宮」之誤,今逕為改正。

又《戰國策‧秦策一》「田莘之為陳軫說秦惠王」章曾引述春秋時期「晉滅虞虢」史事為論：

> 田莘之為陳軫說秦惠王曰：「臣恐王之如郭君。夫晉獻公欲伐
> 郭，而憚舟之僑存。荀息曰：『<u>《周書》有言：美女破舌。</u>』<u>乃
> 遺之女樂，以亂其政</u>。舟之僑諫而不聽，遂去。因而伐郭，遂
> 破之。又欲伐虞，而憚宮之奇存。荀息曰：『<u>《周書》有言：美
> 男破老。</u>』<u>乃遺之美男</u>，教之惡宮之奇。宮之奇以諫而不聽，
> 遂亡。因而伐虞，遂取之。」[58]

此段史實亦見僖二年、五年《左傳》，但無「遺之女樂，以亂其政」
與「遺之美男」二情節，而僅謂「以屈產之乘與垂棘之璧」為賄賂，
並無「美女」、「美男」禍國之論。[59]類似論述亦見《逸周書》：

> 美女破國：昔者績陽彊力四征，重丘遺之美女，績陽之君悅
> 之，熒惑不治，大臣爭權，遠近不相聽，國分為二。[60]
>
> 美男破老，美女破舌，淫圖破國，淫巧破時，淫樂破正，淫言
> 破義，武之毀也。[61]

---

58 范祥雍：《戰國策箋證》，卷3，頁217。

59 《左傳正義》，卷12，頁5。

60 〈史記〉篇，〔清〕朱右曾：《逸周書集訓校釋》（臺北：藝文印書館影印清道光二
　十六年〔1846〕刻本，1958年），卷8，頁5下-6上。

61 〈武稱〉篇，《逸周書集訓校釋》，卷2，頁1上。〔清〕王念孫《讀書雜志‧逸周書弟
　一》「美女破舌」條：「盧曰：『今《戰國‧秦策》引此「破舌」作「破少」，唯高誘所
　注本與此同。』念孫案：『美女破舌』，於義亦不可通。『舌』當為『后』。美男破老，
　美女破后，猶《左傳》言『內寵竝后，外寵二政』也。……」（頁6）

文中所謂利用「美女」破人之國的論調，確與《戰國策》有所呼應，
口吻亦頗近似。學界一般認為《逸周書》之成書時代已晚至戰國末，
若然，或許可說春秋晚期以降，國際間的鬥爭日趨白熱化，也更多陰
謀詭計，是故對女性之美貌與危險，乃至物化、利用女性的美色優
勢，自有益發加強、渲染的傾向。

四　年齡爭議：《穀梁》與《繫年》的夏姬載錄

上文〈二〉、〈三〉節述論夏姬最為人熟知的兩種形象——通淫禍
國、美色不祥——雖屬負面，但較諸先秦、兩漢各類文獻的「女子敘
事」，實非特異。真正讓夏姬形象異常突出，而不同於其他女子者，
一是「受害者」甚眾，堪稱負面女性人物之冠；二是在傳世文獻體
系，夏姬年齡較大，卻能一再改嫁，甚至老年生育，因而招致「老
淫」之譏，這也是其他負面女性人物所無的特質。邇來《清華簡‧繫
年》問世，提供夏姬年齡新的解釋，正是重新省思夏姬形象的契機。

傳世文獻如《左傳》、《史記》等，皆以夏姬為夏徵舒母，也是歷
代學者的主流意見。夏徵舒首次現身已能射殺國君，年齡應不致太
小，則其時夏姬應已屆中年。一個已稱不上年輕的女子，卻能獲得各
國國君、大夫紛紛爭風吃醋與捨命追求，甚至晚年仍可生育，確實引
人側目／遐想。此一特徵無疑加深了後世對夏姬的負面印象／想像，
如王士濂《左淫類紀》即特立「老淫」一項，凸顯夏姬的年齡問題。[62]
竹添光鴻更詳數夏姬年歲，發為苛酷之評：

徵舒弒君行逆，計姬當四十餘歲。歷宣公、成公，申公巫臣竊

62　〔清〕王士濂輯：《左淫類紀》，《叢書集成續編》，史地類第272冊，頁2下。

以逃晉，又相去十餘年矣。後又生女嫁叔向，計當六十餘，真
是人妖。[63]

此說無疑為夏姬「老淫」形象推波助瀾。然而察考《左傳》、《國語》
等先秦文獻，對此並無太多著墨，未知係史料闕如，抑對年齡並不在
意。至於《列女傳》則由神異、方術的角度解釋，並妖魔化夏姬，說
詳下節。

夏姬的年齡與身分，《穀梁傳》所載異於《左傳》、《史記》。宣九
年《穀梁》於《春秋》「陳殺其大夫泄冶」下釋云：

> 稱國以殺其大夫，殺無罪也。「泄冶之無罪如何？」「陳靈公通
> 于夏徵舒之家，公孫寧、儀行父亦通其家。或衣其衣，或衷其
> 襦，以相戲於朝。泄冶聞之，入諫曰：『使國人聞之則猶可，
> 使仁人聞之則不可。』君愧於泄冶，不能用其言而殺之。」
> （《穀梁注疏》，卷12，頁10下-11上）

《穀梁》再稱「通其家」，「家」宜訓「室」。妻之稱「室」乃先秦常
見文例，如昭二年《左傳》載子產數公孫黑之罪即有「昆弟爭室」之
言，指公孫黑與公孫楚爭婦事，[64]昭廿八年《左傳》「晉祁勝與鄔臧通

---

63 〔日〕竹添光鴻：《左氏會箋》（臺北：古亭書屋影印明治四十四年〔1911〕日本明
　　治講學會重刊本，1969年），卷10，頁47。

64 昭元年《左傳》：「鄭徐吾犯之妹美，公孫楚聘之矣，公孫黑又使強委禽焉。」（《左
　　傳正義》，卷41，頁14下）昭二年《左傳》：「鄭公孫黑將作亂，欲去游氏而代其位，
　　傷疾作而不果。駟氏與諸大夫欲殺之。子產在鄙，聞之，懼弗及，乘遽而至。使吏
　　數之，曰：『伯有之亂，以大國之事，而未爾討也。爾有亂心無厭，國不女堪。專
　　伐伯有，而罪一也；昆弟爭室，而罪二也；薰隧之盟，女矯君位，而罪三也。有死
　　罪三，何以堪之？不速死，大刑將至。』……」（同前，卷42，頁4下-5上）

室」[65]亦然，《繫年》第十五章亦多次稱「取其室」。由此觀之，《穀梁傳》可能是較早保留夏姬身分異說的文獻，只不過可能因《穀梁傳》長期以來並非主流，故此一載錄並未受到學者重視。另一可能或因《左傳》之載述與用詞——如「徵舒似汝」、「又似君」等——皆易解讀為夏姬乃徵舒之母。《清華簡・繫年》問世後，夏姬的身分再次引起討論。《繫年》第十五章明言夏姬為徵舒之妻，並敘及其引發的國際情勢：

> 楚莊王立，吳人服于楚。
>
> 陳公子徵舒取妻于鄭穆公，是少𢼸。
>
> 莊王立十又五年，【簡74】陳公子徵舒殺其君靈公，莊王率師圍陳。王命申公屈巫適秦求師，得師以【簡75】來。王入陳，殺徵舒，取其室以予申公。連尹襄老與之爭，奪之少𢼸。連尹止於河【簡76】灘，其子黑要也或（又）室少𢼸。
>
> 莊王即世，共王即位。黑要也死，司馬子反與申【簡77】公爭少𢼸，申公曰：「是余受妻也。」取以為妻。司馬不順申公。王命申公聘於齊，申【簡78】公竊載少𢼸以行，自齊遂逃適晉，自晉適吳，焉始通吳晉之路，教吳人叛楚。【簡79】
>
> 以至靈王，靈王伐吳，為南懷之行，執吳王子蹶由，吳人焉或（又）服於楚。靈王即世，【簡80】景平王即位。少師無極讒連尹奢而殺之，其子伍員與伍之雞逃歸吳。伍雞將【簡81】吳人以圍州來，為長壑而湅之，以敗楚師，是雞父之湅。

65　《左傳正義》，卷52，頁23上。杜預《注》：「二子，祁盈家臣也。通室，易妻。」（同前）

> 景平王即世，昭王即【簡82】位。伍員為吳太宰，是教吳人反
> 楚邦之諸侯，以敗楚師于柏舉，遂入郢。昭王歸【簡83】隨，
> 與吳人戰于析。吳王子晨將起禍於吳，吳王闔盧乃歸，昭王焉
> 復邦。【簡84】[66]

文中所述少𦥑經歷，明確可知即傳世文獻之夏姬。若夏姬為徵舒妻，則其首次出現在《左傳》的年齡很可能小於徵舒，其後續經歷與生育問題也就顯得正常。研究《繫年》的學者亦皆指出，《繫年》的敘事對夏姬形象並無特別的著墨或醜化，至少沒有出現如叔向之母的惡評，《繫年》敘事重心似在情節進展而非刻畫人物。[67]

以今日觀點言，女性的年齡與婚姻並無必然關係，生育問題更因個人生理狀況而異；況且上舉《左傳》穆姜、聲孟子之例，皆以國君之母而與臣下有私，其年齡應也不致太小，然僅夏姬受到過度指責與醜化，當因夏姬太過受人矚目／側目所致。《穀梁》與《繫年》固然為夏姬的年齡與身分提供了較為合理的解釋，但關鍵仍在後世對女性的歧視與刻板印象，這自與傳統女人禍國觀念息息相關。

五　《史記》的「夏姬形象」

《史記》的夏姬敘事以〈陳杞世家〉所載較詳：

> 十四年，靈公與其大夫孔寧、儀行父皆通於夏姬，衷其衣以戲

---

66 清華大學出土文獻研究與保護中心編，李學勤主編：《清華大學藏戰國竹簡（貳）》，頁170。

67 夏姬身分與《繫年》敘事特質的相關研究可參本文〈一〉列舉之前賢研究。

於朝。泄冶諫曰：「君臣淫亂，民何效焉？」靈公以告二子，
二子請殺泄冶，公弗禁，遂殺泄冶。

十五年，靈公與二子飲於夏氏。公戲二子曰：「徵舒似汝。」
二子曰：「亦似公。」徵舒怒。靈公罷酒出，徵舒伏弩廄門，
射殺靈公。孔寧、儀行父皆奔楚，靈公太子午奔晉。徵舒自立
為陳侯。

徵舒，故陳大夫也。夏姬，御叔之妻，舒之母也。

成公元年冬，楚莊王為夏徵舒殺靈公，率諸侯伐陳。謂陳曰：
「無驚，吾誅徵舒而已。」（《史記會注考證》，卷36，頁10-
11）

所述大抵承襲《左傳》，而省略「仲尼曰」對泄冶的評論，並明白指
稱夏姬為徵舒之母。異於《左傳》的是，〈陳杞世家〉謂「徵舒自立
為陳侯」，加強了此一亂事的嚴重性；又踵承《左傳》載述楚莊王聽
從申叔時勸諫以及復立陳成公事：

已誅徵舒，因縣陳而有之。羣臣畢賀，申叔時使於齊來還，獨
不賀。莊王問其故，對曰：「鄙語有之：『牽牛徑人田，田主奪
之牛。』徑則有罪矣；奪之牛，不亦甚乎？今王以徵舒為賊弒
君，故徵兵諸侯，以義伐之，已而取之，以利其地，則後何以
令於天下！是以不賀。」莊王曰：「善。」乃迎陳靈公太子午
於晉而立之，復君陳如故，是為成公。

孔子讀史記至楚復陳，曰：「賢哉楚莊王！輕千乘之國而重一
言。」（《史記會注考證》，卷36，頁11-12）

〈陳杞世家〉近似宣十一年《左傳》：

> 申叔時使於齊，反，復命而退。王使讓之，曰：「夏徵舒為不
> 道，弒其君，寡人以諸侯討而戮之，諸侯、縣公皆慶寡人，女
> 獨不慶寡人，何故？」對曰：「猶可辭乎？」王曰：「可哉！」
> 曰：「夏徵舒弒其君，其罪大矣；討而戮之，君之義也。抑人
> 亦有言曰：『牽牛以蹊人之田，而奪之牛。』牽牛以蹊者，信
> 有罪矣；而奪之牛，罰已重矣。諸侯之從也，曰討有罪也。今
> 縣陳，貪其富也。以討召諸侯，而以貪歸之，無乃不可乎？」
> 王曰：「善哉！吾未之聞也。反之，可乎？」對曰：「吾儕小人
> 所謂『取諸其懷而與之』也。」乃復封陳。鄉取一人焉以歸，
> 謂之「夏州」，故書曰「楚子入陳」、「納公孫寧、儀行父于
> 陳」，書有禮也。（《左傳正義》，卷22，頁17）

唯有兩點不同：一、《左傳》解釋《春秋》「書法」，[68]《史記》則直接
以「孔子曰」盛讚楚莊之賢；二、成二年《左傳》曾追述「楚之討陳
夏氏也，莊王欲納夏姬」，[69]此事應與楚莊縣陳時間相近，《史記》卻
未載述，似乎對夏姬的作用與情節並未特別重視。查考相關的〈楚世
家〉，亦僅載：

> （楚莊王）十六年，伐陳，殺夏徵舒。徵舒弒其君，故誅之
> 也。

---

68 宣十一年《春秋》：「冬十月，楚人殺陳夏徵舒。丁亥，楚子入陳，納公孫寧、儀行
　父于陳。」《左傳》文末「鄉取一人焉以歸，謂之『夏州』，故書曰『楚子入陳』、
　『納公孫寧、儀行父于陳』，書有禮也。」即為「釋經」之文。唯《左傳》謂「納
　公孫寧、儀行父于陳」為「有禮」，歷代學者爭議頗多，此不詳論。

69 引文已見本文之〈二〉。

已破陳,即縣之。羣臣皆賀,申叔時使齊來,不賀。王問,對
曰:「鄙語曰:『牽牛徑人田,田主取其牛。』徑者則不直矣;
取之牛,不亦甚乎?且王以陳之亂而率諸侯伐之。以義伐之,
而貪其縣,亦何以復令於天下!」莊王乃復國陳後。(《史記會
注考證》,卷40,頁20-21)

〈楚世家〉所述近似《左傳》、〈陳杞世家〉,而全未提及夏姬與陳靈
及二大夫之通淫,以及楚莊欲納夏姬事。可見《史記》雖踵承且統整
先秦文獻進行記述,但似乎無意特別貶抑夏姬或強調其負面形象與影
響力。整體而言,《史記》較重視國際關係,而非關注夏姬的個人形
象或作為;故而夏姬在《史記》中,不僅仍是一個「無言」而面目模
糊的角色,其作用、影響甚至較先秦文獻更不明顯,這是司馬遷對夏
姬此一歷史、文化記憶的回應與重寫。

六　《列女傳》的編纂動機與夏姬負面形象的渲染

《史記》的夏姬形象承繼舊說者多而創發者少,可能因其重在敘
述王侯世家的長期歷史,故對夏姬此種既無法獨立為「列傳」,又在
相關歷史事件中僅能歸屬「導火線」的人物,選擇刪略情節而不刻意
強調;相對於此,以女子為主的《列女傳》則對夏姬形象有顯著的渲
染與更為負面的強調。這當然牽涉編校者劉向希望透過此書傳達的鑑
戒意涵,《漢書‧楚元王傳附玄孫向傳》清楚指出劉向編次《列女
傳》的目的:

向睹俗彌奢淫,而趙、衛之屬起微賤,踰禮制。向以為王教由
內及外,自近者始。故採取《詩》、《書》所載賢妃貞婦,興國

> 顯家可法則，及孽嬖亂亡者，序次為《列女傳》，凡八篇，以
> 戒天子。……上雖不能盡用，然內嘉其言，常嗟歎之。[70]

張清徽先生、朱曉海學長[71]均曾就《列女傳》的著作立場與全書架構
進行論述，張清徽先生《列女傳今註今譯》之〈序文：列女傳及其作
者〉即指出：

> 劉向當時寫《列女傳》的原意，是針對趙飛燕姊娣的淫亂內庭，
> 嫉殺後宮的種種惡行而借題發揮的。雖然，《列女傳》也寫美
> 德的婦女，那可能是對比相稱的作用，正是諷刺趙氏不及古人
> 的好榜樣。寫記乖戾的壞女人，則是警戒趙氏作惡背義、致禍
> 招災，必有惡報的下場，並以之諷諫天子，當心國家受害。所
> 以《列女傳》七條目，真正著重點是在「母儀」、「貞順」、「節
> 義」、「堅明」等項，至於「辯通」、「仁智」不過備此一格，以
> 作陪襯。歸結「孽嬖」一目，那才是劉氏寫作的中心所在；謂
> 之為「影射」可也，謂之為「指桑罵槐」可也。[72]

清徽先生清楚指陳《列女傳》的撰作意旨，不煩再贅一詞。本文則嘗
試聚焦探討《列女傳》對夏姬形象的渲染與改變。

上文已指出夏姬的年齡過高與受害者眾，乃其異於其他負面女性
人物的重要特色，此二特色經《列女傳》渲染，更強化了後世對夏姬

---

70 《漢書補注》，卷36，頁3291。

71 朱曉海：〈劉向《列女傳》文獻學課題述補〉，《臺大中文學報》第24期（2006年6
月），頁49-82；〈論劉向《列女傳》的婚姻觀〉，《新史學》第18卷第1期（2007年3
月），頁1-42。

72 張敬註譯：《列女傳今註今譯》（臺北：臺灣商務印書館，1994年），頁11。

的負面印象。茲不避繁贅，迻錄《列女傳》原文，以利討論：

> 陳女夏姬者，大夫夏徵舒之母，御叔之妻也。其狀美好無匹，內挾伎術，蓋老而復壯者。三為王后，七為夫人。公侯爭之，莫不迷惑失意。
>
> 夏姬之子徵舒為大夫。公孫寧、儀行父與陳靈公皆通於夏姬，或衣其衣，或裝其幡，以戲於朝。泄冶見之，謂曰：「君有不善，子宜掩之。今自子率君而為之，不待幽閒於朝廷以戲士民，其謂爾何？」二人以告靈公，靈公曰：「眾人知之吾不善，無害也；泄冶知之，寡人恥焉。」乃使人徵賊泄冶而殺之。
>
> 靈公與二子飲於夏氏，召徵舒也，公戲二子曰：「徵舒似汝。」二子亦曰：「不若其似公也！」徵舒疾此言。靈公罷酒出，徵舒伏弩廄門，射殺靈公。公孫寧、儀行父皆奔楚，靈公太子午奔晉。
>
> 其明年，楚莊王舉兵誅徵舒，定陳國，立午，是為成公。
>
> 莊王見夏姬美好，將納之，申公巫臣諫曰：「不可。王討罪也，而納夏姬，是貪色也。貪色為淫，淫為大罰。願王圖之。」王從之，使壞後垣而出之。
>
> 將軍子反見美，又欲取之。巫臣諫曰：「是不祥人也。殺御叔，弒靈公，戮夏南，出孔、儀，喪陳國。天下多美婦人，何必取是！」子反乃止。莊王以夏姬與連尹襄老，襄老死於邲，亡其尸，其子黑要又通於夏姬。巫臣見夏姬，謂曰：「子歸，我將娉汝。」
>
> 及恭王即位，巫臣娉於齊，盡與其室俱至鄭，使人召夏姬曰：「尸可得也。」夏姬從之，巫臣使介歸幣於楚，而與夏姬奔

晉。大夫子反怨之，遂與子重滅巫臣之族而分其室。《詩》
云：「乃如之人兮，懷昏姻也。大無信也，不知命也。」言嬖
色殞命也。

頌曰：夏姬好美，滅國破陳，走二大夫，殺子之身。殆誤楚
莊，敗亂巫臣。子反悔懼，申公族分。[73]

《列女傳》在簡介夏姬身分後，立即敘述夏姬「其狀美好無匹，內挾
伎術，蓋老而復壯者」，劉向顯然意識到夏姬的年齡過高而嘗試解
釋。所謂「內挾伎術」、「老而復壯」等神仙方術、房中術，恐非春秋
戰國時期觀念。劉向之詮釋並無先秦文獻根據，可說純屬臆測，有妖
魔化夏姬之嫌。

夏姬的「受害者」眾多，上引成二年《左傳》申公巫臣指稱夏姬
「夭子蠻、殺御叔、弒靈侯、戮夏南、出孔儀、喪陳國」，昭廿八年
《左傳》叔向母謂夏姬「殺三夫，一君、一子，而亡一國、兩卿」，均
歷數其罪，強調其禍害甚眾。《列女傳》「三為王后，七為夫人」又遠
較《左傳》誇張。關於「三為王后」，清王照圓《列女傳補注》謂：

> 《藝文類聚》引「三」下重「三」字。《史記正義》亦引「三
> 為王后」，此脫「三」字。或曰：當作「一」字，今作「三」，
> 乃「二」、「一」兩字之誤併耳。「二」字屬上句，「一」字屬下
> 句。[74]

---

73 〔漢〕劉向著，〔清〕王照圓注，虞思徵點校：《列女傳補注》（上海：華東師範大
學出版社，2012年），頁306-308。

74 同前註，頁310。如其說，則當讀為「老而復壯者二，一為王后」。

王氏雖引《藝文類聚》、《史記正義》為證，唯學界尚無定論；[75]姑且不論「三為王后」或「一為王后」，恐皆不符史實，當是《列女傳》的誇張之筆。據《左傳》載述，夏姬之正式丈夫僅三位，[76]並無為「王后」事；《列女傳》無疑加強了夏姬「人盡可夫」的負面形象。《左傳》曾載楚莊欲娶夏姬而未果，劉向或可能因此而誤計；也可能為了「戒天子」的目的而刻意曲解史實。此一誇張渲染影響甚大，王士濂《左淫類紀》謂「陳夏姬歷七夫」，[77]蓋即據《列女傳》立論，殊不察先秦文獻並無「七夫」之數。又，《列女傳》將「殆誤楚莊」、「子反悔懼」歸咎夏姬，擴增了「受害者」人數。實際上，楚莊與子反並未直接與夏姬有關，而是在與申公巫臣爭奪夏姬的過程中落敗。楚莊作為春秋五霸之一，在諸多傳世文獻中，形象堪稱正面，尤其在與夏姬間接相關的「伐陳」、「邲之戰」諸事，更因納諫復陳、拒為京觀等言行而受到《左氏》肯定。[78]至於子反與夏姬的關係，文獻記載不盡相同：《左傳》記其欲納夏姬而受巫臣阻撓，二人因此結怨，最後乃有殺巫臣之族而分其室的報復；[79]《國語》則記為「莊王既以夏氏之室賜申公巫臣，則又畀之子反，卒於襄老」，[80]似本有楚莊賞賜之舉，只是沒有實現；《繫年》則記「王入陳，殺徵舒，取其室以予申公，連尹襄老與之爭」，並無子反的相關情節。各文獻所載，孰是孰

75　若如其說，則當讀為「老而復壯者三，三為王后」。

76　即御叔（夏徵舒父）、連尹襄老、申公巫臣。

77　〔清〕王士濂輯：《左淫類紀》，頁2下。

78　說可參拙作：〈「晉悼復霸」說芻論〉，《臺大中文學報》第57期（2017年6月），頁105-162，收入本書之〈陸〉。

79　《左傳》原文詳本文之〈二〉。實際上《列女傳》相關敘述亦踵承《左傳》，但劉向在明知其故實的情況下，仍將子反歸入夏姬之「禍害」對象，可見其有意營造夏姬害人無數的負面形象。

80　《國語・楚語上》，卷17，頁539。

非,暫時無法論斷;唯可以肯定的是,子反與夏姬的關係乃是「求而不得」。若得夏姬者受害,未得夏姬者亦受害,則夏姬的禍害程度未免過於無遠弗屆,這恐怕是男性中心思惟所該檢討的。

應進一步探究的是劉向渲染夏姬的負面形象對其敘事究竟有何效用。上引《漢書·劉向傳》已指出,劉向編次《列女傳》應有感於趙飛燕姊妹為亂宮廷,尤其值得注意的是,除了針對後宮女子樹立「賢妃貞婦」典範外,「孽嬖亂亡……以戒天子」可能更是劉向編書的主要目的。就此觀之,則《列女傳》誇述夏姬之「禍害」,應理解為刻意誇張,並訴諸滅國、弒君之事,方足以讓權力頂端的天子心生畏懼、警惕,此蓋劉向編撰《列女傳》之真正意旨。由此或可具見其歷史、文化意涵。

七 結論

本文以「夏姬形象」為論述對象,透過此一著名負面女性人物在先秦兩漢不同時代、不同文獻的形象塑造,探討其發展的變化與特色,指出以下四點結論:

一、《左傳》等先秦文獻,異乎尋常的男女關係確實常被視為亡國與戰亂的肇因,然而並非所有牽涉其中的女性人物,都如夏姬般受到放大檢視與嚴厲批判,此類事件應視為挑起戰爭的藉口而非真正原因。將戰爭單方面怪罪女性,顯然有男性中心思惟,以及簡單化歷史的嫌疑。

二、夏姬的「美色」與「不祥」,常被引為「紅顏禍水」範例,但由較宏觀的角度言,先秦時期對「甚美」引發「甚惡」的觀念,並不限於女子,而廣泛體現在各種不同類型的「美」;特別強調或利用

女子「美色」引發禍事，可能與戰國陰謀盛行的風氣密切相關。

　　三、《穀梁傳》與出土文獻《清華簡・繫年》對夏姬形象雖無太多刻畫，但在敘事情節，以及身分／年齡則提供了不同於傳統角度的解釋。夏姬故實在傳世、出土文獻的參照下，可引發更多面向的思考，實為現代研究者之幸。

　　四、降及漢代，《史記》與《列女傳》因撰作目的與關懷重點不同，對夏姬的形象也有不同的重視程度：《史記》顯較重視春秋諸侯的互動與重要事件之發展，而非夏姬之個人影響力，故對其既有形象並無超出先秦文獻的創發；《列女傳》則因意欲達成勸戒、警惕帝王之效，對夏姬的形象進行渲染與醜化，成為後世深刻負面印象，甚至妖魔化的主要源頭。

　　（宣讀於「海峽兩岸學者《春秋》三傳學術研討會」，北京大學
　　中國古代詩歌研究中心、東亞古典研究會主辦，2017年11月
　　20-21日）

伍　先秦漢初文獻中的
「夏姬敘事」與國際局勢

一　前言

　　本文接續筆者近年先秦兩漢歷史敘事之「人物」議題，以及本書之〈肆、先秦兩漢傳世／出土文獻中的「夏姬形象」〉，探討夏姬在先秦、漢初敘史、詮經文獻中，究竟發揮何種敘事作用；其故實在不同觀點下如何推動情節，並表現撰作者的歷史觀。上文因限於篇幅與論述主題，省略了「人物」對「敘事情節」的推進與影響，以及敘事者觀點反映的價值觀。故本文擬針對與夏姬相關的「晉楚邲之戰」與「吳楚爭霸」等重大國際事件，再加述論，以補不足。

　　關於夏姬的相關研究，較多以其個人形象為主，前賢研究可參本書〈肆、先秦兩漢傳世／出土文獻中的「夏姬形象」〉之〈一〉的統整與概述。本文欲探討的議題是：夏姬作為一個不論其當身或後世均相當知名的女子，其經歷與形象，如何被不同的敘事者應用於不同的歷史敘事情節；夏姬所引發的國際重要事件，又如何因不同文獻而產生相異的詮解。

　　邇來出土文獻研究發展蓬勃，學界開始注意同一人物在不同敘事文獻中的形象異同，如侯文學、宋美霖〈《左傳》與清華簡《繫年》關

於夏姬的不同敘述〉[1]即詳細比較二書的敘事傾向,指出《繫年》或
因敘事減省,「紅顏禍水」的觀念與相關敘述明顯較《左傳》淡薄。
另侯文學、李明麗之《清華簡《繫年》與《左傳》敘事比較研究》第
三章〈人物敘寫〉也指出夏姬因不同的情節取捨而展現不同的樣貌:

> 《左傳》作者對事件的選擇與敘述中貫穿著他的道德史觀,表
> 現於對女性的審視,便是紅顏禍水的觀念。《繫年》的作者則
> 缺乏這種主觀意識。這從兩部著作對同一事件的情節取捨上便
> 能見出。[2]

侯、李二氏之分析頗能道出不同文獻因立場、觀點不同,而導致其人
物產生不同的詮釋或評價。就夏姬而言,因其身分與經歷之特殊,牽
涉陳、鄭、楚、晉、吳諸國;不論傳世、出土文獻都有相關描寫。透
過此一人物,正可顯現各種不同性質、立場的歷史敘事,如何勾勒其
個人命運與國際局勢,又如何傳達不同的關懷與敘事焦點。本文承繼
此一論述主題,冀能更細緻的討論夏姬故實在不同文獻的作用與意義。

夏姬故實,傳世文獻主要見於《左傳》、《國語》、《穀梁傳》、《史
記》、《列女傳》諸書。出土文獻則主要為《繫年》第十五章,該章以
「吳楚爭霸」為主題,以夏姬由陳適楚,再隨申公巫臣奔晉的經歷,
帶出楚對周邊國家的征伐與內部矛盾。人物形象、故事情節以及兩部
漢代文獻《史記》與《列女傳》的夏姬載述,筆者在本書之〈肆〉已
有述論,本文將較為簡略,可互為參照,茲不重複。

---

1 侯文學、宋美霖:〈《左傳》與清華簡《繫年》關於夏姬的不同敘述〉,頁36-41。
2 侯文學、李明麗:《清華簡《繫年》與《左傳》敘事比較研究》,頁179。

二　《左傳》、《國語》的夏姬敘事與晉楚吳爭霸

夏姬在傳世文獻的初登場，始於魯宣九年（陳靈公十四年，楚莊王十四年，西元前600）與陳靈公、大夫孔寧、儀行父的通淫。《左傳》敘述鮮活，並引「孔子曰」進行評論：

> 陳靈公與孔寧、儀行父通於夏姬，皆衷其衵服，以戲于朝。洩冶諫曰：「公卿宣淫，民無效[3]焉，且聞不令。君其納之！」公曰：「吾能改矣。」公告二子。二子請殺之，公弗禁，遂殺洩冶。
>
> 孔子曰：「《詩》云：『民之多辟，無自立辟』，其洩冶之謂乎！」（《左傳正義》，卷22，頁10下）

宣十年旋即發生夏徵舒弒君事：

> 陳靈公與孔寧、儀行父飲酒於夏氏。公謂行父曰：「徵舒似女。」對曰：「亦似君。」徵舒病之。公出，自其廄射而殺之。二子奔楚。（《左傳正義》，卷22，頁13）

宣十一年楚莊王藉機伐陳：

> 冬，楚子為陳夏氏亂故，伐陳。謂陳人「無動！將討於少西氏」。遂入陳，殺夏徵舒，轘諸栗門。因縣陳。陳侯在晉。（《左傳正義》，卷22，頁16下-17上）

3　阮元《校勘記》：「補刊《石經》、宋本、淳熙本、岳本『効』作『效』，是也。《釋文》作『傚』。」（〈春秋左傳注疏校勘記卷二十二校勘記〉，頁4上）

夏姬通淫的行為不僅導致忠諫之臣洩冶被殺,也使夏徵舒憤而弒殺陳
靈公,以及楚莊王以徵舒弒君為由引兵伐陳。楚之伐陳,乃對晉的挑
釁,可說是魯宣十二年晉、楚「邲之戰」的導火線。[4]綜觀魯宣九至
十二年間《左傳》的敘事,夏姬形象起於通淫,終於戰火,無怪乎招
致後世「紅顏禍水」的罵名。

　　值得注意的是,夏姬敘事在《左傳》分成兩段:一為上述魯宣九
至十一年陳國事,一為魯成二年(晉景公十一年、楚共王二年,西元
前589)以後,三度以「追述」方式載述夏姬如楚後的經歷。女弟蔡
瑩瑩〈《清華簡‧繫年》楚國紀年五章的敘事特色管窺〉曾指出:

> 以「夏姬」為中心,時序上相連的整串事件,在《左傳》中卻
> 被分置二處:A部分(即宣十一年前後)乃為了說明楚對陳侵
> 伐,繼而引發宣十二年的晉楚戰爭,B部分(即成二年)則是
> 為了說明申公巫臣的叛逃及其在成七年造成楚國「疲於奔命」
> 的後果。[5]

《左傳》分二段敘述夏姬故實,發揮了兩種不同的情節效用:楚伐陳
乃至晉、楚邲之戰的情節,夏姬通淫的作用頗類小說中的楔子,隨著
情節遞進,事件擴大,以一星之火引發燎原之災;夏姬身分除為陳大
夫之妻外,亦是鄭穆公之女,暗示了楚對陳、鄭二小國的意圖染指與
勢在必得,這是夏姬故實在《左傳》發揮的第一種推動情節作用。

　　夏姬是否應為陳國之禍負責,《國語‧周語中》「單襄公論陳必

4　關於「邲之戰」,可參拙作:〈《左傳》與《繫年》「戰爭敘事」隅論——以邲之戰、
　　鄢陵之戰為例〉,《先秦兩漢歷史敘事隅論》之〈肆〉,頁193-241。
5　蔡瑩瑩:〈《清華簡‧繫年》楚國紀年五章的敘事特色管窺〉,頁76。

亡」章提供了不同的思惟與詮釋模式：

> 定王使單襄公聘於宋。遂假道於陳，以聘於楚。
>
> 火朝覿矣，道茀不可行，候不在疆，司空不視塗；澤不陂，川不梁，野有庾積，場功未畢，道無列樹，墾田若蓺；饍宰不致餼，司里不授館，國無寄寓，縣無施舍，民將築臺於夏氏。及陳，陳靈公與孔寧、儀行父南冠以如夏氏，留賓不見。
>
> 單子歸，告王曰：「陳侯不有大咎，國必亡。」王曰：「何故？」
>
> 對曰：「夫辰，角見而雨畢，天根見而水涸，本見而草木節解，駟見而隕霜，火見而清風戒寒。故先王之教曰：『雨畢而除道，水涸而成梁，草木節解而備藏，隕霜而冬裘具，清風至而修城郭宮室。』故〈夏令〉曰：『九月除道，十月成梁。』其時儆曰：『收而場功，待而畚梮，營室之中，土功其始。火之初見，期於司里。』此先王所以不用財賄而廣施德於天下者也。今陳國，火朝覿矣，而道路若塞，野場若棄，澤不陂障，川無舟梁，是廢先王之教也。
>
> 周制有之曰：『列樹以表道，立鄙食以守路。國有郊牧，疆有寓望，藪有圃草，囿有林池，所以禦災也。其餘無非穀土，民無懸耜，野無奧草。不奪民時，不蔑民功。有優無匱，有逸無罷。國有班事，縣有序民。』今陳國，道路不可知，田在草間，功成而不收，民罷於逸樂，是棄先王之法制也。
>
> 周之〈秩官〉有之曰：『敵國賓至，關尹以告，行理以節逆之，候人為導，卿出郊勞，門尹除門，宗祝執禮，司里授館，司徒具徒，司空視塗，司寇詰姦，虞人入材，甸人積薪，火師

監燎，水師監濯，膳宰致饔，廩人獻餼，司馬陳芻，工人展車，百官以物至，賓入如歸，是故小大莫不懷愛。其貴國之賓至，則以班加一等，益虔。至於王吏，則皆官正蒞事，上卿監之。若王巡守，則君親監之。』今雖朝也不才，有分族於周，承王命以為過賓於陳，而司事莫至，是蔑先王之官也。

<u>先王之令有之曰</u>：『天道賞善而罰淫，故凡我造國，無從非彝，無即慆淫，各守爾典，以承天休。』今陳侯不念胤續之常，棄其伉儷妃嬪，而<u>帥其卿佐以淫於夏氏</u>，不亦瀆姓矣乎？陳，我大姬之後也。棄衮冕而南冠以出，不亦簡彝乎？<u>是又犯先王之令也</u>。

昔先王之教，懋帥其德也，猶恐隕越。若廢其教而棄其制，蔑其官而犯其令，將何以守國？居大國之閒，而無此四者，其能久乎？」

六年，單子如楚。八年，陳侯殺於夏氏。九年，楚子入陳。（《國語》，卷2，頁67-75）

單襄公的長篇論述全未提及夏姬，而稱「夏氏」，指稱重點應是大夫夏徵舒而非夏姬。本章有三點值得注意：首先，單襄公論陳必亡的一番長篇大論，總結陳國／陳靈公蓋有四罪：一為未按時令除道、修城，致使「道茀不可行」云云，是「廢先王之教」；二為荒廢民生要事，反讓人民「築臺於夏氏」，是「棄先王之法制」；三為怠慢來使，「司事莫至」，陳國君臣「留賓不見」，是「蔑先王之官」；最後才是淫於夏氏，行為不檢，是「犯先王之令」。整體而言，在單襄公的詮釋中，陳國之禍起於蔑棄先王之政教法令，乃咎由自取。其次，「民將築臺於夏氏」一語亦頗耐人尋味。「築臺」非一朝一夕可成，又是

醒目之舉，亦非夏姬一人之事，而涉及整個夏氏家族。雖可解釋為陳靈通淫夏姬而欲討好之，然夏氏似乎也安於此種特權，未見推拒，則似乎暗示夏氏亦非純然的受害者，而屬於某種「共犯結構」。其三，單襄公並未批判夏姬個人行止，而是一方面強調夏氏在陳國的權勢（民將築臺於夏氏），一方面批評陳靈公「嬻姓」、「棄袞冕而南冠」不合禮數。換言之，《國語·周語中》首要批判對象乃背棄先王之教的陳靈公，其次才部分涉及夏氏。在《國語·周語中》的敘述中，夏氏顯然被塑造為放任、甚至誘使國君荒唐淫亂而伺機坐大的權臣，這已非夏姬一人之事，而近似齊之崔杼。[6]

　　《左傳》敘事由夏姬埋下戰火的引信，之後隨著陳靈昏惑無道，楚昭蓄謀已久，步步交織成晉、楚、陳、鄭間的戰爭糾葛；而在《國語·周語中》的視角下，似乎不論有無楚國介入，背棄先王的陳國，其命運早定，必遭夏氏反噬，也必遭楚國侵伐，有無夏姬，結果似乎都不會改變，這自是《國語·周語中》極度強調尊崇先王政教的詮釋傾向，亦可見夏姬故實不必然只有一種詮釋途徑，而可因撰作者之寫作動機、歷史／文化記憶而有不同的側重與詮解。

　　夏姬故實在《左傳》的第二段敘述採「追述」方式——亦即第二種效用——乃是完足申公巫臣叛楚的情節必然性。成二年《左傳》以追述之筆，詳述楚莊王、申公巫臣、子反、連尹襄老、黑要五人爭奪夏姬事：

> 楚之討陳夏氏也，莊王欲納夏姬。申公巫臣曰：「不可。君召諸侯，以討罪也；今納夏姬，貪其色也。貪色為淫，淫為大

6　崔杼之相關事蹟可參拙作：〈《左傳》「弒君敘事」隅論——以趙盾、崔杼為例〉，收入《先秦兩漢歷史敘事隅論》之〈參〉，頁161-192。

罰。《周書》曰：『明德慎罰』，文王所以造周也。明德，務崇之之謂也；慎罰，務去之之謂也。若興諸侯以取大罰，非慎之也。君其圖之！」王乃止。

子反欲取之，巫臣曰：「是不祥人也。是天子蠻，殺御叔，弒靈侯，戮夏南，出孔、儀，喪陳國，何不祥如是？人生實難，其有不獲死乎！天下多美婦人，何必是？」子反乃止。

王以予連尹襄老。襄老死於邲，不獲其尸。其子黑要烝焉。巫臣使道焉，曰：「歸，吾聘女。」又使自鄭召之，曰：「尸可得也，必來逆之。」姬以告王。王問諸屈巫。對曰：「其信。知罃之父，成公之嬖也，而中行伯之季弟也，新佐中軍，而善鄭皇戌，甚愛此子。其必因鄭歸王子與襄老之尸以求之。鄭人懼於邲之役，而欲求媚於晉，其必許之。」王遣夏姬歸。將行，謂送者曰：「不得尸，吾不反矣。」巫臣聘諸鄭，鄭伯許之。及共王即位，將為陽橋之役，使屈巫聘于齊，且告師期。巫臣盡室以行。申叔跪從其父，將適郢，遇之，曰：「異哉！夫子有三軍之懼，而又有〈桑中〉之喜，宜將竊妻以逃者也。」及鄭，使介反幣，而以夏姬行。

將奔齊。齊師新敗，曰：「吾不處不勝之國。」遂奔晉，而因郤至，以臣於晉。晉人使為邢大夫。子反請以重幣錮之。王曰：「止！其自為謀也則過矣，其為吾先君謀也則忠。忠，社稷之固也，所蓋多矣。且彼若能利國家，雖重幣，晉將可乎？若無益於晉，晉將弃之，何勞錮焉？」（《左傳正義》，卷25，頁19上-21上）

楚莊、子反皆對夏姬有意，均遭巫臣勸止；後歸連尹襄老、黑要，連

串事件中仍有申公巫臣插手。此段敘述雖涉及多人、多國，然亦具體呈現巫臣對夏姬的深刻執念，是以巫臣為了夏姬而籌謀深計，乃至「盡室以行」，便顯得相當合理。成七年（晉景公十六年、楚共王七年，西元前584）《左傳》再次追述子反與巫臣環繞夏姬的舊怨：

> 楚圍宋之役，師還，子重請取於申、呂以為賞田。王許之。申公巫臣曰：「不可。此申、呂所以邑也，是以為賦，以御北方。若取之，是無申、呂也，晉、鄭必至于漢。」王乃止。子重是以怨巫臣。子反欲取夏姬，巫臣止之，遂取以行，子反亦怨之。
>
> 及共王即位，子重、子反殺巫臣之族子閻、子蕩及清尹弗忌及襄老之子黑要，而分其室。子重取子閻之室，使沈尹與王子罷分子蕩之室，子反取黑要與清尹之室。巫臣自晉遺二子書，曰：「爾以讒慝貪惏事君，而多殺不辜，余必使爾罷於奔命以死。」
>
> 巫臣請使於吳，晉侯許之。吳子壽夢說之。乃通吳于晉，以兩之一卒適吳，舍偏兩之一焉。與其射御，教吳乘車，教之戰陳，教之叛楚。實其子狐庸焉，使為行人於吳。吳始伐楚、伐巢、伐徐，子重奔命。馬陵之會，吳入州來，子重自鄭奔命。子重、子反，於是乎一歲七奔命。蠻夷屬於楚者，吳盡取之，是以始大，通吳於上國。（《左傳正義》，卷26，頁16上-17下）

若說成二年《左傳》追述巫臣爭夏姬事，乃為了完足巫臣棄楚奔晉的內在動因；則成七年之再次追述，便為解釋巫臣為何在獲得夏姬之後，沒有選擇息事寧人，而仍對楚國深懷怨恨，乃至連結晉、吳，令

楚罷於奔命，實因子重、子反殺巫臣之族而分其室，於是除了爭奪夏姬之情外，更添血仇之恨。此處的追述，夏姬敘事的主角實已轉為申公巫臣，藉由「爭夏姬」事，引發子重、子反對巫臣家族的迫害，也深化了巫臣對楚的怨恨，讓其所作所為更具內在必然性。此即史上著名的「楚材晉用」事例。襄公廿六年（晉平公十一年、楚康王十三年，鄭簡公十九年，西元前547）《左傳》再次透過蔡大夫聲子與令尹子木的對話「重述」／「追述」此一史事：

> 初，楚伍參與蔡太師子朝友，其子伍舉與聲子相善也。伍舉娶於王子牟。王子牟為申公而亡，楚人曰：「伍舉實送之。」伍舉奔鄭，將遂奔晉。聲子將如晉，遇之於鄭郊，班荊相與食，而言復故。聲子曰：「子行也，吾必復子。」及宋向戌將平晉、楚，聲子通使於晉，還如楚。令尹子木與之語，問晉故焉，且曰：「晉大夫與楚孰賢？」對曰：「晉卿不如楚，其大夫則賢，皆卿材也。如杞梓、皮革，自楚往也。<u>雖楚有材，晉實用之</u>」。子木曰：「夫獨無族姻乎？」對曰：「雖有，而用楚材實多。……子儀之亂，析公奔晉，晉人寘諸戎車之殿，以為謀主。繞角之役，晉將遁矣，析公曰……晉人從之，楚師宵潰。……楚失華夏，則析公之為也。雍子之父兄譖雍子，君與大夫不善是也，雍子奔晉，晉人與之鄐，以為謀主。彭城之役，晉、楚遇於靡角之谷。晉將遁矣，雍子發命於軍曰……。楚師宵潰，晉降彭城而歸諸宋，以魚石歸。楚失東夷，子辛死之，則雍子之為也。子反與子靈爭夏姬，而雍害其事，子靈奔晉，晉人與之邢，以為謀主，扞禦北狄，通吳於晉，教吳叛楚，教之乘車、射御、驅侵，使其子狐庸為吳行人焉。吳於是伐巢、取駕、克棘、入州來，楚罷於奔命，至今為患，則子靈之為也。若敖之

亂，伯賁之子賁皇奔晉，晉人與之苗，以為謀主。鄢陵之役，楚晨壓晉軍而陳。晉將遁矣，苗賁皇曰……。晉人從之，楚師大敗，王夷師熸，子反死之。鄭叛、吳興，楚失諸侯，則苗賁皇之為也。」（《左傳正義》，卷37，頁12下-17上）[7]

在聲子與子木「楚材晉用」的舉證脈絡中，夏姬敘事的焦點明顯側重於巫臣的「復仇」情節而非夏姬的通淫行徑。更重要的是，巫臣一人而牽涉了晉、楚、吳三國的興衰，其為了報復楚國，先獲晉國任用，出使吳國，教之乘車、射御，導之伐楚，大大削弱楚國勢力；吳國則藉此「通於上國」，正式站上春秋晚期紛擾的國際舞台。

　　由此觀之，《左傳》的夏姬敘事確實具備兩種效用，牽涉兩種不同的國際局勢：一、作為楚伐陳的導火線，進一步引出晉楚「邲之戰」，夏姬敘事可謂體現了大國晉、楚與小國陳、鄭間的矛盾、紛爭縮影。二、作為申公巫臣叛楚奔晉、連吳伐楚的主要原因，此處的夏姬經歷結合申公巫臣的復仇故實，成為其中一個環節，連結晉、楚、吳三國爭霸的情節起伏，具體呈現春秋晚期霸權的更迭，《左傳》的

7　亦見《國語‧楚語上》「蔡聲子論楚材晉用」章：「椒舉娶於申公子牟，子牟有罪而亡，康王以為椒舉遺之，椒舉奔鄭，將遂奔晉。蔡聲子將如晉，遇之於鄭，饗之以璧侑，曰：『子尚良食，二先子其皆相子，尚能事晉君以為諸侯主。』辭曰：『非所願也。若得歸骨於楚，死且不朽。』聲子曰：『子尚良食，吾歸子。』椒舉降三拜，納其乘馬，聲子受之。還，見令尹子木，子木與之語，曰：『子雖兄弟於晉，然蔡吾甥也，二國孰賢？』對曰：『晉卿不若楚，其大夫則賢，其大夫皆卿材也。若杞梓皮革焉，楚實遺之，雖楚有材，不能用也。』子木曰：『彼有公族甥舅，若之何其遺之材也？』對曰：『……昔陳公子夏為御叔娶於鄭穆公，生子南。子南之母亂陳而亡之，使子南戮於諸侯。莊王既以夏氏之室賜申公巫臣，則又畀之子反，卒於襄老。襄老死于邲，二子爭之，未有成。恭王使巫臣聘於齊，以夏姬行，遂奔晉。晉人用之，寔通吳、晉。使其子狐庸為行人於吳，而教之射御，導之伐楚。至于今為患，則申公巫臣之為也。』……」（《國語》，卷17，頁534-539）。

史筆與文筆於焉具現。

三 《繫年》的夏姬敘事與吳楚爭霸

相較於傳世文獻夏姬故實的兩種情節效用與敘事脈絡，出土文獻《清華簡·繫年》的夏姬敘事又異其趣。茲迻錄《繫年》第十五章以利討論：

> 楚莊王立，吳人服于楚。
>
> 陳公子徵舒取妻于鄭穆公，是少𦥑。
>
> 莊王立十又五年，【簡74】陳公子徵舒殺其君靈公，莊王率師圍陳。王命申公屈巫適秦求師，得師以【簡75】來。王入陳，殺徵舒，取其室以予申公。連尹襄老與之爭，奪之少𦥑。連尹止於河【簡76】滩，其子黑要也或（又）室少𦥑。
>
> 莊王即世，共王即位。黑要也死，司馬子反與申【簡77】公爭少𦥑，申公曰：「是余受妻也。」取以為妻。司馬不順申公。王命申公聘於齊，申【簡78】公竊載少𦥑以行，自齊遂逃適晉，自晉適吳，焉始通吳晉之路，教吳人叛楚。【簡79】
>
> 以至靈王，靈王伐吳，為南懷之行，執吳王子蹶由，吳人焉或（又）服於楚。靈王即世，【簡80】景平王即位。少師無極讒連尹奢而殺之，其子伍員與伍之雞逃歸吳。伍雞將【簡81】吳人以圍州來，為長壑而湮之，以敗楚師，是雞父之湮。
>
> 景平王即世，昭王即【簡82】位。伍員為吳太宰，是教吳人反楚邦之諸侯，以敗楚師于柏舉，遂入郢。昭王歸【簡83】隨，與吳人戰于析。吳王子晨將起禍於吳，吳王闔盧乃歸，昭王焉

復邦。【簡84】[8]

此章簡要敘述夏姬一生經歷，相關研究者大都認為《繫年》的夏姬是無辜的受害者，而非《左傳》的「紅顏禍水」。如程薇指出夏姬的身分與年齡，以《繫年》所載較為合理，以此反駁《列女傳》對夏姬的妖魔化；[9] 侯文學、李明麗則著眼於故事情節：

> 在這個版本中，夏姬表現於《左傳》中的淫蕩消泯殆盡，成為一個頗無助的弱女子形象。

> 相較於《左傳》，《繫年》此章敘事情節的減省與夏姬經歷的改變也為我們帶來對夏姬形象的重新認識。……她不再是淫艷的婦人，而是頗具悲劇色彩的不幸女性，因為她的命運始終沒有掌握在自己手中。……陳國的內亂中，看不到她的責任；楚國權臣之間的爭奪以及由此而產生的一系列後果，也與她的行性無關。[10]

夏姬之「行性」如何，《繫年》並未述及，實無由得知。而「敘事情節的減省」其實只是夏姬負面評價降低的原因之一；《繫年》真正大幅刪減，或說不加載錄的是他人的負面評價，如叔向之母或申公巫臣

8　清華大學出土文獻研究與保護中心編，李學勤主編：《清華大學藏戰國竹簡（貳）》，頁170，釋文者為李均明。簡文採寬式楷定。《繫年》出土以來，研究者眾，茲不一一縷舉眾說。

9　程薇：〈清華簡《繫年》與夏姬身份之謎〉，《文史知識》2012年第7期，頁108-112。舊說夏姬為夏徵舒母，《繫年》明謂夏姬為徵舒妻。實則《穀梁傳》已如此記載，因非本文重點，茲不詳論。可參拙作〈先秦兩漢傳世／出土文獻中的「夏姬形象」〉，本書之〈肆〉。

10　侯文學、李明麗：《清華簡《繫年》與《左傳》敘事比較研究》，頁174、178。

對夏姬的評論，這自是《繫年》的文獻性質所致：其重視事件的概略
發展，而不重視長篇言論的載錄。[11]此種「他人論評」的簡省與《繫
年》第十五章的精簡敘事，同樣影響夏姬的形象解讀。《繫年》的夏
姬之所以「不再是淫艷的婦人」，乃因《繫年》在楚對陳的侵伐中，
完全抹去了夏姬與陳靈公通淫的情節，而僅言「陳公子徵舒殺其君靈
公」；換言之，若無傳世文獻對照，由《繫年》並無法得知夏徵舒弒
君的真正原因。筆者曾論述《左傳》與《繫年》記述「陳夏氏之亂」
的詳略差異造成的不同閱讀效果：

> 對戰爭的「醞釀」與「何以發生」之論述，《左傳》的鋪陳詳
> 盡而面面俱到，《繫年》則顯得單一化，且有隱略楚國不利事
> 件的傾向。[12]

除通淫情節、身分差異與他人論評外，實際上夏姬的整體經歷與形
象，《繫年》所載與《左傳》的差異並不甚大：所謂無助被動，無法
掌握自身的命運，《左傳》的敘寫何嘗不是如此？形成「紅顏禍水」
形象主要是他人評論導致的結果／印象，可見撰作者的寫作意圖具體
影響人物形象與批判。

更值得注意的是，《繫年》明確以「吳楚關係」為主要脈絡，儘
管涉及夏姬由陳入楚，但此章之所以寫楚對陳之侵伐，並不像《左
傳》呈現晉、楚對小國的爭奪，而是由楚伐陳，楚莊王派申公屈巫
（巫臣）赴秦乞師而發：

---

11 可參拙作：〈先秦敘史文獻「敘事」與「體式」隅論——以晉「欒氏之滅」為例〉，
收入《先秦兩漢歷史敘事隅論》之〈陸〉，頁297-343。
12 拙作：〈《左傳》與《繫年》「戰爭敘事」隅論——以邲之戰、鄢陵之戰為例〉，《先
秦兩漢歷史敘事隅論》之〈肆〉，頁206。

　　莊王率師圍陳。王命申公屈巫適秦求師，得師以來。[13]

傳世文獻並無申公巫臣赴秦乞師情節，就現實面衡之，此舉也不甚合理；然而正因此一求師之舉，顯示巫臣在楚伐陳之役有功，進而敘寫楚莊本欲論功行賞，將夏姬賜予巫臣，卻先遭連尹襄老爭奪，後又有黑要、司馬子反介入。換言之，《繫年》透過此一情節傳達的是，申公巫臣對夏姬的勢在必得，以及與楚國君臣的宿怨難解，皆源自楚伐陳一事。這個情節又為其後巫臣言「是余受妻也」，而自楚叛逃並「教吳人叛楚」諸情節做了完整而合理的伏筆／鋪墊。

　　《繫年》本章以「楚莊王立，吳人服于楚」始，以「吳人叛楚」，乃至吳敗楚終，視角顯由楚國出發，論述主題則緊扣吳楚關係。不論夏姬或巫臣，實際上都不偏離此一敘事主線，因此夏姬的經歷也完全以「順敘」方式呈現，而不像《左傳》有「追述」的時態。在脈絡與篇幅均相對單純而簡省的情況下，《繫年》對夏姬的敘述，從楚莊「取其室以予申公」直到「申公竊載少盍以行，自齊遂逃適晉，自晉適吳」，不到百字篇幅便交代了夏姬八年之間輾轉於四人之手的經歷，這樣的極度簡化，自然更鮮明的顯現了夏姬身不由己，猶如飄萍飛絮的形象。換言之，夏姬在《繫年》的負面描繪確實較少，但應出於篇幅與情節的減省所致，而未必是《繫年》作者有意識淡化夏姬的負面形象，當然這也可能出自《繫年》作者的歷史／文化記憶所致。

　　綜上所述，夏姬故實在《繫年》第十五章，之所以較不易導致「紅顏禍水」的形象，主要有幾個原因：一、《繫年》因性質之故，

---

13 清華大學出土文獻研究與保護中心編，李學勤主編：《清華大學藏戰國竹簡（貳）》，頁170。

未載錄他人對夏姬的長篇批判;二、本章以吳楚關係為重心,對陳夏氏之亂的敘述相對簡省,主在帶出申公巫臣,也就抹去「夏姬通淫陳靈公」及其引發戰爭的作用;三、本章篇幅簡省,時間跨度又大,對夏姬經歷以快速、歷時的方式敘述,加強了讀者對其「身不由己」的感受。具體可見情節與敘事立場的差異,也能一定程度影響人物的形象塑造,這是《繫年》呈現不同於既有傳世文獻的敘事特色。

四 《公羊》、《穀梁》楚伐陳的論議

上二節論傳世與出土敘史文獻的夏姬故實,雖人物形象、情節作用、敘事視角等層面有所差異;然而就共同點而言,其關注焦點或書寫重心,可說都在春秋中晚期強權——晉、楚、吳——間的爭霸,以及夏姬、夏徵舒、申公巫臣等人物如何在複雜的國際情勢中發揮不同作用並形塑不同形象。此一關注「國際局勢」的特點,在以「解經」為主要目的的《公羊》、《穀梁》二《傳》中,相對薄弱。前此筆者討論夏姬形象時,因《公》、《穀》二書對夏姬著墨不多,乃至幾乎沒有,故僅約略提及,本節則嘗試說明二《傳》對夏姬相關事件的詮釋傾向,呈顯二《傳》與《左傳》、《國語》、《繫年》等書的不同文獻特質及其關注焦點。

首先,《公羊傳》於宣九年《春秋》「陳殺其大夫泄冶」下並無一言半語釋《經》,可見《公羊》作者要非沒有文獻依據,便是不重視夏姬與陳靈君臣之荒淫行徑。

其次,宣十一年《公羊傳》釋《春秋》「楚人殺陳夏徵舒」時,亦未提及夏姬,而純由「書法」詮解:

「此楚子也，其稱人何？」「貶。」「曷為貶？」「不與外討
也。」「不與外討者，因其討乎外而不與也？」「雖內討亦不與
也。」「曷為不與？」「實與，而文不與。」「文曷為不與？」
「諸侯之義，不得專討也。」「諸侯之義，不得專討，則其曰
『實與』之何？」「上無天子，下無方伯，天下諸侯，有為無
道者，臣弒君、子弒父，力能討之，則討之可也。」（《公羊注
疏》，卷16，頁3下-4上）

《公羊》先詮釋《春秋》稱「楚人」的意義，進而論述所謂「外
討」、「內討」、「專討」，亦即楚對陳的討伐是否應被認可；最後得出
由於當時「上無天子，下無方伯」，故面臨「臣弒君」的大逆不道，
當「力能討之，則討之可也」的結論，迂迴而間接的承認楚伐陳的合
理性。此一論述／詮釋，完全專注於「楚伐陳」的「合法性」，對其
「原因」的探究並不深入，僅指出「臣弒君」，暗指夏徵舒弒陳靈，
便不再深入追究夏徵舒弒君的原因，也就沒有提及夏姬。

再次，宣十一年《春秋》書「楚子入陳，納公孫甯、儀行父于
陳」下，《公羊傳》的解釋同樣聚焦於楚莊王之作為，而未追溯陳國
君臣事：

「此皆大夫也。其言納何？」「納公黨與也。」（《公羊注疏》，
卷16，頁4下-5上）

宣十二年《春秋》書：「春，葬陳靈公。」《公羊傳》釋曰：

「討此賊者，非臣子也，何以書葬？」「君子辭也。楚已討之

矣，臣子雖欲討之，而無所討也。」（《公羊注疏》，卷16，頁
5）

《公羊傳》一貫專注於解釋《春秋》書法，並連結楚莊作為，辯證其
是否正當；對陳靈公本身是否失德，對陳國臣子，如泄冶、夏徵舒、
公孫甯、儀行父的功過褒貶並無深入探究興趣，於是夏姬在此論述
脈絡中，自然未有任何作用，也就失去了出場的機會，完全被淡化／
忽視。

相較之下，《穀梁傳》則呈現對人物作為的關注，宣九年《春秋
經》書「陳殺其大夫泄冶」，《穀梁傳》釋曰：

> 稱國以殺其大夫，殺無罪也。「泄冶之無罪如何？」「陳靈公通
> 于夏徵舒之家，公孫寧、儀行父亦通其家，或衣其衣，或衷其
> 襦，以相戲於朝。泄冶聞之，入諫曰：『使國人聞之則猶可，
> 使仁人聞之則不可。』君愧於泄冶，不能用其言而殺之。」
> （《穀梁注疏》，卷12，頁10下-11上）

《穀梁》亦以解釋「書法」為主，但值得注意者有三：一、《穀梁》
以「夏徵舒之家」代指夏姬，乃傳世文獻少數以夏姬為徵舒之妻的載
錄；[14]二、此處稱「泄冶無罪」，立場相當明確，不同於《左傳》、《公
羊》對泄冶的評價略有模糊、兩可的態度；[15]三、《穀梁》之夏姬故實
唯見於此條，此後即不再出現。換言之，《穀梁傳》的敘事脈絡雖提
出夏姬故實，但其作用僅在於解釋「陳殺其大夫泄冶」的事件始末，

---

14 相關討論可參拙作：〈先秦漢初傳世／出土文獻中的「夏姬形象」〉，本書之〈肆〉。
15 關於洩冶之評價，可參拙作：〈《左傳》「仲尼曰敘事」芻論〉，《先秦兩漢歷史敘事
隅論》之〈玖〉。

而未如《左傳》、《國語》或《繫年》進一步記載夏姬事件引發戰爭或強權爭霸。

上述三項特點，具體可見雖同以解經為重，《穀梁傳》對夏姬故實的運用與敘述相當有特色。而與《公羊傳》相同的是，在事件的後續發展中，《穀梁傳》著重於釐清楚國對陳之討伐是否正當，而捨棄論述夏姬。宣十一年《春秋》有三條論及夏徵舒事，《穀梁傳》分別釋之云：

> 《春秋》：「冬，十月，楚人殺陳夏徵舒。」
> 「此入而殺也。其不言入，何也？」「外徵舒於陳也。」「其外徵舒於陳，何也？」「明楚之討有罪也。」
>
> 《春秋》：「丁亥，楚子入陳。」
> 「入者，內弗受也。」「日入，惡入者也。何用弗受也？」「不使夷狄為中國也。」
>
> 《春秋》：「納公孫寧、儀行父于陳。」
> 「納者，內弗受也。輔人之不能民而討，猶可；入人之國，制人之上下，使不得其君臣之道，不可。」（《穀梁注疏》，卷12，頁12下-13下）

相對於《公羊傳》認為「力能討之，則討之可也」，勉強減輕苛責楚伐陳之舉的不當；《穀梁傳》雖也承認夏徵舒有罪，卻更嚴詞強調「不使夷狄為中國」，批評楚國「入人之國，制人之上下，使不得其君臣之道」，干涉他國內政之舉，對楚國有更明確而嚴峻的拒斥與批判。[16]

16　〔晉〕范甯《穀梁集解》解《春秋》云：「二人皆昏淫當絕，而楚強納之，是制人之上下。」（《穀梁注疏》，卷12，頁13下）

《公羊傳》、《穀梁傳》的相關論述都沒有太著墨於晉楚或吳楚等大國間的爭霸或競爭,對夏姬故實的敘述也相當簡略,甚至隻字未提,而專注於辯證楚伐陳、納公孫寧、儀行父等舉措之正當性,重視的是強權與弱國,乃至夷狄與華夏的分際與互動原則。由此可見,儘管與〈二〉、〈三〉節的《左傳》、《國語》或《繫年》都涉及同一史事,但因詮釋方向的差異,夏姬不論是情節作用或人物形象,在《公》、《穀》二《傳》的重要性都大幅減弱。又,由於二《傳》對宣十二年晉楚邲之戰的敘述都較簡略,未將前此楚對陳、鄭的侵伐納入晉楚大戰的脈絡中論述,夏姬故實也就無法在二《傳》發揮更多情節作用;同樣的,對於吳楚關係,由於《春秋經》所載本已頗為簡略/匱乏,二《傳》既以解《經》為主,自也無法多所發揮,是以夏姬所引發的申公巫臣叛楚、通吳上國等情事,也就無所著落,具體可見情節對「人物形象」的重大影響力。

五　結論

上文分別述論「夏姬故實」在《左傳》、《國語》、《繫年》以及《公羊》、《穀梁》等先秦、漢初文獻中的情節比重與效用,也省察了不同文獻對春秋時期晉、楚、吳諸國關係的詮釋角度與觀點。透過夏姬敘事,或可綜合比較諸書在文獻性質、情節布局、觀點立場等方面的差異。

首先,就文獻性質言:《左傳》言事兼重,《國語》記言為主,《繫年》具「大事記」性質,《公羊》、《穀梁》以解《經》為主。這些性質差異,自然造成夏姬故實與夏姬形象的詳略有別:《左傳》因兼有情節故事與他人評論,夏姬的故事與形象都相對豐富、鮮明。《國語》的夏姬故實,則透過他人之口間接敘述,一方面未必是該章的論述焦

點，另方面也在篇幅或視角上較為受限，其故事與形象都相對模糊。
《繫年》專注於呈現事件梗概，一方面沒有對話與論評，降低了夏姬
的負面形象；另方面又對夏姬的經歷，以極度簡單／快速的方式敘
述，如此的敘述節奏，相對加強了夏姬輾轉飄零、身不由己的形象。
《公羊》、《穀梁》專注於討論《春秋》「書法」，敘事或人物形象均非
其主要關懷，故夏姬的重要性或影響力在二《傳》中自然大幅減弱。
凡此皆可見「文獻性質」與「敘事方式」對敘事文本的深刻影響。

　　其次，就情節布局言：筆者以為夏姬敘事在《左傳》發揮的情節
效用最為複雜、多樣，因其故實被分置於兩種敘事脈絡，而各自產生
不同的效用：或推動戰爭情節、或完足人物恩怨的前因後果。《國
語》的敘事脈絡近似《左傳》，但因限於體例，表現稍不明顯。相對
而言，《繫年》的夏姬敘事只存在於吳、楚關係此一主線，且因文字
減省，夏姬對情節布局與事件的影響力也就相對薄弱。就此而言，或
有助於理解傳世文獻的夏姬形象經常被認為負面乃至「禍水」，而
《繫年》的夏姬卻往往被學者認為「無辜」、「身不由己」：傳世文獻
除載錄他人論評外，夏姬故實被詳細敘述，能推動情節發展、說明各
種恩怨過程，其負面形象自然令人印象深刻；《繫年》的夏姬與戰爭
之關係較為薄弱，僅能說明部分人物關係，自然顯得被動而無辜。

　　復次，就觀點立場言：對春秋「國際關係」之認識，《左傳》、
《國語》似乎較為宏觀，夏姬故實一方面涉及晉、楚二強的衝突，又
結合申公巫臣而與新興的南方霸權吳國有所關連；夏姬個人之命運與
經歷，交織於複雜的國際關係中，牽連出春秋中後期幾個重要大國的
互動與興衰。《繫年》則結合夏姬故實與「吳楚關係」，而且立場、視
角都明顯傾向楚國，對中原之晉、陳等國較少著墨。《公羊》、《穀
梁》則專注於辨析楚國對陳國的侵伐，探討強權與弱國、夷狄與中國

的互動，呈現不同於《左傳》、《國語》、《繫年》的觀點與立場。

（原載全國高等院校古籍整理研究工作委員會《中國典籍與文化》編輯部：《中國典籍與文化論叢》，第19期〔南京：鳳凰出版社，2018年7月〕，頁1-15）

陸　「晉悼復霸」說芻論

一　問題的提出

　　晉本非泱泱大國，然而終春秋之世長期稱霸中原，其能如此，實源自數代國君之勉力經營：晉武公完成曲沃併晉大業，結束大小宗之紛爭；晉獻公雖因寵愛驪姬，造成太子申生自殺，公子重耳、夷吾出亡等連串動盪，但其接連伐滅霍、耿、魏，又戮力兼併虞、虢等鄰邦，拓展疆域，國力大增。晉文公流亡十九年，歷盡千辛萬苦始得返國，旋於城濮大敗楚師，並藉由高明的政治手腕，以「尊王攘夷」大纛收聚各方諸侯，獲周王策命為侯伯，奠定霸主地位。[1]文公雖使晉國正式成為霸主，但晉之國勢並非恆能強而不墜，如晉靈荒淫不道、晉景大敗於邲，晉厲雖於鄢陵勝楚，但權臣矛盾日深，不但發生「三郤之亡」的君臣鬥爭，甚至遭欒書、荀偃所弒。[2]自靈公至厲公國勢浸衰，此一頹勢至悼公始有所翻轉。

　　「晉悼復霸」之說始見於成十八年《左傳》，於記悼公入國之各種政治改革後，即以「預敘」方式明言：

　　　　凡六官之長，皆民譽也。舉不失職，官不易方，爵不踰德，師

1　其詳可參拙作：《晉文公復國定霸考》第一、六章，頁33-77；247-316。
2　其詳可參拙作：〈先秦傳本／簡本敘事舉隅——以「三郤之亡」為例〉，《臺大中文學報》第32期（2010年6月），頁147-196；收入《先秦兩漢歷史敘事隅論》之〈伍、先秦傳本／簡本敘事隅論——以晉「三郤之亡」為例〉，頁243-295。

不陵正，旅不偪師，民無謗言，所以<u>復霸</u>也。(《左傳正義》，卷28，頁32下-33下)

《左傳》以概括的方式說明晉悼的改革面面俱到，予以極度肯定，謂其時政通人和，故以「復霸」稱之。類似之論亦見《國語‧晉語七》：

五年，諸戎來請服，使魏莊子盟之，<u>於是乎始復霸</u>。(《國語》，卷13，頁436)

相較於《左傳》著眼整體政治風尚乃至人民觀感，《國語》則著眼於和戎，唯與《左傳》均肯定其為「復霸」。受《左》、《國》影響，歷代學者多肯定「晉悼復霸」之說，可以宋儒趙鵬飛為代表：

晉室中債，三郤誅，厲公弒，悼公以公族自外入繼，即位之初慨然思復文公之業，一為圍宋彭城而得諸侯，再奪鄭虎牢而得鄭、陳，外抗彊楚，內通東吳，蕭魚之會不戰、不盟，楚不敢爭，鄭不敢叛，雖召陵之役不是過也。其功直將俎豆文公於百載之上，襄、成、靈、厲有慙德矣。以《傳》觀之，悼公之所以成霸業者，抑亦內、外兩治者歟！……若《傳》果無溢美，則悼公直出桓、文之上。然孔子稱桓、文而已，[3]言不及悼公，則《傳》之辭未必皆真實語。然借使得其二三，亦知悼公為賢主矣。[4]

趙氏以為晉悼入國前國內紛亂，之所以能成就霸業，乃因其能內修國

3　二「桓」字，本作「威」，乃避諱而改，今據正。
4　〔宋〕趙鵬飛：《春秋經筌》，《通志堂經解》，第20冊，卷11，頁37。

政，外抗強楚，是以功業不但陵駕襄、成、靈、厲諸公，甚至足以媲美齊桓、晉文。文末雖懷疑《左傳》可能溢美，但仍肯定晉悼不失為賢主。清儒馬驌亦極度肯定晉悼：

> 君臣持籌，先急後緩，不事耀武為能也；和戎睦華，得安內攘外之權，通吳制楚，得遠交近攻之法；會鄬棄陳，賢于齊桓之盟貫，蕭魚服鄭，比於晉文之勝楚。天假之年，功當加烈，惜乎年未三十而薨，諡之為悼，不亦誠可悼也哉！[5]

馬氏將晉悼比之齊桓、晉文，可見推尊之高。近人韓席籌亦謂：

> 晉悼復霸，諸儒議論紛紜，謂其才識勝桓、文而事功不及者有之；謂桓、文自為開創，而悼公襲現成基址者有之；謂其棄陳無遠略，服鄭為勞民者有之；謂其不能制楚，而徒苦鄭者有之。……吾觀悼公入國，首重用人行政，和戎以專事諸夏，息民以培植國本，復霸之基，固已立矣。……桓、文一戰而霸，悼公服鄭於八年九合之後，事勢不同，安可一概論耶？且陳、許地近楚，與中夏隔絕久矣，若必欲致之，如齊桓之合江、黃，而適以速其亡也。是故無齊桓遠略，而攘楚較為得計，無文公速效，而規模較可持久，若悼公者，桓、文後終春秋之世一人而已。[6]

---

5 〔清〕馬驌撰，徐連城校點：《左傳事緯》（濟南：齊魯書社，1992年）「晉悼復霸」文末案語，卷5，頁237；亦見馬驌撰，王利器整理：《繹史》（北京：中華書局，2002年），卷64，「晉悼公復霸」，頁1442。
6 韓席籌：《左傳分國集註》（臺北：華世出版社，1975年），「晉悼復霸」案語，卷6，頁372。

韓氏「若悼公者，桓、文後終春秋之世一人而已」之評，推尊可謂至
極。

相較於《左傳》、《國語》之贊揚，亦有負面評價晉悼者，清儒高
士奇有謂：

> 獨恨以晉悼之賢，東門納款，不能力卻鄭賂，以示義於天下，
> 而溺其歌鐘、鎛磬、女樂二八。春秋之世，貪冒成風，賢者不
> 免，而晉國尤甚，可慨也！又有異者，文、襄之伯，皆以王室
> 為先。文公出定襄王，襄公朝王於溫，皆晉已事也；況悼嘗託
> 周，單氏善之，逆知其必反晉國，而為之禮。乃悼五合六聚，
> 未聞一事有關王室；惟鷄丘之歃，王臣與焉。……至其工於取
> 鄭，而撫陳則拙；巧於柔楚，而服齊則疏。英毅之氣銳始而怠
> 終，致有宣子假羽毛之事，竟以失齊，而悼且沒矣。邢丘委
> 政，而溴梁之會，大夫遂主之。姑息貽患，亦悼盛德之累也。
> 迨夫子黃納而楚橫，朝歌取而齊大，夷儀之役，又以利隳，為
> 天下笑。平公而下，晉伯無足觀矣。如悼公，不誠賢君哉！[7]

高氏認為晉悼稱不上「賢君」，且晉霸自悼公而衰。《史記·晉世家》
「太史公曰」蓋為此說之濫觴：

> 晉文公，古所謂明君也，亡居外十九年，至困約，及即位而行
> 賞，尚忘介子推，況驕主乎？靈公既弒，其後成、景致嚴，至
> 屬大刻，大夫懼誅，禍作。悼公以後日衰，六卿專權。故君道

---

7 〔清〕高士奇：《左傳紀事本末》（北京：中華書局，1979年），「晉悼公復伯」案
語，卷29，頁419-420。

之御其臣下。固不易哉！（《史記會注考證》，卷39，頁94）

史公著重君臣關係，認為兩者存在緊張態勢，藉此評論歷代晉君御臣之失，最終感歎晉悼之後君權日衰，六卿專擅。宋儒黃震則頗不以為然：

> 悼公十四歲得國，一旦轉危為安，功業赫然，漢昭帝流亞也。太史公例言「悼公以後日衰」，語焉不詳，悼公稱屈九原矣。[8]

黃氏認為晉悼之功足以媲美漢昭，批評司馬遷之說使其含冤莫白，稱屈九泉。為晉悼申冤者尚有近賢朱東潤：

> 〈晉世家〉贊曰：「悼公以後日衰。」按悼公在位十五年，和戎伐秦，晉人復霸。平公嗣立，元年伐齊，遂圍臨菑，燒屠其郭中，東至膠，南至沂，齊皆城守；其後復因崔杼之亂，敗齊高唐。在位二十六年，未嘗有大失，皆見本篇。贊稱「悼公以後日衰」，譌矣。[9]

朱氏以晉悼、平二世之國勢皆強盛不衰，未有大失，認為史公之語背離事實。

　　史公之說雖遭黃、朱等人批駁，唯亦有羽翼其論者，如先師王叔岷先生：

8　〔宋〕黃震：《黃氏日抄》，卷46，「晉世家」條，頁9下。
9　朱東潤：《史記考索》（香港：太平書局，1974年），頁27-28。

史公所謂「悼公以後日衰」者,乃就「六卿專權」言之。悼、
平之世,權漸專於六卿,外雖強盛,內日衰落矣。若但就外強
言之,則雖至平公之孫頃公時,尚能平王室亂,然此實六卿之
力也。[10]

叔岷師由權卿日盛立論,肯定史公之說,認為悼、平二世政權漸下六
卿,晉悼雖能維持對外強權,唯君權已漸傾頹。師說甚具卓識,筆者
曾於《晉史蠡探:以兵制與人事為重心》影從,並有所論述。[11]近日
重檢晉悼相關史料,深覺尚有若干問題值得探論。

　　除由權卿專擅批評晉悼者外,前賢亦有由其他行事貶抑者,可以
元儒趙汸為代表,其評論《春秋》襄十四年「春,王正月,季孫宿、
叔老會晉士匄、齊人、宋人、衛人、鄭公孫蠆、曹人、莒人、邾人、
滕人、薛人、杞人、小邾人會吳于向」事有云:

會吳子諸樊也。《左氏傳》曰:「會于向,為吳謀楚故也。」其
言二大夫會之何?並列於會也。禮:卿使則大夫介,大夫使則
士介,同倫不相介。同倫相介是為恭也,則曷為並列於會?晉
人嘉之也。諸侯之大夫惰矣,進吾二卿以勵之,<u>見悼公之令不
行於諸侯也</u>。蓋蕭魚而後悼德衰矣,抑中國之不競,諸侯亦有
罪焉。[12]

---

10 王叔岷:《史記斠證‧晉世家》(臺北:中央研究院歷史語言研究所專刊之78,1983
　　年),卷39,頁1497。

11 拙作:《晉史蠡探:以兵制與人事為重心》(臺北:國立臺灣大學中國文學系博士論
　　文,張以仁教授指導,1992年,修定稿收入王明蓀主編:《古代歷史文化研究輯
　　刊》六編第4冊,新北:花木蘭文化出版社,2011年),下編第二章〈將佐考述〉,
　　頁183-184。

12 〔元〕趙汸:《春秋集傳》,《通志堂經解》,第25冊,卷10,頁14下。

趙氏認為魯遣季孫宿、叔老二大臣與會，雖恭敬而有嘉勉之意，但也顯示並非晉之外交卓越，乃諸侯之大夫惰於與會，此乃晉悼之令不行於諸侯的表徵。實則魯襄十一年蕭魚之會即有徵兆，至此更頹然衰敗。趙汸之說無疑對「晉悼復霸」說提出強烈質疑。

以上數家之說，或由正面肯定晉悼政績卓著，有復霸之實；或由反面指陳晉悼未能抑制權卿；或言其未能統合中原諸侯，否定復霸之說。縱觀正反意見，可知評論晉悼復霸，除晉悼本人外，實亦涉及晉國內外局勢之發展變化，牽涉甚廣，絕非由單一觀點可以論定。

晉悼公繼晉文公之後再度稱霸中原，抗衡強楚，蓋為春秋時代士人不能或忘的重大史實；降及戰國，理應也是極具意義的歷史、文化記憶，具有某種被徵引、重寫的價值，以期達到教育的目的。成書於戰國時代的《左傳》、《國語》與晚近出土的《清華大學藏戰國竹簡‧繫年》，以及西漢初年的《史記》對晉悼公此一歷史、文化記憶都有所記載／重寫，也都各有偏重與特色；後代士人對這些「文本」也有各自的解讀，並因此而產生爭議。

本文擬由三個面向探索晉悼是否堪稱「復霸」：首先，考察各種傳世與出土文獻描述晉悼之為人行事及其塑造之形象特質；其次，分析晉悼時期權卿之人格特質與功業，揭櫫其是否勤於公事，彼此間有無爭權或不諧現象，藉以考察晉國君權是否穩固、政令能否貫徹；復次，剖析晉與諸侯間的往來，析述晉悼時期的軍事、外交戰略及其成效，作為晉悼復霸與否的輔助判斷。

二 晉悼公其人其事

早期傳世文獻詳載晉悼為人行事者，主要見於《左傳》、《國語》

與《史記》，出土文獻亦有少量載述。本節分《左傳》、《國語》、《史記》與出土文獻四小節，探析晉悼之人格特質與行事風格，並由敘事觀點比較不同文獻對晉悼評價之差異。

（一）《左傳》中的晉悼公

《左傳》之記晉悼公，首見成十八年：

> 春，王正月，庚申，晉欒書、中行偃使程滑弒厲公，葬之于翼東門之外，以車一乘，使荀罃、士魴逆周子于京師而立之。生十四年矣。
>
> 大夫逆于清原，周子曰：「孤始願不及此，雖及此，豈非天乎！抑人之求君，使出命也，立而不從，將安用君！二三子用我今日，否亦今日。共而從君，神之所福也。」對曰：「羣臣之願也，敢不唯命是聽。」庚午，盟而入，館于伯子同氏。
>
> 辛巳，朝于武宮，逐不臣者七人。（《左傳正義》，卷28，頁27下-28下）

魯成十八年元月，以欒書、荀偃為首的晉大夫弒殺厲公，旋遣荀罃與士魴迎接寄居王畿的周子返國繼位，是為晉悼公。年甫十四的周子，接受大夫迎立，面對國內的動盪不安十分戒慎恐懼，但他不願聽任大臣擺布，遂對迎接的大臣提出「天命」；進而要求群臣恭敬從君，權卿宣示效忠，盟誓爾後入國。入國後隨即驅逐不臣者以宣揚君威。整段敘事揭示避居在外即將繼任新君的周子與舊臣的緊張關係，晉悼擔憂入國後遭權臣操控，遂於入國前透過盟誓迫使輸誠，可見晉悼繼位之初即展現其深謀遠慮，試圖掌握君權的初心。

晉悼入國後旋即展開諸多改革，亦見成十八年《左傳》：

> 二月，乙酉朔，晉侯悼公即位于朝。始命百官，施舍已責，逮
> 鰥寡，振廢滯，匡乏困，救災患，禁淫慝，薄賦斂，宥罪戾，
> 節器用，時用民，欲無犯時。使魏相、士魴、魏頡、趙武為
> 卿；荀家、荀會、欒黶、韓無忌為公族大夫，使訓卿之子弟共
> 儉孝弟。使士渥濁為大傅，使脩范武子之法；右行辛為司空，
> 使脩士蒍之法。弁糾御戎，校正屬焉，使訓諸御知義。荀賓為
> 右，司士屬焉，使訓勇力之士時使。卿無共御，立軍尉以攝
> 之。祁奚為中軍尉，羊舌職佐之；魏絳為司馬，張老為候奄。
> 鐸遏寇為上軍尉，籍偃為之司馬，使訓卒乘，親以聽命。程鄭
> 為乘馬御，六騶屬焉，使訓群騶知禮。凡六官之長，皆民譽
> 也。<u>舉不失職，官不易方，爵不踰德，師不陵正，旅不偪師，
> 民無謗言，所以復霸也</u>。（《左傳正義》，卷28，頁29上-33下）

《左傳》詳載晉悼施政方針，重在涵養生聚，進而救濟貧弱、減輕賦
稅、寬宥罪犯，期使人民寬足富裕。政職調配亦能使大臣發揮所長，
內政、公族教育、軍事、司法等亦皆能正向發展，不但能適才適任，
也兼顧群臣地位。文末肯定臣下皆賢能而有所發揮，不恃強陵弱，人
民不生謗言，相較之前的積弱不振，堪稱「復霸」。《左傳》於晉悼就
任首年即預敘其功業，給予極正面肯定，此種贊揚方式於《左傳》實
屬罕見。

　　《左傳》既於晉悼即位之初即綜述其光勳功業，此後亦多載述足
以證成其說者。如言其舉用得當，見襄三年：

> 祁奚請老，晉侯問嗣焉。稱解狐，其讎也，將立之而卒。又問

焉。對曰：「午也可。」於是羊舌職死矣，晉侯曰：「孰可以代
之？」對曰：「赤也可。」於是使祁午為中軍尉，羊舌赤佐之。

君子謂祁奚於是能舉善矣。稱其讎，不為諂；立其子，不為
比；舉其偏，不為黨。〈商書〉曰：「無偏無黨，王道蕩蕩」，
其祁奚之謂矣。解狐得舉，祁午得位，伯華得官，建一官而三
物成，能舉善也。夫唯善，故能舉其類。《詩》云：「惟其有
之，是以似之」，祁奚有焉。(《左傳正義》，卷29，頁12)

祁奚將告老，晉悼詢問繼任者，祁奚先後薦舉解狐、祁午；對於羊舌
職的繼任者，祁奚推舉羊舌赤，皆能而善任。此即後世稱揚之「內舉
不避親，外舉不避仇」。《傳》文主要崇揚者雖為祁奚，唯若非晉悼充
分信任，祁奚之推舉亦無法成為佳話。晉悼任人得宜，政事自然有
成，「舉不失職，官不易方，爵不踰德，師不陵正，旅不偪師，民無
謗言」實必然結果。

　　由上引《左傳》觀之，晉悼任賢用能，使大臣各有發揮，卒使國
政昌隆，百姓安居樂業。但晉悼並非初始即能知人善任，襄三年《左
傳》載雞澤之會云：

晉侯之弟揚干亂行於曲梁，魏絳戮其僕。晉侯怒，謂羊舌赤
曰：「合諸侯，以為榮也。揚干為戮，何辱如之？必殺魏絳，
無失也！」對曰：「絳無貳志，事君不辟難，有罪不逃刑，其
將來辭，何辱命焉？」言終，魏絳至，授僕人書，將伏劍。士
魴、張老止之。公讀其書，曰：「日君乏使，使臣斯司馬。臣
聞：『師眾以順為武，軍事有死無犯為敬。』君合諸侯，臣敢
不敬？君師不武，執事不敬，罪莫大焉。臣懼其死，以及揚

干，無所逃罪。不能致訓，至於用鉞，臣之罪重，敢有不從以怒君心？請歸死於司寇。」公跣而出，曰：「寡人之言，親愛也；吾子之討，軍禮也。寡人有弟，弗能教訓，使干大命，寡人之過也。子無重寡人之過，敢以為請。」

晉侯以魏絳為能以刑佐民矣，反役，與之禮食，使佐新軍。張老為中軍司馬，士富為候奄。[13]（《左傳正義》，卷29，頁13上-15上）

晉悼弟揚干擾亂軍行，魏絳依法斬其僕以為懲罰。晉悼以為魏絳之舉有辱國君尊嚴，欲殺之而後快。羊舌赤認為不待國君懲罰，魏絳自會前來請罪。魏絳果來請罪，授書後即欲自刎謝罪，為士魴、張老所止。晉悼閱畢書信，認為魏絳盡忠職守，承認自己疏於管教，肯定魏絳處置得宜，深信其足堪大任，升之為新軍佐，同時重用勸諫的張老、士富。可見晉悼雖非全然英明，也非充分信任臣下，但知過能改，頗有晉文遺風。襄四年《左傳》所載亦可見晉悼善於納諫：

無終子嘉父使孟樂如晉，因魏莊子納虎豹之皮，以請和諸戎。晉侯曰：「戎狄無親而貪，不如伐之。」魏絳曰：「諸侯新服，陳新來和，將觀於我。我德則睦，否則攜貳。勞師於戎，而楚伐陳，必弗能救，是棄陳也。諸華必叛。戎，禽獸也。獲戎失華，無乃不可乎？……」

公曰：「然則莫如和戎乎？」對曰：「和戎有五利焉：戎狄荐居，貴貨易土，土可賈焉，一也；邊鄙不聳，民狎其野，穡人成功，二也；戎狄事晉，四鄰振動，諸侯威懷，三也；以德綏

---

13 「士富為候奄」，「候」原誤「侯」，據十八年《傳》校改。

戎，師徒不勤，甲兵不頓，四也；鑒于后羿，而用德度，遠至
邇安，五也。君其圖之！」公說，使魏絳盟諸戎。脩民事，田
以時。（《左傳正義》，卷29，頁22上、25下-26上）

《傳》文載晉悼與魏絳之外交觀念原本歧異：面對狄君示好，晉悼認
為戎狄貪得無厭，主張軍事討伐；魏絳則以為用兵戎狄即無暇顧及
楚、陳，甚至可能面對楚國趁隙挑戰，失去諸夏支持，即使得到戎狄
依然得不償失。晉悼接著對和戎政策提出質疑，魏絳提出和戎具備
「五利」，包含可以獲得廣大土地、邊境平和農作豐收、威震諸侯、
減少軍事疲頓、招徠遠方外族等。晉悼於是欣然接受，使魏絳主理其
事，具體可見晉悼之勇於納諫、用才。

　　晉悼舉任得當，使諸臣各適其才，雖或難免犯錯，但能廣納諫
言，擇善而從。《左傳》於魯襄元年預敘晉悼之施政成果，肯定其復
霸，此或屬《左氏》一己之見；唯當時各國權卿也頗稱揚晉悼在位時
之國力，如襄八年載鄭卿子展之言曰：

　　小所以事大，信也。小國無信，兵亂日至，亡無日矣。五會之
　　信，今將背之，雖楚救我，將安用之？親我無成，鄙我是欲，
　　不可從也。不如待晉。晉君方明，四軍無闕，八卿和睦，必不
　　棄鄭。楚師遼遠，糧食將盡，必將速歸，何患焉？舍之聞之：
　　杖莫如信。完守以老楚，杖信以待晉，不亦可乎？（《左傳正
　　義》，卷30，頁15）

是年冬楚子囊率師伐鄭，鄭大臣分為兩派：子駟、子國、子耳欲降
楚；子孔、子蟜、子展主張待晉救援。子展的理由是鄭前此五次參與

晉盟，小國之鄭若背信毀約，雖得楚援亦無所用；況此時晉君英明，將佐和睦，國勢強盛，足以倚仗。楚雖強大，但勞師勤遠，必將速歸，不如守信以待強晉之援。雖則子展屬親晉派，其對晉之評價可能溢美，然而類似見解亦見於楚大夫子囊，襄九年《傳》載：

> 秦景公使士雅乞師于楚，將以伐晉，楚子許之。子囊曰：「不可，當今吾不能與晉爭。晉君類能而使之，舉不失選，官不易方；其卿讓於善，其大夫不失守，其士競於教，其庶人力於農穡，商、工、皁、隸不知遷業。韓厥老矣，知營稟焉以為政。范匄少於中行偃而上之，使佐中軍。韓起少於欒黶，而欒黶、士魴上之，使佐上軍。魏絳多功，以趙武為賢，而為之佐。君明臣忠，上讓下競。當是時也，晉不可敵，事之而後可。君其圖之！」王曰：「吾既許之矣，雖不及晉，必將出師。」
>
> 秋，楚子師于武城，以為秦援。秦人侵晉。晉饑，弗能報也。
> （《左傳正義》，卷30，頁27下-28上）

是年秦欲伐晉，請楚一同出兵，楚共欲從，子囊則高度肯定晉之國勢，認為晉悼能考核臣下才能分派職位，政策得當；卿大夫和睦相讓，不失職守；士、庶人、商、工皆能殷勤於業；韓厥告老時，六軍將佐皆能相讓，上下和睦，不贊同出兵援秦，楚共則執意出師，適逢晉國饑饉，未能抵禦。

綜上所述，晉在悼公領導下確能擺脫低沉不振，重新建立霸業，《左氏》稱揚「晉悼復霸」，並非溢美之詞。

（二）《國語》中的晉悼公

　　《國語》所記晉悼史事，主要集中於〈晉語七〉，開篇即載悼公返國始末：

> 既弒厲公，欒武子使智武子、彘恭子如周迎悼公。庚午，大夫逆于清原。公言於諸大夫曰：「孤始願不及此，孤之及此，天也。抑人之有元君，將稟命焉。若稟而棄之，是焚穀也；其稟而不材，是穀不成也。穀之不成，孤之咎也；成而焚之，二三子之虐也。孤欲長處其願，出令將不敢不成，二三子為令之不從，故求元君而訪焉。孤之不元，廢也，其誰怨？元而以虐奉之，二三子之制也。若欲奉元以濟大義，將在今日；若欲暴虐以離百姓，反易民常，亦在今日。圖之進退，願由今日。」大夫對曰：「君鎮撫羣臣而大庇廕之，無乃不堪君訓而陷於大戮，以煩刑、史，辱君之允令，敢不承業。」乃盟而入。
>
> 辛巳，朝于武宮。定百事，立百官，育門子，選賢良，興舊族，出滯賞，畢故刑，赦囚繫，宥間罪，薦積德，逮鰥寡，振廢淹，養老幼，恤孤疾。年過七十，公親見之，稱曰：「王父，敢不承？」（《國語》，卷13，頁429-431）

〈晉語七〉所記晉悼入國事與《左傳》略有偏重：如清原盟誓，《左傳》僅簡略載錄晉悼的憂慮與群臣的宣誓，〈晉語七〉則詳載雙方盟誓前的對談：晉悼婉轉表示能返國繼任乃始料未及，但也擔心步上厲公後塵，向大臣表示若有更理想的繼任人選請即更替。接著以己為材作喻：若不成材，則過錯在己；若成材而又焚之，則錯在群臣。繼而簡略敘述晉悼的行事與改革，宣揚其英明。此章詳載雙方對談，修辭

典雅：晉悼藉由委婉的論述逼迫大臣聽命，充分展現「語」體特質；《左傳》則視晉悼與大臣的對談與盟誓為一環，取其足以明瞭大概經過，傾向關注整體事件的發展脈絡。

　　《左》、《國》載錄晉悼入國容或詳略、偏重有異，然皆指出晉悼為免繼位後淪為傀儡，遂迫使大臣立下盟誓，宣示效忠，是以入國後政事推行皆能振衰起弊，充分展現其深思熟慮的人格特質。相較於《左傳》清原盟誓前並未刻畫晉悼之英明，《國語》則在此前已有徵兆，〈周語下〉載：

> 晉孫談之子周適周，事單襄公，立無跛，視無還，聽無聳，言無遠；言敬必及天，言忠必及意，言信必及身，言仁必及人，言義必及利，言智必及事，言勇必及制，言教必及辯，言孝必及神，言惠必及和，言讓必及敵；晉國有憂未嘗不戚，有慶未嘗不怡。

> 襄公有疾，召頃公而告之，曰：「必善晉周，將得晉國。其行也文，能文則得天地。天地所胙，小而後國。夫敬，文之恭也；忠，文之實也；信，文之孚也；仁，文之愛也；義，文之制也；智，文之輿也；勇，文之帥也；教，文之施也；孝，文之本也；惠，文之慈也；讓，文之材也。象天能敬，帥意能忠，思身能信，愛人能仁，利制能義，事建能智，帥義能勇，施辯能教，昭神能孝，慈和能惠，推敵能讓。此十一者，夫子皆有焉。

> 天六地五，數之常也。經之以天，緯之以地。經緯不爽，文之象也。文王質文，故天胙之以天下。夫子被之矣，其昭穆又近，可以得國。且夫立無跛，正也；視無還，端也；聽無聳，

成也；言無遠，慎也。夫正，德之道也；端，德之信也；成，德之終也；慎，德之守也。守終純固，道正事信，明令德矣。慎成端正，德之相也。為晉休戚，不背本也。被文相德，非國何取！

成公之歸也，吾聞晉之筮之也，遇〈乾〉之〈否〉，曰：『配而不終，君三出焉。』一既往矣，後之不知，其次必此。且吾聞成公之生也，其母夢神規其臀以墨，曰：『使有晉國，三而畀驩之孫。』故名之曰『黑臀』，於今再矣。襄公曰驩，此其孫也。而令德孝恭，非此其誰？且其夢曰『必驩之孫，實有晉國』，其卦曰：『必三取君於周』，其德又可以君國，三襲焉。吾聞之〈大誓〉，故曰：『朕夢協朕卜，襲于休祥，戎商必克』，以三襲也。晉仍無道而鮮冑，其將失之矣。必早善晉子，其當之也。」頃公許諾。

及厲公之亂，召周子而立之，是為悼公。（《國語》，卷3，頁94-101）

《國語》詳載公子周在周室依附單襄公事。首段載其服事單襄公，儀行得體，敬、忠、信、仁、義、智、勇、教、孝、惠、讓等十一項德行齊備，並對晉國憂喜之事皆感同身受。次段至文末則載單襄公交代其子頃公善待公子周，預言其必能返晉繼位。單襄公總括公子周具備的十一項人格特質，即是「其行也文」，而有文德者必能得天下，並舉晉成公入國時卜筮結果等跡象，推論公子周承繼晉襄公血統，實天命所在；其後晉厲果然遭弒，公子周立為晉悼。〈周語下〉一方面由神祕的角度分析公子周得「天命」必能為晉君，但毋寧更基於其良善的道德儀行，是以晉悼英明有德的特質，《國語》遠溯自其居周時期。

　　〈晉語七〉首章載晉悼入國經過，次章則記晉悼即位後調派卿大夫之職：

　　　　二月乙酉，公即位。使呂宣子將下軍，曰：「邲之役，呂錡佐智莊子於上軍，獲楚公子穀臣與連尹襄老，以免子羽。鄢之役，親射楚王而敗楚師，以定晉國而無後，其子孫不可不崇也。」使彘恭子將新軍，曰：「武子之季、文子之母弟也。武子宣法以定晉國，至於今是用。文子勤身以定諸侯，至於今是賴。夫二子之德，其可忘乎！」故以彘季屏其宗。使令狐文子佐之，曰：「昔克潞之役，秦來圖敗晉功，魏顆以其身卻退秦師于輔氏，親止杜回，其勳銘於景鍾。至于今不育，其子不可不興也。」

　　　　君知士貞子之帥志博聞而宣惠於教也，使為太傅。知右行辛之能以數宣物定功也，使為元司空。知欒糾之能御以和于政也，使為戎御。知荀賓之有力而不暴也，使為戎右。

　　　　欒伯請公族大夫，公曰：「荀家惇惠，荀會文敏，黶也果敢，無忌鎮靜，使茲四人者為之。夫膏粱之性難正也，故使惇惠者教之，使文敏者導之，使果敢者諗之，使鎮靜者修之。惇惠者教之，則徧而不倦；文敏者導之，則婉而入；果敢者諗之，則過不隱；鎮靜者修之，則壹。使茲四人者為公族大夫。」

　　　　公知祁奚之果而不淫也，使為元尉。知羊舌職之聰敏肅給也，使佐之。知魏絳之勇而不亂也，使為元司馬。知張老之智而不詐也，使為元候。知鐸遏寇之恭敬而信彊也，使為輿尉。知籍偃之惇帥舊職而恭給也，使為輿司馬。知程鄭端而不淫，且好諫而不隱也，使為贊僕。（《國語》，卷13，頁432-435）

首先乃四軍將佐：由呂宣子（魏相／呂相）將下軍，彘恭子（士魴）將新軍，令狐文子（魏頡）佐新軍，與《左傳》「使魏相、士魴、魏頡、趙武為卿」之說符契，唯未言及趙武。[14]卿位以下諸臣職掌與《左傳》近同，唯職稱略異，茲不詳考。

晉悼擢拔人才之標準大致有：獎掖顯赫家族之後，如呂相因其父呂錡彪炳戰功；士魴亦有功之後，其父士會、同母弟士燮皆有功勳；魏頡則因其父魏顆於輔之役的重大貢獻。凡此皆以安撫功勳宏大之族。除考量功勳大族外，亦據大臣才能調派，如士貞子以其博學而任太傅，右行辛計數明事而任司空等。對照《左傳》僅以「凡六官之長，皆民譽也。舉不失職，官不易方」概括言之，《國語》記述詳審，使後人得知調派出於獎掖功勳之後與因才派任兩大原則，提供更多官職調派與政事清明之相關線索。當時晉國不但人才濟濟，晉悼更能詳加鑑察，因才任官，顯示甫入國的晉悼即能切當考察臣下才幹，更能準確舉用，具體展現高卓的政治才能。

晉悼入國後君臣上下既各有發揮，遂能擺脫屬公時期的低迷國勢，〈晉語七〉對此亦有載述：

> 始合諸侯于虛打以救宋，使張老延君譽于四方，且觀道逆者。呂宣子卒，公以趙文子為文也，而能恤大事，使佐新軍。三年，公始合諸侯。四年，諸侯會于雞丘，於是乎布命、結援、修好、申盟而還。令狐文子卒，公以魏絳為不犯，使佐新軍。使張老為司馬，使范獻子為候奄。公譽達于戎。五年，諸戎來

---

14 此處雖未言及中軍將佐，但據考證可知韓厥為中軍將、知罃為中軍佐。此外〈晉語〉所載晉悼初期四軍將佐任職前後頗有矛盾之處，關於四軍將佐之考辨，可參拙作：《晉史蠡探：以兵制與人事為重心》，下編第二章〈將佐考述〉，頁184-187。唯與本文主題關係不大，茲不詳論。

　　請服，使魏莊子盟之，<u>於是乎始復霸</u>。(《國語》，卷13，頁436)

　　相較於《左傳》以「凡六官之長，皆民譽也」云云，作為肯定晉悼復霸的依據，〈晉語七〉客觀敘述晉悼對外功業，縷述晉悼入國即能首次會諸侯救宋，三年又合諸侯，[15]四年有雞丘之會，五年諸戎賓服，於是「復霸」，具體可見其肯定立場。

　　〈晉語七〉除首二章與《左傳》所載近同而可互為補充外，之後對晉悼之描述亦多近似《左傳》。如皆有魏絳斬揚干之僕、祁奚薦祁午、魏絳諫和戎、賜魏絳女樂諸事，[16]同樣揭示晉悼並非剛愎自用，而是知過能改、善於納諫。除與《左傳》近同者外，〈晉語七〉末章所記則《左傳》未載：

　　　悼公與司馬侯升臺而望，曰：「樂夫！」對曰：「臨下之樂則樂矣，德義之樂則未也。」公曰：「何謂德義？」對曰：「諸侯之為，日在君側，以其善行，以其惡戒，可謂德義矣。」公曰：「孰能？」對曰：「羊舌肸習於春秋。」乃召叔向使傅太子彪。(《國語》，卷13，頁445)

15　〈晉語七〉既始言「始合諸侯於虛邘以救宋」，又言「三年，公始合諸侯」，韋昭以為：「悼公三年，魯襄二年。悼公元年，始合諸侯于虛邘。此言始合者，謂四年將會于雞丘，於此始命。」(《國語》，卷13，頁437)韋昭《解》似嫌迂曲。〈晉語七〉記事本有重複現象，無須強解。考之《左傳》，此年晉會諸侯於戚，〈晉語〉所言合諸侯當此。

16　上述諸事〈晉語〉所記或稍異《左傳》，如魏絳諫和戎僅言三利，異於《左傳》所言五利；賜魏絳女樂，〈晉語七〉記晉悼自稱「八年七合諸侯」，與《左傳》「八年九合諸侯」異。凡此皆屬細節參差，無關結論，茲不詳論。以上〈晉語〉各章見《國語》，卷13，頁438、439-440、441、443。文長不具引。

晉悼與司馬侯登臺，自滿於士民豐足之樂，[17]司馬侯卻認為此屬臨下之樂，德義之樂仍有未備。晉悼求教「德義」，司馬侯謂若使耿直之臣伴隨君側，讚揚君之善行，勸誡君之過行，則可達德義之樂。晉悼進一步請問能擔此重任者，司馬侯推薦叔向，於是晉悼使叔向傅太子，展現晉悼積極向學、精進道德的面貌，足見晉悼納諫向善的人格特質。

《國語》所載晉悼形象，自其居周即受單襄公肯定，預言其終能成為明君。未入國時即迫使臣下宣示效忠，安穩君臣關係；甫入國又能拔擢功勳之後並因才任用，與《左傳》同載晉悼對魏絳斬揚干之僕事，彰顯晉悼的勇於改過；同時又不斷追尋道德的完足，重視太子的教育等，可見《國語》基本正面肯定晉悼的言行，也認同因其治理良善而國勢強盛，與《左傳》同屬張揚「晉悼復霸」當無可疑。

（三）《史記》中的晉悼公

《史記》有關晉悼之記述，詳見〈晉世家〉，首段載晉悼入國始末：

> 悼公元年正月庚申，欒書、中行偃弒厲公，葬之以一乘車。厲公囚六日死，死十日庚午，智罃迎公子周來，至絳，刑雞，與大夫盟而立之，是為悼公。辛巳，朝武宮。二月乙酉，即位。
>
> 悼公周者，其大父捷，晉襄公少子也，不得立，號為桓叔，桓叔最愛。桓叔生惠伯談，談生悼公周。周之立，年十四矣。
>
> 悼公曰：「大父、父皆不得立而辟難於周，客死焉。寡人自以

---

17 「樂夫」，韋昭《注》：「樂見士民之殷富。」（《國語》，卷13，頁445）

疏遠，毋幾為君。今大夫不忘文、襄之意而惠立桓叔之後，賴宗廟大夫之靈，得奉晉祀，豈敢不戰戰乎？大夫其亦佐寡人！」於是逐不臣者七人，修舊功，施德惠，收文公入時功臣後。秋，伐鄭。鄭師敗，遂至陳。（《史記會注考證》，卷39，頁83-85）

所記與《左》、《國》略有不同，如迎晉悼者，〈晉世家〉僅荀罃，與《左》、《國》並有士魴異。此外《左》、《國》並載卿大夫皆至清原迎立，並於此盟誓後始入國，〈晉世家〉則謂晉悼於入絳後方與大夫盟誓。又，晉悼身世，〈晉世家〉述及其父惠伯談與其祖桓叔捷，《左》、《國》則皆未載及。至於晉悼迫使卿大夫表態的言談，《史記》載晉悼述及祖、父二代皆避難居周，未料能回國繼位，今得大夫迎立，必定戰戰兢兢一心為國，尤盼大夫誠心輔佐。相較之下，〈世家〉文辭顯較無《左》、《國》逼迫臣下輸誠意味。晉悼入國後，〈晉世家〉僅以「於是逐不臣者七人，修舊功，施德惠，收文公入時功臣後」數語概括，較《左》、《國》詳載職位分派與施政方針，相對簡略。最後則記晉伐鄭、陳之事，此事《左傳》亦載，但繫於晉悼二年。

〈晉世家〉接著記述晉悼日後行事：

三年，晉會諸侯。悼公問羣臣可用者，祁傒舉解狐——解狐，傒之仇——復問，舉其子祁午。

君子曰：「祁傒可謂不黨矣！外舉不隱仇，內舉不隱子。」

方會諸侯，悼公弟楊干亂行，魏絳戮其僕。悼公怒，或諫公，公卒賢絳，任之政，使和戎，戎大親附。

十一年，悼公曰：「自吾用魏絳，九合諸侯，和戎、翟，魏子

之力也。」賜之樂，三讓乃受之。冬，秦取我櫟。

十四年，晉使六卿率諸侯伐秦，度涇，大敗秦軍，至棫林而去。

十五年，悼公問治國於師曠。師曠曰：「惟仁義為本。」冬，
悼公卒，子平公彪立。（《史記會注考證》，卷39，頁85-86）

所記諸事皆未超出《左》、《國》，如三年祁傒舉解狐、祁午，見襄三
年《左傳》。至於魏絳斬揚干僕，晉悼先怒而後重用，並用其策和
戎，《左》、《國》所載尤詳。晉悼因和戎而霸諸侯，以樂賞魏絳事，
見襄十年《左傳》。晉悼十四年晉伐秦而有棫林之役，亦見襄十四年
《左傳》。[18]晉悼問治國於師曠事，見《國語·晉語七》。對比《左
傳》、《國語》大量記載晉悼時期事件與君臣應答，《史記》對晉悼諸
多事蹟則擇要揀錄並簡化情節，頗類《清華簡·繫年》之「大事記」
敘事方式。[19]

　　《史記》對晉悼時期記載之簡約，難免令人聯想如此敘事，其立
場是否與本文〈一〉提及太史公曰「悼公以後日衰，六卿專權」有
關，亦即相較於《左》、《國》的正面肯定「晉悼復霸」，司馬遷於
〈晉世家〉似未如此表述，非但不詳錄晉悼事功，甚至於篇末予以負
面評價，招致黃震、朱東潤等肯定《左傳》、《國語》，而批評司馬遷
「語焉不詳」之論。唯司馬遷對晉悼之評價，是否如黃、朱所言趨於
負面，似尚待察考。

---

18 《史記·晉世家》載在晉悼公十四年，與《左傳》載在襄公十四年（晉悼十五年）
　　相差一年。

19 《繫年》性質，學者多有論及，而意見紛歧，可參拙作：〈先秦敘史文獻「敘事」
　　與「體式」隅論——以晉「欒氏之滅」為例〉之〈四、先秦敘史文獻「體式」綜
　　論——兼論《清華簡·繫年》之性質〉；收入《先秦兩漢歷史敘事隅論》之〈陸〉，
　　頁324-335。

此一爭論的關鍵可由《史記》對棫林之役的記述探討。〈晉世家〉記悼公十四年「晉使六卿率諸侯伐秦，度涇，大敗秦軍，至棫林而去」，事亦見〈秦本紀〉：

> 是時晉悼公為盟主。（秦景公）十八年，晉悼公彊，數會諸侯，率以伐秦，敗秦軍。秦軍走，晉兵追之，遂渡涇，至棫林而還。（《史記會注考證》，卷5，頁40）

〈秦本紀〉、〈晉世家〉皆明揭此役晉師大敗秦軍，渡涇追擊秦師，至棫林而還。襄十四年《左傳》所記卻與《史記》大相逕庭：

> 夏，諸侯之大夫從晉侯伐秦，以報櫟之役也。晉侯待于竟，使六卿帥諸侯之師以進。及涇，不濟。叔向見叔孫穆子，穆子賦〈匏有苦葉〉，叔向退而具舟。魯人、莒人先濟。鄭子蟜見衛北宮懿子曰：「與人而不固，取惡莫甚焉，若社稷何？」懿子說。二子見諸侯之師而勸之濟。濟涇而次。
>
> 秦人毒涇上流，師人多死。鄭司馬子蟜帥鄭師以進，師皆從之，至于棫林，不獲成焉。荀偃令曰：「雞鳴而駕，塞井夷竈，唯余馬首是瞻。」欒黶曰：「晉國之命，未是有也。余馬首欲東。」乃歸。下軍從之。左史謂魏莊子曰：「不待中行伯乎？」莊子曰：「夫子命從帥，欒伯，吾帥也，吾將從之。從帥，所以待夫子也。」伯游曰：「吾令實過，悔之何及！多遺秦禽。」乃命大還。晉人謂之「遷延之役」。欒鍼曰：「此役也，報櫟之敗也。役又無功，晉之恥也。吾有二位於戎路，敢不恥乎？」與士鞅馳秦師，死焉。士鞅反。欒黶謂士匄曰：

「余弟不欲往，而子召之。余弟死，而子來，是而子殺余之弟
也。弗逐，余亦將殺之。」士鞅奔秦。（《左傳正義》，卷32，
頁11上-12下）

晉六卿率領三軍，浩浩蕩蕩會諸侯伐秦，與《史記》符契，但過程與
結果卻截然不同：據《左傳》，晉與諸侯聯軍推進至涇水後並未一鼓
作氣渡河，而猶疑岸邊。最後魯、莒率先渡涇，各國方始跟進，未料
秦軍於涇水上游下毒，聯軍傷亡慘重。爾後聯軍推進至棫林，本應繼
續進攻，未料晉將意見紛歧，中軍將荀偃欲於昧爽起兵西進，下軍將
欒黶卻不服軍令，直接指麾下軍東歸，下軍佐魏絳只能跟從。荀偃認
為各軍不和，若執意進軍恐為秦軍所擒，下令撤退，晉人稱之為「遷
延之役」。《左傳》詳載棫林之役始末，此役諸侯聯軍不但渡涇時死傷
慘重，並因晉軍內部不和，無功而返，與《史記》晉師大敗秦師之說
差異頗大。棫林一役，《左傳》、《史記》何者為是，今日已難考斷，[20]
但如此矛盾或可藉以推斷司馬遷的敘事意圖。

　　司馬遷編撰《史記》時必然見過《左傳》並參考其說，[21]撰寫棫
林之役時面對歧異史料，採用晉軍大勝之說出自何種因素或目的，今
日已難稽考，但若意圖塑造晉悼時國勢衰落形象，應不會如此安排。
是以由〈晉世家〉的敘事策略言，雖文辭頗為簡約，但絕無刻意貶抑
晉悼跡象，相反地，由晉悼入國伊始便概括其重要事蹟與功業，甚至

---

20 史公之說尚無其他資料佐證。《左傳》材料較早，所記又頗詳盡，似以《左傳》所
　　載晉師無功而返之說較有可能。

21 《史記》屢見採用《左傳》之說，《漢書・司馬遷傳・贊》論《史記》所據諸書云：
　　「司馬遷據《左氏》、《國語》，采《世本》、《戰國策》，述《楚漢春秋》。」（《漢書
　　補注》，卷62，頁4371）先師張以仁先生對此曾有考論，見〈孔子與春秋的關係〉，
　　《春秋史論集》，頁20-24。

採取棫林之役晉軍大勝之說，賦予晉悼在位時期政治清明、國勢強盛的形象。司馬遷雖未於〈晉世家〉直接肯定晉悼復霸，但藉由晉悼自言「九合諸侯」已足為代言。況佐以〈秦本紀〉「是時晉悼公為盟主」，「晉悼公彊，數會諸侯，率以伐秦，敗秦軍」，更是具體肯定晉悼復霸之明證。

　　既然〈晉世家〉與〈秦本紀〉皆肯定晉悼當時國勢昌盛，究該如何解讀〈晉世家〉「太史公曰」的意涵呢？茲不避繁冗，再度迻錄，俾利討論：

> 太史公曰：晉文公，古所謂明君也，亡居外十九年，至困約，及即位而行賞，尚忘介子推，況驕主乎？靈公既弒，其後成、景致嚴，至厲大刻，大夫懼誅，禍作。悼公以後日衰，六卿專權。故君道之御其臣下。固不易哉！

「太史公曰」往往針對該篇某一觀點闡發，並非全篇之綜論，〈晉世家〉之「太史公曰」亦然。綜觀前後文，可知此段全然由君臣關係立論，首以明君如晉文公尚且忘賞介子推；而後論靈、成、景、厲諸公，亦基於君臣關係闡述，國君一旦過度苛刻，臣下畏懼株連，便行篡逆。至於引起批評的「悼公以後日衰」云云，所指並非晉之國勢日衰，實指晉之君權日衰，六卿專權。文末史遷發君主駕御臣下不易之歎，著眼君臣關係以貫串全段，「太史公曰」之意旨渙然冰釋。若再佐以〈趙世家〉所言：

> 趙氏復位十一年，而晉厲公殺其大夫三郤。欒書畏及，乃遂弒其君厲公，更立襄公曾孫周，是為悼公。晉由此大夫稍彊。（《史記會注考證》，卷43，頁16）

可知太史公對晉卿之專權，實遠溯晉悼並發為感嘆。黃震、朱東潤誤讀「悼公以後日衰」為批評晉國勢之衰始自晉悼，相繼立說為晉悼打抱不平，殆屬誤解。王師叔岷以此段乃針對「六卿專權」論君權興衰之勢，貼合《史記》論說之本意，可為發覆。太史公此語既無涉晉國國勢興衰，〈晉世家〉、〈秦本紀〉、〈趙世家〉對晉悼功業亦屬正面肯定，則黃震、朱東潤批評《史記》之說自難成立。雖然澄清此段「太史公曰」之意旨非論晉悼時期國勢衰微之始，卻也帶來新問題，即晉之君權日衰是否真如史公所言始自晉悼，說詳下文〈三〉。

（四）《清華簡・繫年》中的晉悼公

邇來地不愛寶，出土文獻紛紛面世，其中多有可資考證春秋史實者，如《清華簡・繫年》便大量載錄兩周史事。《繫年》有關晉悼之記述見第二十章，即簡108至113：

> 晉景公立十又五年，申公屈巫自晉適吳，焉始通吳晉之路，二邦為好，以至晉悼公。悼公立十又一年，公會諸侯，以吳王壽夢相見于虢。晉簡公立五年，與吳王闔盧伐楚。闔盧即世，夫差王即位。晉簡公會諸侯，以與夫差王相見于黃池。越公句踐克吳，越人因襲吳之與晉為好。晉敬公立十又一年，趙桓子會〔諸〕侯之大夫，以與越令尹宋盟于鞏，遂以伐齊，齊人焉始為長城於濟，自南山屬之北海。晉幽公立四年，趙狗率師與越公朱句伐齊，晉師闖長城句俞之門。越公、宋公敗齊師于襄平。至今晉、越以為好。[22]

---

22 清華大學出土文獻研究與保護中心編，李學勤主編：《清華大學藏戰國竹簡（貳）》，頁186。釋文者為李守奎。簡文採寬式棣定。

《繫年》視晉與吳、越結好為重要國際情勢，故舉重要事蹟概述之：先述晉自景公與吳交好，而後晉悼亦與吳友好，至簡公則先與吳王闔盧同伐楚，後與夫差有黃池之會。之後越滅吳，越仍持續保持與晉交好。

《繫年》未有專章述論晉悼功業，而是在論晉與吳、越關係時附帶提及，雖篇幅甚短，但仍提供若干訊息。首先，晉、吳交好的態勢自晉景延續至晉悼。晉悼十一年，晉會諸侯，並會吳王壽夢於虢。此事魯襄十年《左傳》亦有載述，作「十年，春，會于柤，會吳子壽夢也」。[23]《繫年》此章所言「公會諸侯，以吳王壽夢相見于虢」，其意義有三：一、晉悼時期持續維持與吳友好之政策；二、肯定晉悼為當時盟主，故能號召各方諸侯，並使吳王壽夢與會；三、晉悼會吳王有其重要性與代表性。是以《繫年》二十章記晉悼之事雖或嫌簡略，但在概述晉、吳交好之發展時，肯定晉悼為當時中原霸主，相當於肯定「晉悼復霸」之說。

三 晉悼時期權卿述論

上節論《左傳》、《國語》、《史記》與《繫年》所見之晉悼公形象，分別由政績突出、國勢強盛、霸業成就等角度肯定晉悼。然而正如司馬遷雖於〈晉世家〉塑造晉悼時期國勢強盛之形象，卻於篇末「太史公曰」謂「悼公以後日衰，六卿專權」。此一落差揭示若要整體評價「晉悼復霸」，除論證各文獻所塑造之直接形象外，更須廣泛考論晉悼時期晉國內政、外交狀況，方能釐清「晉悼復霸」的完整面貌。司馬遷既以六卿專權始於晉悼，本節即聚焦於此時期之權臣究竟黽勉盡忠，抑或擅權爭利。

---

23 《左傳正義》，卷31，頁2下。

顧棟高〈春秋晉中軍表敘〉於歷述晉中軍帥之遷革後，曾論及晉
之權卿：

> 文公圖伯以後，世有賢佐，國以日強，諸侯咸服，雖經靈、厲
> 無道，而小國不敢叛。自韓起雖賢而弱，末年漸不能制其同
> 列；范鞅更為黷貨，趙氏繼之，與范、中行相仇怨，晉以失
> 伯，而三分之勢遂成。[24]

顧氏對晉之中軍將或褒或貶，唯對悼公時期權卿則初無微辭，可見其
肯定之意，似乎並不認同史公悼公時六卿專權之說。傳世文獻對晉悼
時期權卿之相處，往往著重於彼此相讓，如〈晉語七〉載張老、魏絳
之互讓：

> 悼公使張老為卿，辭曰：「臣不如魏絳。夫絳之智能治大官，
> 其仁可以利公室不忘，其勇不疚於刑，其學不廢其先人之職。
> 若在卿位，外內必平。且雞丘之會，[25] 其官不犯而辭順，不可
> 不賞也。」公五命之，固辭，乃使為司馬。使魏絳佐新軍。
> （《國語》，卷13，頁442-443）

晉悼本欲以張老為卿，張老推辭而力薦魏絳。最後晉悼以魏絳為卿佐
新軍，張老為司馬。此外如前引襄四年《左傳》，鄭子展稱晉「四軍
無闕，八卿和睦」。又如襄九年《左傳》載楚子囊評述晉卿之語：

> 韓厥老矣，知罃稟焉以為政。范匄少於中行偃而上之，使佐中

---

24 〔清〕顧棟高：《春秋大事表》，卷22，頁2上。
25 雞丘之會，《左傳》作雞澤之會，據前引〈晉語七〉可知此次任派在晉悼四年。

軍。韓起少於樂黶，而樂黶、士魴上之，使佐上軍。魏絳多功，以趙武為賢，而為之佐。君明臣忠，上讓下競。（《左傳正義》，卷30，頁27下-28上）

子囊所述，當指魯襄七年（晉悼八年）韓厥告老，時知罃代韓厥將中軍，士匄佐中軍，荀偃將上軍，韓起佐上軍，樂黶將下軍，士魴佐下軍、趙武將新軍、魏絳佐新軍。[26]對此調派，子囊以「君明臣忠，上讓下競」肯定之，並歸因於彼此相讓。由敘述可知士匄雖少於荀偃，荀偃以其為賢而讓之；韓起亦少於樂黶、士魴，而為兩人所推尊；魏絳雖多功，但賢趙武而讓之，在在可見讓賢之跡。晉悼另一次重新分派見襄十三年《左傳》：

荀罃、士魴卒，晉侯蒐于綿上以治兵。使士匄將中軍，辭曰：「伯游長。昔臣習於知伯，是以佐之，非能賢也。請從伯游。」荀偃將中軍，士匄佐之。使韓起將上軍，辭以趙武。又使樂黶，辭曰：「臣不如韓起，韓起願上趙武，君其聽之。」使趙武將上軍，韓起佐之；樂黶將下軍，魏絳佐之。新軍無帥，晉侯難其人，使其什吏率其卒乘官屬以從於下軍，禮也。晉國之民是以大和，諸侯遂睦。（《左傳正義》，卷32，頁2下-3下）

晉悼十四年中軍將荀罃、下軍佐士魴相繼過世，晉悼本欲升中軍佐士匄將中軍，士匄讓荀偃，仍居原位；而韓起、樂黶先後讓趙武，最後

26　此次四軍將佐之考述，可參拙作：《晉史蠡探：以兵制與人事為重心》，下編第二章〈將佐考述〉，頁188-189。

趙武將上軍，韓起佐上軍；欒黶將下軍，魏絳佐下軍；新軍無合適人選，故於次年併入下軍。[27]

　　由《國》、《左》記載，似乎晉悼時諸卿和睦，相讓為國，因而博得楚大夫子囊與《左氏》的讚譽。然而是否即可據此推論晉悼時各卿皆相讓無爭，則不無疑義。晉本有各卿互讓風習，最早見於晉文公時，[28]故相讓可能只是遵從舊習。又各卿相讓，未必皆出善意；[29]況且單就將佐調派相讓，即據以推論各卿謙退無爭、相忍為國，恐易流於臆斷。基於上述理由，欲探知晉悼時期各卿是否相讓為國，勤於公事，仍須逐一分析探論。以下先以晉悼時期中軍將韓厥、荀罃、荀偃為主，分析三人主政時期的特色、政績，並考察諸卿是否相諧。中軍將之外，亦兼及士匄、魏絳、欒黶諸卿，論其功過及其相關問題以為輔證。

（一）韓厥（韓獻子）

　　晉悼甫入國，韓厥即由中軍佐升任中軍將。[30]韓厥大體呈顯耿直的正面形象，如趙氏之難，得韓厥之言，趙武方得復立。[31]欒書、荀偃欲弒晉厲時韓厥亦拒絕參與，見成十七年《左傳》：

---

27 關於晉之廢新軍，詳本節（六）論欒黶。

28 晉文公時諸卿之相讓，可參拙作：《晉史蠡探：以兵制與人事為重心》，上編第一章〈任官與賞罰述論〉，頁106-111。

29 關乎此，詳本節（六）論欒黶。

30 晉悼入國前中軍將為欒書，入國後欒書可能告老或猝逝，由韓厥任中軍將。相關考論可參拙作：《晉史蠡探：以兵制與人事為重心》，下編第二章〈將佐考述〉，頁186-187。

31 成八年《左傳》：「韓厥言於晉侯曰：『成季之勳，宣孟之忠，而無後，為善者其懼矣。三代之令王皆數百年保天之祿。夫豈無辟王？賴前哲以免也。《周書》曰：「不敢侮鰥寡」，所以明德也。』乃立武，而反其田焉。」（《左傳正義》，卷26，頁22）

> 公遊于匠麗氏，欒書、中行偃遂執公焉。召士匄，士匄辭，召
> 韓厥，韓厥辭，曰：「昔吾畜於趙氏，孟姬之讒，吾能違兵。
> 古人有言曰：『殺老牛莫之敢尸』，而況君乎？二三子不能事
> 君，焉用厥也？」（《左傳正義》，卷28，頁26下）

面對欒書、荀偃之召，韓厥既無力挽回，只能消極抗拒，但仍敢於批
評欒、荀不能事君。韓厥自晉悼元年（魯成十八年，西元前573）掌
國政，至晉悼八年（魯襄七年，西元前566）告老，共主政八年。檢
覈文獻，韓厥主政期間並無各卿互鬥跡象。韓厥自身則忠於政事，如
成十八年《左傳》載：

> 十一月，楚子重救彭城，伐宋。宋華元如晉告急。韓獻子為
> 政，曰：「欲求得人，必先勤之。成霸、安彊，自宋始矣。」
> 晉侯師于台谷以救宋。遇楚師于靡角之谷，楚師還。（《左傳正
> 義》，卷28，頁36下）

此時晉悼甫入國，面對宋遭楚伐求援，韓厥即制定使晉稱霸的外交方
針——應以得宋為始——故往救宋。在此基本方針下，晉悼時期皆展
現友宋的態度。[32]魯襄元年韓厥即與荀偃帥諸侯之師伐鄭，取得勝
績。隔年鄭又不服，晉帥諸侯城虎牢，迫鄭求成。至此晉已取得一定
的外交成果，故魯襄三年晉主雞澤之盟、魯襄五年又有善道之會，霸
主之態儼然成形。韓厥雖欲追求「成霸、安彊」，但絕非一味向外發
展，而頗能審時度勢，如襄四年《左傳》載：

---

32 晉對宋之友好以及兩國之關係與發展，詳〈四〉之（三）。

> 春，楚師為陳叛故，猶在繁陽。韓獻子患之，言於朝曰：「文
> 王帥殷之叛國以事紂，唯知時也。今我易之，難哉。」三月，
> 陳成公卒，楚人將伐陳，聞喪乃止。陳人不聽命。臧武仲聞
> 之，曰：「陳不服於楚，必亡。大國行禮焉，而不服，在大猶
> 有咎，而況小乎？」夏，楚彭名侵陳，陳無禮故也。（《左傳正
> 義》，卷29，頁16上）

韓厥之所以憂心感嘆，起因前一年雞澤之會陳叛楚，陳成公使袁僑如
會，尋求和解與庇護。對於陳的新服，韓厥並無喜悅，反而感到擔
憂，因為以當時晉之國力實未能力克強楚。果然楚對陳之盟晉，出兵
討伐，雖因陳成公卒而止，但陳卻未因此選擇和解，可見韓厥並不好
大喜功，面對陳新降服，深知當時局勢未能全面制楚，並非受陳佳
機。後楚果一再伐陳，迫晉棄陳，印證韓厥的擔憂。[33]如謂晉悼能復
霸，韓厥之主政可說奠定穩固基礎，功不可沒。

（二）荀罃（知武子）

晉悼八年（魯襄七年，西元前566）韓厥告老，荀罃接任中軍
將，至晉悼十四年（魯襄十三年，西元前560）逝世，共主政七年。
荀罃主政翌年，鄭子展即稱「晉君方明，四軍無闕，八卿和睦，必不
棄鄭」，隔年楚子囊反對楚恭王抗晉，謂「當今吾不能與晉爭」，可見
荀罃深獲肯定。在荀罃主導下，晉先後於魯襄八年主邢丘之會、魯襄
九年有戲之盟、魯襄十年使吳王壽夢與諸侯共會於柤、魯襄十一年有
蕭魚之會，在在可見其勛業之盛。晉悼受奉為霸主，幾乎全賴荀罃策
略，襄九年《左傳》載：

---

33 晉、陳之關係與發展，詳〈四〉之（五）。

冬十月，諸侯伐鄭。庚午，季武子、齊崔杼、宋皇鄖從荀罃、
士匄門于鄟門，衛北宮括、曹人、邾人從荀偃、韓起門于師之
梁，滕人、薛人從欒黶、士魴門于北門，杞人、郳人從趙武、
魏絳斬行栗。甲戌，師于氾。令於諸侯曰：「脩器備，盛候
糧，歸老幼，居疾于虎牢，肆眚，圍鄭。」

鄭人恐，乃行成。中行獻子曰：「遂圍之，以待楚人之救也，
而與之戰，不然，無成。」知武子曰：「許之盟而還師，以敝
楚人。吾三分四軍，與諸侯之銳，以逆來者，於我未病，楚不
能矣。猶愈於戰。暴骨以逞，不可以爭。大勞未艾。君子勞
心，小人勞力，先王之制也。」諸侯皆不欲戰，乃許鄭成。十
一月己亥，同盟于戲，鄭服也。（《左傳正義》，卷30，頁28上-
29下）

此年晉帥諸侯伐鄭，荀罃下令居虎牢圍鄭，迫鄭求和。荀偃認為應持
續圍城，待楚來救而取得戰功；荀罃則認為應見好就收。當時各國皆
不欲戰，可證荀罃決定正確。更重要的是荀罃於此役決定以疲敝戰略
抗楚：晉不能長期全力抗衡強楚，應以鄭為棋，許鄭盟而待楚伐鄭，
則晉只需輪流出動三分之一兵力，結合諸侯之精銳以逸待勞，使楚疲
於奔命，則晉既能維持一定優勢，又能保持實力不至於疲敝。此一戰
略頗具遠見，因鄭每每臣服晉後旋即叛而從楚。如此年鄭雖答應參與
戲之盟，卻展露強硬不臣態度：

將盟，鄭六卿公子騑、公子發、公子嘉、公孫輒、公孫蠆、公
孫舍之及其大夫、門子，皆從鄭伯。晉士莊子為載書，曰：
「自今日既盟之後，鄭國而不唯晉命是聽，而或有異志者，有
如此盟！」公子騑趨進曰：「天禍鄭國，使介居二大國之間，

大國不加德音，而亂以要之，使其鬼神不獲歆其禮祀，其民人不獲享其土利，夫婦辛苦墊隘，無所底告。自今日既盟之後，鄭國而不唯有禮與彊可以庇民者是從，而敢有異志者，亦如之！」荀偃曰：「改載書！」公孫舍之曰：「昭大神要言焉。若可改也，大國亦可叛也。」知武子謂獻子曰：「我實不德，而要人以盟，豈禮也哉？非禮，何以主盟？姑盟而退，脩德息師而來，終必獲鄭，何必今日？我之不德，民將棄我，豈唯鄭？若能休和，遠人將至，何恃於鄭？」乃盟而還。（《左傳正義》，卷30，頁29下-30下）

盟誓時晉士弱態度強硬，鄭公子騑趁勢申述鄭夾處晉、楚二大國間的無奈，而大國應以德服人，不應以軍事要脅，使人民無法得土利而疲累羸弱，表示今後鄭唯既強又有禮之國方服從之。對公子騑之誓，荀偃強硬表示要鄭改載書，荀罃則決定接受鄭之要求改變盟誓，認為己實不德，若能修德，終能獲鄭，具體可見荀罃的開明思惟與柔和手段。當然此一態度與其對楚策略有關——使楚疲敝後終能收服鄭國——是以《左傳》稱「三駕而楚不能與爭」，終於魯襄十一年蕭魚之會服鄭。荀罃能正確判斷晉、楚情勢，以巧妙手段服鄭制楚，展現其卓越的政治能力。此或許與其邲之戰遭楚俘獲有關，成三年《左傳》載：

晉人歸楚公子穀臣與連尹襄老之尸于楚，以求知罃。於是荀首佐中軍矣，故楚人許之。王送知罃，曰：「子其怨我乎？」對曰：「二國治戎，臣不才，不勝其任，以為俘馘，執事不以釁鼓，使歸即戮，君之惠也。臣實不才，又誰敢怨？」王曰：「然則德我乎？」對曰：「二國圖其社稷，而求紓其民，各懲

其忿，以相宥也。兩釋纍囚，以成其好。二國有好，臣不與
及，其誰敢德？」王曰：「子歸，何以報我？」對曰：「臣不任
受怨，君亦不任受德，無怨無德，不知所報。」王曰：「雖
然，必告不穀。」對曰：「以君之靈，纍臣得歸骨於晉，寡君
之以為戮，死且不朽。若從君之惠而免之，以賜君之外臣首；
首其請於寡君，而以戮於宗，亦死且不朽。若不獲命，而使嗣
宗職，次及於事，而帥偏師以脩封疆，雖遇執事，其弗敢違，
其竭力致死，無有二心，以盡臣禮，所以報也。」王曰：「晉
未可與爭。」重為之禮而歸之。(《左傳正義》，卷26，頁2下-3
下)

荀罃雖然遭俘，但與楚恭之對答不卑不亢，頗有晉公子重耳流亡至
楚，應答楚成風度，深受楚恭讚賞，而直言「晉未可與爭」，乃「重
為之禮」，送其返晉。有了此次經歷，荀罃必定深刻體悟楚之壯盛，
且因有了身居敵方的經驗，故能擬定妥適策略以抗強楚。

荀罃之功，前賢多所稱述，如蘇轍〈知罃趙武〉即云：

悼公與楚爭鄭，三合諸侯之師，其勢足以舉鄭而卻楚，晉之羣
臣中行偃、欒黶之徒欲一戰以服楚者眾矣，惟知罃為中軍將，
知用兵之難，勝負之不可必。三與楚遇，皆遷延稽故，不與之
戰，卒以敝楚而服鄭，此則知罃不用兵之功也。[34]

蘇氏盛讚荀罃不強用兵與楚爭勝，其智謀遠在荀偃、欒黶之上。清儒

34　〔宋〕蘇轍撰，曾棗莊、馬德富校點：《欒城集》(上海：上海古籍出版社，1987
　　年)，〈欒城後集‧歷代論一〉，卷7，頁1219。

馬驌亦云：

> 至悼公時，荀偃為政。傳吳至寅，與范氏為亂。……其子罃輔
> 悼公以為政，三駕伐鄭，晉用復霸，罃之力也。[35]

馬驌將晉悼復霸歸功於荀罃，確實點出荀罃在晉悼霸業中的重要性。

荀罃確為忠誠之卿，透過卓越的謀畫讓晉之國勢更上層樓，但亦有若干跡象顯示其主政時期，各卿的不和已逐漸展露，如襄十年《左傳》載：

> 晉荀偃、士匄請伐偪陽而封宋向戌焉。荀罃曰：「城小而固，勝之不武，弗勝為笑。」固請。丙寅，圍之，弗克。……
> 諸侯之師久於偪陽，荀偃、士匄請於荀罃曰：「水潦將降，懼不能歸，請班師。」知伯怒，投之以机，出於其間，曰：「女成二事，而後告余。余恐亂命，以不女違。女既勤君而興諸侯，牽帥老夫以至于此，既無武守，而又欲易余罪，曰：『是實班師。不然，克矣。』余贏老也，可重任乎？七日不克，必爾乎取之！」五月庚寅，荀偃、士匄帥卒攻偪陽，親受矢石，甲午，滅之。（《左傳正義》，卷31，頁3上-5上）

荀偃、士匄欲攻偪陽以封向戌，荀罃反對，認為偪陽雖小但防守穩固，即便成功也要承擔勝之不武的批評，失敗則更會遭人恥笑，但在二人的堅持下仍答應出兵，果然久攻不下。此時荀偃、士匄竟怯懦而欲班師，荀罃大怒，認為二人堅持欲達成伐偪陽、封向戌的功業，已

---

35 〔清〕馬驌：《繹史》，卷87，「晉卿廢興下」，頁2182。

因擔憂將帥不和故答應出兵，但既已勞師動眾，若毫無功績便班師返國，等同歸罪於己，遂下令若七日不能克功，將取二人首級謝罪。最後荀偃、士匄親帥士卒發動強攻，終於滅了偪陽。荀罃一開始即能深思熟慮而不冒進，反之，荀偃、士匄則既貪圖事功，又未能盡心公事，而遭荀罃斥責，其間之褒貶顯然。此役揭示當時晉國諸卿已有因私心而不諧的跡象。同年又有一事：

> 楚子囊救鄭。十一月，諸侯之師還鄭而南，至於陽陵。楚師不退。知武子欲退，曰：「今我逃楚，楚必驕，驕則可與戰矣。」欒黶曰：「逃楚，晉之恥也。合諸侯以益恥，不如死。我將獨進。」師遂進。己亥，與楚師夾潁而軍。
>
> 子蟜[36]曰：「諸侯既有成行，必不戰矣。從之將退，不從亦退。退，楚必圍我。猶將退也，不如從楚，亦以退之。」宵涉潁，與楚人盟。
>
> 欒黶欲伐鄭師，荀罃不可，曰：「我實不能禦楚，又不能庇鄭，鄭何罪？不如致怨焉而還。今伐其師，楚必救之。戰而不克，為諸侯笑。克不可命，不如還也。」
>
> 丁未，諸侯之師還，侵鄭北鄙而歸。楚人亦還。（《左傳正義》，卷31，頁11下-12上）

晉、楚因鄭而對壘，楚師北上救鄭，氣勢強盛，荀罃擬以退為進誘敵。欒黶卻認為此舉怯懦，將使晉蒙羞，堅持獨自進軍。荀罃基於和諧考量，仍帥師並進，與楚軍隔潁水對陣。鄭子蟜認為雙方不論戰

---

36 阮元《校勘記》：「案：《石經》此處刓缺。顧炎武云：『蟜誤矯，所據乃王堯惠謬刻也。諸本前後皆作「蟜」，是也。』」（〈春秋左傳注疏卷三十一校勘記〉，頁3下）

否，晉師皆會退去，決定附楚。欒黶大怒欲攻鄭，遭荀罃阻止，認為晉本不能禦強楚，自不能庇鄭，不能責怪鄭之盟楚。若貿然伐鄭，勢須與楚決戰，不勝則為諸侯笑，且不能預期必能勝楚，不如退而保留實力。最後晉帥諸侯之師撤退，楚亦鳴金收兵。荀罃對楚雖看似怯懦，實則考量同時與楚、鄭二國作戰，勝算不大，故決定撤兵。荀罃思慮周密，穩紮穩打，充分展現其運籌帷幄的能力。而在荀罃步步為營的謀畫下，此役雖無功而返，卻能深刻反省，保存實力，隔年終在其謀畫下徹底服鄭。

荀罃主政時晉維持名符其實的霸主地位，尤其是抗楚策略，卒使晉悼自稱「八年之中，九和諸侯」。然而其人雖具才幹且謙遜相讓，但面對晉國內部的矛盾卻無力弭平，荀偃、士匄、欒黶三人相繼爭功而不能同心公事，群卿不和自荀罃主政時期已然浮現。

（三）荀偃（中行獻子）

荀罃於魯襄十三年逝世，荀偃接任中軍將。晉悼卒於魯襄十五年，故荀偃於晉悼時期僅主政三年。三年中，晉之國勢依舊相當強盛，如魯襄十四年春有向之盟為吳謀伐楚、四月合諸侯之師以伐秦，冬又主戚之會謀定衛之內亂。是以晉悼在位末期，其中原霸主地位依舊穩固。

論個人特質，荀偃之德行與才能皆不如荀罃。荀偃曾參與晉厲之弒；[37]前文論荀罃時已可見荀偃急於事功，輕浮躁進，遠不如荀罃之沉穩深謀。如魯襄九年對鄭之求和，主張圍鄭，力求戰楚取功，實不如荀罃之深謀遠慮。其後面對鄭公子騑強加誓詞，荀偃本欲硬逼鄭改

---

37 其詳可參拙作：〈先秦傳本／簡本敘事隅論——以晉「三郤之亡」為例〉，《先秦兩漢歷史敘事隅論》之〈伍〉。

載書，遠不如荀罃之溫厚自省。尚有一事亦可見二人之高下，襄十年《左傳》載：

> 宋公享晉侯于楚丘，請以桑林。荀罃辭。荀偃、士匄曰：「諸侯宋、魯，於是觀禮。魯有禘樂，賓祭用之。宋以桑林享君，不亦可乎？」舞，師題以旌夏。晉侯懼而退入于房。去旌，卒享而還。及著雍，疾。卜，桑林見。荀偃、士匄欲奔請禱焉，荀罃不可，曰：「我辭禮矣，彼則以之。猶有鬼神，於彼加之。」晉侯有間。（《左傳正義》，卷31，頁5下-7上）

晉將偪陽賜予宋平公，宋公遂以桑林之舞享晉悼，荀罃以不敢當推辭，荀偃、士匄卻以晉既能受魯之禘樂，自能受宋之桑林。宋最終仍以桑林之舞享晉，未料舞師執旌夏而入時，晉悼受到驚嚇，心生畏懼而退，最後去除旌夏，卒成享儀。反晉途中，晉悼於著雍忽生疾病，卜人以為乃桑林之神作祟。荀偃、士匄二人欲奔桑林為晉悼祝禱攘疾，荀罃不肯，以為當初已表態不堪受此樂舞，實有禮敬之心，而宋卻執意享舞，若真有鬼神，祟當降於宋而非晉，晉悼旋即病癒。具體可見荀罃沉穩合禮，具備相當的人文精神；相對的，荀偃則好大喜功，浮躁失度，行事頗欠穩當。

《左傳》載錄雖顯現荀偃不少缺點，但其也非毫無可取之人。如魯襄十四年衛國內亂，晉悼問荀偃應對之方，荀偃答曰：

> 「不如因而定之。衛有君矣，伐之，未可以得志，而勤諸侯。史佚有言曰：『因重而撫之。』仲虺有言曰：『亡者侮之，亂者取之。推亡、固存，國之道也。』君其定衛以待時乎！」

冬,會于戚,謀定衛也。(《左傳正義》,卷32,頁21下)

晉悼本欲武力介入衛國內亂,荀偃則認為衛人已擁立殤公,當順而佐
立,可收撫徠諸侯之效,否則未必能如願得志。晉悼接納建議,遂召
諸侯於戚而定衛。荀偃待時而後動的謀畫,可見其亦沉穩有謀。又如
魯襄十九年《左傳》載荀偃之死,亦可見其正面形象:

> 荀偃癉疽,生瘍於頭。濟河,及著雍,病,目出。大夫先歸者
> 皆反。士匄請見,弗內。請後,曰:「鄭甥可。」二月甲寅,
> 卒,而視,不可含。宣子盥而撫之,曰:「事吳敢不如事主!」
> 猶視。欒懷子曰:「其為未卒事於齊故也乎?」乃復撫之曰:
> 「主苟終,所不嗣事于齊者,有如河!」乃瞑,受含。宣子出,
> 曰:「吾淺之為丈夫也。」(《左傳正義》,卷34,頁2下-3上)

晉伐齊,平公享六卿後眾人皆先歸,荀偃突然病情惡化,交待繼位者
後旋即暴卒,未料荀偃屍體僵硬不能受含,彷若死不瞑目。士匄盥
屍,並誓言事荀吳必如事荀偃,盼其瞑目,仍未收效;欒盈則認為荀
偃實牽掛對齊用兵事,故撫屍約定必賡續伐齊志業,荀偃乃瞑目受
含。此一靈異現象歷來多有解釋,[38]筆者認為《左傳》載錄此事意在
推崇荀偃黽勉公事,死後靈魂仍掛懷國事。是以荀偃雖有弒君、躁
進、思慮欠周等負面形象,基本仍是兢兢業業的能臣。

　　上小節論及荀罃主政時期,諸卿已有不諧徵兆;荀罃死後益加嚴
重,棫林一役即是最佳明證。當時諸侯聯軍好不容易渡河至棫林,荀

---

38 其詳可參拙作:〈由《左傳》的「神怪敘事」論其人文精神〉,《先秦兩漢歷史敘事
　　隅論》之〈捌〉。

偃下令攻擊，欒黶卻不聽命，遂率下軍班師，致無功而返，且使欒、范二氏有所嫌隙。[39]是以荀偃主政時期，各卿間的矛盾非但未見消弭，反有白熱化趨勢。

（四）士匄（范匄／范宣子）

士匄於晉悼時雖未任中軍將，但其重要性亦不容忽視。士匄於《左傳》頗富正面形象，如襄五年載：

> 楚子囊為令尹。范宣子曰：「我喪陳矣。楚人討貳而立子囊，必改行而疾討陳。陳近于楚，民朝夕急，能無往乎？有陳，非吾事也；無之而後可。」冬，諸侯戍陳。子囊伐陳。十一月甲午，會于城棣以救之。（《左傳正義》，卷30，頁4）

楚以子囊代子辛為令尹，士匄判斷楚必頻繁用兵於陳，陳近楚，建議放棄陳國，待時機成熟再做打算。此一判斷頗具洞見，當年晉雖仍往救陳，但陳終投楚。士匄除對陳有精準判斷外，對鄭亦十分謹慎小心，襄十一年《左傳》載：

> 四月，諸侯伐鄭……。
>
> 圍鄭，觀兵于南門，西濟于濟隧。鄭人懼，乃行成。秋，七月，同盟于亳。范宣子曰：「不慎，必失諸侯。諸侯道敝而無成，能無貳乎？」乃盟。載書曰：「凡我同盟，毋蘊年，毋雍利，毋保姦，毋留慝，救災患，恤禍亂，同好惡，獎王室。或間茲命，司慎、司盟，名山、名川，羣神、羣祀，先王、先

---

39 關乎此，詳下文（六）論欒黶。

公，七姓十二國之祖，明神殛之，俾失其民，隊命亡氏，踣其
國家。」（《左傳正義》，卷31，頁18上-19下）

士匄記取魯襄九年荀偃欲強盟鄭的錯誤教訓，此次盟書內容僅涉及同
盟之國須相互扶助、獎善懲惡、尊奉王室，並恭敬祭祀；唯亦軟中帶
硬，要約不可違背誓言，以此取得諸侯認同。除判斷精準與柔軟處理
國際情勢外，士匄亦具備有禮形象，如襄八年《左傳》載：

> 晉范宣子來聘，且拜公之辱，告將用師于鄭。公享之，宣子賦
> 〈摽有梅〉。李武子曰：「誰敢哉？今譬於草木，寡君在君，君
> 之臭味也。歡以承命，何時之有？」武子賦〈角弓〉。賓將
> 出，武子賦〈彤弓〉。宣子曰：「城濮之役，我先君文公獻功于
> 衡雍，受彤弓于襄王，以為子孫藏。匄也，先君守官之嗣也，
> 敢不承命？」
> 君子以為知禮。（《左傳正義》，卷30，頁17）

士匄赴魯聘問，傳達晉將用兵於鄭。魯襄享之，士匄於宴會賦詩應
對，展現合禮的外交能力。凡此皆可見士匄之人格特質。

士匄雖多正面形象，唯亦不免負面形象，此於《左傳》中屢見。
前文曾論荀罃主政時，於伐偪陽以封向戌事，除好大喜功、欠缺深謀
外，圍城時亦未盡心力，直待荀罃怒加責斥後方奮戰立功。可見伐偪
陽非全為公室，而是考量個人權力。此種情況尚見襄十四年《左傳》：

> 范宣子假羽毛於齊而弗歸，齊人始貳。（《左傳正義》，卷32，
> 頁21下-22上）

此事原因欠明，僅知士匄向齊借華麗鳥羽作為儀具裝飾卻不歸還，齊於是始貳於晉。士匄竟因個人喜好而損害國家利益，由此可見其行事時或不免僅顧私利；爾後甚至主導「欒氏之滅」，恣意驕橫，但已至晉平公時，此不具論。[40]

（五）魏絳（魏莊子）

魏絳與晉悼關係頗為特殊，魯襄三年升任卿位，佐新軍，終晉悼之世位止於此，地位不能謂高，但晉悼對其倚重有加。晉悼甫入國，即派魏絳任司馬，據〈晉語七〉乃因「魏絳之勇而不亂」。此即魯襄三年晉侯之弟揚干亂行，魏絳戮其僕以為懲戒。魏絳任卿後，多次主宰晉之重要政策，如魯襄四年（晉悼五年，西元前569）無終子來求和，晉悼本欲以武力解決，魏絳卻大論和戎之利，晉悼採其言，使其「盟諸戎」。魏絳的和戎策略使晉無後顧之憂，得以專心面對楚國，其功績前賢多所稱述。[41]晉悼亦深知和戎之利，故魯襄十一年鄭終服晉，此本屬荀罃之功，晉悼卻歸美魏絳：

> 鄭人賂晉侯以師悝、師觸、師蠲；廣車、軘車淳十五乘，甲兵備，凡兵車百乘；歌鐘二肆，及其鎛、磬；女樂二八。晉侯以樂之半賜魏絳，曰：「子教寡人和諸戎狄以正諸華，八年之

---

40 家鉉翁對士匄之批評或可為其後來行事註腳：「晉自悼公得國於羣卿之手，曲示優容，而羣下暴橫不可制。范匄者，始年號賢大夫，猶有父祖之風，至是驕蹇無狀，受其家人女子之讒，逞私怒逐欒盈而盡斃其黨，叔向之賢幾不克免。餘怒未已，復為此會，曰『以錮欒氏』，既逐之，又錮之，入春秋以來，大夫奔而極其所往，未有若此之甚者也。」〔宋〕家鉉翁：《春秋集傳詳說》，卷21，頁10下-11上。其詳可參拙作：〈先秦敘史文獻「敘事」與「體式」隅論——以晉「欒氏之滅」為例〉，《先秦兩漢歷史敘事隅論》之〈陸〉。

41 如〔清〕高士奇：「又能庸魏絳之策，內和戎、狄，使邊鄙不擾，民事以修。故得一意南向與楚爭衡，而為諸侯倚庇。」（《左傳紀事本末》，卷29，頁419）餘不縷舉。

中，九合諸侯，如樂之和，無所不諧，請與子樂之。」辭曰：
「夫和戎狄，國之福也；八年之中，九合諸侯，諸侯無慝，君
之靈也，二三子之勞也，臣何力之有焉？抑臣願君安其樂而思
其終也。《詩》曰：『樂只君子，殿天子之邦。樂只君子，福祿
攸同。便蕃左右，亦是帥從。』夫樂以安德，義以處之，禮以
行之，信以守之，仁以屬之，而後可以殿邦國、同福祿、來遠
人，所謂樂也。《書》曰：『居安思危。』思則有備，有備無
患。敢以此規。」公曰：「子之教，敢不承命？抑微子，寡人
無以待戎，不能濟河。夫賞，國之典也，藏在盟府，不可廢
也。子其受之！」魏絳於是乎始有金石之樂，禮也。(《左傳正
義》，卷31，頁20下-23上)

此時鄭完全臣服於晉，於是饋賂晉侯，晉悼將樂之半轉贈魏絳，表示
晉能在八年之間，九次主盟，無魏絳和戎不可能成功。魏絳不敢居
功，並以《詩》、《書》等典籍勉勵晉悼戒慎勤勉。晉悼肯定魏絳勸勉
之意，堅持賞賜以示嘉勉，具體可見晉悼對魏絳和戎的肯定。

魏絳除和戎外，尚有另一重要功績，見襄九年《左傳》：

晉侯歸，謀所以息民。魏絳請施舍，輸積聚以貸。自公以下，
苟有積者盡出之。國無滯積，亦無困人；公無禁利，亦無貪
民。祈以幣更，賓以特牲，器用不作，車服從給。行之期年，
國乃有節。三駕而楚不能與爭。(《左傳正義》，卷30，頁33)

悼公十年冬，晉新服鄭而有戲之盟。由於連年用兵，國力疲敝，故晉
悼尋求休養生息之道。魏絳一方面廣施恩惠，將公家囤積之財糧貸予
人民，使財貨充分流通；另方面則多用舊物，減少不必要開支，努力

節流以蓄積實力。歷經一年，國家終上軌道，而能與楚抗衡。魏絳之功主要不在戰場上取得戰績，而偏向調整國家整體方針，讓國內能安於農耕、發展工商，以物用豐足為後勤的堅定力量，支撐晉的對外攻略。

（六）欒黶（欒桓子）

《左傳》所見欒黶幾無正面形象，雖魯襄七年、十三年兩次將佐調派皆能讓賢，卻於襄十三年引「君子曰」加以譏彈：

> 讓，禮之主也，范宣子讓，其下皆讓，欒黶為汰，弗敢違也。（《左傳正義》，卷32，頁3下）

「君子」肯定諸卿相讓，但認為欒黶驕汰蠻橫，其能讓韓起、趙武，純因士匄既讓，遂不得不讓。欒黶之專橫，前文已略述及，如魯襄十年荀罃執政時，好勝搶功不聽指揮，使得晉軍錯失敗楚良機。猶有甚者即魯襄十四年的棫林之役，欒黶不服中軍將荀偃軍令，擅自帶領下軍班師，迫使全軍撤退。對於欒黶的專橫行為，其弟欒鍼引以為恥，遂與士鞅奔赴秦軍，卒以身殉。返晉後，欒黶不唯不知自省，反將欒鍼之死怪罪士匄、士鞅，要求士匄驅逐士鞅，士鞅遂奔秦，其驕橫霸道具體可見。士鞅奔秦後，與秦景公有所對答：

> 秦伯問於士鞅曰：「晉大夫其誰先亡？」對曰：「其欒氏乎！」秦伯曰：「以其汰乎？」對曰：「然。欒黶汰虐已甚，猶可以免，其在盈乎！」秦伯曰：「何故？」對曰：「武子之德在民，如周人之思召公焉，愛其甘棠，況其子乎？欒黶死，盈之善未能及人，武子所施沒矣，而黶之怨實章，將於是乎在。」秦伯

以為知言，為之請於晉而復之。(《左傳正義》，卷32，頁13)

秦景詢問晉卿何氏先亡，士鞅答以欒氏，但認為欒書之德深厚，足以庇佑欒黶，至欒盈時，欒書之德已淡，人民對欒黶的厭惡則正強烈，故會滅氏亡家。士鞅的預言果然應驗，晉平公時欒盈終遭滅族。[42]欒氏雖非滅於晉悼時期，但當時已然種下禍因。

以上綜舉晉悼時期六位事蹟可考之權卿，由中軍將韓厥、荀罃、荀偃，到雖非國政，但舉足輕重的士匄、魏絳、欒黶，其事蹟功過皆了然可觀。臣下行事不可能盡善盡美，即使忠如趙盾，亦背負弒君罪名。而晉悼時期六位重卿除欒黶形象多屬負面外，其他諸卿雖或不免人格有瑕，不妨以小疵視之。其餘五人或富智謀勇略，或盡忠事君，無怪乎文獻中屢稱「君臣賢能」。若細論功勳，則魏絳決定和戎使晉無後顧之憂，可專心面對其他諸侯挑戰，又能在國家疲敝時帶動復甦，無怪晉悼以九合諸侯之功歸美。荀罃沉穩深謀，制訂不力拼而採輪番應戰疲敝強楚的策略，卒使鄭國親附，功亦不可沒。韓厥勤於公事，擘畫外交方針，奠定良好發展基礎；荀偃、士匄亦頗能審時度勢，適當判斷，處置得當。晉悼在諸大臣協助之下，的確開創一番功業，稱之「復霸」，洵不為過。

晉悼功業堪稱鼎盛，而《左傳》、《國語》又屢載將佐任命時各卿相讓景況，佐以鄭子展「晉君方明，四軍無闕，八卿和睦」、楚子囊「君明臣忠，上讓下競」之評，論者遂多以為晉悼時期頗能協調權卿，使國內和諧無爭。如黃樸民便認為：

---

42 關於「欒氏之滅」，可參拙作：〈先秦敘史文獻「敘事」與「體式」隅論──以晉「欒氏之滅」為例〉。

在他在位期間，晉國的政局相對較為穩定，做到了「四軍無闕，八卿和睦」（原注：《左傳・襄公八年》），當與這種使卿族勢力「均勢平衡」的策略有一定的關係。[43]

李沁芳也說：

他也參照前任國君的方法，啟用其餘卿族力量來牽制當時掌握重權的卿族，在繼位之初就重用韓氏、魏氏、趙氏、知氏，以此來牽制曾經弒君的欒氏和中行氏，晉悼公的這一方法顯然是卓有成效的，在他統治期間，六卿力量相對均衡，而且在晉悼公統治下，沒有再出現像郤氏那樣的囂張卿族，內部諸卿和睦，政治穩定，這樣晉悼公就可以沒有內憂地去進行爭霸戰爭。[44]

類似之論尚多，茲不繁引。唯此種說解可能因未詳細檢視晉悼在位之逐年事蹟，僅由少數例證推論而得。上文已說明，所謂將佐相讓未必真正和諧，而可能只是不得不遵循的表面功夫。至於晉悼是否真能平衡卿族勢力，諧和內部，宜由三位中軍將主政時期考察：韓厥主政時期，或因其年長有德，加以為人沉穩，故各卿確實和睦，未有不諧。荀罃主政時期，其人雖頗具才幹，又勤於公事，但已稍見未能制衡諸卿，無法同心同德，如魯襄十年即有荀偃、士匄執意伐偪陽，卻又不能奮力盡忠，以及欒黶不服荀罃之令，決定獨自進軍使晉軍錯失形勢，無功而返。可見荀罃執政時期，諸卿已生矛盾，此一態勢至荀偃執政時益加嚴重。魯襄十四年棫林一役，欒黶不服荀偃之令，逕自班師，

43　黃樸民：〈晉悼公復霸〉，《文史天地》2014年第11期（2014年11月），頁10。

44　李沁芳：《晉國六卿研究》（長春：吉林大學古籍研究所碩士論文，呂文郁教授指導，2012年），頁254。

堪稱肆無忌憚，可見其衝突已趨白熱化。統整而論，晉悼時期諸卿的
矛盾日益加深，荀偃、士匄、欒黶諸人往往尋求一己之私，好大喜功
而未能盡心公事。故晉悼能平衡卿族勢力、內部和睦之說恐待商榷。

　　上文曾提及魯襄十三年因應荀罃、士魴過世，「新軍無帥，晉侯
難其人，使其什吏，率其卒乘官屬，以從於下軍」，晉國正式改四軍
為三軍，其原因是「新軍無帥」。對此，襄十四年《左傳》有更詳細
的說明：

> 師歸自伐秦，晉侯舍新軍，禮也。成國不過半天子之軍。周為
> 六軍，諸侯之大者，三軍可也。
>
> 於是知朔生盈而死，盈生六年而武子卒，彘裘亦幼，皆未可立
> 也。新軍無帥，故舍之。（《左傳正義》，卷32，頁17下-18上）

《左傳》所謂「禮也」乃指晉雖為諸侯之大者，亦僅能擁有「三
軍」，故廢新軍乃合「禮」之行。又謂新軍之廢，乃因荀罃之子荀
盈、士魴之子彘裘皆年幼未可立。此一現象說明晉悼廢新軍並非考量
國勢強弱，而是並無適當人選可堪任用。此一情景已不似〈晉語七〉
所載晉悼最初本欲擢拔張老為卿，雖張老讓魏絳，但卿位尚有新血注
入的可能。至此三軍遭權卿把持，雖能相讓，卻淪為更迭為政的把
戲。[45]此時之六卿為荀偃（中行氏）、士匄（范氏）、趙武、韓起、欒
黶、魏絳，加上荀盈（知氏）、彘裘共八家，而後欒氏被滅、彘氏衰
微，三軍將佐正式為六家壟斷，晉之兵力成為六卿競逐之私，國政徹

---

45 〔清〕顧棟高〈春秋晉中軍表〉於魯襄十三年即云：「以後六人更迭為政，荀偃、
　　士匄、趙武、韓起以次將中軍，欒黶、魏絳先死，黶子盈為范氏所逐，絳子魏舒代
　　韓起。」見〔清〕顧棟高：《春秋大事表》，卷22，頁8上。

底淪入家門，可見晉悼末期確實已見權歸六卿徵兆。[46]對此，宋儒呂祖謙之論頗具啟發性：

> 以悼公之霸，一時收晉國之權。及細考之，政在臣下，君弱臣強，根本之患，元不曾除去。悼公事不一，如十年荀罃為元帥，荀偃、士匄請伐偪陽，罃不能違，卒從之。及十四年偃為元帥，令軍中曰：「雞鳴而駕，塞井夷竈，唯余馬首是瞻。」欒黶狠僻，從下軍而歸。當時此事甚不一，自此數事觀之，以悼公之明，其臣尚如此，後六卿遂至分晉。在悼公論固如是，今則論時深為晉惜。[47]

清儒何焯亦有類似之說：

> 晉侯之舍新軍，以二子之弱也，非知其僣而革之也。蓋其入國之初，修舉廢墜，政令難[48]若可觀，而權之下移者，不能復收之以歸于上，故限于世及之例，寧廢新軍而不敢選于大夫之中，舉其賢者以使為卿，至此則六卿之勢一定而不可變矣。觀其嘉魏莊子之功，賞以金石之樂，而綿上之蒐，僅從新軍以次佐下軍而已，亦不能如文公之用原軫也。夫撥亂反治，苟無非常之才，其力固難以及遠也。[49]

46　晉國軍制的改革與權卿往往相關，晉悼時期僅為其中一例，說可參拙作：《晉史蠡探：以兵制與人事為重心》，上編第一章〈兵制述略〉，頁34-40。

47　〔宋〕呂祖謙：《左氏傳說》，《通志堂經解》，第22冊，卷7，「荀偃士匄請伐偪陽、荀偃言雞鳴而駕塞井夷竈」條，頁6下-7上。

48　案：「難」當為「雖」之訛。

49　〔清〕何焯撰，崔高維點校：《義門讀書記》（北京：中華書局，1987年），卷10，「左氏春秋下」，頁171。

呂、何二氏將晉六卿之專橫，遠溯晉悼時期，何焯之歎更涉及用人原則，二說皆頗具見地。司馬遷謂「悼公以後日衰，六卿專權」，洵為不易之論。

四 悼公時期晉與諸侯的互動

本節擬探論晉悼在位期間，晉與諸侯的互動，以明其復霸功業的策略與詳情。以下以《左傳》所載史事，依東方的齊、魯，南方的宋、鄭、陳、楚、吳數國為序述論。

（一）齊

齊乃東方強國，雖則成十八年《左傳》載晉悼甫入國，韓厥即制定「成霸安彊，自宋始矣」的外交方針，然而晉欲成霸業，更為首要者實為爭取齊的支持。原因無他，齊國此時有能力與晉爭霸，齊服方能免於掣肘。[50]襄元年《左傳》載晉帥諸侯圍宋彭城，但：

> 齊人不會彭城，晉人以為討，二月，齊大子光為質於晉。夏五月，晉韓厥、荀偃帥諸侯之師伐鄭，入其郛，敗其徒兵於洧上。於是東諸侯之師次于鄫，以待晉師。（《左傳正義》，卷29，頁3）

正月齊不會伐宋，晉旋於二月出兵討齊，足見對齊不與盟之重視。齊

---

50 春秋時期齊、晉爭盟與衝突情況，可參〔清〕顧棟高《春秋大事表‧春秋齊晉爭盟表》，卷30，頁1上-2上；魏千鈞：《夷夏觀研究：從春秋歷史到《春秋》經傳的考察》（臺北：國立臺灣大學中國文學系博士論文，何澤恆教授指導，2013年），頁156-164。又馬驌曾指出晉悼時，齊靈頗為輕晉，見《左傳事緯》，卷6，頁238-239。

受晉伐，只好以太子光為質表示臣服，並參與夏五月鄫之會。但事情並不順利，襄二年《左傳》載：

> 會于戚，謀鄭故也。孟獻子曰：「請城虎牢以偪鄭。」知武子曰：「善。鄫之會，吾子聞崔子之言，今不來矣。滕、薛、小邾之不至，皆齊故也。寡君之憂不唯鄭。嬰將復於寡君而請於齊。得請而告，吾子之功也。若不得請，事將在齊。吾子之請，諸侯之福也，豈唯寡君賴之！」……
>
> 冬，復會于戚，齊崔武子及滕、薛、小邾之大夫皆會，知武子之言故也。遂城虎牢。鄭人乃成。（《左傳正義》，卷29，頁8）

此年首次戚之會，齊未與會，荀罃表示鄫之會時崔杼曾抱怨，故不來會。況且由於齊國從中作梗，故東方小國滕、薛、小邾皆不與會，荀罃認為不只應憂慮鄭，更當提防齊，建議對齊用兵，而城虎牢可收制衡鄭、楚之效，一旦用兵東方，有助於維持南方的穩固。齊及滕、薛、小邾皆知晉之強硬態度，冬，遂復會於戚。雖則如此，隔年齊又不安於晉：

> 晉為鄭服故，且欲脩吳好，將合諸侯。使士匄告于齊曰：「寡君使匄，以歲之不易，不虞之不戒，寡君願與一二兄弟相見，以謀不協。請君臨之，使匄乞盟。」
>
> 齊侯欲勿許，而難為不協，乃盟於耏外。（《左傳正義》，卷29，頁11下）

此年晉欲召諸侯會盟，使士匄告齊。士匄之言實暗指諸侯之不協根源於齊，故來請盟。齊靈本不欲應允，之後勉強盟士匄於耏水，並參與

六月的雞澤之盟，可見齊之難服。晉則積極脅迫使齊聽命，此後齊遂
服晉，且多參與晉之盟會，如魯襄五年戚之會、魯襄八年邢丘之會、
魯襄九年戲之盟、魯襄十年柤之會、魯襄十一年共伐鄭後參與亳與蕭
魚之盟。齊之服晉，則晉可不必顧慮東方，專心對付楚國。而齊之再
叛晉，則在魯襄十四年（晉悼十五年）范宣子假羽毛於齊而弗歸，遂
發生魯襄十五年「夏，齊侯圍成，貳於晉故也」，[51]故晉悼之初，齊雖
不服，晉一再施壓，之後齊便服而不叛，直至晉悼末年始又叛晉。

（二）魯

　　魯亦東方諸侯，與晉為兄弟之國，對晉自較聽服。晉悼入國，旋
即派遣士魴赴魯乞師，魯並參與虛杅之會。魯襄元年（晉悼二年，西
元前572）與晉圍宋、伐鄭，該年荀罃赴魯聘問，深化雙方之好。魯
襄二年兩度參與戚之會；魯襄三年至長樗與晉盟，隨後參與雞澤之
盟；魯襄四年叔孫豹如晉聘問，魯襄往晉聽政；魯襄五年參與戚之
會，之後同伐陳；魯襄七年參與鄬之會；魯襄八年參與邢丘之會；魯
襄九年參與戲之盟；魯襄十年參與柤之會；魯襄十一年先共伐鄭，後
又參與亳、蕭魚之盟；魯襄十二年晉士魴聘魯，魯襄並於年底朝晉拜
聘；魯襄十三年再度赴晉；魯襄十四年參與向之會，並與諸侯同伐
秦。終晉悼之世，魯幾可謂無事不參、無役不與，兩國頻繁往來聘
問，始終維持友好關係。

　　雖則晉、魯交好，但魯亦絕非聽任擺佈，如魯襄四年載：

> 冬，公如晉聽政。晉侯享公，公請屬鄫。晉侯不許。孟獻子
> 曰：「以寡君之密邇於仇讎，而願固事君，無失官命。鄫無賦

於司馬，為執事朝夕之命敝邑，敝邑褊小，闕而為罪，寡君是
以願借助焉。」晉侯許之。（《左傳正義》，卷29，頁21上-22上）

魯襄趁朝晉之機要求將鄶劃入屬國，晉悼本欲不允，魯大夫仲孫蔑以
魯雖近於晉之仇敵，卻仍堅持事晉，表達希望得到鄶之貢賦方能供應
晉需，晉悼遂答應所求。仲孫蔑精確掌握齊、晉之矛盾態勢，爭取外
交籌碼，手段堪稱高妙。但魯國情資蒐集不足，該年邾、莒隨即攻
鄶，魯襄五年即宣示放棄，鄶旋於次年滅於莒。晉因此責怪魯：

晉人以鄶故來討，曰：「何故亡鄶？」季武子如晉見，且聽
命。（《左傳正義》，卷30，頁6下）

魯並未得到利益，晉卻以護鄶不力降罪，不過這僅是晉、魯關係的小
插曲，終晉悼之世，晉、魯兩國大抵友好。

（三）宋

楚乃晉之勁敵，而宋介乎其間，故晉欲解決南方威脅，第一步即
是使宋親附。晉悼即位，適逢楚、鄭聯手攻宋，成十八年《左傳》載：

夏，六月，鄭伯侵宋，及曹門外。遂會楚子伐宋，取朝郟。楚
子辛、鄭皇辰侵城郜，取幽丘。同伐彭城，納宋魚石、向為
人、鱗朱、向帶、魚府焉，以三百乘戍之而還。……
宋人患之。西鉏吾曰：「何也？若楚人與吾同惡，以德於我，
吾固事之也，不敢貳矣。大國無厭，鄙我猶憾。不然，而收吾
憎，使贊其政，以間吾黌，亦吾患也。今將崇諸侯之姦而披其

地，以塞夷庚。逞姦而攜服，毒諸侯而懼吳、晉，吾庸多矣，
非吾憂也。且事晉何為？晉必恤之。」（《左傳正義》，卷28，
頁33下-36上）

鄭、楚聯軍攻宋，獲地頗多，楚將投奔自宋的魚石等人安置於彭城，
並派駐三百乘戍守。宋人對此表示憂慮，大夫西鉏吾則認為無需憂
慮，楚不論企圖以宋為鄙邑，或納魚石回國佐政，均會危害宋國。但
楚國分彭城予魚石並派兵駐紮，反而阻礙各國往來而使人叛離，又阻
塞吳、晉互通，晉國必不坐視。十一月，楚又出兵伐宋，宋華元如晉
告急，韓厥遂訂立「欲求得人，必先勤之。成霸、安彊，自宋始矣」
的政策。魯襄元年（晉悼二年，西元前572）隨即採取行動：

春，己亥，圍宋彭城。非宋地，追書也。於是為宋討魚石，[52]
故稱宋，且不登叛人也，謂之宋志。彭城降晉，晉人以宋五大
夫在彭城者歸，寘諸瓠丘。（《左傳正義》，卷29，頁1下-3上）

晉為宋奪回彭城，並將原本附楚的魚石等大夫帶回晉國安置。宋本偏
晉，雖然楚於魯襄元年、二年、十年、十一年、十二年多次用兵於
宋，但宋並不改其意向，晉所主持的雞澤之盟、戚之會、鄔之會、邢
丘之會、戲之盟、柤之會、亳之盟、蕭魚之會、向之會等皆積極參
與，並加入救陳、伐鄭、伐秦諸役，實為晉國霸業的堅定助手。

晉、宋之交好尚可由魯襄十年荀偃、士匄欲以偪陽封向戌一事得
到印證。雖然此事出自荀偃、士匄二人之私心，但亦足以凸顯兩國交

52　「魚石」，阮刻本誤作「魯石」，據成十八年阮刻本（文見前引）與成十九年《金
　　澤文庫》本改。

好實況。攻克偪陽後，向戌拒受，轉封宋平公，平公乃以桑林之舞享晉侯。[53]綜觀晉、宋交往，宋於晉堪稱忠誠，晉則因宋的戰略地位而多展現親愛之舉。

（四）鄭

宋、鄭皆為晉抗楚的重要盟國，鄭尤近楚，是以兩國雖皆常受楚侵擾，鄭又較宋為烈。鄭夾處晉、楚之間，依局勢而游移雙方自屬必然。晉悼對鄭的經營頗早，魯襄元年五月韓厥即率諸侯之師伐鄭，雖取得勝利，但楚隨即於秋救鄭。魯襄二年親楚的鄭成公過世，究竟依附何方，大臣意見分歧，《左傳》載：

> 秋，七月庚辰，鄭伯睔卒。於是子罕當國，子駟為政，子國為司馬。晉師侵衛。諸大夫欲從晉。子駟曰：「官命未改。」會于戚，謀鄭故也。孟獻子曰：「請城虎牢以偪鄭。」知武子曰：「善……」
>
> 冬，復會于戚，齊崔武子及滕、薛、小邾之大夫皆會，知武子之言故也。遂城虎牢。鄭人乃成。（《左傳正義》，卷29，頁7下-8下）

多數大臣欲從晉，子駟則堅持遵循鄭成之舊命附楚。中原諸侯聯軍，魯大夫仲孫蔑建議城虎牢以脅鄭，晉執政荀罃從其議築城，鄭果求和。晉見鄭服，遂於魯襄三年為雞澤之盟。鄭之親附維持至魯襄八年邢丘之會，是年冬，楚子囊伐鄭，鄭國內部又對依晉、附楚有所討論，其中子駟、子國、子耳欲從楚，子孔、子蟜、子展欲附晉，最後

---

53 事已詳〈三〉之（二）論荀罃與之（三）論荀偃。

執政子駟決定：

> 民急矣，姑從楚以紓吾民。晉師至，吾又從之。敬共幣帛，以
> 待來者，小國之道也。（《左傳正義》，卷30，頁15上）

鄭遂又附楚，並由此決定伺機游移兩國的外交策略。此一策略雖似首
鼠兩端，但也具體呈顯小國的無奈。晉果於隔年率諸侯伐鄭，鄭又附
晉而有戲之盟。但此次盟會晉並未得志，[54]十二月晉又率諸侯伐鄭。
未料楚恭王旋即伐鄭，鄭子駟又與楚談和，是以魯襄九年晉、楚雙方
數回爭鄭，楚終贏得勝果。但晉此年有兩大事件，乃晉悼終能服鄭的
重大關鍵：一是荀罃決定三分其軍，每次只出動三分之一兵力抗楚，
使楚疲於奔命；二是晉於此年國力雖顯疲敝，但魏絳政策成功，一年
內又使國政邁上正軌，楚終難與抗衡。魯襄十年七月，楚子囊、鄭子
耳伐魯，九月子耳又侵宋，逼迫諸侯聯軍進駐牛首，其間鄭國發生內
亂，晉又城虎牢、梧及制，並派兵戍衛，逼鄭談和。楚子囊隨即出兵
救鄭，晉雖因欒黶之誤無功而返，但楚也未能取得成果。魯襄十一年
鄭國內部已偏晉，用計使晉疾伐己，得有正當理由附晉，故四月諸侯
伐鄭，鄭先簽和約；而後楚、秦來伐，鄭又投楚；九月晉又率諸侯復
伐鄭，鄭遂使行人如楚告知決定服晉。最後鄭與晉盟於蕭魚，楚至此
無力挽回。鄭國不但終晉悼之世不再叛晉，其再附楚則要至魯昭三年
（晉平公十九年，鄭簡公二十七年，西元前539），雙方維持穩固關係
二十餘年。

---

54 其詳已見本文〈三〉之（二）論荀罃。

（五）陳

陳之地理位置，較宋、鄭尤近於楚，晉欲陳附從難度自然更高。晉悼即位之初，陳本屬楚陣營。魯襄元年晉曾侵楚焦夷而兼及陳。陳於魯襄三年先叛楚附晉，參與雞澤之盟，冬，楚公子何忌伐陳，翌年春仍駐紮繁陽，適因陳成公卒方始退兵。楚的強硬態度使執政韓厥十分憂心，自覺受陳恐非時宜。楚雖退兵，旋又藉口陳無禮而進軍侵陳。魯襄五年戚之盟晉命各國協助戍陳，但在子囊為令尹後，士匄認為子囊必屢攻陳逼其附楚，認為不應主動拉攏陳國，否則必不能保有。果然諸侯雖派兵戍陳，但子囊旋即伐陳，晉又會諸侯於城棣以救陳。魯襄七年子囊又發兵圍陳，晉會諸侯于鄔救之。但最終：

> 陳人患楚。慶虎、慶寅謂楚人曰：「吾使公子黃往，而執之。」楚人從之。二慶使告陳侯于會，曰：「楚人執公子黃矣。君若不來，羣臣不忍社稷宗廟，懼有二圖。」陳侯逃歸。（《左傳正義》，卷30，頁12）

陳因畏楚，權卿慶氏設計公子黃被執，陳哀侯只能逃鄔之會而返陳，此後即附楚，印證韓厥、士匄的判斷。相較於晉積極拉攏宋、鄭，由於陳國先天的地理劣勢，最終只能選擇放棄經營，隨其附楚而無可如何。

（六）楚

南方的強楚，向為晉最大勁敵，其威脅長期存在。由於晉悼時期兩國未有直接大戰，執政荀罃也採迂迴的消耗戰削弱楚之國力，是以雙方的攻防便集中於宋、鄭、陳三國的爭奪。晉於宋、鄭二國拉攏成

功，楚則保有陳國，此為當時晉、楚相爭發展大勢，說已見上文，茲
不複述。

除了宋、鄭、陳三國的爭奪外，楚亦往往拉攏晉西的秦以為奧
援，如魯襄九年秦景公派士雃如楚乞師伐晉，兩國隨即聯兵攻晉，晉
適逢饑荒，無力反擊。魯襄十一年，楚子囊向秦借兵，楚、秦聯軍
先伐鄭使其臣服，旋又伐宋。魯襄十二年，楚、秦又聯軍伐宋，報復
晉當年成功拉攏鄭。由於秦、楚的軍事同盟，晉也偶爾伐秦以報，如
魯襄十年荀罃伐秦以報前年秦之攻伐，魯襄十四年棫林之役亦然。不
過值得注意的是，魯襄九年士雃赴楚乞師，楚恭雖答應，但子囊卻以
當時晉國強盛、君臣賢明，不可與爭為由反對，不過楚恭仍執意出
兵。或許子囊並不願與晉正面衝突，但令尹也只能執行國君既定的
策略。

（七）吳

晉自景公即刻意聯吳抗楚，此在《左傳》、《繫年》皆有明確線
索。聯吳策略至晉悼仍持續執行，如魯襄三年雞澤之盟本欲邀吳王蒞
盟，最後吳王未果行。不過吳於魯襄五年主動遣壽越參與善道之會，
解釋未出席雞澤之盟，旋又參與戚之會。魯襄十年，吳王壽夢親自參
與柤之會，具有相當的代表性，《繫年》亦載及此事。魯襄十三年吳
侵楚而敗，隔年告於晉，遂有向之會，但士匄認為吳趁楚恭王之喪而
侵伐，甚為失禮，故斥退吳人，並未成師攻楚。唯終晉悼之世持續與
吳維持友好。

以上列舉晉與齊、魯、宋、鄭、陳、楚、吳七國的互動情況。晉
對東方諸侯，透過持續的關注與逼迫，使齊放棄爭盟而加入己營，魯
則是晉長久堅實的友援，兩國聯繫密切。就南方而言，晉不直接與楚

對決，而透過外交執行其消耗戰策略，其具體對象即為宋、鄭、陳三國。三國中宋離楚最遠，本較偏晉，故晉在拉攏過程中最為容易，且維持一定的友好。鄭夾處晉、楚之間，外交立場自然度時而變。晉對鄭先是透過城虎牢建立據點，而後在荀罃領導下穩健執行消耗戰，待時機成熟一舉收編鄭國。至於離楚最近的陳，晉在幾番嘗試後，由於鞭長莫及，只能如韓厥、士匄所預測放棄拉攏，顯現晉能考量國力限度，有效運用資源。在魏絳主導下，自魯襄四年晉便與戎狄眾多部族保持盟好，減少樹敵，使晉能專注應對其他各國，這是晉悼成就霸業的關鍵。可知晉的外交策略不但目標明確，而且手段靈活，因時而動，順勢制宜，無怪乎其能再度成就霸業。

五　結論

前賢或由晉悼功業肯定其復霸，或對「復霸」之說多所質疑。本文結合早期文獻，比勘當時晉國內外局勢，得到以下幾項結論：

首先，透過比較《左傳》、《國語》、《史記》與《繫年》關於晉悼公的記述，大抵可見其開明有禮而深具才幹的面貌，其於入國前戰戰兢兢處理群臣關係，入國後旋即適才適性又合乎禮度調派卿大夫職務，一掃先前陰霾，帶領晉國走向興盛之局。晉悼固然有時也會犯錯動怒，卻能耐心聽諫，虛心反省，是以不論《左傳》或《國語》皆肯定其「復霸」之功。至於《史記》，雖則前賢或以為史公對晉悼霸業採否定態度，唯恐屬誤解，〈晉世家〉雖敘事簡明，實已約略概括晉悼功業，《史記》棫林之役晉大勝的描述迥異《左傳》的無功而返，凸顯大獲全勝的戰績，塑造晉悼功業鼎盛的正面形象，可見〈晉世家〉「太史公曰」「悼公以後日衰，六卿專權」之評，蓋著眼於君臣關係，認為晉悼時已有大權旁落之跡，其重點並不在否定「晉悼復霸」。

　　其次，仔細析論晉悼時期六位權卿，可以發現大都為幹才，尤以荀罃、魏絳對晉悼霸業之貢獻最為卓越。荀罃藉由三分晉軍以敵楚的策略，充分牽制楚之北上，成功拉攏游移於晉、楚之間的鄭歸盟。魏絳之功則在和戎，使晉無後顧之憂以抗楚；又在國力耗弱時，採取積極作為，成功邁向富足。其他諸卿也都能在政事上有適當的發揮。唯若細加勾稽，可知除韓厥、荀罃、魏絳等人之形象多屬正面外，荀偃、士匄、欒黶諸人則都有負面載述，不但未能黽勉從公，甚至以私害公。韓厥主政時諸卿雖無衝突，但至荀罃主政時已現諸卿不諧之象，荀偃執政時則進一步惡化，遂有棫林之敗。是故晉悼時期雖往往被描述為「諸卿和睦」，實則早已暗潮洶湧，風雨欲來，至晉平公時遂爆發「欒氏之滅」。佐以晉悼廢四軍為三軍一事，顯露各軍將佐已為權卿把持，六卿專政之象已然浮現，史遷之評確然不誤。

　　再次，詳細考論晉與當時諸侯之互動，可以發現晉之外交策略精準明確。如東方先解決齊爭盟之企圖，使其俯首聽命；對魯則積極籠絡，使其成為堅定支持的力量。和戎使晉無後顧之憂，東方齊、魯又已親附，則晉能專心應付南方的強楚。首先處理離楚較遠而易於拉攏的宋，其次透過三分晉軍抗楚的戰略，成功收服易叛難服的鄭。至於陳則在努力後毅然放棄，降低不必要的消耗。對吳則維持一貫連吳制楚的方針。對於強楚，既難以力克，遂採牽制消耗戰，使其不致成為具體威脅。這些具體戰略，確實帶來「晉悼復霸」。

　　綜上所論，本文肯定晉悼確屬才幹之君，復有優秀臣下輔政，終能成就霸業，稱之「晉悼復霸」誠然無愧。然而正如先師王叔岷先生所論，晉悼之時因國內矛盾已現，但因權卿乃能維持國勢富強，故而晉悼雖有「復霸」美譽，卻已無力扭轉權卿專擅之勢，君權之旁落已難遏止，史遷「悼公以後日衰，六卿專權」之言確然無誤。此蓋身處

西漢的司馬遷對春秋時期「晉悼復霸」歷史、文化記憶的詮釋。

（原載《臺大中文學報》，第57期〔2017年6月〕，頁105-162）

柒　《左傳》「獻捷」、「獻俘」、「獻功」事例的省察與詮釋

一　前言

　　春秋時代，戰爭頻仍，各國軍事競備，衝突屢起，相關軍禮遂多可考者。如顧棟高《春秋大事表》即整理春秋之軍禮而成〈春秋軍禮表〉，計分為五：蒐狩、軍旅、乞師、獻捷、歸俘，並對其相關儀節有所申述；[1]唯「獻捷」一項，尚頗有討論之空間。

　　許慎《說文解字・手部》：

> 捷，獵也，軍獲得也。从手，疌聲。《春秋傳》曰：齊人來獻戎捷。[2]

許慎釋「捷」為軍獲所得，並引莊三十一年《春秋傳》為證；[3]唯並未說明軍獲所得之實質內涵。杜預釋「捷」近同許慎，其解「獻捷」云：

> 捷，獲也。獻，奉上之辭。（《左傳正義》，卷10，頁19上）

1　〔清〕顧棟高：《春秋大事表》，卷18，頁1上-4下。

2　〔清〕段玉裁：《說文解字注》，12篇上，頁54下-55上。

3　段玉裁《注》：「莊三十一年《左氏》、《公》、《穀》皆作『齊矦』。按作『人』近是，不必親來。」（同前注，頁55上）

杜預認為「獻捷」乃戰勝方將俘獲戰敗方的若干品物進獻給第三方的
儀節。[4]顧棟高〈春秋軍禮表〉據《春秋》僅載之莊三十一年「齊侯
來獻戎捷」、僖二十一年「楚人使宜申來獻捷」二事,徵引諸家之說
以論書法大義;唯揆諸《左傳》,春秋時代之「獻捷」並非僅此二次
而已,如成二年「晉侯使鞏朔獻齊捷于周」、成十八年「晉侯使郤至
獻楚捷于周」、襄八年「鄭伯獻捷于會」等,《春秋》皆未載錄。[5]

　　蒐羅相關載述,進而分析比對,或有助於釐清「獻捷」儀節在春
秋時期的面貌與意義。如《左傳》除「獻捷」一詞外,與此息息相關
者尚有「獻俘」、「獻功」二詞,其涵義究係相同,抑或歧異有別,前
賢雖偶有論析,似欠全面深入。[6]復次,《左傳》對莊三十一年《春
秋》「齊侯來獻戎捷」,曾解釋其書法,並訂立「義例」:

> 齊侯來獻戎捷,非禮也。凡諸侯有四夷之功,則獻于王,王以
> 警于夷;中國則否。諸侯不相遺俘。(《左傳正義》,卷10,頁
> 19下)

明確限定獻捷之儀節、施獻對象與俘獲物的來源。此一義例該如何解
讀?春秋時代是否普遍遵行此一義例,亦待察考。

　　本文擬由分析「獻捷」、「獻俘」、「獻功」三詞之意涵出發,進而
詮釋春秋時期眾多獻捷事件具有的樣態與意義,最後則與《左傳》

4　所謂第三方,由杜《解》觀之,乃臣屬方尊奉的對象。然而春秋時代之獻捷對象,
　　實非杜預所言僅是單純的「奉上」而已,說詳下。
5　春秋時代尚有一類獻俘,乃在外取得戰功,回國後告廟慶功之禮,與本文探論對外
　　國之獻捷、獻俘、獻功不同,本文僅在有助於釐清問題時述論之。
6　有關「獻捷」,姚彥渠《春秋會要》、王貴民《春秋會要》所論皆較顧棟高齊備,但
　　仍不免疏漏,且有若干問題尚待釐清,下文將逐一述論。

「義例」比對申論，期能釐清「獻捷」之相關議題。

二 「獻捷」、「獻俘」、「獻功」名義考論

（一）獻捷

「獻捷」一詞，《春秋》僅二見：莊三十一年「齊侯來獻戎捷」、僖二十一年「楚人使宜申來獻捷」；《左傳》則屢見不鮮，而或稱「獻捷」，或稱「獻某捷」，或稱「如某獻捷」，如：

> 鄭伯獻捷于會。（襄八年，《左傳正義》，卷30，頁14上）
>
> 晉侯使鞏朔獻齊捷于周。（成二年，《左傳正義》，卷25，頁24下）
>
> 晉侯使郤至獻楚捷于周。（成十六年，《左傳正義》，卷28，頁18下）
>
> 皇戌如楚獻捷。（成三年，《左傳正義》，卷26，頁2下）

由句式可知，「獻某捷」乃與某國戰伐取得勝利有所獻，而標示戰功之因由與國家；「如某獻捷」則指赴某國獻捷。

欲確實理解「獻捷」之意涵，須先確定「捷」所指涉之實質內涵。關乎此，或可借助三《傳》對《春秋》的詮釋進行理解、分析。首先，《左傳》並未直接辨析／闡釋「捷」之名義，杜《解》亦僅言「捷，獲也」，並未詳加申論。孔穎達《疏》釋杜《解》則言：

> 捷，勝也。戰勝而有獲，獻其獲，故以捷為獲也。（《左傳正義》，卷10，頁19）

孔《疏》依循杜《解》，由「捷」之字義出發，認為戰勝而取戰敗方
之相關品物，「獻捷」即指獻上戰利品。杜、孔並未明確指涉所獻之
品物，似指戰場上之俘獲皆可獻。相對於《左傳》，《公羊》、《穀梁》
則有所解釋。莊三十一年《公羊》釋《春秋》「齊侯來獻戎捷」云：

> 「齊，大國也，曷為親來獻戎捷？」「威我也。」「其威我奈
> 何？」「旗獲而過我也。」（《公羊注疏》，卷9，頁6上）

何休《注》：

> 旗，軍幟名，各有色，與金、鼓俱舉，使士卒望而為陳者。旗
> 獲，建旗所獲。……（《公羊注疏》，卷9，頁6上）

「旗獲」乃《公羊傳》特殊用語，以此解釋經文之「捷」。何休以為
旗之用途如同金、鼓，用以指揮軍隊的陣形與進退，「旗獲」指戰爭
擄獲的品物。[7]《穀梁》釋僖二十一年經「楚人使宜申來獻捷」云：

> 捷，軍得也。（《穀梁注疏》，卷9，頁3上）

---

7 「旗鼓」，見《左傳》，如成公二年鞌之戰：「郤克傷於矢，流血及屨，未絕鼓
音，曰：『余病矣！』張侯曰：『自始合，而矢貫余手及肘，余折以御，左輪朱殷，
豈敢言病？吾子忍之！』緩曰：『自始合，苟有險，余必下推車，子豈識之？然子
病矣！』張侯曰：『師之耳目，在吾旗鼓，進退從之。此車一人殿之，可以集事。
若之何其以病敗君之大事也？擐甲執兵，固即死也，病未及死，吾子勉之！』左并
轡，右援枹而鼓，馬逸不能止，師從之。齊師敗績。」（《左傳正義》，卷25，頁10
上-11上）可知「旗鼓」用以指揮作戰，若為戰利品，即為「旗獲」。故何休謂「旗
獲，建旗所獲」。

以「軍得」釋「捷」，與杜、何之說無異，皆泛指戰爭俘獲物。但
《穀梁》於莊三十一年《春秋》「齊侯來獻戎捷」下又有所申述：

> 獻戎捷，軍得曰捷，戎菽也。（《穀梁注疏》，卷6，頁16下）

二文皆以「軍得」為捷，唯又進一步指明齊侯所獻者為戎菽，亦即山
戎栽種的胡豆。[8]《穀梁傳》可能認為「捷」可泛指征戰之任何俘獲
物，但齊桓公此次獻魯者則為「戎菽」。《穀梁》釋「戎捷」為「戎
菽」，可能與《管子・戒》篇有關：

> （齊桓公）北伐山戎，出冬蔥與戎叔，布之天下，果三匡天子
> 而九合諸侯。[9]

《管子》謂齊桓北伐山戎，將俘獲之冬蔥與戎菽等農穫，分送天子與
諸侯，終於奠定齊國的霸主地位。此說可能流傳於先秦至漢代，而為
《穀梁》採用，但其中仍有些微差異：如《管子》，所獻之物除「戎
菽」外尚有「冬蔥」，《穀梁傳》則專取「戎菽」立說。不過《穀
梁》、《管子》以農穫釋戎捷，又與《說苑・權謀》有異：

> 齊桓公將伐山戎孤竹，使人請助於魯。魯君進羣臣而謀，皆
> 曰：「師行數千里，入蠻夷之地，必不反矣。」於是魯許助之

8　楊士勛《疏》引諸說論證戎菽即胡豆（《穀梁注疏》，卷6，頁16下）。因非本文關
　　鍵，不具引。

9　黎翔鳳撰，梁運華整理：《管子校注》（北京：中華書局，2004年），卷10，頁514。
　　黎翔鳳《校注》引孫星衍云：《列子・力命篇・釋文》引……「戎叔」作「戎菽」。
　　《毛詩・生民・正義》、《爾雅・釋器・疏》引作「戎菽」。又引戴望云：《御覽・百
　　穀部》五引作「桓公伐山戎，得戎菽以布天下」（頁517）。案：「叔」、「菽」古今字。

　　而不行。齊已伐山戎孤竹，而欲移兵於魯。管仲曰：「不可！
　　諸侯未親，今又伐遠而還誅近隣，隣國不親，非霸王之道。君
　　之所得山戎之寶器者，中國之所鮮也，不可以不進周公之廟
　　乎？」桓公乃分山戎之寶，獻之周公之廟。[10]

根據《說苑》，齊桓用以籠絡／威嚇魯國者，並非山戎當地特產之農
作，而是寶器——即青銅器等較為高貴的器物。面對文獻存在異說，
驟難論定是非，尚須仰賴其他資料始有解決之可能。

（二）獻俘

1 「俘」與「獻俘」探義

　　《左傳》與「獻捷」相關者，尚有「獻俘」；為標示「俘」之由
來，多記以「獻某俘」。如：

　　五月丙午，晉侯及鄭伯盟于衡雍。丁未，獻楚俘于王：駟介百
　　乘，徒兵千。（僖二十八年，《左傳正義》，卷16，頁23下）

　　晉侯使趙同獻狄俘于周，不敬。（宣十五年，《左傳正義》，卷
　　24，頁12下）

魯僖二十八年，晉文公於城濮勝楚，遂獻楚俘於周襄王；魯宣十五年
晉攻赤狄，取得豐盛成果，遂獻狄俘予周定王。杜預於莊六年《春
秋》「齊人來歸衛俘」條解「俘」為「囚」，[11]專指擒獲之生俘。杜

---

10 向宗魯：《說苑校證》（北京：中華書局，1987年），卷13，頁324-325。
11 杜《解》：「《公羊》、《穀梁》經、傳皆言『衛寶』，此《傳》亦言『寶』；唯此
　　《經》言『俘』，疑《經》誤。俘，囚也。」（《左傳正義》，卷8，頁11下）按：古

《解》有一定的文獻依據，如城濮戰後，晉凱旋班師時「振旅，愷以
入于晉，獻俘、授馘，飲至、大賞，徵會討貳」。[12]雖屬戰勝歸國告廟
論功，與本文之對外獻俘情況不同，但仍有助於釐清「俘」之涵義。
楊伯峻釋之曰：

> 俘為生獲，馘本有生死兩說，《禮記・王制》「以訊馘告」，注
> 云：「訊馘，所生獲斷耳者。」此亦生獲也。《詩・大雅・皇
> 矣》「攸馘安安」，傳云：「馘，獲也，不服者，殺而獻其左耳
> 曰馘。」此死獲也。此授馘當是死獲。授與獻義雖不同，此處
> 則相近。總之，統計生俘若干，殺死若干，以告于廟。[13]

楊伯峻認為，「俘」指生擒的俘虜，「馘」雖也可能指生俘，但與
「俘」連用時，則指死獲，即殺敵而割其左耳以驗戰功。如魯宣二
年，鄭攻宋，《左傳》載鄭國之功曰：「俘二百五十人，馘百人。」[14]
俘、馘之數量分別統計，可知「俘」指生獲，「馘」指殺敵取耳。《清
華簡・繫年》第二十二章亦載：「晉（烈）公獻齊俘馘於周王。」[15]
《繫年》之「獻俘馘」可能分指生俘與死獲，唯亦可能已轉化為獻捷

文字慣以「保」為「寶」，例見〈保訓〉。「保」之古文字形，象人負子之形，其右
半之「子」或「呆」當於其上加「手」形成為「㦄」（見《說文》「保」字古文
〔《說文解字注》，8篇上，頁1下〕，〈中山王䥕鼎〉同）。蓋以「呆」（孚）標音，
保，幫母幽部，孚，滂母幽部。唯此一異文以何者為正，已難碻考。

12 《左傳正義》，卷16，頁28下-29上。

13 楊伯峻：《春秋左傳注》（北京：中華書局，1990年），頁471。

14 宣二年《左傳》：「春，鄭公子歸生受命于楚伐宋，宋華元、樂呂御之。二月壬子，
戰于大棘，宋師敗績，囚華元，獲樂呂，及甲車四百六十乘，俘二百五十人，馘百
人。」（《左傳正義》，卷21，頁6）

15 清華大學出土文獻研究與保護中心編，李學勤主編：《清華大學藏戰國竹簡
（貳）》，頁192。

儀節之套語。因第七章記城濮之戰晉文獻俘事，簡文亦記為「獻俘
馘」，[16]據《左傳》，晉文此次所獻為「駟介百乘，徒兵千」，並無死
獲。則《繫年》之「獻俘馘」究係套語，抑另有資料來源，以致異於
《左傳》，已難稽考。

「獻俘」既可指獻生俘，則《左傳》若干記載雖未明言「獻
俘」，當仍屬「獻俘」儀節：

> 北戎伐齊，齊侯使乞師于鄭。鄭大子忽帥師救齊。六月，大敗
> 戎師，獲其二帥大良、少良，<u>甲首三百，以獻於齊</u>。（桓六
> 年，《左傳正義》，卷6，頁21上）

> 秋，楚子重伐鄭，師于氾。諸侯救鄭。鄭共仲、侯羽軍楚師，
> <u>囚鄖公鍾儀，獻諸晉</u>。（成七年，《左傳正義》，卷26，頁16上）

> 王子伯駢告于晉曰：「……敝邑之人不敢寧處，悉索敝賦，以
> 討于蔡，<u>獲司馬燮，獻于邢丘</u>。」（襄八年，《左傳正義》，卷
> 30，頁16上）

> 印堇父與皇頡戍城麇，<u>楚人囚之，以獻於秦</u>。（襄二十六年，
> 《左傳正義》，卷37，頁7下）

魯桓六年，鄭太子忽帥師救齊，敗戎師，生擒戎將大良、二良與三百
甲士，因獻捷於齊。魯成七年，楚攻鄭，諸侯救鄭，鄭師敗楚，生擒
楚鄖公鍾儀而獻捷於晉。魯襄八年，鄭、蔡交戰，鄭俘獲蔡之司馬
燮，於邢丘獻與晉國。魯襄二十六年，鄭印堇父與皇頡戍城麇以抗
楚，遭楚師擒獲而獻與秦國。考察上列載述，與「獻俘」儀節並無二

---

16 《繫年》：「文公率秦、齊、宋及羣戎之師以敗楚師於城濮，遂朝周襄王于衡雍，獻楚
俘馘，盟諸侯於踐土。」（《清華大學藏戰國竹簡（貳）》，頁153）簡文採寬式隸定。

致，唯一區別蓋因這些俘虜身分較高，故特舉其名以別而已。

　　「獻俘」的「俘」，時或專指生擒的俘虜，有時則為泛稱，不但包括擒獲之人，也兼指擄獲的器物。如前引城濮之戰晉「獻楚俘」於王，《傳》文明載其所獻為「駟介百乘，徒兵千」，則所獻除俘獲的步兵千人外，尚有戰車百乘。[17]哀十一年《左傳》載吳、魯聯合攻齊事，亦可為證：

> 甲戌，戰于艾陵。展如敗高子，國子敗胥門巢，王卒助之，大
> 敗齊師，獲國書、公孫夏、閭丘明、陳書、東郭書，革車八百
> 乘，甲首三千，以獻于公。（《左傳正義》，卷58，頁24下）

此役吳、魯聯軍，大敗齊師，吳軍除俘獲齊國大臣國書等人，以及甲士三千人外，另有「革車」八百乘，一併獻給魯哀公。「革車」即「戰車」，是則吳國所獻除生俘外，尚有車馬，或許也有死獲。[18]

　　據上所述，可知「獻俘」一詞之「俘」不必拘泥於「人」，往往還包含擄獲之器物。關乎此，前賢已多論及，如段玉裁即云：「按古者用兵所獲人民、器械皆曰俘。」[19]竹添光鴻也說：「軍獲曰俘，兼人及物。」[20]諸家多認為獻俘不僅指人，也可兼及品物。總結「俘」在文獻中的使用，「俘」指生擒，「馘」指死獲；稱「獻俘」，可指獻生俘，亦可兼指擄獲的生俘、死獲與器物。

17　或以為「駟介」指「甲士」，唯由杜《解》：「駟介，四馬被甲。」（《左傳正義》，卷16，頁23下），及《傳》文「百乘」觀之，以指「戰車」為勝。

18　「甲首三千」，杜預以下學者多釋為死獲；筆者以為甲首蓋泛指車兵甲士，用以表示擄獲者之身分，可能指生俘，也可能指死獲，不宜拘泥專指死獲。

19　〔清〕段玉裁：《春秋左氏古經》，《段玉裁遺書》（臺北：大化書局影印清道光元年〔1821〕經韵樓刻本，1977年），卷3，頁18上。

20　〔日〕竹添光鴻：《左氏會箋》，卷7，頁33。

2 「獻捷」與「獻俘」的異同

上文探論「獻俘」的名義,可知「俘」指擄獲的人、物與器械,則可進一步探討《左傳》之「獻捷」與「獻俘」究係二事,抑為相同的儀節。前賢有以「獻捷」與「獻俘」非指一事者,亦有以二者實為同一儀節之異稱者。

以為「獻捷」與「獻俘」不同者,如宋儒葉夢得。其論莊六年《春秋》「齊人來歸衛俘」云:

> 按《經》書「齊侯來獻戎捷」、「楚宜申來獻捷」;《傳》以「捷」為「俘」,則《經》蓋以「俘」為「寶」,以「捷」為「囚」。當從《經》,不必改「俘」言「寶」也。[21]

葉氏以為「捷」、「俘」名義不同,「捷」指俘獲之囚,「俘」則指擄獲之寶。宋儒崔子方論《春秋》「六月齊侯來獻戎捷」則認為:

> 彼云「衛俘」,俘,囚也;此言「戎捷」。然則「捷」不獨「俘」矣。[22]

崔氏以為「俘」指人,「捷」則不獨指人,尚包含品物。葉夢得、崔子方之說容或不同,但都主張「獻捷」與「獻俘」並不相等。

以「獻捷」與「獻俘」實為一事者,可以孔穎達為代表。孔氏釋莊三十一年《春秋》「六月齊侯來獻戎捷」云:

---

21 〔宋〕葉夢得:《春秋三傳讞》,《文淵閣四庫全書》,經部第149冊,〈春秋左傳讞〉,卷2,頁15。關於究係獻「衛俘」抑「衛寶」,歷來爭論甚多,因與本文要旨無涉,茲置而不論。

22 〔宋〕崔子方:《崔氏春秋經解》,《文淵閣四庫全書》,經部第148冊,卷3,頁39上。

此《經》言「獻捷」,《傳》言「遺俘」,則是獻捷獻囚俘也。襄八年邢丘之會,《傳》稱「鄭伯獻捷于會」,又曰「獲司馬燮獻于邢丘」,是「獻俘」謂之「捷」也。(《左傳正義》,卷10,頁19下)

孔穎達認為二者相同,其主要證據有二,一為莊三十一年《左傳》:

夏,六月,<u>齊侯來獻戎捷</u>,非禮也。凡諸侯有四夷之功,則獻于王,王以警于夷;中國則否。<u>諸侯不相遺俘</u>。(《左傳正義》,卷10,頁19下)

由上下文觀之,《傳》文前稱「來獻戎捷」,後謂諸侯「不相遺俘」,可見「遺俘」即「獻捷」。第二個例證見襄八年《左傳》:

五月甲辰,會于邢丘,以命朝聘之數,使諸侯之大夫聽命。季孫宿、齊高厚、宋向戌、衛甯殖、邾大夫會之。<u>鄭伯獻捷于會</u>,故親聽命。大夫不書,尊晉侯也。……

冬,楚子囊伐鄭,討其侵蔡也。子駟、子國、子耳欲從楚,子孔、子蟜、子展欲待晉。……乃及楚平。

(子駟)使王子伯駢告于晉曰:「君命敝邑:『脩而車賦,儆而師徒,以討亂略。』蔡人不從,敝邑之人不敢寧處,悉索敝賦,以討于蔡,<u>獲司馬燮,獻于邢丘</u>。……」(《左傳正義》,卷30,頁14上-16上)

《左傳》載鄭國參與晉國主持的邢丘之會,並獻捷於晉。《傳》文伊始並未詳述獻捷情況,僅載楚伐鄭,鄭大夫有降楚、待晉二派,最後子

馴堅持與楚簽訂合約，遂派王子伯駢赴晉告知鄭國的無奈與決定，此
時方提及邢丘之會「鄭伯獻捷」的詳細內容，將伐蔡俘獲的司馬燮獻
予晉國。由《左傳》載述觀之，前稱「獻捷」，後稱獻司馬燮於晉，可
見「獻捷」即「獻俘」。宋儒魏了翁、[23]元儒李廉[24]等人大抵踵遵孔說。

「獻捷」、「獻俘」之關係向有二說，故區分春秋史事之作亦有不
同歸類，如姚彥渠《春秋會要》「軍禮」下分列「獻捷」、「獻俘」為
二，[25]王貴民《春秋會要》則將「獻俘」、「獻捷」歸為一類。[26]

筆者以為孔穎達之說似勝一籌，《左傳》之「獻捷」與「獻俘」
應為異稱，實無不同。上文已論證獻俘之俘非單指人，時亦兼及品
物，故以單純擄獲人，或尚有擄獲物來區分「獻捷」、「獻俘」，實不
足信據。此外，孔穎達所舉二例，亦足證《左傳》「獻捷」、「獻俘」
混用無別。另，《左傳》尚有一例，乃孔穎達未及稱引者，即魯僖二
十八年載城濮戰後晉文公「獻楚俘于王：馴介百乘，徒兵千」，襄二
十五年《左傳》載子產論此事則稱：

> 城濮之役，文公布命曰：「各復舊職。」命我文公戎服輔王，
> 以授楚捷，不敢廢王命故也。（《左傳正義》，卷36，頁13下）

前稱「楚俘」，後稱「楚捷」，亦可證「捷」、「俘」實可互用無別。據
上所論，可知《左傳》「獻捷」、「獻俘」實為一事。唯主張分「獻

---

23 〔宋〕魏了翁：《春秋左傳要義》，《文淵閣四庫全書》，經部第153冊，卷12，頁
   15，「齊人、楚人失辭稱捷」條。文長不錄。

24 〔元〕李廉：《春秋諸傳會通》，《通志堂經解》，第26冊，卷7，頁16下。文長不
   錄。

25 姚彥渠：《春秋會要》（北京：中華書局，1955年），卷3，頁121-122。

26 王貴民、楊志清：《春秋會要》（北京：中華書局，2009年），卷11，頁240-243。

捷」、「獻俘」為二者，亦非全然無據，彼等著重俘或專指人，又慮及「獻捷」時或涉及品物，遂判「獻捷」、「獻俘」為二，忽略「俘」在廣義上可兼指俘獲之人與物。

（三）獻功

《左傳》除「獻捷」、「獻俘」外，尚有「獻功」一詞。如前引莊三十一年《傳》文「凡諸侯有四夷之功，則獻于王，王以警于夷」，即稱諸侯獻四夷之功予周王。另如襄八年：

> 宣子曰：「城濮之役，我先君文公獻功于衡雍，受彤弓于襄王，以為子孫藏。」（《左傳正義》，卷30，頁17）

又如襄二十五年載子產之言曰：

> 敝邑大懼不競而恥大姬，天誘其衷，啟敝邑之心。陳知其罪，授手于我。用敢獻功。（《左傳正義》，卷36，頁13上）

魯襄八年，士匄稱述晉文公獻城濮之功於周襄王；魯襄二十五年，子產則因鄭敗陳，遂向晉獻功。據此數例，「獻功」之意涵似與「獻捷」、「獻俘」無別。唯亦有學者認為獻捷、獻俘、獻功三者之儀節雖大致相同，細究則有些微差別。如宋儒呂祖謙論莊三十一年「齊侯來獻戎捷」云：

> 「獻捷」亦有兩例，如襄八年邢丘之會，鄭獲蔡司馬公子燮，鄭伯獻捷于晉，親聽命，此是獻其囚，謂之「捷」。二十五年鄭伐陳，陳侯使其眾男女別而纍以待，子產數俘而出，此是獻

其功而不獻其俘。今齊侯來獻捷，是獻其俘也。[27]

清儒毛奇齡亦有類似觀點：

> 鄭子產獻捷于晉，雖不獻俘而獻功，以尊晉也，且戎服以將
> 之，尊之至也。[28]

毛說雖較簡略，基本近同呂說。東萊認為「獻捷」乃總稱，又可區分
為「獻俘」與「獻功」：「獻俘」指實際獻因俘，「獻功」則不獻因
俘。東萊之論據為襄二十五年鄭子產「獻功」事：

> 初，陳侯會楚子伐鄭，當陳隧者，井堙木刊，鄭人怨之。六
> 月，鄭子展、子產帥車七百乘伐陳，宵突陳城，遂入之。……
> 子展命師無入公宮，與子產親御諸門。陳侯使司馬桓子賂以宗
> 器。陳侯免，擁社，使其眾男女別而纍，以待於朝。子展執縶
> 而見，再拜稽首，承飲而進獻。子美入，數俘而出。祝祓社，
> 司徒致民，司馬致節，司空致地，乃還。……
>
> 鄭子產獻捷于晉，戎服將事。晉人問陳之罪。對曰：「……今
> 陳忘周之大德，蔑我大惠，棄我姻親，介恃楚眾，以憑陵我敝
> 邑，不可億逞，我是以有往年之告。未獲成命，則有我東門之
> 役。當陳隧者，井堙木刊。敝邑大懼不競而恥大姬，天誘其
> 衷，啟敝邑之心。陳知其罪，授手于我。用敢獻功。」……

---

27 〔宋〕呂祖謙：《春秋左氏傳續說》，《續金華叢書》（臺北：藝文印書館，1972
年），第2冊，卷3，頁12上。

28 〔清〕毛奇齡：《春秋毛氏傳》，卷147，頁3上。

冬，十月，子展相鄭伯如晉，拜陳之功。(《左傳正義》，卷36，頁9上-14上)

由《傳》文可知，陳恃楚而攻鄭，且手段暴虐，鄭怨而趁夜攻入陳國都城。陳哀公以亡國之姿準備接受鄭國懲罰；鄭雖戰勝卻不加掠奪，子產點數俘獲後旋即離開，司徒、司馬、司空亦將俘獲、侵擄的人民、兵馬、土地等全數歸還。鄭國達成懲戒目的後，似未帶走任何戰利品，因此子產赴晉獻功，可能僅呈獻戰勝之功績記錄，而無實物上獻。[29]不過亦有學者主張鄭國雖歸還陳國人民、兵馬、土地等，但仍有掠奪寶物，如孔穎達即云：「子產獻捷于晉，然則無因而獻其功，空有器物亦稱捷也。」[30]楊伯峻亦認為：「若襄二十五年鄭子產之獻捷于晉，以鄭之入陳，司徒致民，司空致地，則無俘囚可獻，蓋獻所獲寶器耳。」[31]此說亦有可能，《傳》文稱「陳侯使司馬桓子賂以宗器」，則鄭可能接受陳國宗器，而將其中部分獻予晉國。

綜合上述兩種觀點，呂祖謙所論之「獻功」可能指單純呈獻戰功記錄，孔穎達、楊伯峻則認為雖不獻俘囚，而仍獻上寶器：二說皆有可能，若以上下文推測，則前一說可能性較大。呂祖謙之說固有謬誤之處，如以獻俘為獻因，拘泥以俘為人而不涉及物品，上文已加辯駁。至於區分獻捷為獻俘、獻功二類，若以子產獻功之例衡之，似能成立，不過仍待仔細考核文獻始能確定獻捷、獻俘與獻功三者之異同。

---

29 若子產之獻功並未獻物，而僅獻上功績記錄，則其用意應在雖無物可獻，但仍須取得晉認可攻陳之合理性。由之後晉確問「陳之罪」與「何故侵小」等語可證實此一觀點。特別是晉接受子產獻功後，當年十月「子展相鄭伯如晉，拜陳之功」，其中涉及獻捷之作用與意義，說詳下文〈四〉。

30 《左傳正義》，卷10，頁19下。莊三十一年《春秋》「齊侯來獻戎捷」《正義》。

31 楊伯峻：《春秋左傳注》，莊三十一年《春秋》「齊侯來獻戎捷」，頁249。

首先，關於「獻功」與「獻捷」，由《左傳》辭例觀之，二者似乎無別，如襄二十五年，子產自言「用敢獻功」，《傳》文載此事為「鄭子產獻捷于晉」。成二年《傳》文亦可為證：

> 晉侯使鞏朔<u>獻齊捷于周</u>。王弗見，使單襄公辭焉，曰：「蠻夷戎狄，不式王命，淫湎毀常，王命伐之，<u>則有獻捷</u>。王親受而勞之，所以懲不敬、勸有功也。兄弟甥舅，侵敗王略，王命伐之，告事而已，<u>不獻其功</u>，所以敬親暱、禁淫慝也。……」（《左傳正義》，卷25，頁24下-25上）

晉獻齊捷而為周王婉拒。單襄公論獻捷之原則，前稱「則有獻捷」，後稱「不獻其功」，可知「獻捷」／「獻功」應無不同。

其次，關於「獻俘」與「獻功」，由《左傳》辭例觀之，二者似亦無嚴格區別，襄八年《左傳》云：

> 宣子曰：「城濮之役，<u>我先君文公獻功于衡雍</u>，受彤弓于襄王，以為子孫藏。」（《左傳正義》，卷30，頁17）

士匄稱述城濮之戰晉文公曾向周襄王「獻功」，但僖二十八年《左傳》記載此事則稱「獻楚俘于王：駟介百乘，徒兵千」，是則獻俘獲兵士、品物亦可稱「獻功」，足見「獻俘」、「獻功」二詞可以互代。相同的情況亦見襄二十六年：

> 印堇父與皇頡戍城麇，楚人囚之，以獻於秦。鄭人取貨於印氏以請之，子大叔為令正，以為請。子產曰：「不獲。受楚之功，而取貨於鄭，不可謂國，秦不其然。……」（《左傳正

義》，卷37，頁7下）

楚國俘獲鄭國大夫印堇父與皇頡，將其獻予秦國，子產站在秦國的立場稱此為「受楚之功」，可見「獻俘」亦可稱「獻功」。因此，根據子產獻捷之例，「獻俘」與「獻功」雖似有別，但佐以《左傳》其他事證，可知「獻俘」與「獻功」似亦可以混用，非如呂祖謙、毛奇齡等人主張之兩者相對。據上論證，可知獻捷、獻俘、獻功實可相互代用。獻捷、獻俘、獻功三詞既可通用，可見《左傳》所載進獻之品物雖偶有歧異，或所用之辭彙偶有不同，實則未必有區別之深意。

上文既已論述《左傳》獻捷、獻俘、獻功所獻品物，則可進一步窺知春秋時期獻捷品物之慣例：據《左傳》所載，以「獻俘」最為常見，如桓六年鄭公子忽將俘獲自北戎之二帥大良、少良與甲首三百獻於齊，宣十五年鄭獻晉俘解揚於楚，成七年鄭獻楚俘鄖公鍾儀於晉，襄八年鄭伯獻蔡俘司馬燮於晉，襄二十六年楚獻鄭俘印堇父與皇頡於秦等，皆可視為獻俘之例。[32]同時獻人與物者，有僖二十八年城濮戰後晉文公獻馴介百乘與徒兵千於周；哀十一年吳與齊戰，獲國書、公孫夏、閭丘明、陳書、東郭書，革車八百乘，甲首三千等，獻之魯哀公。[33]可見春秋時期獻生俘最為常見，其次則是死獲、兵車等。是以上文提及魯莊三十一年齊向魯獻捷事，《穀梁》、《管子》以齊所獻為農作物，其說不符當時獻捷慣例，恐待商榷。[34]特別是向各國獻上山

---

32 以上諸例見《左傳正義》，卷6，頁21上；卷24，頁8下；卷26，頁16上；卷30，頁16上；卷37，頁7下。

33 以上二例見《左傳正義》，卷16，頁23下；卷58，頁24下。

34 此一問題亦可參考兩周金文記載戰爭之俘獲品物類別，由銘文所見，俘獲除生擒之人民軍士、死獲的馘首，以及兵車、兵器、貝、金（銅）等較常見外，亦有俘獲馬、牛、羊（見〈小盂鼎〉、〈師同鼎〉、〈師寰簋〉）。既未見掠獲農作物者，自然無從獻之。另一種可能是即便有掠獲農作物，但並非重要品物，故未特別記載。

戎特有的農作物，藉以籠絡諸侯、達成霸業之說，頗為奇特，令人不
能無疑。至於《說苑》謂齊國所獻乃山戎特有之寶器，此由當時獻捷
之慣例衡之，亦待商榷。

　　兩周金文所載，確有「俘器」之例，如〈四十二年逑鼎〉，但俘
器是否用於獻捷則未有文獻依據。況且所謂寶器，當指青銅器；而山
戎屬北方草原文化民族，其器應為北方式青銅器，亦即青銅短劍、管
銎兵器與工具、動物牌飾、車馬器等偏實用器具，與中原文化之著重
青銅禮器迥然不同。就此一事實觀之，難以證明山戎有何特殊寶器為
南方諸侯國少見而受到器重。[35]楊伯峻云：

> 據《說苑·權謀篇》，此所獻者亦以山戎之寶器獻于周公之
> 廟，蓋《說苑》所載乃戰國、秦、漢間之傳說，未必合史實。[36]

《說苑》成書於西漢末，內容駁雜，或有戰國乃至秦、漢間傳說，此
說顯異春秋時期慣例，楊氏所言蓋是。

　　總結而言，《左傳》所載獻捷、獻俘、獻功三詞，似皆指相同之
外交儀節，而以文獻記載衡之，當時所獻似以俘獲之人與車馬為主。
為便討論，下文即以「獻捷」統稱此一儀節。

---

35 關於北方青銅器研究，可參楊建華：《春秋戰國時期中國北方文化帶的形成》（北
　京：文物出版社，2004年），頁137。周人重視青銅禮器之文化意義，可參〔美〕楊
　曉能著，唐際根、孫亞冰譯：《另一種古史：青銅器紋飾、圖形文字與圖像銘文的解
　讀》（北京：生活·讀書·新知三聯書店，2008年），頁368-369；李峰著，徐峰譯：
　《西周的滅亡：中國早期國家的地理和政治危機》（上海：上海古籍出版社，2007
　年），頁332-333。
36 楊伯峻：《春秋左傳注》，頁249。

三 春秋時期「獻捷」的類型與意涵

關於「獻捷」之「獻」義，杜預以為乃「奉上之辭」，歷來無異說。諸侯之獻天子，自屬奉上；諸侯間之互獻，則未必為奉上。另，據《左傳》「獻捷義例」，諸侯獻王乃理所當然，中原諸侯則不能相互獻捷。下文區分春秋時期之獻捷為諸侯獻捷天子、諸侯相互獻捷二類論之。

(一) 諸侯獻捷天子

《左傳》載諸侯向天子獻捷者凡五：

1. 五月丙午，晉侯及鄭伯盟于衡雍。丁未，獻楚俘于王：駟介百乘，徒兵千。（僖二十八年，《左傳正義》，卷16，頁23下）

2. 晉侯使趙同獻狄俘于周，不敬。（宣十五年，《左傳正義》，卷24，頁12下）

3. 春，晉士會帥師滅赤狄甲氏及留吁、鐸辰。三月，獻狄俘。晉侯請于王，戊申，以黻冕命士會將中軍，且為大傅。（宣十六年，《左傳正義》，卷24，頁13下-14上）

4. 晉侯使鞏朔獻齊捷于周，王弗見，使單襄公辭焉。（成二年，《左傳正義》，卷25，頁24下）

5. 晉侯使郤至獻楚捷于周，與單襄公語，驟稱其伐。（成十六年，《左傳正義》，卷28，頁18下）

諸侯獻捷天子之作用，依《左傳》之說，乃「王以警於夷」。此種說解似嫌迂曲，若欲警告四夷務須恪遵王命，實應仰仗武力征伐，而非

事後獻捷。此種獻捷之目的主要應在「宣揚戰功」，如文四年《左傳》所載：

> 衛甯武子來聘，公與之宴，為賦〈湛露〉及〈彤弓〉。不辭，又不荅賦。使行人私焉。對曰：「臣以為肄業及之也。昔諸侯朝正於王，王宴樂之，於是乎賦〈湛露〉，則天子當陽，諸侯用命也。諸侯敵王所愾，而獻其功，王於是乎賜之彤弓一、彤矢百、玈弓矢千，以覺報宴。今陪臣來繼舊好，君辱貺之，其敢干大禮以自取戾？」（《左傳正義》，卷18，頁20上-21下）

衛大夫甯武子至魯聘問，回答其不應對、不答賦之因在魯國僭越禮儀。文中提及「諸侯敵王所愾，而獻其功，王於是乎賜之彤弓一、彤矢百、玈弓矢千，以覺報宴」，意即諸侯出兵討伐不臣天子者，戰勝則將成果獻予周王，天子始予嘉獎。因此「獻捷」不單是宣揚戰功的儀節，更具備以下奉上的觀念，因為諸侯必須「敵王所愾」，主動出擊不臣王命者，並將之歸美於天子，展露尊奉、效忠周室的精神。

「獻捷」之禮，當源自西周，金文可見類似儀節，〈多友鼎〉載：

> 唯十月用玁狁方興，廣伐京師，告追于王。命武公遣乃元士，羞追于京師，武公命多友率公車羞追于京師。癸未，戎伐郇、（衣）卒俘，多友西追，甲申之辰，搏于邾，多友有折首執訊，凡以公車折首二百又□又五人，執訊廿又三人，俘戎車百乘一十又七乘，卒復郇人俘。或搏于共，折首卅又六人，執訊二人，俘車十乘。從至，追搏于世，多友或又〔有〕折首執訊。乃[illegible]追至于楊冢。公車折首百又十又五人，執訊三人，唯俘車不克以，卒焚，唯馬驅盡。復奪京師之俘。

多友迺獻俘馘訊于公，武公迺獻于王，迺日武公曰：「汝既靖京師，釐汝，賜汝土田。」丁酉，武公在獻宮，迺命向父召多友，迺迎于獻宮，公親曰多友曰：「余肇使汝，休，不逆，有成事，多擒。汝靖京師，賜汝圭瓚一、湯鐘一肆，鐈鋚百鈞。」多友敢對揚公休，用作尊鼎，用朋用友，其子子孫永寶用。(《集成》2835[37])

〈多友鼎〉記載玁狁騷擾王室，王令武公回擊，武公派遣多友率師出征。幾經追擊，多友取得大勝，奪回京師被俘之人，且俘獲玁狁之軍士、戰車，並折首戎兵。多友獻俘武公，武公轉獻周王。周王遂賞賜武公田地，遂及多友。近似之金文記載尚見〈虢季子白盤〉：

唯十又二年正月初吉丁亥，虢季子白作寶盤。丕顯子白，壯武于戎功，經維四方，搏伐玁狁，于洛之陽。折首五百，執訊五十，是以先行。桓桓子白，獻馘于王，王孔嘉子白義，王各周廟宣榭，爰饗。王曰：「白父，孔顯有光。」王賜乘馬，是用佐王，賜用弓、彤矢，其央；賜用鉞，用征蠻方。子子孫孫萬年無疆。(《集成》10173)

虢季子白亦出兵討伐玁狁，戰勝且有所俘獲，獻馘於周，周王遂對子白有所嘉賞。由〈多友鼎〉與〈虢季子白盤〉，可知西周時期已有獻捷於周王的儀節，用以彰顯戰功。且此儀節明確彰顯天子與諸侯間的

---

37 本文引用青銅器銘文，皆據中國社會科學院考古研究所編：《殷周金文集成‧修訂增補本》(北京：中華書局，2007年)，簡稱《集成》；鍾柏生、陳昭容、黃銘崇、袁國華編：《新收殷周青銅器銘文暨器影彙編》(臺北：藝文印書館，2006年)，簡稱《新收》。引用時標注二書之器物編號，銘文則採寬式隸定。(標點略有更動)

上下關係，諸侯銜王命討不庭，頗有「禮樂征伐自天子出」[38]的意味。〈四十二年逑鼎〉記載逑受王命出兵攻討玁狁取得戰功後，周王嘉獎之語云：

> 汝執訊獲馘，俘器、車馬。汝敏于戎工，弗逆。朕親命，贅汝秬鬯一卣，田于弜卅田，于􀀀廿田。（《新收》745）

逑於征戰中有馘首與俘獲，獻予周王，王讚其勤於攻伐玁狁，未逆王令。在獻捷彰揚戰功的同時，更明確標舉了周王與諸侯的君臣關係，凸顯臣下具有遵奉王命征討四方的義務。

由上可見，獻捷蓋源於周王對外的征伐權；只是眾所皆知，春秋時期征伐之權已由天子轉至諸侯，甚至降及大夫，獻捷之舉，美其名乃「敵王所愾」，實則早已淪為事後不得不追認的事實。

《左傳》所記五次獻捷，其中第1、5二例為晉獻楚捷，第2、3二例為晉獻戎捷，俘獲對象皆屬蠻夷戎狄，與《左傳》所言「諸侯有四夷之功，則獻于王」一致。唯第4例屬晉獻齊捷，與《左傳》所言義例不合，周天子亦予以拒絕。[39]此外，五次獻捷者皆為晉國，這或許顯示當時向周天子獻捷極可能是霸主的權力，他國不能僭越。[40]另外一種可能則是只有晉國仍願獻捷天子，蓋與晉之「尊王」政策有關。

---

38 《論語・季氏》：「孔子曰：『天下有道，則禮樂征伐自天子出；天下無道，則禮樂征伐自諸侯出。自諸侯出，蓋十世希不失矣；自大夫出，五世希不失矣；陪臣執國命，三世希不失矣。天下有道，則政不在大夫。天下有道，則庶人不議。』」（《論語注疏》，卷16，頁4）

39 說詳下文〈四〉。

40 下文（二）「諸侯相互獻捷」將論及其他中原諸侯獻捷的對象除楚國二例外，向霸主晉國獻捷者則有四例。當時可能形成諸侯獻捷霸主，霸主獻捷周王的不成文模式。

不過這五條記錄顯示晉獻捷天子，始於魯僖二十八年（西元前632）晉文公稱霸，終於魯成十六年（晉厲公六年，西元前575），此後即無相關記錄。這可能反映周室地位的日益陵夷，致使晉國最終也不再尊王，因而不再獻捷；另一種可能則是晉國權卿矛盾日益加劇，各自致力於權勢之擴張，不再留心「尊王」事業，遂亦不再「獻捷」。[41]

（二）諸侯相互獻捷

《左傳》載諸侯相互獻捷者凡九：

1. 夏，六月，齊侯來獻戎捷，非禮也。凡諸侯有四夷之功，則獻于王，王以警于夷；中國則否。諸侯不相遺俘。（莊三十一年，《左傳正義》，卷10，頁19下）

2. 楚人使宜申來獻捷。（僖二十一年，《左傳正義》，卷14，頁26上）

3. （晉）使解揚如宋，使無降楚，曰：「晉師悉起，將至矣。」鄭人囚而獻諸楚。（宣十五年，《左傳正義》，卷24，頁8下）[42]

---

41 魯成十六年（晉厲六年，西元前575）之後，晉國接連發生「三郤之亡」、「欒氏之滅」等權卿鬥爭，范氏、中行氏、知氏亦先後被滅；晉悼雖史稱「復霸」，實則大權旁落，僅能保住君位而已。說可參拙作：《先秦兩漢歷史敘事隅論》之〈伍、先秦傳本／簡本敘事舉隅——以晉「三郤之亡」為例〉（頁243-295），〈陸、先秦敘史文獻「敘事」與「體式」隅論——以晉「欒氏之滅」為例〉（頁297-343），及本書之〈陸、「晉悼復霸」說芻論〉。

42 魯宣十五年楚攻宋，晉無意救宋卻派遣解揚赴宋詐言晉已起兵，欲使勿降楚。未料解揚於途中為鄭所俘，鄭獻之楚。此例雖非戰勝之俘獲，但此時鄭附楚，故亦列入諸侯相互獻捷之例。

4. 春，諸侯伐鄭，次于伯牛，討邲之役也，遂東侵鄭。鄭公子
偃帥師禦之，使東鄙覆諸鄵，敗諸丘輿。皇戌如楚獻捷。
（成三年，《左傳正義》，卷26，頁2）

5. 秋，楚子重伐鄭，師于氾。諸侯救鄭。鄭共仲、侯羽軍楚
師，囚鄖公鍾儀，獻諸晉。（成七年，《左傳正義》，卷26，
頁16上）

6. 五月甲辰，會于邢丘，以命朝聘之數，使諸侯之大夫聽命。
季孫宿、齊高厚、宋向戌、衛甯殖、邾大夫會之。鄭伯獻捷
于會，故親聽命。（襄八年，《左傳正義》，卷30，頁14上）

7. 鄭子產獻捷于晉，戎服將事。（襄二十五年，《左傳正義》，
卷36，頁11下-12上）

8. 印堇父與皇頡戌城麇，楚人囚之，以獻於秦。（襄二十六
年，《左傳正義》，卷37，頁7下）

9. 夏，季桓子如晉，獻鄭俘也。（定六年，《左傳正義》，卷
55，頁6下）

上述九例，由受獻國觀之，獻晉四、獻楚二、獻秦一、獻魯二。晉、
楚、秦、魯四國，僅魯非大國，[43]可見春秋時期諸侯的獻捷對象，主
要為大國，特別是晉、楚二霸。至於齊、楚向魯獻捷，其性質較為特
別，宜分別討論。

　　此外，《左傳》尚有二例，屬於兩國聯合作戰而將戰獲物獻予對

---

43 春秋大國為晉、楚、齊、秦，具體顯現於魯襄二十七年的弭兵之會，楚要求晉、楚
之從交相見時，趙孟言：「晉、楚、齊、秦，匹也。晉之不能於齊，猶楚之不能於
秦也。」（《左傳正義》，卷38，頁7下）

方者，一為魯桓六年北戎伐齊，鄭太子忽救齊，大敗戎師，將俘獲的
將領大良、少良與甲首三百獻予齊國；[44]二為魯哀十一年，魯、吳共
攻齊，大勝，吳將俘獲的國書、公孫夏、閭丘明、陳書、東郭書等人
與革車八百乘、甲首三千獻予魯哀公。[45]此與獻捷予未參與征伐之諸
侯意義不同，用意應在宣勞對方之辛勞，順便彰顯己方之軍威。如杜
預對吳獻捷於魯即言：「公以兵從，故以勞公。」[46]故此二事例本文不
加論析，讀者察之。

1 小國獻捷大國的政治意涵

小國獻捷大國，符合「獻」乃下奉上之義。宣十四年《左傳》記
載孟獻子向魯宣公進言曰：

> 臣聞小國之免於大國也，聘而獻物，於是有庭實旅百；朝而獻
> 功，於是有容貌采章，嘉淑而有加貨，謀其不免也。誅而薦
> 賄，則無及也。今楚在宋，君其圖之！（《左傳正義》，卷24，
> 頁4上-5下）

楚派兵攻宋，雖未直接要求魯國支援，但仲孫蔑認為小國若欲免於大
國怪罪，平常即應殷勤侍奉，若待大國誅責再供奉進獻，恐已不及。
魯宣是其言，遂遣公孫歸父會楚師。《傳》文雖未載述公孫歸父前往
的目的，但由上下文可知應有所供奉，以勞楚師。仲孫蔑提及小國平
時殷謹服侍大國的外交手段，除了聘問之「獻物」外，尚有朝見而

---

44 說已見本文〈二〉之（二）。
45 《左傳正義》，卷58，頁24下。
46 同前注。

「獻功」。[47]可見獻功乃小國向大國宣示效忠的方式,若征戰有功則借以歸美大國,討其歡心。鄭國的行為最能呈現「獻捷」的意義:鄭夾處晉、楚二大國之間,只能依據情勢選擇依附何方,[48]故魯宣十五年、魯成三年向楚獻捷,魯襄八年、二十五年則向晉獻捷。[49]

小國向大國獻捷除宣示效忠外,尚可取得大國／盟主認可己方發動戰爭的正當性,免遭大國怪罪。因此小國雖前往獻捷,大國不一定認可／接受。魯襄二十五年子產赴晉獻捷,晉對其獻捷,一開始即先後詢問「陳之罪」、「何故侵小」等,對鄭伐陳的正當性提出質疑。子產詳加申辯、說明後,執政趙武以為其「辭順」,始接受獻捷。同年冬,子展佐鄭伯「如晉拜陳之功」,即是感謝晉接受鄭伐陳的正當性。[50]由此角度言之,「獻捷」亦屬政治協調的重要環節。

值得一提的是第8例,受獻的秦雖屬大國,獻捷者卻也是同屬大國的強楚。此種地位均等的獻捷,春秋唯此一例。推敲楚之用意當是借分享利益拉攏秦國。此由鄭企圖以財貨贖回印堇父時,子產表示「受楚之功,而取貨於鄭,不可謂國,秦不其然」[51]得知。子產認為

---

47 此處之「獻功」,未必指戰功,楊伯峻注曰:「獻功,獻其治國或征伐之功也。」(《春秋左傳注》,頁757)蓋是。

48 鄭國的游移外交,襄八年《左傳》載子駟之語可為註解:「犧牲玉帛,待於二竟,以待彊者而庇民焉。寇不為害,民不罷病,不亦可乎?」(《左傳正義》,卷30,頁15上)

49 魯宣十五年至魯成三年乃楚莊王二十年至楚共王三年,當時莊王霸業方興未艾,聲勢正隆;魯襄八年至二十五年乃晉悼公九年至晉平公十年,屬晉復霸階段。

50 杜《解》:「謝晉受其功。」(《左傳正義》,卷36,頁14上)即為此意。有關子產獻捷事,說詳下文〈四〉。

51 事件本事為:「印堇父與皇頡戍城麇,楚人囚之,以獻於秦。鄭人取貨於印氏以請之,子大叔為令正,以為請。子產曰:『不獲。受楚之功,而取貨於鄭,不可謂國,秦不其然。若曰「拜君之勤鄭國。微君之惠,楚師其猶在敝邑之城下」,其可。』弗從,遂行。秦人不予。更幣,從子產,而後獲之。」(《左傳正義》,卷37,頁7下-8上)

秦既受楚之功，自然沒有必要接受鄭國的財貨。杜《解》：「受楚獻功，大名也；以貨免之，小利，故謂秦不爾。」[52]清楚揭示秦接受楚獻捷在聲名、利益上皆有助益，可見楚乃藉獻捷以籠絡秦國。

2 齊、楚獻捷於魯的可能意涵

上文詮解諸侯相互獻捷主要為小國進獻大國，則可進而論析齊、楚向魯獻捷的可能意涵。齊、楚皆為大國，卻向魯獻捷，自不能以「下奉上」目之。此二事例皆見《春秋經》，三《傳》分別有不同詮釋。莊三十一年《春秋》「六月，齊侯來獻戎捷」，三《傳》釋之云：

> 《左傳》：「齊侯來獻戎捷，非禮也。凡諸侯有四夷之功，則獻于王，王以警于夷；中國則否。諸侯不相遺俘。」（《左傳正義》，卷10，頁19下）
>
> 《公羊傳》：「齊，大國也，曷為親來獻戎捷？威我也。其威我奈何？旗獲而過我也。」（《公羊注疏》，卷9，頁6上）
>
> 《穀梁傳》：「齊侯來獻捷者，內齊侯也。不言使，內與同，不言使也。獻戎捷，軍得曰捷，戎菽也。」（《穀梁注疏》，卷6，頁16）

《左傳》認為齊桓來獻戎捷不合《春秋》義例，故斥以「非禮」。[53]《公羊》亦貶抑齊桓之獻捷，認為此舉實乃威嚇魯國。《穀梁》則認為齊桓有尊王攘夷之功，故雖在外，卻以齊、魯內而不分言之，給予

---

52 《左傳正義》，卷37，頁7下。

53 有關《左傳》「獻捷義例」之討論，另詳下文〈四〉。

嘉揚。[54]至於僖二十一年《春秋》「楚人使宜申來獻捷」,《左傳》未有
解釋,《公羊傳》釋之曰:

> 此楚子也,其稱人何?貶。曷為貶?為執宋公貶。曷為為執宋
> 公貶?……惡乎捷?捷乎宋。曷為不言捷乎宋?為襄公諱也。
> 此圍辭也,曷為不言其圍?為公子目夷諱也。(《公羊注疏》,
> 卷11,頁21上-23上)

《穀梁傳》釋之曰:

> 捷,軍得也。其不曰宋捷,何也?不與楚捷於宋也。(《穀梁注
> 疏》,卷9,頁3上)

范甯《集解》:

> 不以夷狄捷中國。(《穀梁注疏》,卷9,頁3上)

《公羊傳》申述夷夏大義,以為楚成王赴魯獻捷乃因勝宋,然宋實有
禮,楚則雖強而無義,故不與夷狄之捷中國。《穀梁》亦不認同楚之
捷宋,其尊中國攘夷狄之立場與精神,與《公羊》並無二致。

三《傳》對齊、楚赴魯獻捷褒貶不一,其評論旨在申述自我觀
點,而少探究齊、楚赴魯獻捷之作用與目的。歷代學者對齊、楚之赴
魯獻捷,異說頗多,茲統整為三述論之。

---

54 范甯《集解》:「秦曰:齊桓內救中國,外攘夷狄,親倚之情,不以齊為異國,故不
 稱使,若同一國也。」(《穀梁注疏》,卷6,頁16)

（1）示好

「示好」說最早見於《管子》、《說苑》，[55]二書對戎捷之「捷」究指農作物抑寶器雖有歧異，但都認為乃向魯示好。《說苑》引管仲之語：「不可。諸侯未親，今又伐遠而還誅近鄰，鄰國不親，非霸王之道，君之所得山戎之寶器者，中國之所鮮也，不可不進周公之廟。」認為應與魯分享山戎罕見寶器，結好二國，並向他國展示齊國親鄰之舉。《管子》則認為齊不僅向魯獻捷，對其他諸侯亦有所獻，故終能達成九合諸侯的霸業。《管子》、《說苑》對獻捷品物的理解恐皆有問題，但解釋齊向魯獻捷乃友好鄰國的舉動則值得注意。後代學者亦有踵承此種觀點而闡發者，如鄭玄《周禮・天官》「玉府」《注》：

> 古者致物於人，尊之則曰獻，通行曰饋。《春秋》曰「齊侯來獻戎捷」，尊魯也。（《周禮注疏》，卷6，頁18上）

鄭玄扣緊獻乃「下奉上」之義，認為齊桓此次獻戎捷，乃以魯為尊的友好舉動。宋儒戴溪亦以為：

> 齊侯親來獻捷，非威我也。魯濟之謀，莊公與焉。捷獲而過我，因歸功于魯云爾。敵愾獻功，諸侯事天子之禮也，魯與齊皆失之。[56]

戴溪認為齊桓伐山戎前，曾於魯濟與魯莊共商對策，故齊桓戰勝山戎而獻捷於魯，乃歸功於魯之意；但又以為獻功屬諸侯事天子之禮，

55　說已詳本文〈二〉之（一）。

56　〔宋〕戴溪：《春秋講義》，《叢書集成續編》，史地類第270冊，卷1下，頁23下。

魯、齊皆於禮有失。戴氏「失禮」之說蓋據《左傳》立說，但仍肯定
齊獻捷乃歸功於魯。清儒方苞亦云：

> 齊、魯釋怨為婚，盟會必同，無為示威；且使人獻捷，亦足以
> 示威，而親至魯庭，則損威而傷重多矣。齊侯之來，蓋以報魯
> 莊公三至之勤，用示昵好，而託於獻捷以為名也。[57]

方苞認為齊侯親自赴魯獻捷，若視為示威則反而有損威嚴；此時齊、
魯交好，齊桓獻捷蓋意在彰顯兩國的親密友好。

　　除認為齊桓獻捷於魯乃基於彼此之友好親暱外，亦有學者認為楚
成獻捷於魯亦屬友好之舉，如清儒焦袁熹：

> 秋，楚人圍宋，至是以其軍獲來獻，所以親魯也。凡獻捷，必
> 於其同好之國，如曰彼其不為我下也，而我伐之大有俘獲，奏
> 凱而還，凡我同好宜相慶也。宜申之來此物，此志也。然則魯
> 之內楚而外宋，明也。[58]

焦氏認為獻捷對象都是友好之國，用以表示彼此地位平等，當我有戰
功，則宜與之共相慶賀，故楚成伐宋有功，藉由與魯分享慶賀，宣示
二國之交好。

　　上引諸說似皆有待商榷。如鄭玄以為齊尊魯故獻捷，但當時齊桓

---

57 〔清〕方苞：《春秋直解》，《續修四庫全書》（上海：上海古籍出版社影印清乾隆刻
　　本，2002年），經部第140冊，卷3，頁45上。

58 〔清〕焦袁熹：《春秋闕如編》，《文淵閣四庫全書》，經部第177冊，卷5，頁19下-20
　　上。

亟亟然欲就霸業，甚且有取代周王之意，[59]似無尊魯之動機與必要，蓋意在示好、籠絡。不過齊、楚皆赴魯獻捷，魯則獲得若干利益，是以視之為友好之舉亦有其理據。「示好」未必「尊崇」，故本小節以「示好」名之。

（2）誇耀

相對於「尊崇」、「示好」之說，學者或以為齊桓公向魯獻捷乃意在誇示軍功，如宋儒胡安國即謂：

> 齊伐山戎，以其所得躬來誇示。書「來獻」者，抑之也。[60]

胡氏以為齊伐山戎而桓公親來獻捷，意在誇耀戰果，而《春秋》書

---

59 僖四年《左傳》：「春，齊侯以諸侯之師侵蔡。蔡潰，遂伐楚。楚子使與師言曰：『君處北海，寡人處南海，唯是風馬牛不相及也，不虞君之涉吾地也，何故？』管仲對曰：『昔召康公命我先君大公曰：「五侯九伯，女實征之，以夾輔周室！賜我先君履，東至于海，西至于河，南至于穆陵，北至于無棣。」爾貢苞茅不入，王祭不共，無以縮酒，寡人是徵。昭王南征而不復，寡人是問。』」（《左傳正義》，卷12，頁10下-12上）楚對齊來犯的正當性提出質疑，管仲除提貢賦未至外，更以昭王南征不復作為伐楚之理由，卻未數楚於魯僖元年至三年多次侵鄭之罪，其意便在成為周王的代理人，而非真心體恤諸夏之難。是以召陵之盟後，周室及諸侯並未信服齊桓，如僖五年《左傳》載「秋，諸侯盟。王使周公召鄭伯，曰：『吾撫女以從楚，輔之以晉，可以少安。』鄭伯喜於王命，而懼其不朝於齊也，故逃歸不盟。」（《左傳正義》，卷12，頁21下）周惠王寧將鄭托付楚、晉，足見對齊不滿。另，僖九年《左傳》載：「秋，齊侯盟諸侯于葵丘，曰：『凡我同盟之人，既盟之後，言歸于好。』宰孔先歸，遇晉侯，曰：『可無會也。齊侯不務德而勤遠略，故北伐山戎，南伐楚，西為此會也。東略之不知，西則否矣。其在亂乎！君務靖亂，無勤於行。』晉侯乃還。」（《左傳正義》，卷13，頁11下-12上）宰孔甚至批評齊桓葵丘之舉乃「不務德而勤遠略」，勸晉獻可不與會。相關論述，可參魏千鈞：《夷夏觀研究：從春秋歷史到《春秋》經傳的考察》，頁155-157。

60 〔宋〕胡安國：《春秋胡氏傳》，卷9，頁10下。

「來獻」，即是對此行為之貶抑。元儒汪克寬據胡安國之說詳論齊、
楚獻捷事云：

> 《春秋》書來獻捷者二：齊桓獻捷而書「齊侯」，所以著其夸
> 服戎之功而譏之也；楚成獻捷而書「楚人」，所以微其挾猾夏
> 之威而抑之也。然於齊書戎捷，而於楚不書宋捷，則所以尊中
> 國而賤荊蠻也昭昭矣。[61]

汪氏以齊桓獻捷乃誇耀服戎之功，楚成獻捷亦為彰顯伐宋之威，《春
秋》皆予以貶抑，並蘊含夷夏大義。毛奇齡則認為：

> 獻捷者，獻俘獲也。伐不親往，而親來獻捷，誇我也。[62]

毛氏認為齊桓並未親伐山戎，卻躬來獻捷，意在向魯誇示戰功。上述
意見雖多以論齊桓之獻戎捷為主，從中亦能推判楚成獻宋捷蓋亦屬誇
耀之意。

（3）威嚇

　　獻捷可以是誇耀軍功，彰顯軍容盛大；若再進一步，則有威嚇意
味。主張向魯獻捷為威嚇者，始於《公羊傳》：「齊，大國也，曷為親
來獻戎捷？威我也。其威我奈何？旗獲而過我也。」崔子方亦認為齊
桓有警示威嚇之意：

---

61 〔元〕汪克寬：《春秋胡傳附錄纂疏》，《文淵閣四庫全書》，經部第165冊，卷9，頁
　　54上。
62 〔清〕毛奇齡：《春秋毛氏傳》，卷131，頁11上。

獻，卑者之事也。齊侯為霸主，而親獻捷于我，非所宜獻也。其有警於我乎！故月之以見譏獻捷例時。[63]

崔氏認為齊桓獻捷意在威嚇，故《春秋》譏貶之。趙汸也認為楚成意在威逼魯國就範：

楚子既執宋公以伐宋，欲致魯侯來會，故使人獻捷以威脅之。於是公會盟于薄，釋宋公。[64]

《公羊》、崔子方、趙汸皆認為齊桓、楚成均刻意彰顯軍功，暗示魯若不從，下場可知，藉以威逼魯國臣服。

上述三說為歷來學者意見之歸納，不過前賢有時並未等同看待齊、楚之獻捷，如胡安國以為齊桓獻捷乃誇示軍功，楚成獻捷則為威嚇魯國。[65]趙汸以楚成獻捷為威脅，齊桓獻捷則為成兩君之好。[66]

綜觀三說，筆者以為第三說可能性較大。宋儒沈棐〈獻捷總論〉之說頗具見地：

古者諸侯出師則由王命，伐國則為王討，既戰而勝則獻俘於王，禮也。春秋諸侯，跋扈不臣，出師不由王命，伐國不為王討，所獲之俘又不歸王，而反獻之弱國焉，其意欲夸大己功，

63　〔宋〕崔子方：《崔氏春秋經解》，卷3，頁39上。

64　〔元〕趙汸：《春秋屬辭》，《通志堂經解》，第26冊，卷12，頁13下。

65　〔宋〕胡安國《春秋胡氏傳》：「諸侯從楚伐宋，而魯獨不與，故楚來獻捷以脅魯。」（卷12，頁8上）

66　〔元〕趙汸《春秋屬辭》：「齊桓欲身下諸侯以成伯業，故假獻捷至與國，以成兩君之好。」（卷5，頁26上）「楚成執宋公伐宋，使來獻捷以威魯。」（卷5，頁35下）

使之畏威而屈服也。故《春秋》書「獻捷」皆在齊、楚。夫以齊、楚大國,在春秋最為雄強,區區之魯,臣事之不暇,何為獻捷以奉魯哉?是知所獻之之意,<u>徒欲夸功而耀威耳</u>。

請攷經傳言之:莊三十一年「齊侯來獻戎捷」,《左氏》曰:「非禮也。凡諸侯有四夷之功則獻于王,王以警於夷,中國則否。諸侯不相遺俘。」《公》曰:「威我也,旗獲而過我也。」《穀》曰:「齊侯也。不言使,內與同也。戎菽也。」僖二十一年「楚人使宜申來獻捷」,杜曰:「獻宋捷也。」《公羊》曰:「楚子也,其稱人,為執宋公貶也。」《穀》曰:「不曰宋捷,不與楚捷於宋也。」按莊三十年齊人伐山戎,明年來獻捷,即山戎之所得也。夫齊、魯交好久矣,莊公自二十二年結婚於齊,同盟、告糴、納幣、觀社、奉事、奔走,魯無虛歲。以齊大國、小白方霸而親來獻捷,非畏魯也。蓋二十六年宋[67]嘗伐戎不克,今齊師克之而遂獻捷於魯,是所以夸之之意也。夫安諸夏、尊王室,霸者之事也。齊侯獲捷不獻之於王,而徒以夸魯,故《春秋》正名其爵以貶之。若曰霸主之賢且猶輕蔑天子,無臣事之意,使當時諸侯誰肯協力以尊王乎?然則書其爵者,所以甚惡齊侯也。《左氏》、《公羊》蓋略得其意,而《穀梁》失之遠矣。

楚自小白之沒,中國無霸,欲驅率諸侯,驟主盟會。宋襄雖有紹霸之心,而力不敵楚,反貽挫辱。故僖二十一年盂之會執宋公以伐宋,是年遂來獻捷,則所獻之捷蓋宋捷也。然盂之會楚強宋弱,實楚為主,陳、蔡、鄭、許胥匐就會,而魯獨不來。楚以魯未服,故假獻捷之禮以耀其威而迫脅之。若曰宋襄大國

---

67 「宋」當為「魯」之誤,據上下文意可知;莊二十六年《春秋》「春,公伐戎」可證。

我俘之，魯弱於宋，必不敢外我而不歸也。觀是年獻捷之後，公遂會諸侯，就盟于薄，則知獻捷而魯遂畏楚，是以屈膝而往盟也。《公》、《穀[68]》之說經意或然。[69]

沈棐對此二次獻捷皆予以貶抑，首段指出「獻捷」源自諸侯聽從王命而征討四方，功成則獻捷以歸功於天子，此一觀點與鄙見符契。接著表示諸侯之征伐皆不由王命，擅意專斷，有俘獲既不歸功於王室，卻獻捷弱國，實有誇耀脅迫之意，故《春秋》書爵以貶。接著沈氏在三《傳》釋經的基礎上展開申論。第二段論齊桓獻戎捷，指出魯莊公自二十二年起即殷勤事齊，齊絕非畏魯而獻捷，其意在魯莊曾於二十六年伐戎失敗，故齊此次取得重大勝利，遂驕而示之，暗示魯應臣服。沈氏表示齊桓身為霸主，當以尊王室、安諸夏為首要之務，其不向王室獻捷顯有輕蔑天子之心，故《春秋》書爵予以貶斥，肯定《左傳》與《公羊》之說，否定《穀梁》釋經之意。第三段則申述楚自齊桓沒後即企圖稱霸，盂之會，楚主盟，鄭、蔡等國皆至，唯獨魯未服楚不與會，故楚成獻捷於魯，向魯展示宋捷，若謂以宋之軍勢，楚尚足以克之，魯自當衡量己力而參予楚盟，獻捷之後魯僖果然赴會就盟，認為《公羊》、《穀梁》不與楚捷之說符應《春秋》之旨。沈棐析釋齊、楚向魯獻捷之局勢、背景，深中肯綮，齊、楚向魯獻捷，當以威嚇為最終目的。

---

68 「穀」原作「假」，不成文意，茲據上下文意改。上段評述齊桓獻捷用意後，對《左傳》、《公羊》之說稍表贊同，否定《穀梁》之說。此段評述楚獻捷企圖後，末則肯定《公》、《穀》釋經之意。

69 〔宋〕沈棐：《春秋比事》，《文淵閣四庫全書》，經部第153冊，卷10，頁17下-19下。

四 《左傳》「獻捷義例」與「獻捷觀念」的省察

　　具體探討春秋時期各種獻捷現象及其意涵之後，可進而論析《左傳》「獻捷義例」的若干問題。《左傳》之「獻捷義例」首見於莊三十一年論《春秋》經「齊侯來獻戎捷」：

> 夏，六月，齊侯來獻戎捷，非禮也。凡諸侯有四夷之功，則獻于王，王以警于夷；中國則否。諸侯不相遺俘。(《左傳正義》，卷10，頁19下)

《左傳》以「非禮」批評齊桓向魯莊獻捷，其依據為獻捷應遵循三個原則：一、諸侯對蠻夷戎狄有征伐之功，當獻捷於王，周王藉以警示四夷臣服不叛。二、中國之諸侯彼此雖有征討，無需獻捷於王。三、諸侯不相遺俘。三原則皆有強烈的夷夏觀，亦即獻捷必須建立在諸侯對蠻夷戎狄征伐的戰功之上。華夏諸侯之相互征討，周王不接受獻捷，其因應在諸侯皆與王室關係密切，甚至可能是同姓或姻親，若接受獻捷，可能造成周王與戰敗方的嫌隙、疏離。諸侯間不相遺俘，用意應在征伐之命出自天子，則戰功自應歸美周王。由此三點觀之，《左傳》之「獻捷義例」實有其道理，且符合春秋時人觀念。如成二年《左傳》載：

> 晉侯使鞏朔獻齊捷于周。王弗見，使單襄公辭焉，曰：「蠻夷戎狄，不式王命，淫湎毀常，王命伐之，則有獻捷。王親受而勞之，所以懲不敬、勸有功也。兄弟甥舅，侵敗王略，王命伐之，告事而已，不獻其功，所以敬親暱、禁淫慝也。……夫齊，甥舅之國也，而大師之後也，寧不亦淫從其欲以怒叔父，

抑豈不可諫誨？」(《左傳正義》，卷25，頁24下-25上)

魯成二年晉大敗齊於鞌，晉景遂派鞏朔赴周獻捷，周定王不受，派單襄公推辭，理由正是諸侯只能在對蠻夷戎狄有戰功時始能向周王獻捷，用以懲戒四夷不從王命，進而嘉勉有功之臣。若是兄弟甥舅這些與周王親暱的諸侯不遵從周王法度，周王派遣其前往攻伐，只須告知其事圓滿完成，並不以獻捷彰顯戰功，用意即在親暱之國仍有尊愛之情，只要阻止行為過度荒淫即可。齊乃太公之後，正是所謂的「甥舅之國」。晉獻齊捷予周，意在誇耀戰功，並宣示其霸主地位。但單襄公指出晉之攻齊非稟王命，係擅自出兵，同時也不符獻捷原則，故不予接受。由此條載錄觀之，《左傳》之「獻捷義例」實有一定理據。

　　《左傳》的「獻捷義例」雖有其理據，但與春秋時期的獻捷現象比勘，卻未盡符契。在晉向周獻捷的五例中，四例屬晉伐楚、狄，係征伐蠻夷，有功而獻，符合義例；唯成二年晉獻齊捷，屬諸侯間之征討，不應獻捷予王，因其不合禮，故遭周王婉拒。此事晉國失禮，周則恪遵原則不接受獻捷，故仍合乎獻捷義例。至於諸侯間相互獻捷的九例，則完全違反《左傳》義例。此種現象應是春秋時期王權衰落的反映。春秋時代，征伐之令早非天子所能掌控，諸侯間競爭激烈，故往往有征討獻捷之事。

　　論者或謂《左傳》的「獻捷義例」可能只是一種理想的建構，單襄公之語可能經《左氏》修改，以刻意呼應義例。這自也不無可能，不過筆者大膽臆測：《左傳》的「獻捷義例」可能源自較早的傳統。由本文〈三〉之（一）可知西周金文確有獻捷禮儀，明確標舉周天子與諸侯間的君臣關係，凸顯臣下有奉王命征討四方的義務，與《左傳》「獻捷義例」之精神符應。另外，西周金文所載獻捷的來源，目

前所見皆屬被歸類為四夷的玁狁,也符合《左傳》義例的夷夏觀。

　　《左傳》於魯莊三十一年申述「獻捷義例」,並於成二年以單襄公拒絕鞏朔獻齊捷之語呼應,看似足以成立,卻也並非毫無問題。如義例既然申明「諸侯不相遺俘」,則《傳》文所載九則諸侯相互獻捷事例,當屬「非禮」,自應有所貶抑,但《傳》文除在莊三十一年批評齊赴魯獻捷為「非禮」外,對其他八例皆未加批判。其中數例或可歸類為《傳》文重心不在獻捷而另有他意者,如宣十五年:

> （晉）使解揚如宋,使無降楚,曰:「晉師悉起,將至矣。」鄭人囚而獻諸楚。楚子厚賂之,使反其言。不許。三而許之。登諸樓車,使呼宋而告之。遂致其君命。楚子將殺之,使與之言曰:「爾既許不穀而反之,何故?非我無信,女則弃之。速即爾刑!」對曰:「臣聞之:君能制命為義,臣能承命為信,信載義而行之為利。謀不失利,以衛社稷,民之主也。義無二信,信無二命。君之賂臣,不知命也。受命以出,有死無霣,又可賂乎?臣之許君,以成命也。死而成命,臣之祿也。寡君有信臣,下臣獲考,死又何求?」楚子舍之以歸。(《左傳正義》,卷24,頁8下-9上)

晉景公雖不欲救宋,卻派解揚使宋,詐言晉已出師,勸宋不可降楚。未料途中即遭鄭擄獲而獻予楚,楚莊令解揚往宋言晉不欲出兵,解揚佯裝應允,至宋後卻仍傳達晉景之命。楚莊欲以無信之罪誅殺解揚,解揚辭以早受晉君之命,唯有死命達成,不能受賂更易,楚莊接受其說解而釋其歸晉。綜觀《左傳》記述此事的重心,應在晉景不救宋卻又欺之的狡詐,藉此凸顯解揚承君之命,臨死不改其志,盡力完成任

務之忠貞可貴。至於楚莊本欲殺解揚，但在聽聞其辯詞後，毅然釋放解揚，頗有褒揚楚莊寬大能改之善。是以本事雖涉及獻俘，但重點在藉此貶抑晉景而稱許解揚、楚莊之行事，此蓋其不及評論諸侯相互獻俘合理與否之因。又如成七年：

> 秋，楚子重伐鄭，師于氾。諸侯救鄭。鄭共仲、侯羽軍楚師，囚鄖公鍾儀，獻諸晉。（《左傳正義》，卷26，頁16上）

此年《左傳》記鍾儀遭鄭俘獲獻晉而未加評述，但此事有後續發展，見成九年：

> 晉侯觀于軍府，見鍾儀。問之曰：「南冠而縶者，誰也？」有司對曰：「鄭人所獻楚囚也。」使稅之。召而弔之。再拜稽首。
>
> 問其族。對曰：「泠人也。」公曰：「能樂乎？」對曰：「先父之職官也，敢有二事？」使與之琴，操南音。
>
> 公曰：「君王何如？」對曰：「非小人之所得知也。」固問之。對曰：「其為大子也，師、保奉之，以朝于嬰齊而夕于側也。不知其他。」
>
> 公語范文子。文子曰：「楚囚，君子也。言稱先職，不背本也；樂操土風，不忘舊也；稱大子，抑無私也；名其二卿，尊君也。不背本，仁也；不忘舊，信也；無私，忠也；尊君，敏也。仁以接事，信以守之，忠以成之，敏以行之。事雖大，必濟。君盍歸之，使合晉、楚之成？」
>
> 公從之，重為之禮，使歸求成。（《左傳正義》，卷26，頁25下-26下）

鍾儀囚晉二年，晉景偶然見之，召問其族屬、職掌與楚王等問題，皆
應對合宜，故士燮讚以仁、信、忠、敏，並建議釋放鍾儀，以成晉、
楚修好。是以此事雖亦涉及獻俘，但《左傳》側重在鍾儀進對應退允
當，晉景、士燮感佩，而能化解衝突以成兩國之好。《左傳》所記獻
俘事乃為楔子，實非關懷重點，或因此而未申述獻俘是否合禮。

　　扣除上類情形，《左傳》未以非禮批評諸侯相互獻捷者尚有數
例，其中涵義值得探究。如成三年載：

> 春，諸侯伐鄭，次于伯牛，討邲之役也，遂東侵鄭。鄭公子偃
> 帥師禦之，使東鄙覆諸鄤，敗諸丘輿。皇戌如楚獻捷。（《左傳
> 正義》，卷26，頁2）

《左傳》雖載鄭皇戌如楚獻捷，卻絲毫未駁斥此一諸侯相互獻捷的非
禮舉動。《左傳》固然未必事事扣合義例闡發，但對照僖二十一年
《春秋》載「楚人使宜申來獻捷」事，便顯得並非如此單純。楚向魯
獻捷，以常理推判，《左傳》若不詳載前後經過，至少亦可據「獻捷
義例」批評楚之非禮，但《左氏》於此竟付之闕如，未有任何申述。
凡此種種，皆不免啟人疑竇。

　　上列未批判諸侯相互獻捷者雖頗可疑，而《左氏》之態度亦難確
知。不過《左傳》尚有數例，似乎皆肯定諸侯相互獻捷的正當性，如
襄八年載：

> 五月甲辰，會于邢丘，以命朝聘之數，使諸侯之大夫聽命。季
> 孫宿、齊高厚、宋向戌、衛甯殖、邾大夫會之。鄭伯獻捷于
> 會，故親聽命。（《左傳正義》，卷30，頁14上）

魯襄八年，鄭簡公親自參與晉悼公主盟的邢丘之會，將伐蔡所獲之公子燮獻予晉。《左傳》非但未論此舉之「非禮」，反以鄭簡公「親聽命」論之，等同間接承認小國藉獻捷向大國宣示效忠的正當性。最可注意者，當推襄二十五年子產獻陳捷於晉事：

> 鄭子產獻捷于晉，戎服將事。晉人問陳之罪。對曰：「昔虞閼父為周陶正，以服事我先王。我先王賴其利器用也，與其神明之後也，庸以元女大姬配胡公，而封諸陳，以備三恪。則我周之自出，至于今是賴。桓公之亂，蔡人欲立其出，我先君莊公奉五父而立之，蔡人殺之，我又與蔡人奉戴厲公。至於莊、宣皆我之自立。夏氏之亂，成公播蕩，又我之自入，君所知也。今陳忘周之大德，蔑我大惠，棄我姻親，介恃楚眾，以憑陵我敝邑，不可億逞，我是以有往年之告。未獲成命，則有我東門之役。當陳隧者，井堙木刊。敝邑大懼不競而恥大姬，天誘其衷，啟敝邑之心。陳知其罪，授手于我。用敢獻功。」
>
> 晉人曰：「何故侵小？」對曰；「先王之命，唯罪所在，各致其辟。且昔天子之地一圻，列國一同，自是以衰。今大國多數圻矣，若無侵小，何以至焉？」
>
> 晉人曰：「何故戎服？」對曰：「我先君武、莊為平、桓卿士。城濮之役，文公布命曰：『各復舊職。』命我文公戎服輔王，以授楚捷——不敢廢王命故也。」士莊伯不能詰，復於趙文子。文子曰：「其辭順。犯順，不祥。」乃受之。（《左傳正義》，卷36，頁11下-14上）

《左傳》詳載子產答覆晉提出「陳之罪」為何、「何故侵小」與「何

故戎服」等詰問，子產不卑不亢，引經據典一一答覆，晉最終接受鄭的獻捷。子產此次獻捷，基本上違反「獻捷義例」的兩個原則：一是中國諸侯彼此攻伐不應獻捷，二是諸侯不相遺俘／獻捷。但《左氏》並未根據「獻捷義例」予以貶抑，其因或許如本文〈二〉之（三）所言，子產此次獻功，僅呈獻戰功記錄而未呈獻囚俘或實物，與有獻實物之獻俘情況微有區別，故不以非禮斥之。此純屬推測，況且亦有學者主張子產此次獻功亦有寶器諸物，[70]若然，則《左傳》之立場似不堅定。事實上《傳》文對此事不僅毫無批判意味，甚至引用「仲尼曰」予以高度肯定、褒揚：

> 仲尼曰：「志有之：『言以足志，文以足言。』不言，誰知其志？言之無文，行而不遠。晉為伯，鄭入陳，非文辭不為功。慎辭也。」（《左傳正義》，卷36，頁14上）

《左傳》既引「仲尼曰」為己代言，[71]「仲尼」又引古志「言以足志，文以足言」，謂若言辭未有文飾，則無法有效達成目的，論證以文辭宣達心志的重要性。孔子認為鄭入陳而向晉獻捷，若無子產之文辭即無法成功，對子產之獻捷顯屬褒揚。由此段言論衡之，「仲尼曰」對鄭派子產赴晉獻捷非唯並未貶抑，且肯定子產善於應對，其文辭足為成功範例，可見《左傳》「獻捷義例」與「仲尼曰」明顯矛盾，而《左傳》顯然肯定「仲尼曰」的立場。

　　《左傳》初始雖有「獻捷義例」，但卻消極的甚少評論諸侯間的相互獻捷，甚至有肯定的趨向。《左傳》前後立場相異的緣由，可能

---

70 說已見前〈二〉之（三）所引孔穎達、楊伯峻之說。
71 關於「仲尼曰」與《左傳》敘事的相關討論，可參拙作：〈《左傳》「仲尼曰敘事」芻論〉，《先秦兩漢歷史敘事隅論》之〈玖〉，頁425-503。

如前所述，「獻捷義例」源自較早的傳統，故在春秋前期的魯莊三十一年，首次諸侯相互獻捷時引述「義例」加以批判；但春秋中後期，王權衰落，諸侯間之征伐屢見不鮮，諸侯相互獻捷也就成為當時的新現象、新規則。《左氏》可能因為歷史的演進，最終接受諸侯相互獻捷的現實，並承認其合理性。另一種可能是，《左傳》並非由單一作者完成，是以前後立場不一，亦即前面的作者可能支持諸侯不能相互獻捷的傳統，但後面的作者則肯定諸侯相互獻捷的作用與意義，乃因小國向大國獻捷屬於政治協調的一環，子產的獻捷也展示了突破小國面對大國夾迫的外交困境的可能性。

以上只是筆者的懷疑與推測，並無確切證據。近年來筆者頗懷疑《左傳》僖公以前、文公至襄公時期、襄公以後，其文學風格與價值觀念，乃至關懷焦點皆頗有不同：[72]如襄公以前，《左傳》基本上乃以「霸主」為敘述焦點，聚焦於齊桓、晉文、秦穆、楚莊等人之霸業；襄公以後，敘事焦點明顯轉移至執政、賢大夫，如以晉之叔向、鄭之子產、齊之晏嬰、吳之季札、衛之北宮文子為主。唯此一懷疑尚須進一步的研究與驗證。

---

72 〔清〕馮李驊〈讀左卮言〉：「前人論全唐詩，有初、盛、中、晚之分，愚于《左傳》亦作此想。隱、桓、莊、閔之文，文之春也：議論如觀魚、納鼎；敘事如中肩、好鶴，規模略具而氣局淳樸，翕聚居多。僖、文、宣、成之文，文之夏也：議論如出僕、絕秦；敘事如鄢陵、城濮，無不大展才情，縱橫出沒。襄、昭之文，文之秋也：議論如觀樂、和同；敘事如偪陽、華向，氣欲詞豐，強半矜麗之作。定、哀之文，文之冬也：議論如梟鴟、夫椒；敘事如艾陵、雞父，又復婉約閒靜，絢爛之極歸于平淡。作者之精神與春秋之風會相為終始，讀者按其篇籍，通其脈絡，沉潛玩索，知不河漢斯言。」（〔清〕馮李驊：《左繡》〔臺北：文海出版社，1967年〕，頁9下-10上）馮氏由文章風格立論，雖未指明風格致異之因由，隱約中似與鄙意暗合。另，何樂士：〈《左傳》前八公與後四公的語法差異〉（《古漢語研究》1988年第1期〔創刊號，1988年4月〕，頁56-65）亦有類似之說；清儒亦有不少類似之見，茲不縷舉。

五　結論

本文由分析《左傳》「獻捷」之相關記載切入，探討春秋時期「獻捷」的名義，及「獻捷」與「獻俘」、「獻功」的異同；進而討論春秋時期的獻捷現象，並與《左傳》的「獻捷義例」比勘，得出若干結論：

首先，所謂「獻捷」，由文獻可推知乃將戰爭的俘獲，呈送給第三方的儀節。見諸《左傳》，與「獻捷」相關者尚有「獻俘」、「獻功」二詞。歷來對此三「詞」之說解頗有歧異，本文由三者獻上的品物互通，且《左傳》「獻捷」、「獻俘」、「獻功」三詞往往混用無別，推論三者所指應為相同的儀節。而由《左傳》記述，可知春秋時期「獻捷」所獻之品物主要以生俘、馘首與車馬、兵器為主，又以生俘最為常見。

其次，春秋時期之「獻捷」大致可區分為諸侯向天子獻捷與諸侯相互獻捷二類。向天子獻捷旨在彰揚戰功，並藉此確立君臣關係，凸顯遵奉王命征討四方的正當性。然而春秋時期向天子獻捷者只有晉國，似乎當時已形成霸主始得獻捷於周的現象。另，晉向周獻捷，始於魯僖二十八年（晉文公五年，西元前632），止於魯成十六年（晉厲公六年，西元前575），可能代表周王室在魯成十六年之後已不再被尊奉，或者與晉國之內鬥加劇，國勢浸衰有關。至於諸侯之相互獻捷，其基本原型應是小國向大國獻捷，除有宣示效忠之意，也代表取得大國／盟主認可發動征伐的正當性。春秋時期雖以小國向大國、霸主獻捷為主，但也偶有例外，如魯襄二十六年楚康王便透過獻鄭捷拉攏秦國。另外，歷來爭論較多的則有魯莊三十一年與魯僖二十一年齊、楚向魯獻捷二事，蒐羅各家之說可歸結為向魯示好、誇耀軍功與威嚇魯

國臣服三種意見。筆者較認同第三種觀點，認為齊、楚二大國乃藉由「獻捷」誇示己功，進而達到威逼魯國遵從己方的政治目的。

　　復次，《左傳》「獻捷義例」主要有三個原則：一、諸侯對蠻夷戎狄有征伐之功，則獻捷於王。二、華夏諸侯相互征討，無需獻捷。三、諸侯不相遺俘。此一義例雖與成二年《左傳》單襄公之語符契，但《左傳》對其所載之諸多諸侯間相互獻捷事例並無明顯批判，甚至於魯襄二十五年子產之獻捷，援引「仲尼曰」予以肯定、褒揚，前後立場明顯不一。此種矛盾可能出自《左傳》「獻捷義例」係來自較早的禮儀傳統，但此一規則在春秋中後期產生變化，《左氏》迫於現實，遂不得不妥協載述；另一種可能則是，《左傳》並非成於一人之手，故而前後立場並不一致。

　　（原載《政大中文學報》，第24期〔2015年12月〕，頁129-166；
　　收入張曉生主編：《經學史研究的回顧與展望——林慶彰教授
　　榮退紀念論文集》〔臺北：萬卷樓圖書公司，2019年10月〕，頁
　　447-475）

中編
禮制與禮俗

捌　歷代成年禮的特色與沿革
——兼論成年禮衰微的原因

一　研究主題與材料

　　成年禮是人生禮儀中極具代表性的重要節目，乃接納青少年進入成人社會，使其承擔人生責任的古老習俗。人類學家、民俗學家目之為人生三大狀態中的「進入新狀況」，藉此在人生過程中樹立起重大的里程碑。[1]人類學家如弗雷澤（J. G. Frazer）、利普斯（Julius E. Lipps）、基辛（Roger Keesing）、博克（Philip Karl Bock）等人，均曾依據原始部落的大量民族誌材料，對各文化的成年禮進行系統性的研究。[2]

　　中華民族傳統的成人／成年禮，[3]係以有周以來中原漢族的冠、笄

1　早在二十世紀之初（1907）荷蘭人類學家范・吉內本（A. Van Gennep）即將人類生命禮儀分為三部式：分割儀式（rites of separation）、過渡儀式（rites of transition）、結合儀式（rites of incorporation），見*The Rites of Passage,* Translated by Morika B. Vizedom & Gabrielle L. Caffee（Chicago: The University of Chicago Press, 1960）。後世學者大抵依其分類，少有異說。可參余光弘：〈A. van Gennep生命儀禮理論的重新評價〉，《中央研究院民族學研究所集刊》第60期（1986年12月），頁225-257。大陸民俗學者烏丙安則將人一生的過程，分為「脫離前狀況」、「過渡階段」與「進入新狀況」三種狀態：生育與死亡均屬「脫離前狀況」，成年禮與婚禮則屬「進入新狀況」，未成年期或中年至死亡前則為「過渡階段」。說見氏著：《中國民俗學》（遼寧：遼寧大學出版社，1985年），第十二章，頁182-183。

2　詳參拙撰：《儀禮士冠禮研究（二）——先秦成年禮與後世成年禮的比較研究》（國科會專題計畫成果報告，1998年），第一章〈緒論〉第一節。

3　周代漢族的冠、笄之禮特重「成人」的儀式與文化意義（詳本文之〈二〉），與後世

之禮為其代表形式。根據《儀禮‧士冠禮》、《大戴禮記‧公冠》的記載，周代主要以加冠服的儀式做為貴族青年的成人象徵；《禮記》等古籍，亦記載青年女子以行「笄禮」象徵成人。[4]可知古代的成人／成年禮，包括男子「冠禮」與女子「笄禮」；且早自有周伊始，即已流行於中原文化圈，為士以上貴族階層所遵用，後世且奉為禮典。然而，就幅員遼闊、歷史悠久的古中國而言，歷代成人／成年禮卻時有因革損益，未必始終如一的保留先秦古禮原貌，而是隨著時代環境的變遷、社會風尚的轉移，在不同的儀節上，或繁化、或簡化，甚或改造變形，在中國傳統文化的沃壤中，以多重的樣貌存其根株，迭有生發。

民國以來，前賢之研究成人／成年禮，或探討其詳細儀節及其所代表的意義；[5]或考察其淵源、功能及其時代意義；[6]或由人類學、民俗學的角度考察成年禮的意義；[7]或結合經學與人類學做綜合性的研

及其他民族的成年禮之偏重生理年齡的「成年」意義有相當程度的差異。葉國良先生〈笄冠之禮中取字的意義及其與先秦禮制的關係〉有詳細的辨證與說明，收入葉國良、李隆獻、彭美玲合著：《漢族成年禮及其相關問題研究》（臺北：大安出版社，2004年），頁1-13；又收入氏著：《禮學研究的諸面向》（新竹：清華大學出版社，2010年），頁276-284。本文或用「成人」，或用「成年」，或用「成人／成年」，一隨文意而定，讀者察之。

4　其詳參見本文之〈二〉；又，葉國良：《儀禮士冠禮研究（一）──經學與文化人類學的綜合考察》（國科會專題計畫成果報告，1995年），第二章。

5　如楊寬：〈「冠禮」新探〉，《古史新探》（北京：中華書局，1965年），頁234-255；邱衍文：《冠禮研究（上）》（臺北：中國文化大學中國文學研究所碩士論文，高明教授指導，1970年）；周何：〈冠禮〉，《古禮今談》（臺北：國文天地雜誌社，1992年），頁9-40；常金倉：《周代禮俗研究》（臺北：文津出版社，1993年），第二章，頁66-73；胡戟：《中國古代禮儀》（西安：陝西人民出版社，1994年），第三章，頁15-29。

6　如黃俊郎：〈冠禮的起源及其意義〉，《孔孟月刊》第19卷第2期（1980年10月），頁10-15；徐福全：〈成年禮的淵源與時代意義〉，《臺北文獻》直字第95期（1991年3月），頁25-50。

7　如許木柱：〈男性成年禮的功能與現代生活──一個人類學的探討〉，《生命禮俗研討會論文集》（臺北：中華文化復興運動推行委員會，1984年），頁11-32；朱鋒：

究；[8]或結合社會文化變遷與文體演變考察成年禮興衰的原因，[9]成績皆斐然可觀。

有關成人／成年禮的文獻資料，大抵有四：一為先秦兩漢經傳；二為歷代正史「禮志」與歷代會要「禮卷」；三為歷代典制史「禮典」與當代禮書；四為歷代地方志。

先秦兩漢經傳述及周代冠、笄禮者唯《儀禮·士冠禮》與《大戴禮·公冠》及《禮記》〈曲禮〉、〈內則〉、〈玉藻〉、〈郊特牲〉、〈冠義〉與襄公九年《左傳》、《國語·晉語六》等零星資料，材料雖不算豐富完整，但可據以勾勒先秦時代的成人禮概況。至於歷代注家對〈士冠〉、〈公冠〉二文之注疏，則相當繁富，亦有助於釐清問題，此一方面資料，葉國良先生已有相當完整的蒐集與條理的編排，且有深入的歸納分析。[10]

本文之研究亦由先秦兩漢經傳所載資料出發，而偏重於省察歷代成年禮的特色與沿革，除兼及時代先後外，並由傳統社會官、民階級行禮的異同，及「朝野」、「禮俗」之間既對立又互補的辯證式發展著眼；換言之，即以「縱向」的、「流變」的觀點，試圖掌握成人／成年禮的演進大勢，從中了解成年禮在中國歷史文化與社會風俗的主要

〈臺南的七夕〉，見氏著：《南臺灣民俗》，收入《國立北京大學中國民俗學會編民俗叢書》（臺北：東方文化書局，1971年），第33冊，頁101-102；彭美玲：〈臺俗「做十六歲」之淵源及其原因試探〉，《臺大中文學報》第11期（1999年5月），頁363-394，又收入《漢族成年禮及其相關問題研究》，頁165-212。

8　如葉國良：《儀禮士冠禮研究（一）──經學與文化人類學的綜合考察》。

9　如葉國良：〈冠笄之禮的演變與字說興衰的關係──兼論文體興衰的原因〉，《臺大中文學報》第12期（2000年5月），頁57-78，收入《漢族成年禮及其相關問題研究》，頁213-237。

10　詳見葉國良：《儀禮士冠禮研究（一）──經學與文化人類學的綜合考察》；關於先秦兩漢冠笄禮的詳細資料與歷代注疏資料，見該書〈附錄〉。

脈動；在掌握傳統成年禮流變現象後，冀能進一步就早昔的原型與後世的變異兩相對照，探求新舊之間的傳承與演化關係，尋求古今禮文雖千頭萬緒，卻有跡可尋的發展規律，進而思索成年禮衰亡的諸多背景與原因。

　　本文之資料，除上述先秦兩漢經傳、歷代正史「本紀」與明清地方志資料外，主要來源有二：

（一）歷代正史禮志與歷代會要

　　在中國以紀傳體為主的正史豐富文獻中，別立「志」體，專門記載歷代典章制度。其中攸關禮儀者，首推歷代正史「禮儀志」，其實際述及冠、笄禮者包括：《後漢書・禮儀志》、[11]《晉書・禮志》、《宋書・禮志》、《南齊書・禮志》、《魏書・禮志》、《隋書・禮儀志》、《新唐書・禮樂志》、《宋史・禮志》、《明史・禮志》等；其次為歷代會要，其實際載及冠、笄禮者有：《秦會要》、《西漢會要》、《東漢會要》、《唐會要》、《明會要》等。[12]

（二）歷代典制史禮典與當代禮書

　　歷代成人／成年禮資料，除以正史禮志為一大脈絡外，尚有不少典制史禮典與當代禮書述及，包括：通古今之變的禮制類書，其實際述及冠、笄之禮者有：《通典》、《通志》、《文獻通考》、《續通典》、《續通志》、《清通典》等；時人奉敕編修的當代禮書，如唐《大唐開元禮》、宋《政和五禮新儀》等；民間私人撰述的當代禮書，如北宋

---

11 范曄著《後漢書》，「志」未成而遭誅戮；南朝梁劉昭注范書時，取晉司馬彪《續漢書》「八志」，合而成書。故今本《後漢書・禮儀志》實出司馬彪之手。

12 詳細資料並見拙撰《儀禮士冠禮研究（二）——先秦成年禮與後世成年禮的比較研究》，〈附錄一：歷代史志政書成年禮資料選輯〉，頁117-182。

司馬光《溫公書儀》、舊傳南宋朱熹所作的《文公家禮》[13]等；後人編寫有明一代禮典《明會典》等。[14]

　　由上述二類資料，可覘知歷代成人／成年禮的年齡變化與儀節的特色及沿革。經實際纂鈔比對，發現：歷代正史禮志敘述前朝典章制度時，著重其沿革大要，往往襲錄舊文，不另新創，未必能提供更多有用的資訊；典制史禮典與禮書，亦有類似現象，如《通典》、《通志》等書，凡敘及同一時代、同一主題，經常後書全錄前書，內容甚少更動添新。但當此二系統資料並列比觀時，即可發現正史禮志必詳述當代禮制，著墨不厭其煩；典制史之流則旨在「通古今之變」，局部的文字敘述每求精省，又因有「正文」、「注文」兩種體例參互運用，敘事說理時分主從，其理路顯較各正史禮志的原始記載清晰明瞭。因此，考察古禮，欲觀其儀節制度之詳，不能不由正史禮志著手；欲曉其事實或議論，並抉發先後沿革大要，則又不能不求助於典制史。故由表面看，二者記載時或雷同——唯敘述文字有繁簡、詳略之別而已——卻各自傳達了不同的訊息，研究時實不容有所偏忽。

　　其次，上述資料有其先天觀點的局限，如正史禮志、典制史之作

13　《文公家禮》作者，自元應氏《家禮辨》以降，即聚訟未休：清儒王懋竑、《四庫全書總目》皆謂《家禮》非朱子之書；清儒夏炘、錢穆先生則主張《家禮》出朱子之手。近人陳來綜合眾說，參酌比對呂祖謙《家範》與《家禮・祭儀》，推斷《家禮》為朱子晚年之作，說見陳來：〈朱子《家禮》真偽考議〉，原載《北京大學學報（哲學社會科學版）》1989年第3期（1989年6月），頁115-122，收入林慶彰先生編：《中國經學史論文選集》（臺北：文史哲出版社，1993年），下冊，頁258-275。此一問題，學界雖尚存爭議，如楊志剛雖謂《家禮》「在朱熹的名下流傳」，「作者問題為一懸案」，但並未否定其為南宋時代民間禮制書，無妨於「將《家禮》視作一定歷史條件下的文化產物」，說見氏著：〈《司馬氏書儀》和《朱子家禮》研究〉，《浙江學刊》1993年第1期（1993年3月），頁108-113。

14　此類書中記載之冠禮資料，見拙撰：《儀禮士冠禮研究（二）——先秦成年禮與後世成年禮的比較研究》之〈附錄一〉，頁117-182。

多屬官修文獻，所載禮制自以高高在上的王室皇族為主流，自品官以降，中下階層社會的實況甚少得到反映。所幸明、清方志大量湧現，中下階層的冠、笄禮概況遂得以概略窺知，筆者另有專文論述。[15]

二　先秦成年禮及其特色

（一）士人與天子諸侯冠齡的差異

古代士人加冠年齡，《儀禮·士冠》與《禮記·冠義》皆無明文提及；而據《禮記·曲禮上》「二十曰弱，冠」、「男子二十，冠而字」、〈內則〉「二十而冠，始學禮」之說，一般均以二十歲為士人階層加冠年齡。至於士以上的卿大夫、諸侯、天子的加冠年齡，禮書既未明載，典籍所記，又多差異；加以歷來學者對典籍所載各有不同認知，故大夫以上各級貴族加冠之年是否亦為二十，爭議頗多。

就現存文獻資料，可知周代士人年及二十始行冠禮，王公冠齡則大為提前，往往十二或十五即行冠禮。如《通典》謂：「文王年十二而冠，成王十五而冠。」[16]又如《尚書·金縢》載「王與大夫盡弁，以啟金縢之書」，鄭玄《注》：「天子、諸侯十二而冠。成王此時年十五，於禮已冠；而爵弁者，承天變，故降服也。」[17]鄭玄認為爵弁乃加冠之後方可戴的禮帽，此時成王年當十五，後人因推定帝王年未屆十五即行冠禮。《古尚書說》也有類似之說：「武王崩時，成王年十三。後一年，管、蔡作亂，周公東辟之，王與大夫盡弁，以開金縢之

---

15 拙作：〈近代方志所見民間成年禮及其傳承與變化〉，《張以仁先生七秩壽慶論文集》（臺北：臺灣學生書局，1999年），頁687-734；收入本書之〈玖〉。

16 〔唐〕杜佑：《通典》（北京：中華書局，1992年），卷56，頁1571。

17 文公十二年《穀梁傳》「男子二十而冠」楊士勛《疏》引，《穀梁注疏》，卷11，頁5上。

書，時成王年十四。言弁，明知已冠矣。」[18]

　　成王是否十二歲加冠，須先確定其即位年齡。戰國至秦漢間學者大抵以為成王即位時年齡尚幼，小至襁褓中的嬰孩，大至十三、四歲，說法甚為紛歧。陳夢家則認為成王即位時，早已成年；[19]顧頡剛甚至說武王死時，成王已在壯年。[20]若陳、顧二說屬實，則成王幼年加冠之說便非實情。

　　古人謂春秋時期王侯十二而冠，可以結婚生子，多據襄公九年《左傳》所載晉悼公所言之「十二年歲星一終」立說：[21]

　　　　公送晉侯。晉侯以公宴于河上，問公年。季武子對曰：「會于
　　　　沙隨之歲，寡君以生。」晉侯曰：「十二年矣。是謂一終，一
　　　　星終也。國君十五而生子；冠而生子，禮也。君可以冠矣。大
　　　　夫盍為冠具？」武子對曰：「君冠，必以祼享之禮行之，以金
　　　　石之樂節之，以先君之祧處之。今寡君在行，未可具也。請及
　　　　兄弟之國而假備焉。」晉侯曰：「諾。」公還，及衛，冠于成
　　　　公之廟，假鍾磬焉，禮也。（《左傳正義》，卷30，頁31上-32
　　　　下）

18　隱公元年《公羊傳》「桓幼而貴，隱長而卑」徐彥《疏》引，《公羊注疏》，卷1，頁
　　10上。

19　陳夢家：〈西周銅器斷代（一）〉，《考古學報》第9冊（1955年9月），頁137-175；
　　265-276。

20　顧頡剛：〈武王的死及其年歲和紀元〉，《文史》第18輯（1983年7月），頁5-8。

21　如《淮南子·氾論》：「禮：三十而娶。文王十五而生武王，非法也」，高誘《注》：
　　「國君十二歲而冠，冠而娶，十五生子，重國嗣也，不從故制也。」（劉文典：《淮
　　南鴻烈集解》，卷13，頁424）又，《宋書·禮一》引賈逵、服虔《注》，皆以為人君
　　禮十二而冠，見《宋書》，卷14，頁334。又，本書所用正史版本，除《漢書》用上
　　海師範大學古籍整理研究所《漢書補注》及特別注明者外，皆為臺北鼎文書局影印
　　北京中華書局標點本，並逕於引文後注明卷數、頁碼，不另加注。

晉悼公「十二年矣。是謂一終，一星終也。國君十五而生子；冠而生子，禮也」。文中之「禮也」，乃指「冠而生子」，非指十二歲必須加冠。魯襄公時年十二，若禮法主張十二歲加冠，則重視禮法的魯國，其君王冠禮當慎重其事在魯國宗廟舉行，何勞外人提醒，且在境外舉行？可見主張國君十二歲加冠為禮法規定之說，未盡可信。晉悼公蓋謂十二年歲星已行一終，行加冠之禮已無不可。成公二年《左傳》載：

> 彭名御戎，蔡景公為左、許靈公為右。二君弱，皆強冠之。
> （《左傳正義》，卷25，頁22）

蔡景公、許靈公能乘戰車上疆場作戰，年齡當不致太小，應在十二歲以上。若當時禮法規定國君十二歲可加冠，何以二君會因年齡太「弱」而被「強冠」？故襄九年《左傳》所載，似不足以支持十二歲加冠之說。[22]

戰國時期，國君冠禮，見諸載籍者有：秦惠文王、昭襄王與秦始皇，三人皆於二十二歲加冠。[23]《史記》記載秦始皇十三歲即位，「（九年）彗星見。……四月，上宿雍。己酉，王冠，帶劍」，[24]可知

---

22 說參葉國良：《儀禮士冠禮研究（一）——經學與文化人類學的綜合考察》，第二章第三節「天子諸侯卿大夫冠禮與士冠禮的比較」，頁16-19。

23 見《史記》〈秦本紀〉、〈秦始皇本紀〉。〈始皇本紀〉附節謂「惠文王生十九年而立」（《史記會注考證》，卷6，頁109），〈秦本紀〉謂「三年王冠」（同前，卷5，頁55）。王暉：〈秦惠文王行年問題與先秦冠禮年齡的演變〉（《秦文化論叢》第2輯〔西安：西北大學出版社，1993年〕，頁31-41）以為惠文王加冠時已近三十歲，蓋誤。說參葉國良：《儀禮士冠禮研究（一）——經學與文化人類學的綜合考察》，頁19-20。

24 《史記會注考證》，卷6，頁8。或謂冠後帶劍乃新興習俗，蓋由「再加皮弁」代表可以參與戎事推衍而來（見王貴民：《中國禮俗史》〔臺北：文津出版社，1993年〕，頁47）。按〔唐〕徐堅《初學記》卷二十二「劍」條引《賈子》曰：「古者天子二十而冠，帶劍；諸侯三十而冠，帶劍；大夫四十而冠，帶劍。」可知冠而帶劍

嬴政二十二歲始行冠禮，其具體儀節則難以具知。

先秦卿大夫冠禮，見諸文獻者，有晉國趙武，由《國語‧晉語六》與《史記‧趙世家》可推知當時趙武年在二十三左右。[25]

另有天子、諸侯冠齡十九之說，如《荀子‧大略》云：「天子、諸侯子十九而冠；冠而聽治，其教至也。」唐楊倞《注》：

> 十九而冠，先於臣下一年也。雖人君之子，猶年長而冠，冠而後聽其政治，以明教至然後治事，不敢輕易。[26]

《說苑‧建本》也有類似之說：「周召公年十九，見正而冠，冠則可以為方伯諸侯矣。」[27]《白虎通‧紼冕》則說：「禮所以十九見正而冠者何？漸三十之人耳。男子陽也，成于陰，故二十而冠。〈曲禮〉曰『二十弱，冠』，言見正。」陳立以為：「『漸三十』當作『漸二十』。……見正而冠，或十九歲時遇歲月之善則亦可冠，不必定俟二十與？」[28]據隱公元年《公羊傳》何休《注》：「禮：年二十，見正而冠。」[29]陳說可從。

由上述可見：當時王、侯與士人的冠齡確實存在若干差異：士人

久為定制。見〔唐〕徐堅：《初學記》（臺北：新興書局影印明刊本，1966年），卷22，頁5上。

25 詳參葉國良：《儀禮士冠禮研究（一）──經學與文化人類學的綜合考察》，頁20-21。

26 〔清〕王先謙撰，沈嘯寰、王星賢點校：《荀子集解》（北京：中華書局，1988年），卷19，頁512。

27 向宗魯校證：《說苑校證》，卷3，頁63。

28 〔清〕陳立撰，吳則虞點校：《白虎通疏證》（北京：中華書局，1994年），卷10，〈總論冠禮〉，頁496。

29 《公羊注疏》，卷1，頁10上。

冠齡概在二十；王侯冠齡則或早至十二，或晚至二三，但仍以二十上下最為常見，其餘蓋或因政治因素，或因禮法不彰，以致略有出入。[30]

（二）冠禮的儀節

1 士冠儀節

綜合《儀禮‧士冠禮》、《禮記‧冠義》記載，可知周代士人冠禮行於禰廟，由父兄延賓主其事，既反映了冠禮的隆重性，也顯示出父系家長制的權力色彩。冠禮的儀節繁富，以「加冠易服」為主要程序，可由《儀禮‧士冠禮》窺其大略，約可分為下列段落：

（1）準備階段

（A）筮日：占筮於廟門，選定行禮日期。

（B）戒賓：主人知會其僚友，發布即將為子舉行冠禮的消息，並邀請對方為賓客。

（C）筮賓：冠禮前三天，於眾賓之中擇吉選定一人為加冠者。

（D）宿賓、宿贊冠者：冠禮前二日，至賓客家再行約請，同時約請一名贊冠者。

（E）為期：冠禮前一日，主人於廟門外同兄弟及有司諸人確認行禮日期，並再度告知眾賓。

（F）陳設：加冠當日清晨，於廟中陳設几筵、酒醴、冠服、梳具與洗器。

---

30 詳參葉國良：《儀禮士冠禮研究（一）──經學與文化人類學的綜合考察》，頁16-22。

（2）加冠正禮

（G）就位：行禮之初，主人及其親戚、冠者與諸執事助禮之人各自就位。

（H）迎賓：貴賓與主人身著正式禮服參加典禮。貴賓抵大門時，佇候於內的主人須至門外親迎賓客及贊冠者入內，三揖三讓，而後升堂。

（I）三加：初加緇布冠，再加皮弁，三加爵弁。每次均由贊冠者一旁佐禮，由賓親手為冠者加冠，冠者坐受之後，賓致祝詞；冠者隨即入東房易服而出。各段祝詞稍有變化。

（J）賓醴冠者：三加畢，賓酳醴授冠者，並致祝詞。

（3）冠者見母

（K）冠者見母：冠者北面見母於東壁，雙方互行拜禮。

（4）命字成人

（L）賓字冠者：賓為冠者命「字」，並致祝詞。

（5）見諸親長

（M）冠者見諸親：冠者依次見兄弟、贊者、姑姊等，均互致拜禮。

（N）冠者見官長：冠者易朝服，依次奠贄見國君、鄉大夫、鄉先生。

（6）禮成餘事

（O）醴賓：主人獻賓及贊者醴酒，並致送皮帛。

（P）送賓、歸俎：主人送賓於外門之外；又遣人赴賓家致贈俎肉。

上述乃周代士之嫡子加冠儀節概況。[31]之所以不厭縷述者，旨在呈現周代冠禮實乃高度文化的產物，非如原始民族透過痛苦磨鍊的成丁禮之儔；唯亦正緣此之故，在社會制度改變之後，此套完整的成人儀節便面臨逐漸衰亡的困境。

2 公冠儀節

先秦冠禮以士禮獨詳，具見《儀禮·士冠》，其儀節略如上述；至於王侯冠禮，則禮書未見翔實記載。《儀禮·士冠禮》云：「公侯之有冠禮也，夏之末造也。天子之元子猶士也，天下無生而貴者也。」[32]《大戴禮·公冠》雖亦敘及諸侯、天子冠事，唯文字頗為簡略。

禮書之外，見載諸侯、卿大夫冠禮者，僅《國語·晉語六》載晉大夫趙武加冠後拜見諸卿大夫及長輩勸勉之語（文見注39），及前揭《左傳》所載魯襄公加冠事。魯君時在訪聘途中，即向同為姬姓的衛國商借宗廟與禮器，「以祼享之禮行之，以金石之樂節之，以先君之祧處之」，其儀式顯較士人冠禮隆重許多；唯先秦天子、諸侯、卿大夫冠儀，依然難窺全貌。根據葉國良先生研究，公冠之儀節特色有下列數點：[33]

---

31 其詳請參葉國良：《儀禮士冠禮研究（一）——經學與文化人類學的綜合考察》，第二章第一節〈士冠禮儀節述略〉；及拙撰：《儀禮士冠禮研究（二）——先秦成年禮與後世成年禮的比較研究》，第二章第一節之「貳、士冠禮的儀節」。

32 《儀禮注疏》，卷3，頁13下-14上；亦見《禮記·郊特牲》，文字幾全同。

33 參見葉國良：《儀禮士冠禮研究（一）——經學與文化人類學的綜合考察》，第二章第三節之三，頁23-27。

（1）公冠自為主

士行冠禮，由其父兄作主人；諸侯行冠禮，則由自己作主人，且迎賓入廟就位與賓向冠者致敬醴酒後，冠者下堂的禮儀均有所不同。

（2）公冠四加玄冕

士行冠禮，有三加；公冠則四加玄冕。不過關於公冠加冠次數，學者仍有不同看法。

（3）公冠饗賓以三獻之禮；無介；酬賓以幣朱錦采、四馬

士人冠禮，醴賓以壹獻之禮；公冠之饗賓，則以三獻之禮。其次，士冠以「贊冠者為介」，公冠則「無介」。又，公冠饗時無樂，冠時始用樂。最後，士冠酬賓以「束帛、儷皮」，公冠酬賓則以「幣朱錦采，四馬」。

由上所述，可知士、大夫、諸侯、天子冠禮，其儀節固然大致相同，但因身分地位的差異，仍有隆殺之別，此一現象正反映漢族成人禮在階級社會中的社會性，非僅用為標誌成年之儀式而已。

（三）冠禮的意義

周代冠禮的舉行，重在體現行禮的意義，《禮記·冠義》說：

> 凡人之所以為人者，禮義也。禮義之始，在於正容體、齊顏色、順辭令。容體正，顏色齊，辭令順，而后禮義備。以正君臣、親父子、和長幼。君臣正，父子親，長幼和，而后禮義立。故冠而后服備，服備而后容體正、顏色齊、辭令順。故曰「冠者，禮之始也」，是故古者聖王重冠。（《禮記正義》，卷61，頁1下）

《禮記‧郊特牲》說：

> 適子冠於阼，以著代也；醮於客位，加有成也；三加彌尊，喻
> 其志也；冠而字之，敬其名也。（《禮記正義》，卷26，頁15）[34]

古代成人禮儀節的要義，可歸納為下列數項：

1 著代

古人視冠禮為莊嚴肅穆的人生大事，不僅事前須「筮日」、「筮
賓」，以示慎重；行禮時嫡子須在宮室東邊主人所用的阼階上加冠，
以顯示冠者行禮之後，已然傳宗接代，繼承家業，可以男婚女嫁，光
其世冑。既顯示婚禮必在冠禮之後的基本精神，[35]也開啟了後代冠、
婚合舉的契機。

2 敬之如賓

所謂「醮於客位，加有成也」，即在客位敬冠者酒醴，以示對甫
成人的當事者以客禮相待，且勉勵其努力上進，以成就家業，光耀
門楣。

---

34 〈冠義〉亦云：「故冠於阼，以著代也；醮於客位，三加彌尊，加有成也；已冠而
　　字之，成人之道也。」（《禮記正義》，卷61，頁1上-2下）〈郊特牲〉文字層次較為分
　　明，故用其文。

35 《太平御覽》卷七一八「筓」條引《白虎通》：「男子幼娶必冠，女子幼嫁必筓。
　　《禮》曰：女子許嫁筓而字。」〔宋〕李昉等撰：《太平御覽》（臺北：臺灣商務印
　　書館影印日本帝室圖書寮京都東福寺東京岩崎氏靜嘉堂文庫藏南宋蜀刊本，1986
　　年），卷718，頁1上。

3 曉其志向

所謂「三加彌尊，喻其志也」，謂加冠三次，逐步提高冠的等級，象徵成人之後，志向亦當漸次提昇。楊寬認為「三加」的意義為：先加緇布冠，表示從此具有「士」的身分，將要領導群倫，管理眾人；次加皮弁，表示從此有參與軍事行動、捍衛國家的責任；三加爵弁，表示從此有參與祭祀的權利。[36]

4 命字成人

古人有名有字，據《禮記·內則》記載，嬰兒出生三月之後，即須擇日剪髮，「妻以子見於父」，「父執子之右手，咳而名之」。[37]三月之名只行於君父尊長之前，俟其成人，另依「名」取「字」，「字」相當於一個人的第二個名。[38]周代士人於加冠典禮時由來賓為之命「字」，以示對此成人者的尊敬，此後，即令平輩亦不得直呼其名。

冠者於「三加」、「命字」之後，即表示已「成人」；既已成人，則可責以「成人之禮」，故〈冠義〉云：

---

36 楊寬：〈「冠禮」新探〉，《古史新探》，頁247-253。

37 《禮記正義》，卷28，頁13下、14下。

38 人類學家認為：野人不知幼年如何過渡為成年，故須舉行成年禮，使其在此儀節中過著一種非常艱苦的生活；禮成之後，如同再生，從此他便有一個新名字。如西非某些民族的女子成年禮，必須換用一個新的名字，否則要受處罰。此與古代中國「冠而字之」的形式雖異，但其基本精神則無甚差別。詳參〔英〕弗雷澤（J. G. Frazer）著，汪培基譯：《金枝——巫術與宗教之研究》（臺北：桂冠圖書公司，1991年），第二十二章〈禁忌的詞彙〉，頁367-391；〔德〕利普斯（Julius E. Lipps）著，汪寧生譯：《事物的起源》（成都：四川民族出版社，1980年）；崔載陽：《初民心理與各種社會制度之起源》，《中山大學民俗叢書》（臺北：福祿圖書公司，1969年），第1冊，頁43；葉國良：〈冠笄之禮的演變與字說興衰的關係——兼論文體興衰的原因〉。

見於母，母拜之；見於兄弟，兄弟拜之：成人而與為禮也。玄冠、玄端，奠摯於君，遂以摯見於鄉大夫、鄉先生，以成人見也。成人之者，將責成人禮焉也。責成人禮焉者，將責為人子、為人弟、為人臣、為人少者之禮行焉。將責四者之行於人，其禮可不重與？故孝、弟、忠、順之行立，而后可以為人；可以為人，而后可以治人也。（《禮記正義》，卷61，頁2）

此謂成人之後，須遵守人倫之道，行孝悌忠順之行。[39]

由以上對士冠禮形式與實質意義的討論，可知周代冠禮實深具人

---

39 古籍中於加冠後長輩勸勉之語，以及責冠者成人之禮的詳細記載並不多見，唯《國語·晉語六》載趙武加冠事，頗為詳細：「趙文子冠，見欒武子，武子曰：『美哉！昔吾逮事莊主，華則榮矣，實之不知，請務實乎。』見中行宣子，宣子曰：『美哉！惜也，吾老矣。』見范文子，文子曰：『而今可以戒矣，夫賢者寵至而益戒，不足者為寵驕。故興王賞諫臣，逸王罰之。……』見郤駒伯，駒伯曰：『美哉！然而壯不若老者多矣。』見韓獻子，獻子曰：『戒之，此謂成人。成人在始與善。始與善，善進善，不善蔑由至矣；始與不善，不善進不善，善亦蔑由至矣。如草木之產也，各以其物。人之有冠，猶宮室之有牆屋也，糞除而已，又何加焉？』見智武子，武子曰：『吾子勉之！成、宣之後而老為大夫，非恥乎！成子之文，宣子之忠，其可忘乎！夫成子導前志以佐先君，導法而卒以政，可不謂文乎？夫宣子盡諫於襄、靈，以諫取惡，不憚死進，可不謂忠乎？吾子勉之，有宣子之忠，而納之以成子之文，事君必濟。』見苦成叔子，叔子曰：『抑年少而執官者眾，吾安容子。』見溫季子，季子曰：『誰之不如，可以求之。』見張老而語之，張老曰：『善矣，從欒伯之言，可以滋；范叔之教，可以大；韓子之戒，可以成。物備矣，志在子。若夫三郤，亡人之言也，何稱述焉！智子之道善矣，是先主覆露子也。』」（《國語》，卷12，頁409-412）趙文子行冠禮後，分別拜見九位尊長，包括欒武子、中行宣子、范文子、郤駒伯、韓獻子、智武子、苦成叔子、溫季子、張老等，幾乎無人不苦口婆心，諄諄垂訓：欒書教他「務實」；范燮要他戒驕；郤錡暗示不應以壯年自矜；韓厥教他行善、明是非；荀罃教他要繼承先人美德；張老教他要明辨是非，身體力行。如文中所述冠後眾長者諸多嘉勉的情況，士禮本當有之，或因禮經簡質，在奠摯見君、鄉大夫、鄉先生一節，未嘗多設筆墨，以〈晉語六〉覘之，蓋非無其事也。

文意義，與原始氏族社會的成丁禮，已有相當大的差距：原始社會設立「分齡制度」，以各式標準為男性劃分不同的「成熟度」，從而在族群中享有不同的社會地位；周代卻有嚴明的階級之分，士人除了透過冠禮取得社會公認的成人資格外，尤冀望其學優而仕，晉身干祿，上達更高的貴族地位，順利獲得更多的統治權，故〈冠義〉云「可以為人，而后可以治人也」；換言之，冠禮乃周代士人邁入成人社會的第一步，也是一大步，自此之後，便要承擔家國大事，無形中加深了青年的責任心與榮譽感，實為意義深遠的人格養成教育。

（四）筓禮與冠禮的異同

古代女子年滿十五即可許嫁，許嫁而筓，意義略同男子冠禮，並有「命字」之舉，故有「待字閨中」之言。然而，禮書於女子筓禮皆寥寥數語帶過，並未詳載其儀節，如《禮記‧曲禮上》：「女子許嫁，筓而字」、[40]〈內則〉：「女子……十有五年而筓」；[41]相較之下，《禮記‧雜記下》所載已屬難得，其文云：「女雖未許嫁，年二十而筓，禮之，婦人執其禮；燕則鬈首。」[42]唐孔穎達《疏》引南朝賀瑒云：

> 十五許嫁而筓者，則主婦及女賓為筓禮，主婦為之著筓，女賓以醴禮之；未許嫁而筓者，則婦人禮之，無主婦、女賓，不備儀也。（《禮記正義》，卷43，頁17）

孔《疏》又云：

---

40 《禮記正義》，卷2，頁17上。
41 同前注，卷28，頁21。
42 同前注，卷43，頁16下-17上。

「燕則鬌首」者,謂既笄之後,尋常在家燕居,則去其笄而鬌首,謂分髮為鬌紒也。此既未許嫁,雖已笄,猶為少者處之。(《禮記正義》,卷43,頁17下)

然則女子笄禮,其儀式顯較男子冠禮簡約,一則似止作髮式上的改變,未若士冠須更換三套冠服,禮文繁多。之所以如此,固由於古時「男不言內,女不言外」,[43]兩性生活空間自有小大內外之別:貴族成年男子被賦予參政、祭祀、外交、從戎等職權;女子則「無非無儀,唯酒食是議,無父母詒罹」,[44]所參與的現實生活事務既單純,自毋庸與男子「冠而後服備」的盛典相提並論。二則笄禮對女子的「改造」意義似乎較男子冠禮為弱,故笄年較無固定,關鍵在於當事人之是否許嫁。年歲稍大而未許嫁者,固然也依習俗為之改髮加笄,卻僅為一時形式而已,笄禮之後,依然鬌首而居,維持少女打扮。

由此可知,冠禮與笄禮固為古代男女成人／成年象徵,其意義之強弱程度與對當事人身分改造的影響,卻有著微妙的區別,也具體反映中國古代社會男女地位差異的實況。

(五)先秦成人禮的特色

總括而言,先秦冠、笄古禮具有下列四項特徵:

1 冠、笄禮旨在確認受禮者從此獲得成人資格

在周代,未行冠禮的青年,即不具家族成員的資格,對外不能代表家族,亦無法在社會上行使任何職權;唯有通過加冠儀式,青年人始能正式成為家族成員。受禮者更易服裝,攜禮拜見國君與鄉邑大

43　《禮記·內則》文,《禮記正義》,卷27,頁8上。
44　《詩·小雅·斯干》文,《毛詩正義》,卷11之2,頁11上。

夫，即在取得社會對其新身分的認同。

至於女子笄禮與男性冠禮，非僅形式與作用皆略有差別，其程序遠較冠禮簡略，意義亦較為單純明確：旨在標誌當事人的許嫁身分而已；但對女子而言，笄禮仍是成年成家的明證，代表個人生涯階段的重大轉折，意義非淺。

2 冠、笄禮帶有濃厚的宗族本位色彩

先秦時期，貴族於宗廟舉行冠禮，意在尋求宗族祖先的認同，並祈求神靈護佑，典禮由父兄等家長主持，亦隱含尊重宗族權威之意；笄禮雖不在宗廟而在家中舉行，且由女性家長主持，依然具有宗族本位色彩。

3 冠、笄禮主要施行於士以上貴族階層

《禮記・曲禮上》謂：「禮不下庶人，刑不上大夫。」[45]冠、笄為古禮要項之一，自不例外。由《儀禮・士冠禮》之明文記載，可見冠禮行於士階層以上。因此，冠、笄禮的用意即在讓受禮者明確加入上層貴族社會，名正言順地表現其身分，行使其職權。

4 冠、笄禮的差異顯示出男尊女卑的社會形態

如上所述，冠、笄禮實行的場所與儀式的繁簡，顯示古人對待男女輕重之別。此外，加冠的意義在於向受禮者與社會鄭重昭示受禮者已正式成為家族的一員，其言行攸關家族榮辱，且具有參政治事的權利；加笄的意義則僅在於標誌受禮者之是否許嫁，其間男尊女卑的差別，顯然可見。

---

45 《禮記正義》，卷3，頁6上。

三　歷代冠笄年齡的變化

（一）天子王侯冠齡的變化

　　冠禮的一個基本問題，即在冠者究竟有無一定的成年標準。冠禮既為古人的成年典禮，冠齡即意味古人所認定的成年資格，理論上應定於一尊，禮書亦不乏相關記載；但就歷史實情觀之，各朝皇室冠禮，往往隨現實情勢的不同而有其彈性。按諸史籍，不僅秦惠文王、昭襄王、秦始皇均晚至二十二歲始行冠禮；漢代天子冠禮亦無定制，未必符合古籍人君十二或十五加冠的通論。關乎此，王先謙於《漢書・惠帝紀》「四年……三月甲子，皇帝冠」下引述王鳴盛之說，並申以己意：

　　　　王鳴盛曰：「惠帝時年二十。景帝後三年，皇太子冠，即武帝也，時年十六。〈昭紀〉：元鳳四年，帝加元服，時年十八。〈哀紀〉：成帝為加元服，時年十七。〈平紀〉：帝崩，年十四，始加元服以斂。」案：古者天子、諸侯皆年十二而冠，冠而生子。漢初經典殘闕，天子冠禮無明文，故無定期。[46]

王先謙雖以漢初禮文殘缺為說，但西漢諸帝冠齡，竟有十四、十六、十七、十八、二十等差別，則為事實，顯見皇室冠齡亦未可一律。

　　史志於天子、王侯冠禮，常有記載，但未必詳其冠齡，茲就史志載及者，略加條述：

　　西漢惠帝四年（西元前191），年二十，行冠禮。[47]

---

46 〔清〕王先謙：《漢書補注》，卷2，頁135。

47 《漢書・惠帝紀》：「四年……三月甲子，皇帝冠，赦天下。」（卷2，頁135）

　　西漢景帝三年（西元前154），為時年十六的太子劉徹行冠禮。

　　西漢昭帝元鳳四年（西元前77），帝年十八，加元服。[48]

　　西漢元帝竟寧元年（西元前33），成帝年十七，時仍為太子，行冠禮。[49]

　　西漢平帝元始五年（5），年十四，為王莽所毒害，崩後始行冠禮，加元服。[50]

　　東漢僅獻帝冠齡明載史籍：興平元年（194），帝加元服，時年十四。[51]

　　西晉武帝泰始十年（274），為年甫十五之南宮王行冠禮。[52]

　　北魏孝明帝正光元年（520），帝年十一即行冠禮。[53]

　　明世宗嘉靖二十八年（1549），為太子穆宗行冠禮，時年十四。[54]

48　〔宋〕徐天麟《西漢會要》：「昭帝元鳳四年，帝加元服。」（北京：中華書局，1998年），卷24，頁212。

49　《漢書・元帝紀》：「竟寧元年，……皇太子冠。」（卷9，頁413-414）又據〈成帝紀〉：「孝成皇帝……年三歲而宣帝崩，元帝即位，帝為太子。」（卷10，頁417）可推知成帝年齡。

50　《漢書・平帝紀》：「五年……冬十二月丙午，帝崩于未央宮。大赦天下。有司議曰：『禮：臣不殤君。皇帝年十有四歲，宜以禮斂，加元服。』奏可。」（卷12，頁490、493）

51　〔南朝宋〕范曄《後漢書・孝獻帝紀》：「興平元年春，正月辛酉，大赦天下，改元興平。甲子，帝加元服。」（卷9，頁375）

52　〔唐〕房玄齡等《晉書・禮志下》：「泰始十年，南宮王承年十五，依舊應冠。有司議奏：『禮：十五成童；國君十五而生子，以明可冠之宜。又漢、魏遣使冠諸王，非古典。』於是制諸王十五而冠，不復加使命。」（卷21，頁664）

53　〔北齊〕魏收《魏書・肅宗紀》：「正光元年，……秋七月，……辛卯，帝加元服，大赦，改年。」（卷9，頁230-231）又〈禮志四之四〉：「肅宗加元服，時年十一。」（卷108之4，頁2811）

54　〔清〕張廷玉等《明史・禮八》：「嘉靖二十四年，穆宗在東宮，方十歲，欲行冠

明神宗萬曆二十四年（1596），為皇長子行冠禮，時年十五。

明思宗崇禎十六年（1643）為定王行冠禮，時年十二。

綜上所述，可見歷代帝王冠禮，並未如典籍所載，依固定年齡舉行，其中自以政治因素影響最大。要之，古人冠齡時有變化，未必嚴守禮經定制；但年輕子弟一到相當年紀，便須行加冠典禮，對其成年／成人的事實予以確認，並由眾人致上種種祝福與勉勵，藉此助其立志、成人，則歷代並無不同。

（二）士冠年齡的變化

士冠年齡，唯一見載於史籍者為南朝齊阮孝緒，《南史・隱逸列傳下・阮孝緒傳》載：

> （阮孝緒）年十三，徧通《五經》。十五，冠而見其父彥之，彥之誡曰：「三加彌尊，人倫之始，宜思自勗，以庇爾躬。」答曰：「願迹松子於瀛海，追許由於穹谷，庶保促生，以免塵累。」（《南史》，卷76，頁1893）

可見六朝時士人已有十五歲即行冠禮者。

歷經隋唐、五代，史志並未見載士人冠齡；降及有宋，冠禮儀節雖空前完備，冠齡則依然未定於一。由於前有唐朝科舉制度取代了魏晉門閥制度，續經唐末五代的動亂政局，時至宋代，隨著市民經濟的發達，遂出現了一個士庶階級興起的新社會。宋代開始，禮制將社會成員大致劃分為三大等級——皇帝和宗室、品官、士庶——因此士庶

禮。大學士嚴嵩、尚書費寀初皆難之，後遂阿旨以為可行，而請稍簡煩儀，止取成禮。帝以冠當具禮，至二十八年始行之。」（卷54，頁1378）

通禮得以發展並趨於完善。當時與官方儀注相對的民間冠禮，以北宋司馬光《溫公書儀》與南宋朱熹《文公家禮》為代表。

冠齡方面，《書儀》、《家禮》二書所載大抵相同。《書儀》卷二〈冠儀〉：「男子年十二至二十皆可冠」，自注：

> 吉禮雖稱二十而冠，然魯襄公年十二，晉悼公曰：「君可以冠矣。」今以世俗之弊不可猝變，故且徇俗，自十二至二十皆許其冠。若敦厚好古[55]之君子，俟其子年十五已上，能通《孝經》、《論語》，粗知禮義之方，然後冠之，斯具美矣。[56]

可知司馬溫公時，民間已有因特殊因素而將冠齡提前至十二歲者；溫公則認為以十五歲為宜。《家禮》卷二則逕謂：「男子年十二至二十皆可冠。」[57]二書所載冠齡並與先秦士禮有異，可見冠齡變異之一斑。

由歷代地方志資料，[58]復可知元、明以後民間冠禮多與婚禮合併舉行，如清光緒元年（1875）山東省《陵縣志》載：

> 古者冠而後字，自十五以逮二十則曰「弱冠」。諏日戒賓，三加元服，去幼志以順成德，儀莫隆焉。

55　「古」原作「十」，疑誤，茲據上下文意改；《四庫全書》本正作「古」。

56　〔宋〕司馬光：《溫公書儀》（臺北：藝文印書館《百部叢書集成》影印《學津討原》本，1966年），卷2，頁1上。

57　〔宋〕朱熹：《家禮》，《文淵閣四庫全書》，經部第142冊，卷2，頁1上。

58　本書所用地方志資料，除另加注明者外，皆用丁世良、趙放主編：《中國地方志民俗資料匯編》，北京：書目文獻出版社（後改為北京圖書館出版社），1997年。該書計分《華東卷》（上、中、下）、《中南卷》（上、下）、《西南卷》（上、下）、《華北卷》、《西北卷》及《東北卷》等六卷，凡十冊。為免繁瑣，本書引用，逕於引文後注明卷次、頁碼，不另加注。

今冠禮久廢，惟將婚著成人冠服，拜父母、兄弟姊妹而已。
（《華東卷‧上》，頁109）

又如民國十四年（1925）四川省《崇寧縣志》載：

冠者，禮之始也。古者男子二十而冠，今其禮久廢。然男子將
婚娶之前數月，其父必設宴，請族戚中之齒德俱尊者，告以其
子將婚之期，亦古筮日、筮賓之意也。將婚之前一夕，主人具
香燭，率子以祀祖，亦古告廟之意也。是夕，族戚往賀，必簪
花於婚者之冠，主人及賀客均勉之曰：「今而後為成人矣，當
勉為成人之事。」亦古人冠禮之遺意也，但年不定以二十限。
（《西南卷‧上》，頁57）

因冠、婚合舉，遂致冠齡隨婚齡而變。浙、閩、臺地區部分家庭則維
持「做十六歲」的習俗，將冠齡固定於十六歲。[59]

（三）笄禮年齡的變化

笄禮年齡，相對於冠禮而言變化較小。

笄齡與婚齡關係密切。唐代婚齡雖因時代先後與國勢盛衰而略有
變化，但唐代婦女大抵早婚。根據李樹桐先生的研究，唐代女子以十
四、五歲結婚者為最多；[60]毛漢光先生根據三千五百多件唐代墓誌銘
資料，歸納統計出唐代婦女平均婚齡為一五點六歲，亦與史料所見吻

---

59 詳參彭美玲：〈臺俗「做十六歲」之淵源及其原因試探〉。
60 李樹桐：〈唐代婦女的婚姻〉，《師大學報》第18期（1973年6月），頁184。

合；[61]又據呂敦華研究，亦可見唐代笄齡蓋以十四至十六歲為最多。[62]

根據《宋史·禮志》[63]與《溫公書儀》、[64]《朱子家禮》[65]記載，宋代皆於十五歲行笄禮，此既與先秦笄齡吻合，亦與閩、浙、臺俗之「做十六歲」相去不遠。[66]另，根據陶晉生、鮑家麟的研究，北宋皇族女子約十五歲結婚，士族婦女平均婚齡為十八歲，嫁入皇族者則早至十四、五歲，[67]結果顯示亦相去不遠。

歷代笄齡變化不大，蓋因笄禮多附於婚禮之下，而女子又較男子早熟，故歷來多以十五歲上下為「及笄」。

四　歷代成年禮儀節的特色與沿革

漢承周制，歷魏晉南北朝政權更迭、華胡雜處之混亂世局，下迄隋唐宋明，皇室與貴族階層，大體奉行冠禮以為常典，具見史志記載。然而稍經董理，自可發現漢魏六朝階段，基本上皇室冠禮雖太半前有所承，卻又不時出現自發性的新變創改；至於民間冠禮，除宋代以外，則難得一見，呈現明顯衰微的趨勢，唯亦有所新變。清儒秦蕙田曾對歷代冠禮作總結式的說明：

---

61 毛漢光：〈唐代婦女家庭角色的幾個重要時段——以墓誌銘為例〉，《國家科學委員會研究彙刊：人文及社會科學》第1卷第2期（1991年7月），頁187。

62 呂敦華：《唐代婚禮研究》（臺北：國立臺灣大學中國文學研究所碩士論文，葉國良教授指導，1995年），第五章第三節〈婚禮〉，頁196-205。

63 《宋史·禮十八》：「公主笄禮：年十五，雖未議下嫁，亦笄。」（卷115，頁2730）

64 〔宋〕司馬光：《溫公書儀》，卷2，頁6下。

65 〔宋〕朱熹：《家禮》，卷2，頁6上。

66 詳參彭美玲：〈臺俗「做十六歲」之淵源及其原因試探〉。

67 陶晉生、鮑家麟：〈北宋的士族婦女〉，《國家科學委員會研究彙刊：人文及社會科學》第3卷第1期（1993年1月），頁31。

《儀禮》所存者惟〈士冠禮〉，後世之所謂冠儀，皆推士禮為
之者也。其大夫、諸侯、天子冠禮，雖見於《家語・冠頌》、
《大戴・公冠》與《禮記》〈特牲〉、〈玉藻〉、《國語》，而遺文
殘闕。漢、魏迄明，其儀注損益亦每不同。冠則隨時尊用，有
一加、二加、三加、四加之殊；祝辭則或用古，或新製；醴則
專用酒，而或一醴，或三醮；冠之所，則或於廟，或於朝廷，
或於郎，或於別殿；告則或兼兩郊，或止宗廟；天子則或親
臨，或遣使持節。至有以皇帝而下臨臣子之冠，以男冠而推為
女子之笄，致不一焉。要其初，本無古禮可據，亡於禮者之
禮，亦惟存其意而已，雖《書儀》、《家禮》亦猶是爾。[68]

秦氏之說要言不煩，扼要敘述古來冠禮概況，提供了考察歷代冠、笄
禮的一個面向；不過，古代成人／成年禮的考察，尚可分就皇室與民
間兩大方面著眼。

先秦以降，歷代成年禮以皇室為主流，與先秦古禮相較，可得下
列幾項要點：

一、加冠次數：有階段性與階級性的雙重變化。自曹魏始，奠定
天子一加的傳統；至唐《開元禮》則為天子以下各級人士恢復三加古
禮，歷朝沿襲不改，僅於所加衣冠依時略有調整。

二、加冠地點：曹魏時皇家冠禮由宗廟移至朝廷，遂成定制。

三、加冠儀物：隨時代演進而日趨繁富，可謂前質後文。

下文依時代先後，分期概要說明之。

---

68 〔清〕秦蕙田：《五禮通考》，《文淵閣四庫全書》，經部第138冊，卷150，頁50。

（一）冠禮演變期：漢魏六朝

1 兩漢冠禮儀節

　　漢代以降，通稱天子冠禮為「加元服」，並以之為皇帝即位親政的標誌。非唯名稱有變，儀式亦日益隆重，旨在彰顯至高無上、唯我獨尊的皇權。其儀「四加」：緇布進賢、爵弁、武弁、通天。[69]

　　至於加冠月日，當時乃以「正月甲子若丙子為吉日」，可知漢人選擇在一年之初為天子加冠，且刻意選用甲子、丙子此類干支純陽的剛日，秦蕙田即謂：「甲子、丙子，用剛日也，亦桑弧蓬矢之意。」[70]對照《禮記・曲禮上》「外事以剛日，內事以柔日」[71]之說，可知漢人視天子加元服為陽剛外事，反映其所強調之「男為陽」、「君為陽」的基本思想。[72]後世，如晉朝皇室，基本上即沿襲東漢「冠以正月」的傳統，[73]南北朝以下始又回復先秦「冠無定月」的作風。

　　東漢中期，章帝有意制作禮典，遂生一段禮儀變奏曲，《後漢書・曹褒傳》載：

> 曹褒字叔通，魯國薛人也。……（章帝）章和元年（西元87）

69　《後漢書・禮儀上》：「正月甲子若丙子為吉日，可加元服，儀從〈冠禮〉。乘輿初加緇布進賢，次爵弁，次武弁，次通天。冠訖，皆於高祖廟如禮謁。」（志第四，頁3105）亦見《通典》，卷56，頁1573。

70　〔清〕秦蕙田：《五禮通考》，卷149，頁1下。

71　《禮記正義》，卷3，頁14下。

72　東漢和、桓、靈、獻諸帝加冠皆用甲子日，順帝用丙子日，均符合〈禮儀志〉之說；唯安帝用庚子日稍有出入，然亦不違干支重陽初意。詳參拙撰：《儀禮士冠禮研究（二）——先秦成年禮與後世成年禮的比較研究》之〈附錄一：歷代史志政書成年禮資料選輯〉「兩漢」部分，頁122-125。

73　偶於仲春二月，如劉昭注《後漢書・禮儀上》引《博物記》所載（《後漢書》志第四，頁3105），蓋陰陽家以二月為勝，說見《通典》卷56（文見注109）。

正月，……令小黃門持班固所上叔孫通《漢儀》十二篇，勅褒
曰：「此制散略，多不合經，今宜依禮條正，使可施行。……」
褒既受命，乃次序禮事，依準舊典，雜以五經、讖記之文，撰
次天子至於庶人冠婚吉凶終始制度，以為百五十篇，寫以二尺
四寸簡。……會帝崩，和帝即位，褒乃為作章句，帝遂以《新
禮》二篇冠。（《後漢書》，卷35，頁1201-1203）

由於章帝銳意整頓，曹褒撰禮有成，和帝循禮於正月甲子加元服，
「乘金根車，駕六玄虬，至廟成禮」，當時氣象想必煥然一新。

　　此時冠禮主要節目仍行於太廟，與前代不同的是，禮成之後，漢
和帝起駕反宮，更換朝服，賜宴群臣，筵宴時「撞太蔟之庭鐘」，文
武百官「咸獻壽焉」，儀式頗有增繁，[74]可以推知曹褒所定《新禮》在
器物、儀節上蓋多所措意，顯示了帝王冠禮頗值得注意的增生變化。
再者，皇帝加元服的相關節目與地點已由太廟延伸至朝廷，正是魏晉
以後宮廷冠禮一律改在朝廷舉行的濫觴。

　　與天子「四加」相對的，漢人自王公以下皆僅「一加」。[75]如此懸
殊的作法正表示天子「以多為貴」的心理：為了抬高皇帝在臣民心目
中的地位，故在冠禮加數上呈現兩極化的特殊情形。

　　《儀禮‧士冠禮》嘗歷舉冠者見母、見兄弟、見姑姊等節目，獨

74　《後漢書‧孝和孝殤帝紀》：「（永元）三年春正月甲子，皇帝加元服」，並述賞賜諸
　　事（卷4，頁171）；《通典》則詳述其儀節與實況：「和帝冠以正月甲子，乘金根
　　車，駕六玄虬，至廟成禮，乃迴軫反宮，朝服以饗宴，撞太蔟之庭鐘，咸獻壽
　　焉。」（卷56，頁1573）

75　《後漢書‧禮儀上》：「王公以下，初加進賢而已。」（志第四，頁3105）

未見「拜父」節文，引發後人諸多議論。[76]此一疑點雖不易圓滿解
決，但時至東漢，以公羊學見長的經師何休，即在其《冠儀約制》中
明定「拜父」之儀：

> 冠者還房，自整飾，出拜父，父為起；若諸父、羣從父及兄應
> 答拜者，答拜如常。入拜母，母答拜。其餘兄弟、姑姊妹，皆
> 相拜如常。[77]

此文明載「拜父」儀節，次序且在「拜母」之前，既可杜悠悠眾口，
亦反映禮儀隨社會形態變遷而有所因應調整的現象。

2 曹魏冠禮儀節

　　魏太祖曹操力行法治，政風清峻簡易；與此相對應的，曹魏王室
冠禮亦有重大變革：漢代天子「四加」，依準先秦舊禮，意謂崇隆於士
冠之「三加」；魏天子卻改為「一加」，《晉書‧禮下》載其說曰：

> 魏天子冠一加，其說曰：士禮三加，加有成也。至於天子、諸
> 侯無加數之文者，將以踐阼臨下，尊極德備，豈得與士同也。
> （《晉書》，卷21，頁663）

意謂：士之所以三加，表示進德彌尊之意；皇帝既貴為上天之子，生
而睿智，其德無以復加，故元服一加即足以成人成德。[78]

76　可參拙撰：《儀禮士冠禮研究（二）──先秦成年禮與後世成年禮的比較研究》，第
　　二章第一節之「伍、士冠『見母不見父』析疑」，頁20-23。
77　《通典》，卷56引，頁1586。
78　《通典》卷五十六「魏氏天子冠一加」，杜佑自注：「古之士禮，服必三加彌尊，所

漢以前冠禮皆行於廟，由祖先神靈予以見證；魏室則改於朝廷正殿舉行，此一轉變，展現了皇權制度的成熟與宮廷禮儀的完備。此後，皇室冠禮皆行於宮殿，進而有皇帝嘉賜臣民、臣民獻壽上禮等錦上添花之舉，[79]藉鋪張揚厲的加冠慶典，促進君臣間的情誼，此自有助於王朝政權的鞏固，並能在人君成人即位的重大關鍵時刻，適時凝聚臣下的向心力。由於節目重心已有所轉移，遂不得不改變「加冠於廟」的傳統，代之以「冠後謁廟」，乃至於「冠前告廟」，可知祖先神祇的權威雖遭皇權陵越，退居加冠正禮幕後，卻依然受到應有的尊重。

相對於天子的一加，魏時太子再加，皇子及王公世子則仍比照先秦之士，行三加禮。[80]

綜上所述，可知曹魏皇室冠禮實頗具特色：按階級高低，而採一加、再加、三加的差別方式，表現出與傳統相反的「以少為貴」的觀念。要之，當時乃在獨特自覺意識的趨使下，對於《儀禮‧士冠禮》選擇性的參酌遵用，相當程度反映出清峻務實的曹魏風尚。

3 晉朝冠禮儀節

晉時冠禮，既未採用漢人天子與臣下四一對比模式，亦非承襲魏室逐級漸減之法，而是各級人士一律比照天子，一加成禮，似乎有意刪除舊典，節略繁文。當時皇帝、太子皆一加幘冕，品官以下當只用幘。

以喻其志；至於天子、諸侯加數無文者，將以踐阼臨人，尊極德成，不復與士以加喻勉為義。」（頁1574）

79 漢代已有此等習尚，六朝經見，唐武后朝熾然成風，《開元禮》遂蔚為定制。詳參拙撰：《儀禮士冠禮研究（二）——先秦成年禮與後世成年禮的比較研究》之〈附錄一：歷代史志政書成年禮資料選輯〉，頁117-137。

80 《晉書‧禮下》：「魏氏太子再加；皇子、王公世子乃三加。」（卷21，頁663）《通典》：「魏氏冠太子，再加；皇子、王公嗣子，乃三。」（卷56，頁1576）

　　東晉天子冠禮，一度流行選用三元吉日，如成帝、穆帝、孝武帝、安帝皆然。[81]所謂「三元」，指歲始元旦，集歲之元、時之元、月之元於一，故名。[82]非僅如此，諸帝更特別在改號元年的元旦日（正月初一）加冠，集年月日三者俱為全新的開端，用於成年大典，意義尤為深長。不過，當時太常王彪之議禮，認為禮書冠無定日，非以三元為必，此種特殊風尚遂未再延續。[83]

　　根據《晉書·禮下》記載，「江左諸帝將冠，金石宿設，百僚陪位」，場面甚為隆重。「事畢，太祝率群臣奉觴上壽，王公以下三稱萬歲，乃退」。[84]所謂「奉觴上壽」，先秦、兩漢經見，[85]後世亦行於天子加元服之餘，如東漢和帝冠畢，即由群臣獻壽，蓋當時曹褒即以「上壽」為帝王冠禮定制之一；其後曹褒《新禮》未果推行，以致由漢末至東晉，百餘年間並無類似記載；可能降及東晉始再度被奉為天子加冠常事，局部沿用後漢傳統，藉祝壽方式踵事增華，為冠禮加添歡慶吉祥氣氛，並崇隆皇權。

　　晉以下太子加冠經常明見「皇帝臨軒」盛典，此種情形自與「加冠在殿」的變革密切相關。因朝廷的最高權威者僅皇帝一人，不同於

81　並見各帝本紀；詳參拙撰：《儀禮士冠禮研究（二）──先秦成年禮與後世成年禮的比較研究》之〈附錄一：歷代史志書成年禮資料選輯〉，頁126-136。

82　徐堅《初學記》引《玉燭寶典》：「正月為端月，其一日為元日，亦云上日，亦云正朝，亦云三元，亦云三朔。」（卷4，頁1）

83　詳《通典》，卷56，頁1575。文長不繁引。

84　《晉書·禮下》：「江左諸帝將冠，金石宿設，百僚陪位。又豫於殿上鋪大牀，御府令奉冕、幘、簪導、袞服以授侍中常侍，太尉加幘，太保加冕。將加冕，太尉跪讀祝文曰：『今月吉日，始加元服。……』加冕訖，侍中繫玄紞，侍中脫帝絳紗服，加袞服冕冠。事畢，太祝率群臣奉觴上壽，王公以下三稱萬歲，乃退。」（卷21，頁663-664）《通典》卷56「天子加元服」條引略同（頁1574）。

85　「奉觴上壽」一事，《詩經》、金文已見，乃先秦交誼應酬習慣用語，至漢代更被廣泛運用於朝廷禮儀，詳參彭美玲：〈說「奉觴上壽」〉，《張以仁先生七秩壽慶論文集》，頁521-555。

昔日加冠在廟、必以祖先為尊的舊制。

4 南北朝冠禮儀節

根據《隋書‧禮儀二》記載，梁時將「皇太子加元服」列為朝廷大事之一；[86]南北朝皇室冠禮，又新增群臣進獻禮品的風氣。如《隋書‧禮儀四》載：

> 後齊皇帝加元服，……事畢，太保上壽，羣官三稱萬歲。皇帝
> 入溫室，移御坐，會而不上壽。後日，文武羣官朝服，上禮：
> 酒十二鍾，米十二囊，牛十二頭。(《隋書》，卷9，頁176)

盧昌德認為，「上禮」之舉可能受北方少數民族習俗影響。[87]然上文述及，先秦已有「上壽」之風，由口頭的祝福歌頌，發展到進獻禮品以表慶賀，在人情方面實僅一線之隔；何況前此南齊武帝永明五年（487）為皇長孫南郡王加冠時，尚書令王儉之議，已明白有「別日上禮，宮臣詣門稱賀」之語，[88]是則所謂「上禮」，是否必然受異族文化影響而非本族文化自發性的演進，似乎尚有察考的餘地。

北魏孝文帝汲汲於用夏變夷，自太和十八年（494），遷都洛陽後，即展開大規模漢化運動，禁胡服胡語、改度量、廣文教、禁歸葬、變姓氏。先是革除本族衣冠制度，太和十九年（495），復班賜百官以漢家冠服；[89]同年仿漢族禮數為太子加冠，[90]事後孝文帝曾下詔

---

86 《隋書》，卷7，頁133。

87 盧昌德：《紅燭白蝶——宮廷人生禮儀》（昆明：雲南人民出版社，1992年），頁51。

88 《南齊書‧禮上》，卷9，頁146。

89 詳《魏書‧高祖紀》，卷7下，頁173-179。文長不繁引。

90 案：北方胡族原作辮髮戴帽裝束，參周錫保：《中國古代服飾史》（北京：中國戲劇出版社，1986年），頁135-136。

指謫行禮缺失，事見《魏書‧禮四》：

> 高祖（北魏孝文帝）太和十九年，五月甲午，冠皇太子恂於廟。丙申，高祖臨光極堂，太子入見，帝親詔之。……六月，高祖臨光極堂，引見羣官。詔曰：「比冠子恂，禮有所闕，當思往失，更順將來。禮，古今殊制，三代異章。近冠恂之禮有三失：一、朕與諸儒同誤，二、諸儒違朕，故令有三誤。……古者皆灌地降神，或有作樂以迎神；昨失作樂。至廟庭，朕以意而行拜禮，雖不得降神，於理猶差完。司馬彪云：漢帝有四冠：一緇布、二進賢、三武弁、四通天冠。朕見《家語‧冠頌篇》：『四加，冠公也。』《家語》雖非正經，孔子之言，與經何異？諸儒忽司馬彪《志》，致使天子之子而行士冠禮，此朝廷之失。冠禮朕以為有實，諸儒皆以為無實，朕既從之，復令有失。……」（《魏書》，卷108之4，頁2810。標點略有改動）[91]

平心而論，此次冠禮實獨具特色，得失參互，可視為胡人漢化過程中的一樁個案：一、加冠於廟，違反魏、晉以降在殿新制，回復漢前在廟傳統；二、未嘗請賓；三、未嘗作樂，僅施拜禮以降神；四、太子冠從士禮，止用三加。

由孝文帝詔辭觀之，當朝儒臣對中原古制確似未達一間，不論禮儀或禮意，都存在短期內無法消融的隔膜。不過，此次冠禮仍反映出相當的復古傾向，足證北魏君臣推行漢化的用心與具體成效。

綜上所述，漢魏六朝皇室冠禮的儀節時有遷變，要皆顯示政治力

---

91 又見《通典》，卷56，頁1577；〔宋〕鄭樵：《通志》，收入《十通》（臺北：臺灣商務印書館，1987年），卷44，頁「志」586-586。

的介入，強調帝王的身分與恩澤。茲總括其要點於下：

（1）加冠次數屢變

據《儀禮·士冠禮》，周代士人禮當三加，無大夫冠禮；《大戴禮·公冠》則明言「公冠四加」。漢代天子四加，王公以下一加；魏則天子僅一加，太子再加，皇子、親王乃三加。

魏天子一加殊屬創舉，自此相沿不改；惟孫毓《五禮駁》似執持古禮之見，批評魏氏一加、再加非禮；[92]北魏孝文帝則又認為太子冠禮當與士人冠禮有別，應以四加為宜。凡此，在在說明禮的發展雖以沿承與延續為多，但絕非一成不變，若干特殊的時空條件，甚至有力人士的個別主張，都可能促使舊禮煥發新貌。

（2）典禮行諸朝廷

魏以前冠禮皆行於廟，[93]魏王朝則改於正殿行事，故杜佑《通典》云：「禮冠於廟，自魏不復在廟矣。」[94]後世帝王之家即遵用魏制，遽於殿廷行加冠大典，事先告廟，禮後謁廟。

（3）君父之權彌尊

相對於先秦冠禮之筮於廟、冠於廟，事事以祖廟為核心，後世宮

---

92 《晉書·禮下》：「魏天子冠一加。……魏氏太子再加；皇子、王公世子乃三加。孫毓以為一加、再加，皆非也。」（卷21，頁663）

93 《明史·禮八》「皇帝加元服儀」云：「古者冠必於廟，天子四加。魏以後始冠於正殿。」（卷54，頁1376）《漢書·昭帝紀》：「（元鳳）四年春，正月丁亥，帝加元服，見于高廟。」（卷7，頁325）秦蕙田云：「冠而見廟，始見於此。」（《五禮通考》，卷149，頁2上）秦氏似謂漢昭帝已啟冠於朝而後見廟之先例；唯漢代冠於朝者不經見，故此不上推至漢朝。

94 《通典》卷五十六「魏氏天子冠一加」下，杜佑自注（頁1574）。

廷冠禮場地已然轉移，天子且親臨皇太子冠禮。[95]漢以前，冠禮係肅
賓與事，賓字而戒之；魏以後，太子冠禮每由君王親臨告戒，尤顯隆
重；東漢何休《冠儀約制》並增添「拜父」一節：凡此皆顯示君父權
威的提昇。

（4）祝辭新修，儀樂增繁

根據劉昭注《後漢書・禮儀上》引《博物記》，漢昭帝冠辭與
《大戴禮・公冠》所載殊異，係出新創：

> 陛下摛顯先帝之光燿，以承皇天之嘉祿，欽奉仲春之吉辰，普
> 尊大道之郊域，秉率百福之休靈，始加昭明之元服。推遠沖孺
> 之幼志，蘊積文武之就德，肅勤高祖之清廟，六合之內，靡不
> 蒙德，永永與天無極。（《後漢書》，志第四，頁3105）

此為別製冠辭之始，後世或沿用《儀禮》祝辭，或另起新辭，別撰樂
章。[96]

東晉以下皇室冠禮，除用金石之樂外，尚有百僚陪位，茲不詳述。

（5）嘉賜臣民，朝野僉慶

在古代天人合一的思想脈絡中，人君行慶施惠，即代表上天生養
之德。職是之故，漢代以降，皇帝、太子冠畢，往往大赦天下，遍賜

---

95 間亦有廷臣冠子而皇帝親臨，以示恩寵者，如《後漢書・馬防傳》載馬防冠其子
　鉅，肅宗親御章臺。事云：「子鉅，為常從小侯。（建初）六年正月，以鉅當冠，特
　拜為黃門侍郎。肅宗親御章臺下殿，陳鼎俎，自臨冠之。」（《後漢書・馬援列
　傳》，卷24，頁856）

96 歷代冠禮「祝辭」，可參拙撰：《儀禮士冠禮研究（二）──先秦成年禮與後世成年
　禮的比較研究》之〈附錄一：附一、歷代冠禮祝辭彙編〉，頁183-192。

百官庶民。如史載西漢惠帝加冠時,「赦天下」。[97]昭帝「加元服」時,「賜諸侯王、丞相、大將軍、列侯、宗室,下至吏民,金、帛、牛、酒,各有差;賜中二千石以下及天下民爵;毋收四年、五年口賦。三年以前逋更賦未入者,皆勿收。令天下酺五日」;[98]宣帝為皇太子加冠時,「皇太后賜丞相、將軍、列侯、中二千石,帛人百匹、大夫人八十匹、夫人六十匹;又賜列侯嗣子爵五大夫,男子為父後者爵一級」;[99]東漢和帝「加元服」時,「賜諸侯王、公、將軍、特進、中二千石、列侯、宗室子孫在京師奉朝請者黃金,將、大夫、郎吏、從官帛;賜民爵及粟帛各有差,大酺五日;郡國中都官繫囚死罪贖縑,至司寇及亡命,各有差。庚辰,賜京師民酺,布兩戶共一匹」;[100]靈帝「加元服」時,「大赦天下,賜公卿以下各有差,唯黨人不赦」;[101]獻帝「加元服」時,「司徒淳于嘉為賓,加賜玄纁駟馬;(賜)貴人、(王、公)卿、司隸(校尉)、城門五校及侍中、尚書、給事黃門侍郎各一人為太子舍人」。[102]降及魏晉南北朝,此種現象更為普遍,幾成定例。[103]皇帝冠畢,群臣並奉觴上壽,三呼萬歲。

97　《漢書‧惠帝紀》,卷2,頁135。秦蕙田《五禮通考》:「此皇帝冠肆赦之始。」(卷149,頁1上)

98　《漢書‧昭帝紀》,卷7,頁325-326。

99　《漢書‧宣帝紀》,卷8,頁371。

100　《後漢書‧孝和帝紀》,卷4,頁171。

101　《後漢書‧孝靈帝紀》,卷8,頁332。

102　見劉昭注《後漢書‧禮儀上》引《獻帝傳》(頁3105);亦見《通典》卷五十六,文略異(頁1573-1574)。

103　如《晉書‧穆帝紀》:「升平元年(357)春正月壬戌朔,帝加元服,告于太廟,始親萬幾,大赦,改元,增文武位一等。」(卷8,頁202)《宋書‧孝武帝本紀》:「(大明七年,463)冬十月壬寅,太子冠,賜王公以下帛,各有差。」(卷6,頁133)《宋書‧廢帝本紀》:「(元徽二年,474),十一月丙戌,御加元服,大赦天下。賜民男子爵一級,為父後及三老、孝悌力田者爵二級,鰥寡孤獨篤癃不能自存者,穀人五斛;年八十以上,加帛一匹。大酺五日,賜王公以下各有差。」(卷9,頁183)

（二）冠禮寖衰期：隋唐宋金元明

1　隋太子冠禮儀節

　　隋朝國祚短促，大體沿襲北齊舊制，儀節頗稱繁富，下啟唐宋冠儀。《隋書·禮儀四》載及皇太子冠禮，[104]茲依所記，略述如下：

　　冠前一日，皇帝齋於大興殿；皇太子與賓、贊及預從官，皆齋於正寢。

　　一般冠禮，告廟多在冠禮前日，或待加冠禮畢後擇日行之。隋朝告廟時間則別具特色，在冠禮當天一早舉行，並由皇帝袞冕親臨盛典。加冠之禮，則三加齊備，遠紹《儀禮》：初加緇布冠，再加遠遊冠，三加袞冕。

　　至遲自晉代始，太子加冠即由皇帝臨軒，同時亦當有下詔嘉勉之事。[105]隋禮更明載「納言承詔，詣太子戒」節目，[106]續演為唐、宋、明各朝皇室冠禮命字以下的必要程序。

2　唐代冠禮儀節

　　李唐前期，國力昌隆，文治武功均極一時之盛。太宗、玄宗雅好文學，貞觀、開元並稱治世，朝廷三番兩次糾集人力興修禮典：太宗時詔房玄齡、魏徵等修成《貞觀禮》一百卷；高宗時詔長孫無忌等新編《顯慶禮》一百三十卷；玄宗時蕭嵩等又撰《開元禮》一百五十卷，均曾頒行一時。其中《開元禮》沿承隋禮與《貞觀》、《顯慶》二禮，可謂劃時代的官方禮典集大成之作，「由是，唐之五禮之文始

---

104 《隋書·禮儀四》，卷9，頁176-177。
105 如北魏孝文帝冠太子，「太子入見，帝親詔之」，文見頁323。
106 《隋書·禮儀四》，卷9，頁177。

備，而後世用之，雖時小有損益，不能過也」。[107]

《開元禮》既是朝廷對古今禮儀的一大整理，故冠、婚、喪、祭諸禮咸備。其中冠禮上自天子、皇太子、親王，下迄品官、庶人，於各級人士加冠儀節均詳加記載，其所反映的唐朝冠禮特色如下：

由《開元禮》所見唐人冠禮，其精神風貌幾全因襲《儀禮》，有極明顯的復古傾向。或因禮書敘述翔實之故，儀式頗稱繁縟：事前必筮日筮賓，[108]以示慎重。宮廷儀式雖行於朝，天子卻須祭告天地宗廟，太子則告太廟。天子一加袞冕，係遵魏以來傳統；太子以下俱用三加，蓋兼採古禮與隋制。

唐室行禮亦有其自主性，非僅全然因襲，如貞觀五年（631）皇太子冠，原擬於二月舉行，太宗以為恐妨害農事，下令改為十月，並不採信陰陽家以二月為勝之說。[109]

另，唐初皇室冠禮，大體不脫文臣以篇章助興、皇帝賞賜禮物施恩的一般格套。《舊唐書·孝敬皇帝弘傳》載：

> （高宗顯慶）四年（659），加元服。又命賓客許敬宗、右庶子許圉師、中書侍郎上官儀、中舍人楊思儉即文思殿摭采古今文

---

107 《新唐書·禮樂一》，卷11，頁309；其詳可參見《舊唐書·禮儀一》，卷21，頁816-819。

108 天子無賓，惟卜日耳；太子賓、贊以命。

109 《通典》：「大唐貞觀五年（631）正月，有司上言：『皇太子將行冠禮，宜用二月為吉，請追兵以備儀注。』太宗曰：『今東作方興，恐妨農事。』令改用十月。太子少保蕭瑀奏稱：『准陰陽家，用二月為勝。』上曰：『陰陽拘忌，朕所不行。若動靜必依陰陽，不顧禮義，欲求福祐，其可得乎！若所行皆遵正道，自然當與吉會。且吉凶在人，豈假陰陽拘忌？農時甚要，不可暫失。』」（卷56，頁1579）《唐會要》卷26所記大體相同，唯時間為「貞觀三年（629）」。見〔宋〕王溥：《唐會要》（臺北：世界書局，1960年），卷26，頁495。

章，號〈瑤山玉彩〉，凡五百篇。書奏，帝賜物三萬段，餘臣賜有差。（《舊唐書》，卷81，頁3589）

其後，唐皇室冠禮更盛行群臣獻禮、皇帝賜答的「上禮」風氣。

「上禮」儀式，蓋出自古來君臣凡有嘉事，必設賀慶之禮，以通上下之情。自南齊、北魏以來，冠事甫畢，即於朝堂設酒肉付所司，相沿成風，習尚已久。唐則天武后臨朝之際，「垂拱、神龍，更扇其道，羣臣斂錢獻食，君上厚賜答之」，每逢皇子加冠盛會，大臣即爭相進獻厚禮，一則向皇室表明忠悃，再則藉機籠絡皇子，討其歡心。當時在位者非但不加制止，反而推波助瀾，「厚賜答之」，遂造成「姑息施恩，方便求利」的流弊。直至玄宗開元六年（718），始有宋璟奏停「上禮」之事。[110]

禮書所見，以上層社會為主的唐人冠禮，可謂猗與盛哉；但冠禮在民間卻已呈現式微之勢，柳宗元〈答韋中立論師道書〉即云：

古者重冠禮，將以責成人之道，是聖人所尤用心者也。數百年來，人不復行。近有孫昌胤者，獨發憤行之。既成禮，明日造朝，至外庭，薦笏言於卿士曰：「某子冠畢。」應之者咸憮然。京兆尹鄭叔則怫然曳笏卻立，曰：「何預我邪！」廷中皆大笑。[111]

---

110 《通典》：「（玄宗）開元六年，侍中宋璟上表曰：『臣伏以太常狀，准《東宮典記》，有上禮之儀。謹按：上禮非古，從南齊、後魏方始有此事；而垂拱、神龍，更扇其道，羣臣斂錢獻食，君上厚賜答之，姑息施恩，方便求利。皇太子冠乃盛禮，自然合有錫賚。上臺、東宮兩處宴會，非不優厚，其上禮宜停。』」（卷56，頁1579。標點略有更動）《唐會要》卷26同（頁495）。

111 〔唐〕柳宗元：《柳宗元集》（臺北：華正書局，1990年），卷34，頁872。

由宗元「數百年來，人不復行」之語，可知當時冠禮久為社會大眾所漠視，甚至士大夫也不以為意。此封論學書信偶然透露的民情實況，與《開元禮》及新、舊《唐書‧禮志》中洋洋灑灑的文字篇幅適成強烈對比。此種禮書與實際情況落差巨大的情況，值得研究禮儀時留意。

3 宋代冠禮儀節

據《政和五禮新儀》所載，宋代品官冠嫡子，儀用三加，節目如下：將冠諏日、擇賓、告廟、戒賓、宿賓、陳服，一如古禮。五品以上三加：初加折上巾，再加二梁冠，三加平冕。設酒饌，先拜父，後拜母，賓命以字，冠者廟見，見諸父、諸兄、姑、姊，最後以幣酬賓。[112]

宋代民間冠禮儀節，具見《溫公書儀》與《朱子家禮》，大致節目如下：冠前，主人盛服親臨筮日、筮賓、戒賓、肅賓，冠時行三加、見母、命字等禮；其儀節幾為《禮儀‧士冠》翻版。唯司馬溫公《書儀》自注云：

> 冠禮之廢久矣，吾少時聞村野之人尚有行之者，謂之「上頭」，城郭則莫之行矣，此謂「禮失求諸野」者也。近世以來，人情尤為輕薄，生子猶飲乳，已加巾帽，有官者或為之製公服而弄之，過十歲猶總角者蓋鮮矣。彼責以四者之行，豈知之哉？往往自幼至長，愚騃如一，由不知成人之道故也。[113]

由溫公之言可知：宋承唐後，士庶階級依禮加冠者已日見稀少，僅鄉間若干地區尚保留「上頭」之俗，依稀保存古代冠禮遺跡。可知《書

---

112 〔宋〕鄭居中等奉敕撰：《政和五禮新儀》，《文淵閣四庫全書》，史部第647冊，卷183，頁1下-6上。

113 〔宋〕司馬光：《溫公書儀》，卷2，頁1上。

儀》蓋亦存其禮以備用耳,民間未必真依《書儀》與《家禮》行禮如儀。

4 金元冠禮儀節

金、元政權俱由北方異族建立,彼等於中原漢族文化認知有限,甚至加以毀改。自金人進駐中國境內,即逼迫宋人遵其俗而髡髮,金太宗天會七年(1129)曾下令削頂髮,不從者論以死罪;直至海陵王(1149-1161)特意效法漢族風俗衣冠,始弛削髮之制。

金朝冠禮幾不行,《金史》雖有〈禮志〉十一卷,然其述及冠禮者,僅「皇帝即位,加元服、受尊號……凡國有大事皆告。或一室,或遍告及原廟,並一獻禮,用祝幣」,[114]寥寥數語。由於記載簡質,金朝禮制與中原禮儀是否質文有異,實難遽斷。

元代蒙古族以被髮椎髻、冬帽夏笠為特點,朝廷雖亦採漢人服飾,包括冕服、朝服、公服等,但未見冠禮實施記載,下迄明代始復行之。

元代朝廷雖不行冠禮,但在民間,漢族仍有行冠禮者,如清乾隆元年(1736)重刊《敕修浙江通志》引《至元嘉禾志》[115]載:「冠禮,男子十六始冠,亦有昏而冠者。女子于歸乃笄。聚族張筵。凡冠、笄皆炊大糕餽遺親里,始諱其名而字之。」[116]可知當時已出現冠婚合流的現象。

---

114 〔元〕脫脫等:《金史·禮四》,卷31,頁751。

115 案:元朝前後兩度以「至元」為年號:元初世祖忽必烈用之,時當西元1264-1294;元末順帝復用之,時當西元1335-1340。此蓋指後者。

116 〔清〕嵇曾筠等監修,沈翼機等編纂:《浙江通志》,《文淵閣四庫全書》,史部第521冊,卷99,頁18上。

5 明朝冠禮儀節

　　明太祖朱元璋推翻異族政權，銳意興革，於禮典之提倡亦不遺餘力。即位之後，禁胡服、胡語、胡姓與胡俗，令士民仍舊束髮，衣冠悉如唐制，力圖復興漢族固有風俗文化。明皇室不止一次改制修禮，冠禮亦數度有所制作。《明會典》卷六十三載：

> 按：冠禮天子止一加，用袞冕；太尉設纚，太師受冕。太子、
> 皇孫年十二或十五始冠，天子自為主，擇三公太常為賓、贊，
> 凡三加冠，一祝醴，成化間（1465-1487）始定祝詞、醮詞、
> 勑戒詞。其諸王冠、祝、醮詞，皆洪武間（1368-1398）定。
> 下及官民，莫不有禮。[117]

由此可知，明人自上而下，各階層均制有冠禮，皇室對冠禮的重視可見一斑。茲略加述論：

　　明太祖洪武三年（1370）定皇帝冠禮：先期，陳設如大朝儀，命官攝太師為加冠者，太尉為贊冠者。當日質明行禮，一加冕，服袞服，飲醴酒，百官拜賀。禮畢，拜謁太后，擇日謁太廟。

　　洪武元年（1368）定太子冠禮：前期卜日，遣官告天地、宗廟。前一日陳設香案、位次；當日質明，陳設醴席、冠服等。三鼓，皇帝升座，百官入，如常儀。三加：折上巾、遠遊冠、袞冕。奏樂、飲醴、進饌、命字，內殿見皇后，明日謁廟，又明日百官稱賀。[118]

　　洪武二十六年（1393）定親王冠禮，大體同上，惟三加略異，用

---

117 〔明〕申時行等重修：《明會典》（北京：中華書局縮印1936年商務印書館萬有文
　　庫本排印明萬曆重修本，1989年），卷63，頁397。

118 以上並參《明史‧禮八》，卷54，頁1376-1380。

網巾、翼善冠、袞冕。

參酌《明會典》記載，可知明代皇室冠禮儀節頗見繁縟，並須動員各方人馬：宮廷太史監奉詔筮日，工部製作袞冕、遠遊冠、折上巾服等各種冠冕，翰林院撰擬祝文祝辭，禮部準備儀序、道具，中書省奉詔諭告某官為賓，某官為贊。加冠儀式畢，又有進爵賜字儀式：由太常博士引皇子至奉天殿東房換上朝服，跪伏皇帝御座帷幄前，由太常博士宣讀皇帝賜字：「奉敕字某，太常博士啟皇子」，皇子跪聽宣敕畢，再次跪拜，並進身跪奏：「臣不敏，敢不祗奉。」而後，皇帝起駕還宮，樂止。皇子則由內給事引導入內宮謁見皇后。[119]其禮堪稱完備。

明憲宗成化十四年（1478）續定皇太子冠儀，將原本初加、再加的折上巾、遠遊冠改為翼善冠與皮弁，三加則維持九旒冕不變，似未見命字一節。[120]

洪武元年定品官冠禮，三加依次為緇布冠、進賢冠與爵弁；儀節包括擇日、筮賓、戒賓及贊冠者；三加之後飲醴、進饌，入見母，賓字冠者，冠者見諸親，明日見廟等，基本上與〈士冠禮〉無甚差異。[121]

明代庶人冠禮與《書儀》、《家禮》同為三加，而改用巾、帽及幞頭；字訖始拜父母，遍見諸親長，又見祠堂。唯《明史・禮八》云：

> 古冠禮之存者惟士禮，後世皆推而用之。明洪武元年詔定冠
> 禮，下及庶人，纖悉備具。然自品官而降，鮮有能行之者，載

119 〔明〕申時行等重修：《明會典》，卷64，頁398。

120 《明史・禮志八》，卷54，頁1380。

121 同前注，頁1382-1385。

之禮官，備故事而已。（《明史》，卷54，頁1385）

可見當皇室復古成風、行禮如儀的同時，[122]民間冠禮表面上沿用宋人舊制，實際上卻鮮有能行者，冠禮的沒落誠可謂頹勢難挽矣。[123]

（三）冠禮衰亡期：有清民國

1 清朝民間冠禮

有清一代，史志不載冠禮，《清朝通典》竟謂：「冠禮今既不行，自無庸纂述。」[124]滿清入關之後，境況與元朝類似，皇室既不行冠禮，亦未定冠儀，而強力推行薙髮留辮政令，迫使中原縉紳士民俯首稱臣。清人蔣良騏《東華錄》載清世祖順治二年（1645），六月諭禮部：

> 向來薙頭之制姑聽自便者，欲俟天下大定也。此事朕籌之最熟，若不歸一，不幾為異國之人乎？自今布告之後，京城內

---

122 據《明史》余繼登、沈一貫、趙志臯、張位各傳，神宗年間，眾人屢為皇長子冊立冠婚之事而上疏力爭。

123 清康熙五十一年（1712）河北《龍門縣志》謂冠禮：「明（熹宗天）啟、（思宗崇）禎間已不舉行。」（《華北卷》，頁138）〔清〕清高宗勅撰：《續通志》「諸侯大夫士冠」條史臣案語亦云：「唐、宋以後，品官冠儀，大率依倣〈士冠禮〉為之，雖歷代微有損益，而大較不異；觀唐柳宗元所言孫昌允（案：柳宗元〈答韋中立論師道書〉作「胤」，文見上引）事，則知當時行此禮者絕少，閒有為之者，反見駭笑於時俗。降宋及明，益復寥寥。儀注雖存，以備一代掌故而已。」（《十通》本〔臺北：臺灣商務印書館，1987年〕，卷115，頁「志」3941）

124 《清朝通典》：「臣等謹按：杜《典·嘉禮》一門，凡冠婚朝會之儀，尊崇冊封之典，章服車輅之制，節文度數，靡不詳備。顧冠禮自宋、明以來，雖或考定其制，而當世鮮有行之者。伏惟國朝典章明備，宜古宜今，要皆崇實斥虛，以為億萬世遵守。冠禮今既不行，自無庸纂述。」（《十通》本，卷51，頁「典」2337）

外，直隸各省，限旬日盡行薙完。若規避惜髮，巧詞爭辯，決不輕貸。該地方官若有為此事瀆進表章，欲將朕已定地方仍存明制，不遵本朝制度者，殺無赦！[125]

由文中可見肅殺之氣，以致「留頭不留髮、留髮不留頭」一語傳遍天下，足見當時政令之嚴峻。[126]另方面，清皇室時以祖訓家規自勉，不輕改本族舊制，尤其注重關外騎射嫻熟武藝的傳統風習，故如太宗皇太極、高宗乾隆帝，即批評漢人的寬衣大袖，而主張窄袖緊身。凡此，遂使清代男裝長期保持滿族的基本特徵。

相對於清朝皇室的漠視漢禮，民間士大夫家則尚流傳宋、明以來司馬光、朱熹、丘濬等人修纂的禮書，間亦有遵行冠禮者。如康熙三十二年（1693）河南省《內鄉縣志》載：

> 內鄉冠禮間行於士大夫家，而久不行於民間。邇來冠不告廟，字不命之於賓，成人之道廢矣。司馬溫公、朱文公、丘文莊公家禮儀節具在，舉而行之，不難也。（《中南卷・上》，頁251）

而從各地方志常見的「冠、婚、喪、祭，多遵文公《家禮》」等習語推之，文公《家禮》在民間的影響力確實普遍而深遠。[127]如乾隆二十

125　〔清〕蔣良騏撰，林樹惠、傅貴九點校：《東華錄》（北京：中華書局，1980年），卷5，頁80。

126　唯清朝更改衣冠制度之措施並未徹底成功，為了緩和來自民間的反抗勢力，遂接納了明遺臣金之俊「十不從」說：男從女不從、生從死不從、陽從陰不從、官從隸不從、老從少不從、儒從釋道不從、倡從優伶不從、仕宦從婚姻不從、國號從官號不從、役稅從語言文字不從等，因而有限度的保留了漢族風尚。

127　據稱朱子《家禮》直至民國以後仍有奉行者，惟限於崇儒好禮的書香世家。如民國三年（1914）河南省《項城縣志》載：「冠禮久廢。近數十年，讀書好禮之家於

二年（1757）福建省《安溪縣志》載：

> 冠、昏、喪、祭，風俗攸關。安溪為朱子過化之區，遵《家
> 禮》者舊矣；然貧富不一，奢儉頓殊，城邑、鄉村習尚不無各
> 別。今以冠禮言之，惟官族行三加之禮為近古；若鄉村庶人，
> 於將婚之前只用一加之禮，擇吉延親友之具慶者為儐相；冠
> 畢，拜祖先、父母。是日以米粉為丸，奉祖先，饋親友。（《華
> 東卷・下》，頁1303）

又如光緒七年（1881）河南省《宜陽縣志》載：

> 冠禮久廢，士大夫家亦有依文公《家禮》行之者。子弟未冠
> 時，不許以字行，不許以弟稱，庶幾合古人責成人之意。子弟
> 當冠者，延有德之賓責以成人之道，其儀式俱遵文公《家
> 禮》。童子以事長為事，紒而不冠，衣而不裳，名而不字，皆
> 所以別成人、教遜弟也。（《中南卷・上》，頁289）

《家禮》的勢力不僅遍布華中、華南、華北各區，福建省尤深被其流
風餘韻。[128]福建省《平潭縣志》且論述道：

婚期之前多有行之者，其儀節一遵朱子《家禮》。笄禮行之者少矣，惟於新婦入門
後，猶存冠笄之名。」（《中南卷・上》，頁183）民國二十五年（1936）河南省
《陝縣志》載：「古（冠）禮久廢，鄉前輩多有從薛仁齋講學者，如朱子《家禮》
所載，間能行之，特不普通耳。」（《中南卷・上》，頁302）

128 如《乾隆福建續志・漳州府》：「郡自朱子作牧，敦以《詩》《書》，澤以禮讓，
冠、婚、喪、祭一裁以正。」《乾隆福建續志・崇安縣志》：「冠、婚、喪、祭，俱
遵《文公家禮》。」《上杭志・汀州府》：「冠遵朱文公《家禮》，大率男子將婚始加
冠，女子臨嫁始笄。」分見清同治十年（1871）重刊《福建通志》（臺北：華文書
局《中國省志彙編之九》，1968年），頁1147；1162；1169。

　　朱文公手定《家禮》，冠、婚、喪、祭，儀節詳明，蓋家諭戶
曉之書也。國朝《會典》煌煌，無非以禮教昭示臣民。我聖祖
御纂《性理精義》，載以《文公家禮》，其所以風化天下者，至
深且切矣。閩夙承文公遺澤，復際道化翔洽、禮教修明之會，
臣庶率由，而薰蒸之風俗宜其日盛，顧其間有狃於氣習而競以
侈靡相尚者，即福邑亦所不免。……曩宗伯蔡公世遠，憫閩俗
之流失，仰體列聖道德齊禮之意，依文公舊籍，酌其簡要，且
歷指俗之愆禮者，參互考正，輯為一書，用以勸勉所在鄉村，
蓋予俗以易行而可挽厥流失者，莫善於此。[129]

至如清初閩南流傳的《家禮大全》、《家禮會通》等書，雖沿承《文公
家禮》而明列冠、笄之禮，卻說：

　　今俗將親迎時，加鼎帽于首，不行三加之礼。
　　今日冠、笄禮儀久廢，但於嫁娶前擇日行之。[130]

可見冠禮實已日趨湮廢，唯賴有心人士不辭苦心孤詣，時時仿效《家
禮》以求倡導施行，另方面則又不能不向婚禮靠攏，改在婚前舉行。

　　綜觀清代民間冠禮，可謂漸趨簡約、式微，甚至有名無實，[131]見

129　〔清〕黃履思纂修：《平潭縣志》，民國十二年（1923）鉛印本，《中國方志叢書》
　　（臺北：成文出版社，1983年），第79號，頁190。
130　〔清〕張汝誠：《家禮會通》（臺北：大立出版社，1984年），頁48、50。
131　如嘉慶十九年（1814）四川省《彭山縣志》載：「古人筮日、筮賓，告于先祠而冠
　　之，所以責成人也。近世子弟，髫齡即冠帶，少儀罕能習之，容遂幾成風矣。蓋
　　冠禮自唐宋已廢，即士大夫家亦鮮能焉。然崇禮由禮，不可不急為講求也。」
　　（《西南卷·上》，頁184）

於方志的敘述或僅略具輪廓，或已明顯與婚禮合流。

2 民國冠禮

　　西元一九一二年，綿延數千年的中國封建體制，終為革命勢力所推翻，民國肇建，成立了自由民主的新政體。清末變法維新以降，在歐風美雨席捲下，民風淳樸保守的中國社會，湧起一波波求新求變的改革風潮，舉凡思想、制度、生活、習慣都產生極大的變化，無形中加速了傳統禮俗的沒落。周錫保說：

> 自辛亥革命後，服飾的形制為之一變。清代的官服、頂戴當亦隨之而捐棄。其中尤以剪去辮髮為其重大改革的表幟。[132]

周氏之言簡要指出民國建立對傳統禮俗的重大影響。

　　民國以來成年禮的施行，主要見於各地方志記載。實則明、清以降，傳統冠禮久已湮廢，各地方志猶得縷述其詳者，往往只是存錄舊儀，未必見諸實行。[133]

　　綜覽民初方志，可知：民國以來成年禮，既有依傳統民俗而殘存者，其特色大致因襲前清；更大程度上則受西化影響，對傳統成年禮廢置不顧。[134]此時政治體制丕變，國中局勢擾攘不安，非僅官方無暇制禮，平民百姓或亦競逐新奇，拋卻舊典，一時之間禮俗的發展竟至

---

132 周錫保：《中國古代服飾史》，頁533。案：「頂戴」原誤作「頂帶」。

133 詳參本書之〈玖、近代方志所見民間成年禮及其傳承與變化〉。

134 如民國四年（1915）北京《順義縣志》：「男子年十六、七以上隨便加冠，女子納聘時加冠，俱不行古禮。今已久廢，存其名可也。」（《華北卷》，頁19）民國二十二年（1933）《順義縣志》：「三加之禮久不講求。大致男女將及成年，均自由加冠與副笄。」（《華北卷》，頁21）

混沌莫名的地步。其中有保留於鄉間的舊傳統，亦有流行於都會的新風尚，尚有邊陲之境少數民族的奇風異俗。[135]

　　值得注意的是，此期因冠禮的從簡，間有集體行禮的事例，如民國二十年（1931）湖南省《嘉禾縣圖志》載：

> 今冠禮雖廢，而縣屬貴賢鄉、榜背山、茶窩嶺、大屋地諸雷族，鑾三鄉、楓梓溪蕭族，有師其意而為之者，凡間數年或十數年一舉行之。屆期，擇族年高德劭者主之，少者咸會於宗祠。簡年滿二十者書於冊，按派行、名字義取別號，大書紅帖粘祠壁，以次拜祖位，見父老，就席釂酒，三行或五行畢，退，謂之「慶號」，蓋猶是古人「冠則字之」之遺也。曩時，村族嘗見紅紙書某名、某字，佳氣溢閭弄間，今少見矣。（《中南卷・上》，頁533）

民國二十三年（1934）河北省《完縣新志》載：

> 冠禮久廢，早婚尤為陋習。唯男子自二十歲以後，鄉人往往擇年相若者數人，將名字榜諸通衢，名曰「送號」。釀金會飲，借申慶祝。此二十餘歲之男子，自此遂以字行，儕於成人之列矣。冠禮雖廢，此舉實足以代之，亦告朔餼羊之義也。（《華北卷》，頁352）

諸如此類較為省便的作法，可說是因應時代變革而作的改變。

---

135 詳參拙撰：《儀禮士冠禮研究（二）——先秦成年禮與後世成年禮的比較研究》，第二章第四節，頁62-69。

民國以來，學校興起，偶或沿襲清代科舉遺俗，在學生畢業時舉行成年禮，如民國三十二年（1943）廣東省《民國新修大埔縣志》載：

> 冠禮，久已不行。唯清代士子入學，或得科甲，及納粟捐虛銜實職者，必擇日行謁祖禮，具盛筵大宴族戚。由科舉者，謂之「清貴」，名曰「新貴人」。於其榮旋時，族戚具衣冠、鼓樂、儀仗、喜炮、金花、紅綢，接之於鄉口，……由族戚為簪花披紅，再一揖而散。俟族戚去稍遠，新貴人即上轎，遍拜內外祖各神廟及業師、尊長等，族人則於是日醵金，在祖祠為之接風，並請新貴人之祖若父入主，一席盡歡而散。晚則新貴人家大宴族戚。納粟者則由其自擇吉日謁祖宴會。
>
> 民國成立，此風已替。然潮州各屬於學校畢業，仍有遵行者，吾埔或一二見，但不迎接，與納粟者同。（《中南卷・下》，頁747-748。標點略有更動）

幾經風霜雨露，今日中華民國已在臺灣建立起自由、民主、富庶的現代社會，締造出舉世矚目的政經成就；然而正因工商業的快速發展，都會區的惡性擴張，傳統禮俗可謂瀕臨絕境，婚喪喜慶更是奇態百出。成年禮方面，臺灣民間猶或保存「做十六歲」習俗，[136]政府及學校則在有心人士的倡導下，勉力推行新式成年禮；[137]其間亦有公務員赴日考察後，對日本的「成人節」[138]印象深刻，回國後倡議舉辦成

---

136 參見彭美玲：〈臺俗「做十六歲」之淵源及其原因試探〉。

137 民國八十一年（1993）內政部修正《國民禮儀範例》，於第三章增列「成年禮」，並彙集周何先生冠禮之相關文章，成《成年禮之詮釋》，由各級民政單位推行，惜似止於紙上談兵，未見成效。

138 日本以一月十五日為成人節，男女皆以年滿二十為成人，屆時全國各地都有相關的節慶活動。

年禮，促使公家單位（如臺北市所轄若干區公所）或學校機關（如私立東吳大學）跟進，刻意倡行新時代的成年禮活動；近年來，亦偶有高中、大學或縣市政府、鄉鎮公所為青年學子舉行成年禮；唯成年禮歷經二千多年的時間淘洗，猶如大江東去，其勢難返，[139]亟待吾人抉發新義，再創新局。

（四）笄禮儀節及其與婚禮的關係

1 唐代以降民間笄禮及其與婚禮的交涉

　　唐以前史志，未見女子笄禮的相關記載。晚唐韓偓〈新上頭〉七絕，約略可見笄禮端倪：

> 學梳鬆鬢試新裙，消息佳期在此春。
>
> 為要好多心轉惑，偏將宜稱問傍人。[140]

此詩由一位甫成年少女的視角，細膩生動的描寫其「學梳鬆鬢」的微妙心情，形象地反映出唐代女子的成年習俗。

　　據古禮書記載，女子笄禮的主要儀式似乎只在變換髮式，未見如男子一般數度入房換裝的繁文縟節。韓偓此詩提到了「試新裙」，可想而知的是古代婦女「不與外事」，且笄而無冠，不似男子有配對成套的冠服，因此，女子成年禮在服飾方面自然較為單純，不過在學梳鬆鬢的同時，換上成年婦女的時裝打扮而已。

---

139 其詳請參拙作：《儀禮士冠禮研究（二）——先秦成年禮與後世成年禮的比較研究》，第二章第四節，頁62-69。

140 《全唐詩》（北京：中華書局，1996年），卷683，〈韓偓四〉，頁7834。

　　唐代的笄禮似乎已與婚禮混合，當時「上頭」一詞似已含出嫁意味。韓偓詩題所謂「新上頭」，意指唐代少女在十五歲之前，多梳成中空環形的雙鬟髮式；到了十五歲成年，開始用簪束髮做髻，即稱為「上頭」。詩中所說的「鬆鬢」，一作「蟬鬢」，[141]即女子將頭髮梳堆成蓬鬆如蟬翼般的式樣。詩中的「消息佳期」，指女子出嫁的吉期。女子婚前加笄，按例由其母延請一婦人為之縮髮成髻，插上髮簪；即令非正式結婚，為掩世人耳目，在髮型上也要有所變換，如同白居易〈井底引銀瓶：止淫奔也〉詩所說的「暗合雙鬟逐君去」，[142]可見唐代女子笄禮與婚禮已有密切交涉。

　　後代方志每多「上頭」的相關記載，時或兼指男冠女笄，如前引司馬溫公語，即稱為「上頭」，又如民國十三年（1924）廣東省《花縣志》所載：

> 冠禮中州少作，廣屬恆有行之者，率簡略從事，或臨時而始冠。（原注：《府志》）
>
> 冠禮鮮有行者，然屬內大小各村，於娶前數日行加冠禮，男女皆同。是日謂之「冠笄」，亦謂之「上頭」，亦古人醮子之禮意也。（《中南卷·下》，頁687）

時或專用於女性，如同治九年（1870）湖南省《江華縣志》：

141　〔晉〕崔豹：《古今注》（臺北：臺灣商務印書館影印明刊本《古今逸史》，1969年）〈雜注第七〉：「魏文帝宮人絕所愛者有莫瓊樹、薛夜來、田尚衣、段巧笑四人，日夕在側，瓊樹乃制蟬鬢：縹眇如蟬，故曰『蟬鬢』。」（卷下，頁6上）

142　〔唐〕白居易著，朱金城箋校：《白居易集箋校》（上海：上海古籍出版社，1988年），卷4，頁246。

冠禮不行已久，非獨江華然也。然今功令頒行頂帽，品級秩如，士人雅重之。入泮授弟子員職，必先筮日設席，延賓受賀，然後戴以拜客，亦庶幾古者冠於阼之意也。

至於女子將嫁，有所謂「上頭禮」，頗合於筓而字之義，誰謂古禮為盡亡哉！（《中南卷・上》，頁593-594）

又如民國三十一年（1942）四川省《西昌縣志》載：

筓禮：女子幼時，辮髮下垂；及字人，挽腦後作髻，以簪綰之，蓋備筓也。

縣俗，卜婚期，附筓期。及時祀神，女面日者所定方向，母命敬戒，授簪於女儐，總髮加筓，俗曰「上頭」，即古筓禮也。（《西南卷・上》，頁368）

類此記載不勝枚舉，俱屬區分女子已嫁或未嫁的標誌，因知筓禮多附於婚禮舉行。然而伴隨後世禮俗之變，「上頭」一詞的意涵已由成年禮跨越至婚禮的範疇，如馬之驌《中國的婚俗》第七章「結髮與上頭」章所言：

中世紀以後，冠筓之禮逐漸廢弛，但世人在男女成年之前，仍請長者分別為適婚兒女行成年之禮，梳理頭髮為成年人的髮式，或男的則加冠命字，女的則梳成年婦人型的髮髻，……此舉也稱「上頭」，蓋亦古時冠筓禮之遺跡，而必行於即將結婚之時，於是冠筓之禮，遂與婚禮聯結在一塊兒了。[143]

---

143 馬之驌：《中國的婚俗》，頁85。

馬氏復指出：五代及宋初之際，已出現「上頭」一詞，當初不過單指女子成年加笄，[144]並非新娘專利，之後世人逐漸將「上頭」應用於婚禮之上：女子將出閣時理粧，謂之「上頭」；男子將娶妻時加冠，亦稱「上頭」；尤有甚者，娼家處女初次薦枕於人時，亦稱「上頭」。[145]由上述「上頭」一詞意義的演變，即不難窺知歷代民間成年禮由盛轉衰，乃至終於消亡的大勢。[146]

2 宋代笄禮

《宋史・禮志》獨載公主笄禮，為歷代史志所無，乃彌足珍貴的笄禮資料，秦蕙田說：

> 公主笄禮於他書不詳，即《政和御製冠禮》亦未及也，惟《宋史》載此儀。皇帝親臨於內殿，三加三醮，蓋倣庶子冠禮而為之者。[147]

宋朝公主笄禮，先行總髻，依次三加：初加冠笄，再加冠朵，三加九翬四鳳冠。每加用樂，有祝辭、飲醴、進饌、命字諸儀節。字後拜君父，宣訓辭，見母后亦然。禮畢，皇后、妃嬪、內臣等依次稱賀。[148]

---

144 如〔唐〕花蕊夫人〈宮詞〉詠女子及笄上頭所說：「年初十五最風流，新賜雲鬟便上頭。」（《全唐詩》，卷798，頁8976）

145 盧昌德也說：「到了明清時期，『上頭』一詞的內涵、外延都擴大了，少女出閣稱上頭，男子娶妻也稱上頭，更有甚者，明清之後的言情文學中，娼妓第一次接客也稱『上頭』，這就完全沒有及笄的含義了。」見《紅燭白蝶——宮廷人生禮儀》，頁48。

146 至於流行於閩、臺的「做十六歲」，雖偏重男子成年之意，亦兼及女子及笄，唯與婚禮關係較不密切。

147 〔清〕秦蕙田：《五禮通考》，卷150，頁55上。

148 詳《宋史・禮十八》「公主笄禮」，卷115，頁2730-2732。

秦蕙田以其禮「皇帝親臨於內殿，三加三醮」為由，故認為「蓋倣庶子冠禮而為之者」。

宋代民間女子笄禮較男子冠禮簡略，未如男子有詳備的三加儀式，據《書儀》、《家禮》二書所記：女年十五，雖未許嫁亦笄，主婦為主人，姻親為女賓，行於中堂，前期三日戒賓，前一日宿賓。《書儀》又詳列陳設，有背子、首飾，櫛總和冠。《書儀》賓、贊兼有，《家禮》無贊。然《書儀》僅以加冠笄為主要節目，《家禮》卻仍保留醮、字之禮。

繼中唐柳宗元感喟士大夫不重冠禮之後，北宋司馬光也慨歎當時民間冠禮不振的現象（文並見上引）。社會風氣的轉變，應是造成冠禮沒落的主要原因。秦蕙田《五禮通考》說：

> 士庶女子笄禮自宋《書儀》、《家禮》而外，明世蓋無聞焉。然冠禮久廢，而今人家於女子年十三則畜髮，謂之「上頭」。擇日行之，或拜見父母尊長，告於親黨。
>
> 劉氏曰：「笄，今簪也。簪所以固冠。今世惟已嫁者乃得用之，似於禮意適合。」[149]

可見由於冠禮的日益式微，女子笄禮遂亦有逐漸與婚禮合流的趨勢。

五　餘論：成年禮衰微的原因

長期以來，由於牽涉繼世承重的象徵意義、即位問政的現實需求，歷代皇室冠禮大體相沿不墜，只在世衰亂離或異族入主之際──

149　〔清〕秦蕙田：《五禮通考》，卷150，頁56下。

如金、元、清三朝——始曾中絕。尤其經過魏晉南北朝的發展變化之後，唐、宋、明各代對於皇族冠禮均頗為重視，不但三番兩次重修舊典，並且力行不輟；相對的，民間冠禮的實行便不盡熱衷。早在南齊顏之推《顏氏家訓》已反映時人不重冠禮之風，中唐柳宗元〈答韋中立論師道書〉所反映的社會情況亦然，下至北宋司馬光猶發感慨，遑論明、清方志千篇一律所謂「冠禮久廢」、「冠禮不行」的記載。因此，筆者雖大體歸納出先秦為冠禮「成立期」，漢魏六朝為「演變期」，隋唐宋金元明為「寖衰期」，有清民國為「消亡期」等冠禮發展史主要脈絡；但嚴格而言，此乃將貴族與平民兩種族類之差異現象總合而得的平均指數。而且，上述規律未免帶有偏重禮書的立場，儘管民間實際行禮者可能限於較少數的士人家庭，但只要當時禮書仍為庶民冠禮確立規範，即視之為冠禮猶存的依據。要之，從廣大的中下層社會看來，冠禮遠自唐、宋以來確已日趨衰微；明代雖力圖復興，但已積重難返；有清一代尤已形同消亡，誠如民國二十四年（1935）江蘇省南京市《首都志》所言：

> 南朝重冠，王侯士庶莫不兢兢於三加之典。唐始廢冠禮，宋、元亦無行之者。明興，定皇太子、皇子、品官至庶人之冠禮，然留都官庶力能行之者甚少，多沿俗草率行禮而已。清代以後，此禮遂廢。（《華東卷‧上》，頁352）

時至今日，進入工商，乃至網路社會，除非有心復古，否則成年禮恐真蕩然無存，逐漸消失於世人之心。

中國傳統成人／成年禮日趨廢滅的原因，實為一亟待思考與檢證的文化課題，唯因牽涉遼遠的時空背景，其複雜性不言可喻。或將冠禮的久廢不行，歸咎於清代的強制薙髮或民初的更改衣冠，而無視於

兩漢以降民間冠禮日益式微的歷史事實，似有過度簡化問題之嫌。

　　無可諱言，由於時代的進步，文明的發展，古今服飾迭有變改：由早期的冕、弁、冠，到後來的巾、帽，下至清人薙髮垂辮，民國以來更全盤西化，男女皆剪髮，至此則自無所用冠、笄，如民國二十二年（1933）河北省《南皮縣志》即言：

> 司馬溫公曰：「冠禮之廢久矣。近代以來，人情尤為輕薄。」則斯禮之廢，蓋自宋而已然矣。女之笄，猶士之冠。古者，女子許嫁則笄，不必于歸也；今則結褵之夕始加笄。考笄，簪也，非今所謂髻也。明代男子亦有笄；清惟女子有之。今則女子漸慕剪髮，將無所用其笄矣。（《華北卷》，頁402）

隨著衣冠制度的幡然變改，冠禮的物質基礎無形中與時削減。誠然，清初薙髮或民初改制，對於傳統冠禮確實造成一定的打擊，此乃不可否認的事實，如民國三十一年（1942）廣西省《凌雲縣志》所說：

> 今俗已不及見奉行冠禮。……大約此制，其廢止當在清初下薙髮之令，所謂毀冠裂冕，因既辮而不髻，故弁無所施，而冕亦無須加矣。（《中南卷‧下》，頁1082-1083）

又如民國二十年（1931）四川省《南川縣志》所說：

> 邑人從無行冠禮者，而父為子結婚用束延客，謂之加冠，義亦可通。……民國以來，鄉俗間長幼、尊卑，冠服混淆，學校少年多不著冠，尚何冠禮可言！（《西南卷‧上》，頁254）

上引三則資料都注意到冠禮施行的客觀條件,當條件喪失時,冠禮自
然隨之消亡;但禮俗的失落,除外來的衝擊外,必然還有其更深沉的
內部因素:或「苦其煩縟」,[150]或因「未能特舉,故附於婚禮」,[151]在
在提醒吾人:冠禮之不行,除受前述外在物質條件影響外,更基本的
是它涉及世人的心理層面:趨易避難、去繁就簡;更重要的是後人不
再感到冠禮的必要性,世人已在不知不覺間以婚禮取代冠禮,如民國
二十三年(1934)雲南省《宣威縣志稿》所言:

> 冠、婚古本二事,邑中舊合為一,謂男之婚即冠,女之嫁即笄
> 也,是則去繁縟、歸簡便之趨向矣。(《西南卷‧下》,頁768)

古代成年禮除加冠、笄外,另有「命字成人」的重要象徵儀節。某些
方志也說明了命字之禮不行的原因,如民國二十年(1931)四川省
《南川縣志》載:

> 古者,子生三月,父命之名;年二十加冠,賓命之字,而勉以
> 成德。既有字,非至尊親皆呼字不呼名。今人有幼稚時其父即
> 名字並命,殊失尊長、師友借字勉德之意。惟十餘歲讀書曉
> 事,漸有交遊,始求師長字之,為暗合古禮。但名字紛歧,人
> 有知其名不知其字者,有知其字不知其名者,交接稱謂,時啟
> 異同,選舉投票,尤多障礙,不如只用一名之簡而確也。(《西

---

150 康熙十二年(1673)山東省《齊河縣志》:「古者,男子二十而冠,筮賓三加,父
母命醮,蓋以成人之義期之,誠重典也。近士夫苦其煩縟,此禮不行久矣。」
(《華東卷‧上》,頁118)

151 道光二十年(1840)山東省《濟南府志》:「冠禮久廢,惟將婚時著成人冠服,拜
父母、兄弟、姑姊妹,外及宗族、鄉黨、鄉先生。此於婚禮無所附,識者以為即
冠禮之遺,但未能特舉,故附於婚禮,以存其意耳。」(《華東卷‧上》,頁91)

南卷・上》，頁254-255）[152]

由於今人不再以諱名稱字為必要，遂無命字之禮，此與冠禮之式微可以並觀。

　　若再深入探討冠禮發展史由成而變、由變轉衰，終至全盤廢亡的過程，應可由社會、制度、經濟、政治、習俗與生理等諸多角度加以解釋。

（一）社會變遷，功能消失

　　兩周的成年禮，建立在封建宗法制度之上，乃具有高度文明、相當成熟的成人禮儀式，早已脫離原始民族的成丁禮意義，而特重其宗族、社會、政治意義。一旦時代由先秦降及兩漢，社會制度由封建宗法變為征伐戰國，再進而至於帝國一統，儀節中至關重要的「三加冠服」，遂漸失去意義，促使冠禮無形中漸趨式微。

　　人類學者認為，若從個人身心發展與社會互動的角度觀察，生命禮俗的本質，實際上是借用一種儀式行動，使人由舊階段順利轉換到新階段。通常，當個體處於人生的過渡階段時，不僅可能出現心理適應的困難，也可能有面對社會關係變化的困難。此時若能借用若干儀式，幫助當事人在心理上有所調適，在社會上建立良好的人際關係，自能促使其順利扮演新階段的角色，此即生命禮俗的功能所在。

　　由上述觀點考察中國古代成人／成年禮，其日益衰落的主因之一，可能在功能上已不符原有的內涵，遂致漸遭淘汰。試觀傳統的婚禮、喪禮，現今民間尚存而未廢，冠禮卻幾已消失無蹤，箇中自有其

---

152 民國三十三年（1944）四川省《長壽縣志》說同，見《西南卷・上》，頁25-26。

深層原因。李亦園先生認為：冠禮及其他的成年禮，是一種較著重於個人心理轉換的儀式，可稱之為「隱性的生命禮俗」（latent life ritual）；而婚禮、喪禮不僅牽涉到個人心理層面的轉變，同時也牽涉到社會關係的轉變，可稱之為「顯性的生命禮俗」（manifest life ritual）。由於社會變遷的關係，顯性的生命禮俗較易被保存，而隱性的生命禮俗經常較易消失，此乃因維持微妙的心理轉換儀式實有困難，因而冠禮多易流失。[153]

實則，先秦冠、笄禮的社會性較之婚禮、喪禮並不遜色，故李亦園先生之說若施之先秦成人禮，恐未必中肯；但隨著時代的推移，社會制度亦因之更迭。自漢代以下，冠禮中的「三加」之禮已漸生變化；「命字」儀節，宋代以下亦漸為「字說」所取代；[154]時至近代，冠、笄禮皆簡併於婚禮，遂使原本屬「顯性的生命禮俗」，轉而成為「隱性的生命禮俗」，而逐漸消失其生命力。

（二）儀式轉化，變形重生

禮儀制度，因時空變改，而有所更迭轉化，乃勢所必然。傳統成年禮中部分儀節的衰廢，亦可由此觀點加以探尋，如葉國良先生便發現：宋代以下，冠笄之禮中的「命字」儀節大幅消亡，元朝尤甚，而其時「字說」一類的文章則大為盛行，成為當時文體大宗，即以「字說」取代「命字」的社會功能，故冠禮中的「命字」雖衰亡，卻由「字說」取而代之。[155]

---

153 見李亦園先生對許木柱先生〈男性成年禮的功能與現代生活——一個人類學的探討〉一文的討論發言，見《生命禮俗研討會論文集》，頁35。

154 說參葉國良：〈冠笄之禮的演變與字說興衰的關係——兼論文體興衰的原因〉，《漢族成年禮及其相關問題研究》，頁220-221。

155 參葉國良：〈冠笄之禮的演變與字說興衰的關係——兼論文體興衰的原因〉。

　　此外，原本士人「三加」的莊重肅穆，也因社會環境的變遷，而被「簪花披紅」之類的喜慶風貌所取代；又，命字禮也衍生出「贈號送匾」之類的繁文縟節；[156]再者，當代學校教育普及，相對於傳統成人／成年禮，求學各階段的畢業典禮似乎更受矚目，如近年來許多高中的畢業水球大賽、變裝大賽等：凡此皆可視為儀式轉化而產生的現象。

（三）經濟因素，影響施行

　　所謂「禮不下庶人」，古代社會禮文之施行與否，不僅關乎身分地位的表徵，也涉及當事人的財力條件。綜觀歷朝成人／成年禮，多實行於士大夫以上階層或富有人家，其因不言可喻。以《儀禮・士冠》為例，此禮乃為士人而設，其儀節繁複，品物眾多，事前事後皆須花費相當的人力、物力、時間與心血，實非一般庶民力所能及。李唐以下，雖經常由官方制定庶人冠禮，其禮文多稱簡省。逮及宋世，《溫公書儀》、《朱子家禮》所訂儀注，往往務從簡易，太半即顧慮時俗與家貧者的經濟負擔。後世更力求便宜行事，轉朝冠、婚合流的方向發展，不外乎考量省錢、省力、省時、省事等現實需求。

（四）政治干預，日久遂廢

　　每當異族入侵，中原易主，往往因當朝不重視中原文化，致使傳統禮俗遭到忽視，甚或打壓，此種外力的干預常迫使禮俗發生變異，日久則廢，冠禮自不例外。此種情況自以元、清二朝最為明顯，如四川省《西昌縣志》所說「滿清入主，下令剃髮，結辮後垂，冠禮漸

---

156 參本書〈玖〉之〈三〉。

廢」，[157]及上引廣西省《凌雲縣志》說冠禮之「廢止當在清初下薙髮
之令，所謂毀冠裂冕，因既辮而不髦，故弁無所施，而冕亦無須加
矣」，皆此意也。

（五）社會習尚，併冠於婚

先秦時代，無論是男子的冠後議婚，或女子的許嫁而笄，成年禮
與婚禮各為兩種重要的人生禮儀，二者處於等量齊觀的地位。時至後
代，民間或囿於早婚的習尚，或為了簡便省儉，逐漸將冠、笄禮與婚
禮合併舉行。

依據禮書所載，古人適婚年齡，大致為男子二十至三十，女子十
五至二十；[158]然而在中國廣大遼闊的社會、悠久長遠的歷史之流中，
向來普遍盛行早婚，如民國九年（1920）廣西省《桂平縣志》載：

> 古者二十而冠，三十而娶。後世風俗多喜早婚，未至成人之
> 期，已為有室之日，故冠、婚之禮咸同時並行。（《中南卷・
> 下》，頁1043）

冠禮勢必行於成婚之前，自然促使冠齡提前，以求彈性，無形中已埋
下冠禮的不穩定因子。

再則，周代典型的封建宗法制度鬆動之後，「加冠成人以著代」
的原有意義轉淡，在世人心目中，「合兩姓之好」的婚禮逐漸陵駕冠
禮之上，冠禮的必要性遂日益消失，不再為社會所重視；加以古代冠

---

157 《西南卷・上》，頁368。

158 《周禮・地官》「媒氏」稱「令男三十而娶，女二十而嫁」（《周禮注疏》，卷14，
   頁13下），可視為官方認定的婚齡上限。

禮係以改變服飾──主要是頭飾──來認證其社會角色的轉換；近
代，大眾的眼光與心思全為婚禮「合兩姓之好」的歡樂氣氛所吸引，
甚且直接以成婚等同成年，而不再斤斤於當事人的實際年齡，自然而
然的，冠禮日漸淪為婚禮的附屬儀節，進而造成冠禮久廢不行的下
場。近代方志即不時反映此種狀況，如民國十七年（1928）四川省
《涪陵縣續修涪州志》說：

> 《記》曰：「禮從宜，事從俗。」故君子行其禮，不變其俗；
> 且士庶之家亦難以一一繩以古法。涪冠禮久不行，惟於婚時存
> 加冠之名而已。（《西南卷‧上》，頁240）

又如民國二十四年（1935）四川省《雲陽縣志》所說：

> 冠禮久亡，而實不亡，今之婚前一夕祭寢命醮是也。按《顏氏
> 家訓》，齊、梁士夫已少知者。蓋古人視成人為重典，與婚禮
> 相間者十年，夐不相涉，故人皆習知；後世紕繁趣便，既冠而
> 婚，轉若附冠於婚，實則俗競早婚故爾。今世取婦召婚黨，束
> 稱「某子加冠」，則直混婚於冠而不悟矣。（《西南卷‧上》，頁
> 282。標點略有更動）

由上述記載可知，早婚乃後代冠禮附於婚禮，甚至是冠禮消失的重要
因素之一。

要之，傳統成人／成年禮的式微，實乃多方因素交叉造成的結
果，吾人既無須感歎神傷，也不必一廂情願的執意恢復古禮，而應實
事求是的探尋其因果脈絡，重新尋覓成人／成年禮與現代社會的可能

交集,唯有如此,方能賦予傳統禮俗以生生不息的原動力。

（原載《臺大中文學報》,第18期〔2003年6月〕,頁85-138；修
改後收入葉國良、李隆獻、彭美玲合著:《漢族成年禮及其相
關問題研究》〔臺北：大安出版社,2004年〕,頁15-98）

玖　近代方志所見民間成年禮及其傳承與變化

一　研究材料

　　中華民族以漢族為主的成人／成年禮，早自有周伊始，即已流行於中原文化圈。根據《儀禮·士冠禮》、《大戴禮記·公冠》所載，周代乃以加冠服的儀式做為貴族青年的成人象徵；《禮記》等古籍，亦記載青年女子以行「笄禮」象徵成人：可知周代「成人禮」，包括男性的「冠禮」與女性的「笄禮」兩部分。此種成人儀式為士以上貴族階層所遵用，後世且奉為禮典；但在時、空因素下，就幅員遼闊、歷史悠久的古中國而言，歷代成人／成年禮卻未必始終如一的保留先秦古禮原貌，而是隨著時代環境的變遷、社會風尚的轉移，而有所因革損益，在不同的儀節段落上，或繁化、或簡化，甚或改造變形，在傳統文化的沃壤中，以繁富多樣的面貌存其根株，迭有生發。至於非漢族的少數民族，尤其展現迥異的風土民情，自有其專屬的成年禮；唯限於諸多因素，本文暫不討論。

　　傳統成人／成年禮的文獻資料，大致來源有四：一為先秦兩漢經傳；二為歷代官修二十五史「志書」中的「禮儀志」與歷代會要「禮卷」；三為歷代政書禮典與當代禮書；四為歷代地方志所載資料。第一項資料可據以勾勒先秦成人禮概況；第二、三兩項資料可據以考察歷代成人／成年禮的演變情況；第四項資料可據以探索民間成年禮

實況。[1]

　　中國方志源遠流長，從先秦的國別史、地理書，降及秦漢、魏晉南北朝的地志、郡書，下至隋、唐，即進入官修地志的時代，趙宋時體例日臻完善，元、明、清三朝，經政府的大力推動，各區各級方志的發展更是日新月異，在質量上達到極高的水準，並構成中國史學文化的一大特色。[2]在中國浩如煙海的歷史文獻中，方志不僅蔚為大宗，並且以「地方性的百科全書」的傲人姿態，為中國歷史文化提供了豐富鮮活的見證。誠如丁世良《中國地方志民俗資料匯編・序》所言：

> 地方志是一個偉大的知識寶庫，這是地方的「百科全書」，集各種調查研究與地方文獻之大成，內容十分豐富。自宋代以來，地方志的編修日益普及，我國各地幾乎都有縣志、府志、州志、省志等各種方志。地方志記載了我國古代和近代各地民俗的許多珍貴史料。這不僅是民俗學（原注：特別是研究地方民俗、民俗史或比較民俗）的重要資料，同時也為各門社會科學研究提供了豐富而生動的參考材料。[3]

然而，方志雖名為地方之史，具有地域性、連續性、普遍性、廣泛性、資料性、可靠性、思想性、時代性、實用性、系統性等主要特徵，[4]每隔若干年且重加纂修；但後修者卻往往直錄舊文，未必能忠

1　有關上述資料及其相關問題，已見拙作：〈歷代成年禮的特色與沿革——兼論成年禮衰微的原因〉之〈一〉，收入本書之〈捌〉。

2　關於方志簡史，可參考黃葦等：〈地方志大事記〉，《方志學》（上海：復旦大學出版社，1993年）附錄，頁852-910。

3　《中國地方志民俗資料匯編・華北卷》，頁1。

4　參黃葦等：《方志學》，第二章第二節「方志的特點」，頁280-285。

實反映地方上的真確演變；或由於編纂過程倉促粗疏，撰寫人員素質不一等因素，亦難免出現無心之過，譚其驤因有「舊志資料不可輕信」之說。[5]因此面對方志資料，必須保持適度的警覺，若其明言「直錄舊文」者，自可作為年代判定的參考。有時面對不同年代的類似記載，可以判定較早者近於實錄，較晚者則可能只是徒具虛文，不宜輕信當時仍有其事。一般而言，注重信實的撰作者多半會在文中補充一句「今多不行」，以為徵實，此種方式足可減少判讀時的困擾。本文之撰寫即多據此推斷成年禮的存廢情況。

　　一九八二年北京大學重新成立「中國民俗學會」，該會以編纂方志的民俗資料為其重點工作之一，並於九〇年間陸續編印成六大卷的《中國地方志民俗資料匯編》。[6]本文使用之方志資料，即以《中國地方志民俗資料匯編》為主，[7]並以臺北成文出版社之《中國方志叢書》、華文書局之《中國省志彙編》為輔。這些方志，年代最早者約在明代中期，下及有清與民國，故標題以「近代」概括之。由前述大批方志紀錄，可以清楚覘知此一時期民間實行冠、笄禮的大略情形。

5　譚其驤：〈地方志不可偏廢舊志資料不可輕信〉，收入吉林省圖書館學會地方史志研究組編：《中國地方志論集（1950-1983）》（長春：吉林省地方志編纂委員會、吉林省圖書館學會，1985年），頁81-85。

6　丁世良、趙放主編，北京：北京書目文獻出版社（後改為北京圖書館出版社），1991-1997年。

7　《中國地方志民俗資料匯編》計分《華東卷》（上、中、下）、《中南卷》（上、下）、《西南卷》（上、下）、《華北卷》、《西北卷》及《東北卷》等六卷，凡十冊。依資料數量與代表性，本文主要選錄前三種，而以《華北卷》、《西北卷》、《東北卷》為輔。

二　近代民間成年禮的沒落趨勢

中古以降，中國的民間成人／成年禮長期處於低迷不振的狀態：不僅唐、宋時期並未普遍獲得民間重視，僅行於部分士人之家；元代復經異族政權強力打壓，冠禮益趨衰微；明初百年，朝廷雖曾一度倡行，而有「冬至、元旦一加網巾」之俗，但明中葉以降，隨著朝綱的敗壞，國力的削弱，人民生計一年不如一年，禮俗之不講自是必然的趨勢；由明入清，近代方志大致體現了民間成年禮江河日下的演變軌跡。試舉乾隆十二年（1747）河南省《滎陽縣志》與民國十三年（1924）《續滎陽縣志》做一對比。《滎陽縣志》載：

> 男子十五至二十皆可冠。其先期旬日，有家廟筮日、筮賓之節，至日行禮，有拜賓至之節，有行盥洗之節，有賓致祝之節，有賓加冠之節，有賓飲冠者之節，有賓字冠者之節，有冠者拜賓之節，有冠者拜父母、拜諸父母兄弟、拜鄉先生之節，有主人飲賓之節，有賓酢主人之節，有主人薦幣之節，有主人送賓之節，有主人告廟之節。但其俗之異者：古禮三加，今惟一加也；其致祝之詞，務在貢諛，否則主人銜之。然冠禮今亦多不行。（《中南卷‧上》，頁8）

《續滎陽縣志》則載：

> 冠禮儀節詳載舊志，久已無復舉行。鄉間直以完婚為成人，蓋渾冠、婚為一，而古制蕩然無存矣。（（《中南卷‧上》，頁11）

《榮陽縣志》簡錄自《儀禮・士冠禮》輾轉演變而來的古冠禮儀節，[8]
這正是《續榮陽縣志》所說的「古制」；然而自宋、明以降，古制殆
已蕩然無存，即連節略繁文以求變通的《文公家禮》，所載時制也只
能通行於少數士大夫之家，如《明史・禮八》所說：

> 明洪武元年（1368）詔定冠禮，下及庶人，纖悉備具。然自品
> 官而降，鮮有能行之者，載之禮官，備故事而已。（《明史》，卷
> 54，頁1385）[9]

因此偶見於少數方志詳載的復古儀節（詳下），恐怕也只是聊備故事
而已。而由大多數的方志看來，竟連「故事」也不備了，「冠禮久
廢」、「冠禮不行」、「冠禮不講」乃最常見的用語。獨樹一格的有：清
康熙三十四年（1695）河南省《開封府志》、清乾隆十二年（1747）
河南省《榮陽縣志》、同治八年（1869）湖南省《慈利縣志》等，[10]其
所載古冠禮儀節，與《續榮陽縣志》的「古制蕩然無存」，或一般方
志「冠禮久廢」、「不行」、「不講」，可謂大異其趣。所幸乾隆四十四
年（1779）河南省《河南府志》及民國六年（1917）《洛寧縣志》，同
時對照古禮與今俗之異，足以解釋前述兩種記載歧異的緣由，也提供
了近世冠禮演變的具體線索，茲列表以明：[11]

8　差別在於周代男子二十歲行加冠禮，河南榮陽則是十五至二十，較有彈性；又古禮
　　「三加」，此則「一加」，較為簡便。
9　民國二十八年（1939）山東省《禹城縣志》亦云：「古冠禮之存者惟士禮，有明推
　　及庶人，纖細俱周。今因之，鮮有行者；載之禮文，備故事而已。」（《華東卷・
　　上》，頁123）
10　《開封府志》、《榮陽縣志》、《慈利縣志》並見《中南卷・上》，依序見頁13-14；8；
　　665-666。
11　二《志》原文見《中南卷・上》，頁253、294。

古　禮	河　南　府　志	洛　寧　縣　志
古重冠禮，將以責成人之道	今河南士庶家猶有行之者	今此禮雖廢，士庶家尚有行之者
冠禮筮日	今俗於將婚前數日擇吉行之	今惟行於將婚前一日
《禮》：戒賓、筮賓、宿賓，並宿贊冠者	今俗不備儀，但柬同鄉前輩一人為賓，即以賓之子弟為贊	今但於前一日延賓四人或二人贊禮
冠禮行於廟中	今士庶家或無廟，祀於正寢，即於正寢行之	今士庶家或無廟，即於中堂行之
《禮》：先陳器服	今俗亦設洗、設冠席，但不陳服，不設醴。冠惟一加，陳西階下	今亦設洗、設冠、陳服
《禮》：冠席設於東序西面，醴席設於戶西南面	今俗一加後，賓即酌酒禮冠者，不更席	
《禮》：三加三醮，皆有辭	今俗但隨賓致辭	今但一加，無詞
命字之辭，古人甚質	今俗或別為字說，以示教誡	
《禮》：冠者取脯見母，母拜受，子拜送	今俗不設脯，亦見於母	今不見脯，但見父母
《禮》：冠畢，醴賓以壹獻之禮，贊者皆與	今俗亦於是日行之	
《禮》：男冠女笄	今笄禮，待嫁日至夫家乃笄，名曰「上頭」	今嫁日至夫家乃笄，名曰「上頭」。笄以柏木為之

經由上表對比，「古制」日趨式微的明顯消息自然顯露。

　　問題是，冠禮真的如大多數地方志所說的「久廢不行」了嗎？比較精確的說法應是：自《儀禮·士冠禮》相傳而來，一成不變的儀節，確已不再講究了；但民間風俗活力是旺盛的，冠禮實以異於「古制」的方式存活於庶民生活當中。如乾隆九年（1744）河南省《汜水縣志》說冠禮「惟遵時制」，[12] 即說明了禮俗的與時俱變。所謂「時制」，一言以蔽之，即將冠禮併入婚禮一同舉行，這種情形在近代方志中隨處可見，下文將另闢專節續予深論。茲先就近代民間冠禮的沒落趨勢歸納出幾項要點：

（一）明清以來，正統冠禮民間久已不行

　　冠禮的施行狀況，明清方志常以「冠禮久廢」一語輕描淡寫帶過。細繹之不難發現，由於記者以古禮三加作為行禮與否的標準，故逕謂「冠禮不行」。縱使有所謂「士大夫家間行之」者，亦指遵《文公家禮》而行，並非全然依循古禮，如康熙三十三年（1694）山東省《登州府志》所言：「（冠禮）士夫家行之，遵《家禮》，稍略繁文，不失古初遺意。」[13] 即是。

　　綜覽近代方志，可大略探索歷來民間冠禮的衰變歷史。康熙五十一年（1712）河北省《龍門縣志》載：

　　（冠禮）明（熹宗天）啟（1621-1627）、（思宗崇）禎（1628-1644）間已不舉行。（《華北卷》，頁138）

12　《中南卷·上》，頁11。
13　《華東卷·上》，頁215；類似記載，亦見乾隆七年（1742）山東省《海陽縣志》（《華東卷·上》，頁250）、道光二十六年（1846）山東省《招遠縣志》（《華東卷·上》，頁227）等。

康熙五十八年（1719）山西省《汾陽縣志》載：

> 冠禮，所以責成人之道也。然柳柳州時，已稱數百年來人不復
> 行其禮，蓋廢久矣。故明尚有沿其意者；今天下皆不行，故不
> 贅。（《華北卷》，頁599）

光緒六年（1880）山東省《菏澤縣志》載：

> 冠，在明（穆宗）隆（慶）（1567-1572）、（神宗）萬（曆）
> （1573-1620）前，猶延賓行三加之禮，以後絕跡矣。（《華東
> 卷‧上》，頁299）

民國五年（1916）河北省《鹽山新志》則說：

> （冠禮）自宋、元以來，已云久廢。（《華北卷》，頁381）

民國十年（1921）上海《寶山縣續志》則說：

> 冠禮之廢，在南宋以降。（《華東卷‧上》，頁69）

民國二十四年（1935）江蘇省《首都志》則說：

> 南朝重冠，王侯士庶莫不兢兢於三加之典。唐始廢冠禮，宋、
> 元亦無行之者。明興，定皇太子、皇子、品官至庶人之冠禮，
> 然留都官庶力能行之者甚少，多沿俗草率行禮而已。清代以
> 後，此禮遂廢。（《華東卷‧上》，頁352）

民國二十五年（1936）山東省《東平縣志》則說：

> 漢、唐以來，此（冠）禮漸廢；東平亦久無行此禮者。然男子
> 迎娶新婦時，期前至戚友家行禮，謂之「告冠」，而戚友家送
> 禮亦謂之「冠敬」，殆將冠、婚之禮合而為一歟？（《華東卷‧
> 上》，頁281）

眾說紛紜之下，該如何確定冠禮的消亡時間呢？平心而論，這個問題
本來就沒有精準的答案。第一、除非先議定冠禮消亡的確實指標；第
二、即使定出若干指標，但在中國廣袤多元的文化地理之中，冠禮乃
至於任何禮俗的發展變化都不可能步調一致。不過，綜合前說，可知
中國歷代民間冠禮的實行程度，自漢、唐以來即不如想像中普遍，足
見禮書定制未必全然與社會實況相呼應。[14]再者，每逢國勢走向下
坡，政局動盪不安之際，人民處在衣食堪慮，甚或身家不保的困境
裏，行禮如儀的可能性更大為降低。所以，概括中國禮俗發展史的規
律，大致與國祚之盛衰、世運之隆污相表裏。如中唐柳宗元慨歎冠禮
久已不行，[15]可能與盛唐安史之亂有關；前引《寶山縣續志》說「冠
禮之廢，在南宋以降」，可能與宋室不敵異族，偏安江南有關；而明
朝國力在英宗以前百年之間稱盛，英宗以下則漸顯後繼無力，此與明
中葉隆慶、萬曆朝「三加絕跡」，似乎也不無關聯。

---

14 可參拙撰：《儀禮士冠禮研究（二）──先秦成年禮與後世成年禮的比較研究》，第
　　二章。

15 〔唐〕柳宗元〈答韋中立論師道書〉：「古者重冠禮，將以責成人之道，是聖人所尤
　　用心者也。數百年來，人不復行。近有孫昌胤者，獨發憤行之。既成禮，明日造朝
　　至外庭，薦笏言於卿士曰：『某子冠畢。』應之者咸憮然。京兆尹鄭叔則怫然曳笏
　　卻立，曰：『何預我邪！』廷中皆大笑。天下不以非鄭尹而快孫子，何哉？」（《柳
　　宗元集》，卷34，頁872）。

　　大抵而言，傳統冠禮消失於民間的確實時間，大約可定在明代中葉。如一九五九年北京中國書店影印之山東省《崇禎歷乘》已稱：

　　　　歷俗：總角、弱冠皆從其便，三加之禮，不惟庶民不知，即詩
　　　　禮之家亦有不行。（《華東卷・上》，頁92）

就在冠禮風氣普遍淡漠的情況下，社會上仍不乏少數有心人士偶爾力圖振作；或者刻意復古，依三加古禮為本家子弟加冠，一時之間傳為佳話。如一九六三年上海古籍書店據寧波天一閣藏明嘉靖刻本影印之江蘇省《江陰縣志》所載：

　　　　古禮不盡行。冠備三加，近一見之。（《華東卷・上》，頁456）

一九六四年上海古籍書店據寧波天一閣藏明萬曆刻本影印之浙江省《新昌縣志》亦載：

　　　　冠禮不行久矣。……邑員外郎俞振強冠其子，始行三加禮，其
　　　　子邦時輩亦遵之。今仕夫之家亦間有行之者。（《華東卷・
　　　　中》，頁843）

更值得注意的是少數集團行禮的特例，如乾隆二十八年（1763）山東省《蒲台縣志》載：

　　　　冠禮久廢。明嘉靖間，縣令王淑詣學宮為諸生行冠禮，載諸舊
　　　　志，識者美之。（《華東卷・上》，頁177）

這類矯俗之舉雖形同空谷足音，獲得鄉里一時稱美，間亦在地方上引起仿效，可惜並不足以使傳統禮儀起死回生。

（二）明清以降，舊式冠禮改以新貌延續留存

近世冠禮在時代浪潮的衝擊之下，漸漸喪失傳統面貌，一來儀節日趨簡化，二來為婚禮所兼併，以致失去原有的獨立地位，淪為婚禮的附屬節目。典型的作法如道光二十年（1840）山東省《濟南府志》所載：

> 冠禮久廢，惟將婚時著成人冠服拜父母、兄弟、姑姊妹，外及宗族、鄉黨、鄉先生。此於婚禮無所附，識者以為即冠禮之遺，但未能特舉，故附於婚禮，以存其意耳。（《華東卷·上》，頁91）

又如民國二十五年（1936）山東省《重修莒志》所言：

> （婚禮）先一日，新郎易冠服，具鼓吹謁祖祠，拜父母及各尊長。（《華東卷·上》，頁267）

由此可見近代冠禮幾經簡省後，所餘留的僅是成年禮儀的核心節目——易服——以及後續的社交活動而已。

（三）民間冠禮初與婚禮合流，終致沒落消失

明中葉以降民間冠禮的消失，並非突如其來發生的斷層現象，因為當時並無明顯的強大外力介入，促使其絕滅；而是社會大眾在自然而然、不知不覺之間所做出的共同選擇，那就是他們不再感到冠禮獨

之舉行的必要性。然而行之有素的傳統禮俗也不太可能無端銷聲匿跡，遂有集民眾的群體智慧而採行的變通方式：冠、婚並舉。首先，冠齡的標準取消了。本來，民間冠齡與貴族冠齡一樣具有彈性，如《文公家禮》即稱「男子年十五至二十皆可冠」，[16]其標準已頗為寬泛，後來甚至連這個規矩也放棄了，因為民眾在生活上、心理上都自認不再需要一個獨立的冠禮，冠齡的標準就逐漸被取消了。實際上是遭婚齡同化，世人轉而以「成婚」為「成人」的代號，而不專就當事人的生理年齡或身心成熟度評定其成人／成年的事實。

其次，冠、笄的時間幾乎與婚禮並行，形成「冠婚並舉」的合流現象，多數方志屢見「男臨娶始冠，女將嫁加笄」的習語。姑不論儀式之繁簡，冠、笄之禮，或在婚前數日，或在婚之前夕，或在婚日質明，甚或在正式婚禮之上。總括而言，沒有晚於拜堂、交杯之後的，這顯示冠、笄之禮的成人／成年意義依然在世人心目中留有印象，必須經過冠、笄的程序——無論它已被簡化到何種程度，甚至到最後徒留舊名而全無實質的儀式內容——才能符合一般人「成年始得成婚」的傳統心理。

關於婚禮與冠禮交融乃至兼併的情況，另詳下文〈四〉。

三　近代民間成年禮的殘存活力

如前所述，明清以降，傳統成人／成年禮久已湮廢，各地方志猶得縷述其詳者，往往只是存錄舊儀，未必見行於當世。然而只要調整原先的認知標準，仍可確定近代民間成年禮依然存而未廢。蓋因「方志」資料，本身既包含地理環境的特色，所載禮俗自亦展現形形色色

---

16 〔宋〕朱熹：《家禮》，卷2，頁1上。

的不同風貌。以下分就冠、笄禮兩部分，簡述明清以降各地民間成年禮的主要特色及其特殊風習。

（一）冠禮

明清以來，民間冠禮單獨施行的例子可謂與日俱減，絕大多數都已併入婚禮中舉行，或在婚前數日，或在婚前一日，或行於親迎當天，各類型都有甚多例證，茲不條舉。[17]不過，一般趨勢是愈到後來，冠禮的時間就愈靠近婚禮，甚或合一，換言之，冠禮的獨立性愈來愈弱。又由於禮俗既隨時間而變，復隨地域而分化，近代民間成年禮出現不少異型與異稱。在名稱上，常表現明顯的民俗特徵或地方色彩，如宣統三年（1911）陝西省《涇陽縣志》載：

> 冠禮雖久廢，然縣俗於子娶婦之前一夕為酒食，召戚族姻黨會集，其父為子加冠命醮，子跪受之，名曰「冠巾」，蓋猶古冠禮遺意。（《西北卷》，頁29）

此「冠巾」之稱應係來自明人「冠以網巾」舊俗。同治八年（1869）湖南省《安仁縣志》載：

> 邑自宋以來，秉禮者多奉行朱子《家禮》。明萬曆間，李斗野刻《四禮簡儀》以訓衡民，一時翕從，久亦浸亡。迨今冠禮少有講者，間有士夫家或略仿遺意，於婚禮先期行之，或於新婦入室交拜之先，請戚族紳者一人為束帶加冠，以代冠禮，謂之「裝新郎」。（《中南卷·上》，頁511-512）

---

17 其詳請參拙撰：《儀禮士冠禮研究（二）——《先秦成年禮與後世成年禮的比較研究》，〈附錄二：近代各地方志成年禮資料選輯〉，頁210-373。

由「裝新郎」之稱，明白顯現當時冠婚並舉的現象。

　　若干較為普遍流行的習俗，包括「簪花披紅」、「贈號送匾」、「伴郎」、「設宴會飲」等，在各方面不同程度地保存了古禮「三加」、「命字」、「醮醮」等主要儀節的遺意，茲分別敘述之：

1 簪花披紅

　　近代方志所載明清以降民間冠禮，流行「簪花披紅」儀式，多見於中南地區的湖南、四川、河南境內。如同治八年（1869）湖南省《保靖志稿輯要》載：

> 冠禮之廢久矣。近日惟於婚娶前一日簪花被紅，祭祖設宴，父母親族次第展拜，權作冠禮。（《中南卷・上》，頁642）

同治十二年（1873）四川省《重修成都縣志》載：

> （冠禮）附婚禮行。婚前一日，父命其子至堂前，親加冠服，教以成人之道。祀祖畢，親友簪花披紅，舉酒酌賀，亦彷彿冠禮也。（《西南卷・上》，頁1）

對「簪花披紅」儀節描述較詳者，如民國二十五年（1936）河南省《重修信陽縣志》：

> 冠禮久廢。士大夫家但於親迎前，將新郎於祖堂中，立紅毡上，具新衣冠，由來賓族戚子弟為新郎裝飾，披大紅彩綢成十

字，頂插金花，[18]焚香楮，向祖宗、父母行四叩禮，遍拜來賓、族戚尊長訖，再行親迎禮。至文明結婚之說盛行，並此禮亦罕見矣。（《中南卷·上》，頁226）

又如民國二十四年（1935）四川省《雲陽縣志》所載：

縣俗：迎親前一夕，婚者沐浴易新衣，士族襲冠服，其父亦冠服前立（原注：無父則伯叔或長兄代之），率婚者詣中堂昭穆前，儐贊三跪九叩禮，讀告祖文曰：……

稱婚者曰「新郎」；擇中表或群從兄弟，若同里未婚子弟年相若者四人為「陪郎」。新郎立中庭，陪郎序進以金花簪帽檐，分致吉語，復持彩繒自左右肩斜繫至兩腋下，餘彩結勝下垂與衭齊，再致吉語。語多四言，每章四句或八句，辭皆預撰，迭進賡誦，以競才美，俾觀者誇異。此即冠禮三加之遺，但古以父母命之，今則代以賓友爾。簪花，結彩訖，婚者請父母南面行四叩首禮，父母坐受畢，致命詞，勖以成人之道。次請族黨尊長，分別行禮，推齊眉備福者（原注：俗稱「雙福」）先拜，謂之「開拜」。長老答拜，致祝詞，若宗老則亦兼勖語，畢，始設筵。（《西南卷·上》，頁282）

「簪花」儀節又以民國三十一年（1942）四川省《西川縣志》所載最為詳細：

18　所謂「簪花」，一般皆是「頂插金花」，後來或替變為「胸前佩紅鮮紙花」（如民國二十七年〔1938〕河南省《西華縣續志》所載，文見《中南卷·上》，頁174-175），不過此種例子並不多見。

縣俗：男子之前婚夕，賓朋大集，備冠履、衣帶、紅綾、金
花、酒脯、棗栗，陳設儀盒，燈采排列，音樂前導，遍游街
衢。迎至婚家，大張燈燭，請親老上坐，儐相以四言韻語贊
冠，加冠新郎首，奉酒三觴，承奠神前叩謝；次簪金花於冠左
右，授袍服，繫紅綾於左肩交胸前，兩端結采球下垂焉；又次
授帶履，皆贊之，奉酒叩謝如儀，名曰「簪花」，即古加冠禮
之變也。（《西南卷‧上》，頁368。標點略有更動）

與此類似之俗，有些地方則只有「簪花」儀節，[19]此一風習仍以湖南
及四川為多，如光緒二十八年（1902）湖南省《沅陵縣志》載：

冠禮久不行。郡人於男子將婚時，里黨醵錢為宴會，易其小
名，而為之字。迎親之日，父母邀客醮子，命以成人之道，謂
之「簪花」。女家亦如之，猶存加冠之意。（《中南卷‧上》，頁
609）[20]

有些地方的「簪花之禮」常伴隨其他儀節，或「附以祝辭」、「贈
以吉語」，或「製對聯相賀」、「贈號製匾相送」，此為「簪花」之外另
一習見的冠禮儀俗，說詳下。

簪花伴以祝辭者，如民國十年（1921）四川省《金堂縣續志》載

---

19 民國十九年（1930）廣東省《龍山鄉志》載：「俗冠禮用花公一、花仔二。花公，
即古冠禮之賓，古以有德望者為之，今以有福命者為之；花仔，即古之相者。」
（《中南卷‧下》，頁798）此一特殊稱呼，可能與冠禮簪花有關。民國十八年
（1929）廣東省《順德縣志》亦載及，文與《龍山鄉志》大抵相同，而僅見花公之
稱，花仔則仍沿稱伴郎（《中南卷‧下》，頁795）。

20 道光四年（1824）湖南省《鳳凰廳志》（《西南卷‧上》，頁631-632）、宣統元年
（1909）湖南省《永綏廳志》（《西南卷‧上》，頁634）所載略同。

「賓至，為之簪花上紅，且附以祝辭」，[21]民國二十三年（1934）《樂山縣志》載「父母、尊長授以冠，簪以金花，被以紅綾，贈以吉語」[22]皆是。至於祝語內容，上引四川省《雲陽縣志》即云：「語多四言，每章四句或八句，辭皆預撰，迭進賡誦，以競才美，俾觀者誇異。」可知祝語殆與後世婚俗之「講四句（吉祥語）」相近。

2 贈號送匾

《儀禮・士冠禮》記載，行「三加」之後，由賓鄭重為冠者命字，且以字辭勗勉，此乃古代冠禮重要儀節之一。近世成年禮據之而有「慶號」活動，其異稱頗多，如「賀號」、「送號」、「表字」等；形式復有繁簡之異：簡式者，止於成年者之兒時小名外另取字號，不另舉行盛大賀號儀式。如北方中上人家，男子二十歲生日時，親友均前往賀喜，且經常由族長本人或敦請一位飽學之士，根據當事人原名另擇一「字」——俗稱「送號」——以彰顯本家社會地位。有些人家則在送子女入學之初，即請老師在其乳名之外另取兩個名字，一為「名」（即所謂學名），一為「字」（俗又稱「字」為「號」），及子弟二十歲時，必擇吉日，令諸親友前來「賀號」。有時為了省錢省事，或即在二十歲生日當天合併舉行「賀號」，視為「雙喜」。如民國八年（1919）山西省《聞喜縣志》載：

> 男子年逾二十，別立雅馴之名以代小名，俗謂之「官名」。聞人呼官名則喜，以為相敬；同輩互呼，直以官名，至老不變。古人以字代小名，今以官名代小名，亦猶有冠而字之禮歟？（《華北卷》，頁698）

21　《西南卷・上》，頁18。

22　《西南卷・上》，頁171-172。

又如民國九年（1920）四川省《綿竹縣志》載：

> 此（冠）禮久廢，惟士大夫家子弟年及弱冠者，其父兄多於婚
> 娶前數日，命其子弟在家祠內加冠於首，授以訓詞，再拜而
> 退。士商子弟年近二十者，父兄、師友錫以美字，誡以成人，
> 皆冠禮之遺意。（《西南卷・上》，頁123）

相對於簡式賀號形式，某些人家則於新取字號同時，往往進一步形諸
文字筆墨，以各種方式加強渲染展示，以使當事人充分體認自我成年
的事實，並有助於親友鄰里的宣傳周知。如廣東人將婚之時，先請一
位儒者，為及冠青年命一文雅而有意義的新名字，而以長者名義「賜
名」，將新名字書寫在長方形的紅紙條上，鑲於鏡框內，懸掛大廳牆
上，以示光彩。[23]如民國十四年（1925）廣東省《陽江縣志》載：

> 冠禮，鮮有行者。……大率即於婚日旦明或前一日行之。先命
> 之字，用朱紙人書，加冠時懸於堂壁，謂之「升字」。（《中南
> 卷・下》，頁839）

民國二十年（1931）湖南省《嘉禾縣圖志》亦載：

> （冠禮）屆期，擇族年高德劭者主之，少者咸會於宗祠。簡年
> 滿二十者書於冊，按派行、名字義取別號，大書紅帖粘祠壁，
> 以次拜祖位，見父老，就席釂酒，三行或五行，畢，退，謂之
> 「慶號」，蓋猶是古人「冠則字之」之遺也。曩時，村族嘗見

---

23 參馬之驌：《中國的婚俗》，頁81。

紅紙書某名、某字，佳氣溢閭弄間，今少見矣。(《中南卷・上》，頁533)

「贈號」之外，又有「送匾」活動，此俗以湖北、四川為多。以四川省為例，光緒元年（1875）《彭水縣志》載：

> 凡將婚者，先期宴賓，亦古人筮賓之意。親友具花紅為簪掛，並贈號製匾相送，亦冠而字之之意。(《西南卷・上》，頁253)

光緒十一年（1885）《大寧縣志》亦載：

> 婚嫁先一日，父兄率子弟告祖，為之加冠命字：坐子弟於客位，擇戚友家子弟未娶者四人陪之，曰「伴郎」。戚友或醵金製匾對相贈，例拈子弟名號二字為聯語，曰「送號匾」；贈花紅者，曰「簪花」；設宴款戚友，曰「簪花酒」。(《西南卷・上》，頁275)

民國二十四年（1935）《雲陽縣志》對此有較為詳細的記載：

> 古人幼名冠字，今尚放行。冠婚前期，州黨懿親或同學士友為擇兩字以表德。宋後別號盛行，故贈字者漆製為匾，字縱書下行，別號橫書左行，字大六七寸，金填其文，婚前鼓樂舁送其家，懸之堂壁。咸（豐）（1851-1861）、同（治）（1862-1874）以上，士族比戶皆然，今尚偶一見之。(《西南卷・上》，頁282。標點略有更動)

上述四川省「送號匾」習俗多與「簪花」併同出現，湖北省則僅以「送號匾」為冠禮主要特色，如道光二十年（1840）《雲夢縣志略》載：

> 冠禮，古禮也，不行久矣。溫飽之家不待成童，突而弁兮，稱字稱號，比比皆是。惟鄉村間粗識字者，其子至二十歲，始命之以號，紅箋約二尺許，橫書二字，仿匾額式，正中直書「戚友同贈」數字，新正粘貼堂壁，猶有「已冠而字」之遺意。禮失而求諸野，信然！（《中南卷·上》，頁339-340）

同治十一年（1872）《安陸縣志補》載：

> 冠禮之不行于今也久矣。吾里俗有「贈號匾」一事，凡戚友誼重者，於其人之子弟及冠之年，或因成名，或因成室，精製尺額，題其子弟之字於其上，以贈賀之；若無字者，則公取字字之。《禮》曰：「冠而字之，成人之道也。」此一事殆有餼羊之意。（《中南卷·上》，頁350）[24]

民國二十三年（1934）河北省《定縣志》亦載：

> 前志以冠禮久廢，率無所載。而定俗於男子及冠之年，則請於

---

24 湖北省《應城縣志》、《德安府志》、《施南府志續編》、《興山縣志》、《來鳳縣志》等所載略同（分見《中南卷·上》，頁344；346；435；432；445）。唯《興山縣志》稱之為「掛號」，《來鳳縣志》稱之為「送號」（河北《晉縣志》同〔《華北卷》，頁87〕），廣東省《陽江縣志》稱為「升字」（《中南卷·下》，頁839），上海《蒸里志略》謂之「慶號」（《華東卷·上》，頁50）、《法華鄉志》謂之「稱號」（《華東卷·上》，頁9），河北省《藁城縣志》稱之「賀名頌號」（《華北卷》，頁100）、《定縣志》稱作「賀號」（《華北卷》，頁323）。

年長有德者而字之。親友具酒食為賀，書其年庚、名字，遍張衢市，稱曰「賀號」。相沿已久，迄今不廢，此即冠禮之遺也。……今「賀號」之舉，實為它方所無，不知者病其俚淺而廢之，無寧留此餼羊，稍存古制之為愈也。(《華北卷》，頁323。標點略有更動)

凡此，皆可見近世民間冠禮依然保有古代「冠而字之」遺意，不過也隨著各地的風土人情而有若干變化。

3　伴郎及陪十弟兄

近代民間冠禮又有「伴郎」──或稱「賀郎」、[25]「陪郎」[26]──及「陪十弟兄」之俗，與此相呼應的尚有女子笄禮的「陪十姐妹」。同治六年（1867）湖北省《鶴峰州志續修》載：

婚嫁先一日告祖，男家坐子弟於客位，父兄親為正席，延戚友子弟之未娶者陪飲，謂之「伴郎」。(《中南卷・上》，頁441)

可知「伴郎」係以冠者同輩親友為主，且限於尚未成婚者。就冠者而言，應有珍重同儕情誼的寓義；就伴郎而言，也有隨機見習人生禮儀的教育作用。據《鶴峰州志》，未見人數限定；據前引四川省《大寧縣志》則明定「四人陪之」；四川《巴東縣志》及湖北《興山縣志》另有「九人陪飲」的記載。不過，伴郎的習俗仍以湖北省「陪十弟

25　光緒十年（1884）湖北省《施南府志續編》載：「將婚前夕，父母祀祖先，致祝祠（獻案：「祠」疑為「詞」之訛），宴客醮子，並於先期請親友子弟未婚者十人陪之，謂之『賀郎』。」(《中南卷・上》，頁435)

26　如湖北省《光化縣志》所載，文見下引。

兄」最具典型。同治四年（1865）湖北省《咸豐縣志》載：

> 冠禮，男家於成婚前一日行之，延賓告祖，並請未婚童子十
> 人，名曰「陪十弟兄」；女家亦於是日請未笄女子十人，名曰
> 「陪十姐妹」。（《中南卷・上》，頁449）

與此相關的尚有行於湖北的「傳花」風俗，如光緒十年（1884）湖北
省《光化縣志》載：

> （冠禮）行於婚禮前一日，戚友走賀留宴。是夕，請成童十人
> 相儀，名「陪郎」，張筵作樂為婚者加冠。陪郎導之，拜先祖
> 及父母、親長畢，夾輔左右，揖讓升堂，婚者首坐，陪郎以次
> 序坐。婚者手紅花二枝，擊鼓傳陪郎，遂遍眾賓，始字，婚者
> 乃以字行。女家亦於是日行笄禮，請童女十人相儀，筵席不傳
> 花。（《中南卷・上》，頁469）

同治十三年（1874）《襄陽縣志》所載除習俗略同外，所述儀節尤為
詳細：

> 冠禮，行於婚禮之前一日。先期，肅具名簡，請成童二人相
> 儀，名曰「陪郎」。至期，張筵作樂，陪郎導婚者拜祖先及父
> 母親長畢，夾輔左右，揖讓升堂，父親醮子。升席後，告坐，
> 下拜；告肴三，下拜。禮將畢，婚者手紅花二枝傳二陪郎，遂
> 遍眾賓，實冠禮也。女家亦於是日行笄禮，請二童女相儀，卜
> 二吉婦梳妝，筵宴，母醮之，但不傳花。（《中南卷・上》，頁
> 458。標點略有更動）

4　宴飲饋贈

　　古代冠禮有賓醴冠者、主人飲賓贊等儀式；近代冠禮既漸與婚禮合流，往往更擴大場面，酒饌齊備，以宴飲親友。如前引四川省《大寧縣志》「設宴款戚友，曰『簪花酒』」。此類宴會，其會飲慶賀之意雖同，名稱則因地而異，如嘉慶十七年（1812）四川省《南溪縣志》稱之為「飲富貴酒」：

> （上略）冠禮畢，行醮禮。戚友各以花紅、酒饌登堂致賀。冠者先拜父母，遍拜尊長畢，設宴款洽，曰「飲富貴酒」。（《西南卷・上》，頁146）

此事又以民國二十四年（1935）四川省《雲陽縣志》所載最為詳盡：

> 宴賀者於賓筵，別設席中堂，謂之「官席」。新郎南面坐，陪郎東西列坐各二。酒三行，首坐者起，舉爵致祝詞如前畢，請醮。餘以次起祝，醮如前。既匝，越次迭起，累詞勸飲，隔坐賓友亦更迭來賀，強屬同飲，往往霑醉。長老以嘉禮不深禁，知不勝杯杓，始出止之。（《西南卷・上》，頁282）

由所述可知眾樂歡飲情狀；但古今對比，可以明顯看出：古制特別禮敬冠者與賓贊，後世宴飲則明顯轉變為以眾人合歡慶祝為重點，古禮「醴醮」之意在時間推移、民俗演變之下，不知不覺間自然發生了變改。

　　除上述儀節外，部分地區於冠禮前後又有饋贈之風，其情形有二：

一為冠笄者之家饋贈親友

各地人家為子弟舉行成年嘉禮之際，往往準備若干食品贈送親友，唯饋贈之物各地有所不同，如江蘇省《正德江寧縣志》述及當地「澆頭」之俗，謂男女冠笄不僅設席會飲，且為「綬帶糕」饋贈親友。[27]閩、臺等地則慣以糯米粉為丸，煮湯以饋眾人——即今之「湯圓」。民國十四年（1925）廣東省《四會縣志》亦載：

> 冠禮，俗謂之「梳髻」。必設圓仔，遣使請戚族宴，亦曰「請來食梳髻圓仔」。圓仔者，剪粉條大如指頭，煮以鹽湯者也。然率臨娶始冠，女家亦同時笄。（《中南卷・下》，頁862）

民國十八年（1929）廣西《靈川縣志》除有酒食之宴外，另以檳榔為禮物，頗具南國情調：

> 男女冠、笄用春、秋二仲，擇日時，審方位，請尊長者加巾帽。既拜父母、長者，醮之酒，次受客賀，以竹葉裹檳榔為禮，藉于袖而授之。其婚親故舊之最密者侑以果酒，或隨以肴品饌之。（《中南卷・下》，頁992）

二為親友饋贈冠笄者

當某戶人家舉行成年禮時，基於禮尚往來、錦上添花的人情原

---

27 《正德江寧縣志》：「冠、笄則為『綬帶糕』以饋遺，設席會飲，諺云『澆頭』。」（《華東卷・上》，頁363）嘉靖《吳江縣志》，乾隆《直隸通州志》，道光、光緒《震澤縣志》等則名之為「上頭糕」（分見《華東卷・上》，頁433；515；434）。又，「上頭糕」之稱亦見載於浙江省方志。

理，親友亦每每有所饋贈。如民國二十四年（1935）山東省《齊東縣志》載：

> 嫁女之家，鄰里饋餅果，親友饋庶羞，謂之「上頭」。娶婦之家，戚鄰有饋遺者，謂之「送小飯」。（《華東卷‧上》，頁188）

此等餅果、庶羞諸物，皆由親友鄰人提供予婚家，凡此皆當有賀婚助嫁的實用意義。

（二）笄禮

　　笄禮向為女子許嫁標記。《朱子家禮》：「女子許嫁，笄」、「年十五，雖未許嫁，亦笄」，[28]可見古代女子出嫁前須經「及笄禮」。近代民間成年禮既與婚禮合流，男子加冠儀節遂日趨簡易；相對而言，女子笄禮反而得到較多的保留。根據近代方志，笄禮尚有遵循古制而行者，如民國三十一年（1942）四川省《西昌縣志》所載：

> 女子幼時，辮髮下垂；及字人，挽腦後作髻，以簪綰之，蓋備笄也。縣俗，卜婚期，附笄期。及時祀神，女面日者所定方向，母命敬戒，授簪於女儐，總髮加笄，俗曰「上頭」，即古笄禮也。（《西南卷‧上》，頁368）

由於笄禮原本即與婚禮關係較密，故與後世冠、婚合流的大勢並無違異；又笄禮在人事、儀物上的負擔較為輕便，無論貴賤人家女子，均能做到「將嫁而笄」，如嘉慶二十年（1815）廣東省《澄海縣志》所

28　〔宋〕朱熹：《家禮》，卷2，頁6上。

載：「女子將嫁而筓，則貴賤無異焉」，與冠禮「惟士夫家間一行之，民庶多略」的情形適成對比。[29]

長久以來，民間俗稱女筓為「上頭」，此一名義在各地方志普遍出現。顧名思義，「上頭」即女子出嫁時，改變髮飾或頭上裝飾，作為已婚身分的標誌，以與未嫁身分作區別。[30]其實「上頭」之稱，古已有之，而且男女通用，原指甫屆成年的男女，分別將頭髮梳為成人與婦人的髮式，男子並加冠命字。[31]至於習見於近代方志，專指女子出嫁前更改髮飾或頭上裝飾的「上頭」，應是近代風俗禮儀的一種轉變。[32]然而「上頭」的原始意義，各地方志仍時有所見，如民國十三年（1924）廣東省《花縣志》載：

> 冠禮鮮有行者，然屬內大小各村，於娶前數日行加冠禮，男女皆同。是日謂之「冠筓」，亦謂之「上頭」，亦古人醮子之禮意也。（《中南卷‧下》，頁687）[33]

「上頭」又稱「冠筓」，可兼指男冠女筓，如上引《花縣志》所載，又如民國十六年（1927）四川省《簡陽縣志》亦載：

---

29 《中南卷‧下》，頁772；又民國二十五年（1936）《東安縣志》所載幾全同（《中南卷‧下》，頁869）。

30 民國三十五年（1946）廣西省《三江縣志》載：「粵東俗有女未嫁而在家上頭者，然亦不多覯。」（《中南卷‧下》，頁953）則為極少見的特例。

31 參見許嘉璐主編：《中國古代禮俗辭典》（北京：中國友誼出版公司，1991年），頁276。

32 參見：《中國風俗辭典》（上海：上海辭書出版社，1990年），頁107。

33 廣東省多有以「上頭」稱男冠者，如：道光元年（1821）《陽春縣志》、道光十三年（1833）《肇慶府志》、光緒二十年（1894）《高明縣志》、民國十年（1921）《增城縣志》、民國二十七年（1938）《高要縣志》等（分見《中南卷‧下》，頁835；854；809；692；856）。

冠禮，縣中少行，惟子女將婚嫁，別具衣冠，召戚友，謂之
「冠笄」，亦存冠禮之意云爾。(《西南卷·上》，頁134)

但「冠笄」一詞也有用以專指女笄者，如乾隆十九年（1754）河南省
《郾城縣志》：

女子笄不限年。婿家卜吉親迎，先期請女賓以簪珥、首笄來，
乘吉時，坐吉方，為女加笄，稱曰「冠笄」。(《中南卷·上》，
頁190) [34]

「冠笄」又稱「梳頭」，但僅用於指女笄，如同治十三年（1874）四
川省《彰明縣志》載：

間有童年小引者，及笄合巹，謂之「梳頭」；或已及歲，迎至
男家加笄，謂之「下馬梳頭」。(《西南卷·上》，頁103)

「梳頭」又稱「上梳」，亦限於稱女笄，如民國十三年（1924）四川
省《江津縣志》載：

女子加笄之禮，於將嫁之前一日或前數日不等，多以日者家言
為定。堂中設席東向，前置斗，實以米，紅箋封其上，上置機
中竹扣一具，女子就席，以足踏斗，家屬為之梳櫛，俗名「上

---

34 一九六五年貴州省圖書館油印本《思南府續志》亦云：「惟女出閣，婿家先請上
頭，曰『冠笄』。」(《西南卷·下》，頁457)

頭」，亦名「上梳」，又名「坐斗」。（《西南卷・上》，頁225）[35]

古代女子笄禮名稱雖有「上頭」、「冠笄」、「梳頭」、「上梳」，乃至
「坐斗」、「踩斗」等等歧異，但都著重在女子頭上的髮型與髮飾的改
變，一如道光二十四年（1844）四川省《金堂縣志》所說：

> 女子，則國初猶以髻髻相分別，名曰「倒鬢髻」，亦曰「觀音
> 髻」；及臨嫁上梳，始改為蟠龍髻，以從婦人之制。今則短髮
> 猶覆額，已無不梳蟠龍髻者矣。其處女、婦人之分，只於額鬢
> 間，女子下垂，婦人上攏為□□（原注：區別）。（《西南卷・
> 上》，頁15）

然則自清初至清中葉百餘年間，在室女子與適人之婦，其髮式雖漸趨
混同，最終依然保持額鬢間的差異，其目的就在明確區分處女與婦人
的身分，使人利於辨識女子未婚或已婚，隱微間仍保留了古代笄禮的
遺意。

根據方志資料，近代笄禮有以下數項特色，茲依序略加撮述：

1 笄禮原行於母家，漸改為行於夫家

古時女子笄禮係於待嫁期間行於母家，後世既併於婚禮，遂衍生
種種變化：有在婚期前數日或前一日者，或擇吉，或不擇吉；有在婚
期當天者，或清早時分，或臨登車轎離家之前，或甫至夫家拜堂之
先，各地風俗參差不一，上文已曾述及，如乾隆三十五年（1770）河

---

35 民國十八年（1929）四川省《合江縣志》又稱之為「踩斗」（《西南卷・上》，頁
152）。

南省《光州志》載：

> 至女子居于歸時，舅姑先期卜吉，或往母家，或至婿家，擇親
> 黨中之克端闈範者冠笄之，是為猶行古道。(《中南卷‧上》，
> 頁240)

光緒十二年（1886）《光州志》則載：

> 女子將嫁行冠笄禮，舊時先期卜吉，或在母家，近則多於新人
> 進門吉時行之，大為省便。(《中南卷‧上》，頁243)

由上引二《光州志》所載，可見昔時笄禮多守舊，在母家舉行；時至
晚近，則多改在婿家舉行，此自冠婚合流風氣所致。

2 笄禮時伴有「開臉」之俗

中國若干地區笄禮不僅梳髻加笄，又重視「開臉」（或稱「開
面」）、「坐花」等風俗，同治五年（1866）湖北省《長陽縣志》載：

> 古禮冠、婚為二事，今則合為一，長陽亦然。嫁娶前一日，女
> 家為女束髮命笄，曰「上頭」，又曰「開臉」。(《中南卷‧
> 上》，頁423)

同治九年（1870）湖北省《長樂縣志》亦載：

> 女子于歸前一日，擇族戚有德行婦人為之刷眉，以線勒去鬢邊
> 短髮，曰「開臉」，亦曰「上頭」。蓋為女時髮分梳，曰「分

頭」；此時始挽成高髻，曰「滿頭」。（《中南卷‧上》，頁419）

此則皆為女家自行「開面」之禮。臺灣今日猶存婦家於嫁前為女「挽面」之俗，蓋即「開臉」之遺風。

亦有由夫家供應簪珥飾物者，如民國二十四年（1935）廣西省《貴縣志》載：

> 婚前一日，婿家備簪珥，用紅盒送至婦家請加笄，謂之「開臉」。（《中南卷‧下》，頁1066）

民國九年（1920）廣西省《桂平縣志》述「開面」之俗甚詳：

> 女子嫁前一夕亦「坐花」，其原出於古之笄禮。……今女子坐花，先由婿家用紅盒備簪珥送至婦家，〔婦家〕設筵陳盒燒燭，延女賓款女。先以長大婦有福命者為女攏（原注：攏）頭著衣，乃出筵與女賓相見，與古禮同。但女必對燭泣，以詞告別祖宗、父母、兄弟、姊妹、親戚。蓋今人臨嫁而笄，非如古人之許嫁而笄，故禮亦稍異。又，女子坐花，或名「開面」，平常人家不具紅盒，惟備脂粉及豚肉一塊，以酬梳飾之勞而已。（《中南卷‧下》，頁1044）

此志除記載「坐花」與「開面」習俗外，尚詳細說明與之並行的「哭嫁」風俗，為先秦古禮所無。哭嫁之俗，說詳下文〈五〉之（二）。

3 笄禮亦有伴娘、宴飲、饋贈之風

前文曾述及冠禮或以未婚男子為伴郎，同樣的，女笄也有以未婚女子為伴娘的習俗。湖北省興山、咸豐、長樂、長陽等地，同時有「陪十弟兄」、「陪十姐妹」之事。如《長樂縣志》即云：「女家延請女子九人，合此女而十，具盛饌一筵陪之，曰『陪十姊妹』。」[36]又如同治四年（1865）《興山縣志》載：

> 冠禮久廢。俗於婚嫁前一日告祖，……是日，坐弟子於客位，擇戚家子弟未娶者九人陪飲，謂之「十弟兄」；女家亦先為女束髮加笄，延戚女陪飲，謂之「十姊妹」。豈即醮子、醮女之遺風乎？（《中南卷‧上》，頁432）

同治五年（1866）《長陽縣志》亦載：

> 嫁娶前一日，……設醮席，請少女九人，合女而十，曰「陪十姊妹」。男家命字，……是日設二席：其一擇親友家少者九人，合子而十，曰「陪十弟兄」，又曰「會十友」。……是日呼冠者為「新郎」，笄者為「新姑娘」。女家亦擇兄弟姊妹各二送女，男曰「男送親」，女曰「女送親」。（《中南卷‧上》，頁423）

此外，前述冠禮有所謂「飲富貴酒」（四川南溪）、「簪花酒」（四川大寧）；女笄則有「戴花酒」、「辭嫁飯」等風習，如道光元年（1821）湖南省《辰溪縣志》載：

36　《中南卷‧上》，頁419。

> 女家亦於嫁前一日，設筵邀姑姊妹輩以醮之，謂之「飲戴花酒」。親族致賀者，謂之「送奩」，亦曰「妝嫁」。(《中南卷‧上》，頁606) [37]

「戴花酒」因地而有異稱，如光緒八年（1882）湖北省《應城縣志》謂之「辭嫁飯」：

> 女家亦擇吉為女笄，謂之「上頭」。其將嫁之先，宗黨治酒食燕女，謂之「辭嫁飯」。(《中南卷‧上》，頁344)

又稱「待嫁」，如乾隆年間浙江省《安吉州志》載：

> （冠禮）女子將嫁始笄，笄之日，父母必以筵款，謂之「上頭」。
>
> （婚禮）前期一日則有上頭禮，視常禮較豐，或有俱以銀代者。女家先期設席笄女，曰「待嫁」。[38]

---

37 類似記載尚有：

‧同治五年（1866）湖北省《來鳳縣志》：女家亦於是日（案：指婚前一日）擇賢婦人為之笄，謂之「上頭」；請未嫁者數人陪笄者宴，謂之「帶（原注：戴）花酒」。(《中南卷‧上》，頁445)

‧光緒四年（1878）湖南省《龍山縣志》：其女家父母亦於是日（案：指婚前一日）宴女，親為女上頭簪笄，謂之「帶（原注：戴）花酒」。(《中南卷‧上》，頁644)

‧光緒十年（1884）湖北省《施南府志續編》：女家亦擇吉日延賢婦為之笄，謂之「上頭」；請親鄰待字之女十人陪宴，謂之「帶（原注：戴）花酒」。(《中南卷‧上》，頁435-436)

38 〔清〕劉薊植纂修：《安吉州志》，《稀見中國地方志匯刊》（北京：中國書店，1992年），頁553；同治十三年（1874）《安吉縣志》所載略同（《華東卷‧中》，頁747）。

婦家於女子出嫁前辦治之「戴花酒」、「辭嫁飯」、「待嫁」等應有餞別
新娘之意。亦有主人家備治食品分送親友者，如浙江省許多縣份女笄
有送「上頭糕」習俗。[39]海寧則或以糕或團餽送親鄰族黨，名曰「上頭
糕」、「上頭團」，[40]歸安縣則餽鄰以粉團，名曰「上頭團子」。[41]

　　相較而言，女笄對親友的餽送反多於男冠，似含有宣布婚訊的濃
厚意味，猶如今之臺灣民間婚俗，女家必以喜餅分送親友，兩者應是
一樣的道理。

4　笄禮之遺存猶勝冠禮

　　古代女子笄禮每較男冠簡略，文獻記載亦較短少。反之，清代以
降，由於冠婚合流蔚為趨勢，加上新婚大典向以來嫁的女方為重，致
使女性笄禮反較男子冠禮得到較多保留，甚或有笄禮而無冠禮。[42]如
民國三十二年（1943）廣東省《民國新修大埔縣志》載：

　　　冠禮，埔邑無之，而有笄禮。女子臨嫁，擇吉至祖堂禮拜，坐

---

39 此俗浙江習見，如：民國十四年（1925）《秀水縣志》，乾隆十一年（1746）《烏程
　縣志》，乾隆十二年（1747）《武康縣志》，嘉慶六年（1801）《嘉興府志》，乾隆四
　年（1739）《湖州府志》，光緒二十年（1894）《嘉善縣志》，民國二年（1913）《于
　潛縣志》，民國六年（1917）《雙林鎮志》，民國二十一年（1932）《德清縣新志》，
　民國二十五年（1936）《烏青鎮志》等並有載及（分見《華東卷‧中》，頁654；
　676；721；646；725；656；614；696；739；708），此不詳引。
40 民國十一年（1922）《海寧州志稿》，《華東卷‧中》，頁664。
41 光緒八年（1882）《歸安縣志》（《華東卷‧中》，頁680）、光緒十九年（1893）《菱
　湖鎮志》謂之「上頭圓子」（《華東卷‧中》，頁685）。
42 余光弘先生曾對此現象提出解釋，其〈A. van Gennep生命禮儀理論的重新評價〉
　說：「屬於新娘的儀式遠較新郎的為複雜，新郎的儀式集中在單身地位的捨棄以及
　與新娘的結合儀式，但新娘除此之外還須加上與其家族、世系群等舊日群體的割
　捨，而加入屬於男家的許多群體。」（頁245）

以圓笠，母為之加新髻，勉以好語，謂之「上頭」。(《中南卷‧下》，頁748)

民國二十五年（1936）浙江省《烏青鎮志》亦載：

往時男子十四五歲養髮，長為總角，將婚始行冠禮。今者古制變而從時，亦勢使然爾。女子將嫁乃笄。冠笄之日，蒸糕以饋親鄰（原注：名「上頭糕」）。……冠禮久廢，而鄉俗猶存遺意，於將婚時行之。自入民國後，男女均剪髮，冠笄禮逐漸廢止，加笄禮間有舉行者，而加冠禮等於告朔餼羊矣。(《華東卷‧中》，頁708)

可知民國以來男女不再蓄髮，亦是導致冠笄之禮廢止的因素，女子笄禮則猶或保存於婚禮中，且因各地風俗而有若干差異。可見冠、笄之禮因時代的推移與性別的因素導致的儀節變化。

四　婚禮對成年禮的兼併作用

如前所述，近代民間傳統成人／成年禮久已沒落，明中葉之後漸行漸少，多數人家都採取冠婚合舉的方式，冠笄儀式遂淪為婚禮附庸，甚或愈加隱微，存其名而忘其實，終至消失無痕。依隨時間的推移，冠禮在近代民俗中可說呈現出「（與婚）合併→隱退（於婚）→消亡」三部曲的演變節奏，茲分別述論之：

（一）冠婚合舉

成人／成年禮的舉行往往表示青年從此可以結婚，可以真正踏入

社會，享有成人的權力。因為冠禮與笄禮的衰微廢止，後代往往將某些具有成年禮俗的儀節與意義融入婚禮中，所以許多漢族女子的成年禮，如「上頭」、「開臉」等便在許多地方的婚禮中得以保留，使已成為隱性的人生過渡性禮儀透過顯性的人生大事——婚禮——表現出來。

所謂「冠婚合舉」，即冠禮依然存在，仍保有若干固定的儀節、器物等實質內容；不過與傳統古禮相較，此時冠禮已不復往昔獨立特舉，而是做為成婚前的例行節目，由「冠後始婚」——亦即人子因冠而婚——轉變為「婚前始冠」——即人子因婚而冠的型態。如民國十八年（1929）山西省《武鄉縣志》所載：

> 古禮久廢，士大夫家亦概從簡略。惟男子婚娶前一日，父醮其子，始加冠；女子于歸前一日加笄，猶得古人遺意。（《華北卷》，頁632）

又如民國二十三年（1934）雲南省《宣威縣志稿》所云：

> 冠、婚古本二事，邑中舊合為一，謂男之婚即冠，女之嫁即笄也，是則去繁縟、歸簡便之趨向矣。（《西南卷·下》，頁768）

換言之，「成年」與「成婚」兩種人生重要的過渡儀式，在社會的無聲轉變、民眾的自覺選擇之下，其意義比重已經微妙的消長變化，雙方的態勢逐漸賓主易位。

「冠婚合舉」的主要方式，是在結婚親迎之前完成男冠女笄的手續。各地時間不一，有在婚前數日者，或擇吉，或不擇吉；有在親迎

前日者；亦有在親迎當天清晨者。茲以康熙五十六年（1717）臺灣
《諸羅縣志》為例：

> 壻於親迎前數日卜吉而冠，擇戚屬父母具慶者為賓，倣古筮
> 日、筮賓也。至期，置冠履、鮮衣于竹篩，微烘以火，俗云除
> 邪穢也。賓三梳壻髮而加之冠，三加之義也。既冠，拜先祖，
> 倣告廟也；次父母，父醮以酒，申戒辭，倣醮席也；次諸父兄
> 賓長，諸父兄賓長皆答焉，重成人之道也。
>
> 筓不用婦人為賓，女盛飾拜謁，略與壻同，醮酒命之。是日，
> 教以跪拜進退獻於舅姑尊長之禮，謂之「教茶」。[43]

一般而言，「冠婚合舉」型態，其冠禮儀節大體趨於簡省，而有若干
地域性的變化：

一、前人加冠多復古，亦包含種種寓義；後人加冠多從時尚，惟
穿著新品以示喜慶而已。

二、命字之舉只在部分地區得以保留，甚且特加張皇，因各地經
濟能力與重視程度而異，禮輕者以紅箋表字，禮重者則製匾贈號，蔚
為里坊盛事。[44]

43　《中國方志叢書》（臺北：成文出版社，1983年），臺灣地區第7號，頁441-442。乾
　　隆二十九年（1764）《重修鳳山縣志》（《中國方志叢書》，臺灣地區第14號，頁
　　197），道光十六年（1836）《彰化縣誌》（《中國方志叢書》，臺灣地區第16號，頁
　　980-981），民國四十七至五十七年（1958-1968）《高雄縣志稿》（《華東卷‧下》，頁
　　1846），民國五十七年（1968）《彰化縣志》（《華東卷‧下》，頁1651），所載並同。
　　《高雄縣志稿》並云：「今婚前有所謂『上頭戴髻』之俗，不論男家女家，均在各
　　自宅中選定吉日同時行之，當為舊日冠禮之遺也。」（頁1846）
44　其例已見〈三〉之（一）「贈號送匾」。

　　三、古制中，醴醮冠者及主人飲賓、贊本為冠禮儀節中的重頭戲，近代則擴大範圍，不惜多備酒饌，廣延親友，以聚食合歡的場面將典禮推向高潮。部分地區更發展出伴郎、伴娘陪飲習俗，格外珍重當事人的同儕關係，對年輕友伴進行機會教育。[45]凡此皆可見社會風習、人際互動等方面的轉變。

（二）冠附於婚

　　「冠附於婚」指冠禮不再區別於婚禮之外，而明白降為婚禮的附庸。又可分為兩種型態：一是冠禮稍存其實，只出現在親迎當日，且淪為婚禮程序中的一小段落。此種情形多見載於廣東、廣西二省方志，茲僅舉民國十五年（1926）廣東省《赤溪縣志》為例：

> 冠、笄之禮，皆於婚日行之。男則延年尊而福備之男人，女亦擇年尊福備之婦人，於祖前加冠櫛髮，而謂之「上頭」。（《中南卷・下》，頁817）

　　相對之下，女笄反較男冠獲得較多保留，說已見上節。

　　另一情況則是冠禮徒具虛名，已不見相關儀物，只在婚禮的某些時刻（以親迎之前為多）殘存「冠笄」、「上頭」之類名目，如民國二十一年（1932）四川省《萬源縣志》所載：

> 冠本古禮，縣屬無人舉行，惟於男子婚時而以加冠之名混合稱之，幾有不知冠、婚為兩事者。然男婚女嫁，必別具衣冠，召戚友，謂之冠、笄，亦若寓冠禮於婚禮之中云爾。（《西南卷・

---

45 其例已見〈三〉之（一）「伴郎及陪十弟兄」與「宴飲饋贈」。

上》，頁318-319）

民國二十五年（1936）山東省《東平縣志》亦載：

> 冠禮，禮之始也。……漢唐以來，此禮漸廢，東平亦久無行此
> 禮者。然男子迎娶新婦時，期前至戚友家行禮，謂之「告
> 冠」，而戚友家送禮，亦謂之「冠敬」，殆將冠、婚之禮合而為
> 一歟？（《華東卷・上》，頁281）

文中新郎行禮的細節、戚友送禮的內容雖皆不得而詳，但從鄉民對此
事項的稱呼──「告冠」、「冠敬」──即可理解冠禮實曾行於昔日，
故民國二十八年（1939）四川省《巴縣志》逕載：

> 父為子婚娶先一日東客，曰「加冠」。古者二十而冠，今人往
> 往二十而娶，故同時行之，曰「簪花之禮」，其遺意也。（《西
> 南卷・上》，頁31）

足見後世冠禮儀物雖為婚禮所吸收兼併，在節目名稱上卻仍保留了過
往的明顯痕跡。

（三）舉婚廢冠

冠、婚、喪、祭諸禮，原本同為傳統禮俗要目，然而時至晚近，
各地方志所見冠禮記載卻日益消減，非僅文字篇幅由多變少，甚至不
立冠禮名目，轉而對婚禮大加著墨。早年民間舉婚之際，尚可窺見冠
禮殘存的影像：或者保留些許相關儀節，或者在口頭上沿用相關名
稱；最後則幾乎完全消失了蹤影，連往昔較受重視的新婦「上頭」儀

式亦廢而不行。隨著時代的變遷、社會的發展，傳統禮俗的消亡速度也愈加快速。

　　對於近代民俗發生冠、婚合流的趨勢，某些方志已注意及此，如民國三十年（1941）遼寧省《黑山縣志》載：

> 古時冠禮與婚禮並重，凡男子年屆二十必舉行冠禮以示成人。後世昧於此義，只知舉行婚禮，而對於冠禮向來無人注意。此通國皆然，不僅本邑如此也。故關於冠禮之詳，靡得而記焉。（《東北卷》，頁221）

某些方志且試圖解釋其緣由，如民國二十四年（1935）四川省《雲陽縣志》：

> 冠禮久亡，而實不亡，今之婚前一夕祭寢命醮是也。……蓋古人視成人為重典，與婚禮相間者十年，夐不相涉，故人皆習知；後世絀繁趨便，既冠而婚，轉若附冠於婚，實則俗競早婚故爾。今世取婦召婚黨，東稱「某子加冠」，則直混婚於冠而不悟矣。（《西南卷‧上》，頁282。標點略有更動）

上文指出世人常有「絀繁趨便」的心理因素，加上冠齡與婚齡益相接近，本當「既冠而婚」的正常情況，遂轉變為「附冠於婚」，最後竟成為「冠混於婚」——逕以成婚認定成年——遂致「舉婚廢冠」，如民國三十年（1941）河南省《南樂縣志》所說：「無論弱冠與否，咸謂娶婦為成人。」[46]民國九年（1920）廣西省《桂平縣志》也說：

46　《中南卷‧上》，頁107。

> 古者二十而冠，三十而娶。後世風俗多喜早婚，未至成人之
> 期，已為有室之日，故冠、婚之禮咸同時並行。（《中南卷‧
> 下》，頁1043）

可見冠禮併入婚禮舉行的主要原因，顯然在因應民間早婚的需求。考
察清代以降方志的冠禮情形，即可發現絕大多數的冠禮都轉與婚禮合
舉，此實大勢所趨，且看民國二十四年（1935）河北省《陽原縣志》
所提供的反面例證：由於當地民眾習慣早婚，卻又未採行冠婚並舉的
變通方式，於是冠禮便受到相當的壓力，促使當地冠齡顯較其他各地
大為提前：

> 吾縣縉紳之家，男婚特早，通例十三娶婦，至晚不過十五。然
> 往者，老師宿儒動必循禮，未冠而娶似有未安。禮須二十始
> 冠，事實難久待，無已，遂將冠禮提前於十二歲時行之。古者
> 三十而娶，是以二十而冠；今既十五而娶，故須十二而冠。推
> 原厥始，意即若是。今則習慣已成，行之者亦並莫知所以矣。
> （《華北卷》，頁168）

河北陽原既然男子十三、五歲即須娶婦成婚，鄉人復謹遵禮加冠不
誤，自然形成當地十二而冠的特殊風習，為中國各地所罕見。[47]

以下試舉數例以說明冠禮如何消融於婚禮之中。民國二十六年
（1937）廣西省《宜北縣志》載：

---

47 地方志常見冠齡提前的記載，但早至十二歲者並不多見，唯民國二十三年（1934）
　內蒙古《歸綏縣志》有類似記載，文詳下引。

　　邑民對於冠禮從未有行之者，惟名門大家於結婚前二日，男子
　　穿制服、戴禮帽、騎馬乘轎，邀多數同年男子作伴，往女家親
　　迎，頗與冠禮相似。（《中南卷‧下》，頁928）

民國三十一年（1942）四川省《西昌縣志》載：

　　縣俗：男子之前婚夕，賓朋大集，備冠履、衣帶、紅綾、金
　　花、酒脯、棗栗，陳設儀盒，燈采排列，音樂前導，遍游街
　　衢。迎至婚家，大張燈燭，請親老上坐，儐相以四言韻語贊
　　冠，加冠新郎首，奉酒三觴，承奠神前叩謝；次簪金花於冠左
　　右，授袍服，繫紅綾於左肩交胸前，兩端結采球下垂焉；又次
　　授帶履，皆贊之，奉酒叩謝如儀，名曰「簪花」，即古加冠禮
　　之變也。（《西南卷‧上》，頁368。標點略有改易）

以上兩條資料敘述婚禮前夕節目，表面看似與冠禮迥不相涉，參與其
事者雖照章行事，口頭上、心情上卻似乎都與冠禮無關，只有方志記
錄者仍能察覺其間與冠禮藕斷絲連的關係。

　　再看民國二十四年（1935）四川省《雲陽縣志》所述婚禮的種種
場面：

　　縣俗：迎親前一夕，婚者沐浴易新衣，士族襲冠服，其父亦冠
　　服前立（原注：無父則伯叔或長兄代之），率婚者詣中堂昭穆
　　前，儐贊三跪九叩禮，讀告祖文……。簪花、結彩訖，婚者請
　　父母南面，行四叩首禮，父母坐受畢，致命詞，勖以成人之
　　道。次請族黨尊長，分別行禮，推齊眉備福者（原注：俗稱

「雙福」）先拜，謂之「開拜」；長老答拜，致祝詞，若宗老則
亦兼勖語，畢，始設筵。

宴賀者於賓筵，別設席中堂，謂之「官席」。新郎南面坐，陪
郎東西列坐各二。酒三行，首坐者起，舉爵致祝辭如前，畢，
請醮。餘以次起祝，醮如前。既匝，越次迭起，累詞勸飲，隔
坐賓友亦更迭來賀，強屬同飲，往往霑醉。長老以嘉禮不深
禁，知不勝杯杓，始出止之。（《西南卷·上》，頁282）

乍看之下，描述的純粹是婚禮前夕的親朋會飲，不過，其中有婚者沐
浴易新衣、讀告祖文、簪花結彩、尊長祝勖、陪郎勸飲等節目，記者
雖不再明指此等儀節與舊時冠禮的關聯，讀者卻依稀感受到其中在在
反映的冠禮遺痕。

五　特殊類型的民間成年禮

近代民間成年禮除上述概況外，又有部分特殊類型，茲分三方面
述論之：

（一）混同民俗信仰者

近代民間成年禮或有與民俗信仰活動混同的特殊類型：在北方，
行成年禮時有廟會酬神的習俗，如民國二十四年（1935）河北省《陽
原縣志》載：

富貴之家，子至十二歲之生辰，廣延宗戚，饗以酒宴，賀者來
臨，並贈禮物；特種富室，或係獨子，酒席之外，往往佐以戲
劇，一以娛賓、一以酬神，故一、三兩日演於神廟（原注：即

俗名之「奶奶廟」，謂之女子女之生乃奶奶送來者），中間一日則在宅院中；下迄貧家，雖曰不能如斯，但亦未廢冠禮，不過具體而微，賀客少而酒席薄耳。（《華北卷》，頁168）

民國九年（1920）山西省《解縣志》所載尤詳：

解俗於生子十二歲，潔粢豐盛，張燈結彩，往祭后土廟（原注：俗謂之「獻娘娘」，五龍峪后土廟最盛）。是日，親族來賀者若而人，里黨來賀者若而人，烹羊炰羔，極其歡宴。富者甚有演戲數日，酬謝后土，謂之「還願」；然此多出富家翁，間有貧戶人家因艱於子嗣，親族里黨聚集數人，往后土廟祈禱所得者，亦偶一為之，但不如富家之豐盛。習俗相沿，不過祈年永命之意，而不知此即冠禮之留遺也。有學識之君子，苟能于加冠訓辭，演成俗語，行于是日，不惟此子知成人之道，即在座之親族里黨亦當聞所未聞，漸摩而知禮意矣。宋儒謂冠禮久廢，以吾解此事觀之，未嘗廢也，特數典忘祖，行此禮者不自知，即與行此禮者亦不自知也，紛紛擾擾，徒成一場故事也。（《華北卷》，頁691-692）

《解縣志》作者除詳記冠禮酬神之俗，並提出呼籲與建言，企圖恢復古禮的用心，躍然紙上。

南方則有設醮祭神之俗，如民國二年（1913）廣西省《隆安縣志》載：

習俗相沿，男子至十六歲時，或延道士，陳設香花、果品，拜斗祈年，名曰「還花堂」，即加冠。此惟富家子嗣單弱者行

之，貧戶則不盡然。（《中南卷下》，頁925-926）

至於浙江、福建、臺灣則盛行在十六歲時於七夕祭謝「七娘媽（即織女）」的成年禮俗——尤流行於閩、臺地區。如光緒二十三年（1897）臺灣《安平縣雜記》載：

> 七月七日名曰「七夕」，人家多備瓜菓、糕餅以供織女——稱曰「七娘媽」。有子年十六歲者，必於是年買紙糊彩亭一座，名曰「七娘亭」，備花粉、香果、酒醴、三牲、鴨蛋七枚、飯七碗，於七夕晚間命道士祭獻，名曰「出婆姐間」，言其長成不須乳養也。[48]

民國初年，臺灣民間的「做十六歲」，早已盛行於臺南及鹿港一帶：俗以七夕為七星娘娘（七娘媽）壽誕，屆時，家有年滿十六歲男女者，必須備辦紙亭（七娘媽亭）、祭品拜祭七娘媽，少男少女由紙亭下鑽過，表示已經長大成人。[49]朱鋒曾描述其酬神宴客情況云：

---

48 《中國方志叢書》，臺灣地區第36號，頁11。

49 臺灣民間習俗，惟恐孩子無法順利長大，週歲後，父母常到寺廟向專門保佑孩童的女神，如媽祖、觀音媽、註生娘娘、床母等許願，將鎖片、銀牌、古錢等串以紅線，套在孩子頸上，謂之「捾絭」（加鎖）。自此每年須帶小孩前往燒香敬神，並以新頸繩換舊頸繩，稱為「換絭」；及孩童屆滿十六歲，便在七夕當天到神前「脫絭」（脫鎖），用麵線、粽子等供祭拜謝。富有人家，更用紙紮「七娘媽亭」，裝入許多紙衣冠履、金銀錫箔，入夜時焚於廟前，稱為「燒亭」，以示重禮酬謝神明護佑之恩。其詳見何聯奎、衛惠林：《臺灣風土志》（臺北：臺灣中華書局，1956年），上篇，頁72-73；彭美玲：〈臺俗「做十六歲」之淵源及其成因試探〉，《漢族成年禮及其相關問題研究》，頁166-177。筆者亦曾遵俗「做十六歲」，且在十六歲之前曾多年行「燒亭禮」。

祭後把祭品分送各親朋答謝，併發柬邀請聚餐。是夜，大張酒
席，親朋聚在一堂歡談暢飲。富裕的家庭，特聘梨園演戲，一
面觀戲，一面猜拳行令，共祝成丁之慶，到夜闌才散席。[50]

邊疆地區亦有特殊風習，如宣統元年（1909）寧夏省《固原州
志》載當地回族有「穿衣禮」之俗：

> 回民子弟多誦回經，有舉為滿拉、黑提布、乙麻木等名目，若
> 天經三十本講通，即舉阿訇。由各莊頭人公送四角尖頂冠、長
> 領袍，尚綠色；入寺所行禮節：直伏其身叩首者三，舉手及胸
> 拱揖者三，誠為自成風氣，名曰「穿衣禮」。（《西北卷》，頁
> 251）

又據民國二十三年（1934）內蒙古《歸綏縣志》，當地漢、滿二族俱
行十二歲「圓鎖」之俗，回族且有「割禮」之俗：

> 古代，男子三十而娶，二十而冠。後世尚早婚，故冠禮亦早，
> 禮雖非古，其義實與冠同。邑俗：男子生，錫乳名，就傳，始
> 命名，成丁，乃字，十二歲，圓鎖；女子十三蓄髮，十五而
> 笄：殆亦冠禮之遺意也。（原注：子生一周，寄蘭若為寄僧，
> 即日剃髮，加鎖於項，或以紅線繫制錢五、七枚以為鎖，是日
> 帶之；滿十二歲，父母攜供品、箕帚、香楮布施，富者牽牛、
> 驢，貧者持雞一，贈寺僧，取香楮並所繫紅線焚之。寺僧擊木
> 魚說偈畢，兒持帚掃殿陛，僧取帚擊兒頂，曰：「速歸汝家，

---

50 朱鋒：〈臺南的七夕〉，頁102。

此處不要爾矣。」導者引兒歸,謂之「圓鎖」,一曰「完願」,亦曰「還俗」。

女子則家人導至寺,焚香楮,登梯越牆出,謂之「跳牆」。是日,親友送面圈、面絲、首飾、襦袴之屬,主人備酒肴筵客。即素不帶鎖者,亦曰「圓鎖」。圓鎖之俗,漢、滿二族俱行之。

回俗:子生之日,報禮拜寺,阿衡為誦經,起聖名。彌月、百日或周歲,家人具酒食,延戚友為湯餅會;戚友備茶食、衣料;若女嬰則兼備首飾,為賀儀。男女九歲,沐浴禮拜,男子並行割禮。)(《華北卷》,頁752。標點略有改動)

若與上述盛行於閩、臺的「做十六歲」習俗並觀,其成年標準雖有十二、十六之異,卻都是在子弟未成年之前,將其身命象徵性的寄付於寺廟、神祇,祈求所信託的神祇庇護,待子弟成年,則表神明護生圓滿,屆時即備各式供品祭拜還願。凡此皆有異曲同工之妙,同為成年禮與民俗信仰相交互涉的事例。

(二)哭嫁習俗

近代民間成年禮與婚禮常有密不可分的關係,因此一關係而來的特殊類型為婚禮中的「哭嫁習俗」。雖然哭嫁習俗可能與婚禮的關係較密,但亦具有相當程度的成年禮意義。向柏松認為哭嫁習俗具有三方面原因:一是婚禮與成年禮相互滲透、融合的結果;二是成年禮演變、退化所致;三是婚姻習俗、制度方面的原因。[51]其中前兩項原因——尤其是第一項——即與女笄有關。近代方志亦載及哭嫁之俗,

---

51 向柏松:〈哭嫁習俗的成年禮意義〉,《中南民族學院學報(哲學社會科學版)》1991年第5期(總第50期,1991年10月),頁83-84。

如民國二十三年（1934）四川省《樂山縣志》：

> 女子許嫁，笄；年十五，雖未嫁亦笄，禮也。今俗不計年歲，
> 通於嫁前一夕行之。其夕，主人布席於堂，侍者將笄者出房，
> 至堂謁祖，跪拜，興，即席。主婦延賓婦櫛髮合髻，盥洗，行
> 加笄禮。見尊長，跪拜如儀。禮賓畢，侍者將笄者入房，笄者
> 哭，父母亦哭，姊妹兄弟亦哭。尚有得於禮意。主人設酒食饗
> 賓及明日之勝者。（《西南卷・上》，頁172）

道光七年（1827）貴州省《安平縣志》除記載當地哭嫁之俗外，並說
明其原因：

> 將婚前三日，……女母於是日吉時（原注：其時亦男家擇定，
> 女家從之），擇少婦中重慶具慶而有子者為女括髮，名曰「上
> 頭」；上頭訖，以笄簪之，故亦名「笄」。笄之時，女不忍離膝
> 下，號泣不已。至夕，女父母設席於庭，扶女至中堂，請族嬬
> 或高年之嫻婦道者，教以三從四德之禮；命之上坐，使親族中
> 同輩或少輩未嫁之女子陪之，曰「陪新姑娘」。此即醮子、醮
> 女之禮也。（《西南卷・下》，頁530）

古制，女子許嫁而笄，笄禮、婚禮分別舉行，當事人對離別生家的感
受自然不那麼直接、強烈；後代改為臨嫁而笄，笄禮、婚禮緊密相
鄰，甚或一併舉行，蓋亦哭嫁之一因。「哭嫁」在臺灣亦為習見之
俗，女子於嫁前一夜至迎娶出家門，乃至村外，皆須啼哭，蓋既示不
忍遠離母家，亦有告別少女時期，進入婦女階段之意。如民國九年
（1920）廣西省《桂平縣志》載：

女子嫁前一夕亦「坐花」，其原出於古之笄禮。……今女子坐
花，先由婿家用紅盒備簪珥送至婦家，〔婦家〕設筵陳盒燒
燭，延女賓款女。先以長大婦有福命者為女攏（原注：攏）頭
著衣，乃出筵與女賓相見，與古禮同。但女必對燭泣，以辭告
別祖宗、父母、兄弟、姊妹、親戚。蓋今人臨嫁而笄，非如古
人之許嫁而笄，故禮亦稍異。……（原注：按：邑中女子臨嫁
而笄，笄而哭，哭數日或一日。哭詞四句，初句三言或四言，
二、三、四，七言，如七絕詩之押韻。貧家女子不能為此，則
長短參差，各隨其意。哭中帶咒，或云以此去煞也。）（《中南
卷・下》，頁1044）

各地方志記載女子成年禮儀多富有吉慶熱鬧氣氛，相較之下，哭嫁習
俗顯得頗為特殊，它強調「哭嫁」的痛苦心理，這是傳統笄禮所沒有
的特點。向松柏由文化人類學與心理學的角度探討哭嫁習俗的成年禮
意義，認為哭嫁習俗中的女子在悲傷的哭泣中，心靈經過深切的痛苦
磨鍊，才有足夠的心理承受婚後的生活重壓，與成年禮的痛苦考驗意
義一致。而在此心靈磨鍊的痛苦過程中，常常伴隨著父母的訓誡，其
目的不外乎希望出嫁的女兒遵守三從四德的規範，對於出嫁女進入新
家庭後的人生有相當程度的指導作用，亦與成年禮的訓誡作用相同。
向松柏又認為：哭嫁為出嫁女預演婚後行程，使其在「死亡」與「復
活」的過程中，接受痛苦的考驗與長者的訓誡，由無牽無掛的少女變
為能忍辱負重的婦女，從此具備成年婦女的素質，因此哭嫁習俗具有
明顯的成年禮意義。[52]不過漢族的「哭嫁」習俗，是否與原住民族透

---

52 向松柏：〈哭嫁習俗的成年禮意義〉，頁82-83。

過嚴酷的考驗與懲罰，象徵青少年時代的「死亡」與靈魂復活，[53]似乎尚待進一步的探究，筆者勿寧更相信其不忍遠離母家的心理與倫理意義。

（三）集團式冠禮

近代冠禮尚有一項特殊作法，就是集體行禮。此法古已有之，近世猶不絕如縷，如前述明嘉靖年間縣令王淑為諸生行集體冠禮事，又如民國十六年（1927）吉林省《通化縣志》所載：

> 力不能舉（冠禮）者，鄉社長集資，合及年者行之，禮可從簡，書冠者姓名以納於有司。（《東北卷》，頁314）

民國二十年（1931）湖南省《嘉禾縣圖志》亦載：

> 婚禮，人道之始；冠禮，人道之成。……今冠禮雖廢，而縣屬貴賢鄉、榜背山、茶窩嶺、大屋地諸雷族，鑾三鄉、楓梓溪蕭族，有師其意而為之者，凡間數年或十數年一舉行之。屆期，擇族年高德劭者主之，少者咸會於宗祠，簡年滿二十者書於冊，按派行、名字義取別號，大書紅帖粘祠壁，以次拜祖位，見父老，就席醼酒，三行或五行，畢，退，謂之「慶號」，蓋猶是古人「冠則字之」之遺也。（《中南卷・上》，頁533）

民國二十三年（1934）河北省《完縣新志》亦載：

---

53 關於成年禮的痛苦考驗與死亡、復活主題，請參閱拙撰：《儀禮士冠禮研究（二）——先秦成年禮與後世成年禮的比較研究》，第一章第一節，頁1-3。

> 冠禮久廢，早婚尤為陋習。唯男子自二十歲以後，鄉人往往擇
> 年相若者數人，將名字榜諸通衢，稱為「送號」。醵金會飲，
> 借申慶祝。此二十餘歲之男子，自此逐[54]以字行，儕於成人之
> 列矣。冠禮雖廢，此舉實足以代之，亦告朔餼羊之義也。(《華
> 北卷》，頁352)

上述集團式冠禮，以鄉里為單位，由地方士紳出面，為及齡子弟同時
行禮，在人員調度、資金運用、時間安排等方面，理應有方便簡省、
經濟實惠的效果，在現代繁忙、一切從簡的時代，是相當值得效法提
倡的冠禮形式。

六 近代民間成年禮的傳承與變化

綜上所述，近代民間成年禮與傳統古禮相較之下，具有隨時變改
的幾項重要變化：

(一)三加不行，唯餘一加；而以簪花披紅、贈號送匾、宴飲親友等強化儀式

近代民間成年禮大抵只行「一加」，與周代士冠的「三加」，或宋
《政和禮》的庶人「二加」、《溫公書儀》、《文公家禮》乃至《明史·
禮志》的庶人「三加」相比，都較簡捷易行；並且以便利實用為準
則，僅著新製現時成人冠服，不另行復古式樣。

由於古今生活環境與物質條件的重大變化，古代冠禮中象徵成人
的加冠儀式益趨簡略，促使人們不得不在儀物部分另求翻新，以維持

---

54 案：「逐」蓋「遂」之誤。

典禮上不可或缺的象徵符號。近世如兩湖、四川民間冠禮流行「簪花披紅」，便是在加冠弱化的情形下另予增強的相應措施；而盛行於中南地區的「賀號送匾」則是古代「冠而字之」的轉化。至於盛代於各地的冠後宴飲親友，則為近代民間成年禮的新變儀式——傳統成年禮僅有飲酒、酬賓等儀節——而又多與婚禮相關，蓋以此宣告子女之成年／成婚，乃冠、笄禮儀之蛻變。

（二）行禮旨在敦親睦鄰

近代民間成年禮的精神底蘊，與傳統冠禮似乎頗有出入：雖保留告廟祭祖、拜見父母諸親長等例行儀式，但宴飲、饋贈等社交活動的分量明顯增加，顯然在父祖血緣命脈與家族權威之外，同時注重與鄰里鄉黨間的地緣與社會關係，似乎希望藉此敦睦親族鄉里，有利冠者順利踏出社會，使成年禮由本族的成人意義擴大為社會的成人意義。

（三）冠、笄禮的舉行以家族為中心，階級色彩較不顯著

先秦冠禮以宗族為中心，笄禮以家族為中心。行過冠禮的男子，正式成為該宗族的一員，可以參與該族大小事務。又先秦冠禮的施行範圍限於士以上階層，兼具正名定分作用。[55]近代方志所見的民間成年禮，則例行於家中正堂，而非宗祠家廟。這種現象，一方面說明了周代宗法封建制度力量的消退，早期的強宗大族已不復見，民間社會多以家族為本位；另方面也顯示出士禮下滲為庶民之禮時，必發生與庶人生活條件相對應的自然變化。[56]

---

55 詳參拙撰：《儀禮士冠禮研究（二）——先秦成年禮與後世成年禮的比較研究》，第二章第一節。

56 古時士有禰廟，庶人無廟，逕祭於寢。

近代冠禮多行於讀書識禮之家，庶民則或有不知，或無力實行；笄禮的實行則不分貴賤。但書香世家並不等於先秦的士大夫階層，由於社會階級的逐漸泯滅，成年禮在民間變得較為平民化、多樣化。少數以鄉邑為單位、集體舉行冠禮的例子，尤顯示出冠禮甚至脫離宗族、家族的親緣單位，改以地緣性的社區為中心，參與者的平等性無形中有所擴大，這是與近代平民社會同步發展的自然趨勢。

（四）儀節富地方色彩

近代方志所載冠、笄禮儀節可謂各有千秋，而往往具有地方性共同特色，如主要盛行於中南地區的「簪花披紅」、「贈號送匾」，又如湖北省「十弟兄」、「十姐妹」的伴郎、伴娘習俗，又如閩、臺盛行的「做十六歲」風俗，又如浙江省的「上頭糕」等；更有只行於一邑一縣的特殊風尚，如廣東省四會縣的「請來食梳髻圓仔」，內蒙歸綏的「圓鎖禮」、寧夏固原州的「穿衣禮」、某些地區的「哭嫁習俗」等，與傳統古禮的儀節顯然有所不同。

（五）男尊女卑的差別趨於和緩

近代方志中，男冠女笄的儀節固然仍有繁簡之別，但已不似先秦時期的男女迥異，差異雲壤。隨著貴族階層的消失，社會大眾的身分地位漸趨平等，男女的差別也隨之縮小，冠、笄之禮對於個人的改造意義不再具有顯著的性別差異。

（六）冠禮在城市、富家一線僅存

大抵而言，近代民間社會普遍不重視成年禮，少數行禮如儀的特例，只出現在詩禮之家、富有人家或城市地區，具體顯示禮儀與家庭經濟、文化水準等因素的相關性。如前引民國二年（1913）廣西省

《隆安縣志》記載當地男子十六歲「還花堂」的成年習俗:「此惟富家子嗣單弱者行之,貧戶則不盡然。」民國十六年(1927)廣西省《龍州縣志》則說:

> 無初加、再加、三〔加〕等儀物及訓詞,惟於婚之前一日,寫「父命兒男冠字某某」貼於廳上,簪花掛紅,如是而已。此城市冠禮大略,若夫鄉村則並此而亦無之矣。(《中南卷·下》,頁920)

凡此皆可見成年禮的沒落趨勢。

(七)冠、笄禮轉附於婚禮舉行

先秦時代,無論男子的冠後議婚,或女子的許嫁而笄,成人禮與婚禮各是兩種重要的人生禮儀,二者同處於等量齊觀的地位。時至後代,民間或囿於早婚習尚,或貪圖方便儉省,逐漸將冠、笄禮與婚禮一併舉行,顯見後人重婚輕冠的心態。

近代中國各地的「冠齡」雖時有出入,大體遵循《文公家禮》「十五至二十皆可冠」的傳統,僅華北出現極少數明顯將冠齡提前的例子,如山西解縣、河北陽原、內蒙歸綏等地皆有提前至十二歲加冠者。自有清下迄民國,冠禮每與婚禮合併舉行,或於婚前數日、前一日先行之,甚且行於親迎當日;等而下之者,不僅未見相關儀節,即連「上頭」一類舊名詞也由婚禮中消失無蹤。

古代的冠禮,係以改變服飾(主要是頭飾)來認證其社會角色的轉換;時至近代,大眾的眼光與心思全為婚禮「合兩姓之好」的歡樂榮景所吸引,甚且直接以成婚等同成年,而不再斤斤於當事人實際年

齡的多寡。自然而然的，冠禮日漸淪為婚禮的附屬儀節，進而造成冠禮久廢不行的下場。此外，士子「三加」的莊重肅穆，也由於社會環境的變遷，而被「簪花披紅」之類的喜慶儀式所取代；命字禮也衍生出「贈號送匾」之類的繁文縟節。雖然某些地方仍保有吉祥語及飲酒等儀式，但多半變成以慶賀新人新婚的成分居多。

　　至於女子笄禮由古時「許嫁而笄」轉變為「臨嫁而笄」，其作為區分少女與婦人身分標誌的作用始終未變，遂使歷代笄禮向來處於較穩定的狀態，即令遭逢晚近「冠婚合舉」的潮流，所受的衝擊也相對減少，相較於冠禮而言，笄禮的變化與消亡算是比較緩慢的；不過，在時間的淘洗與民情的演變下，最終仍未能免於失落。

　　（原載《張以仁先生七秩壽慶論文集》〔臺北：臺灣學生書局，
　　1999年〕，頁687-734；修改後收入葉國良、李隆獻、彭美玲合
　　著：《漢族成年禮及其相關問題研究》〔臺北：大安出版社，
　　2004年〕，頁99-164）

拾　由《上博‧四‧內禮》與《大戴禮記‧曾子立孝》首章之異論先秦倫常次序的相關問題

一　研究回顧與問題的提出

　　《上博‧四‧內禮》發表以來，[1]因其內容與《大戴禮記》〈曾子立孝〉、〈曾子事父母〉二篇相關，學者頗有就其異同進行探討者，如廖名春、[2]梁濤、[3]淺野裕一、[4]林素清、[5]福田哲之、[6]張宇衛[7]等。廖文

1　李朝遠：〈內禮‧釋文考釋〉，馬承源主編：《上海博物館藏戰國楚竹書（四）》（上海：上海古籍出版社，2004年），頁219-229。案：「禮」本作「豊」，茲從俗。

2　廖名春：〈楚竹書〈內禮〉、〈曾子立孝〉首章的對比研究〉，收入葉國良、鄭吉雄、徐富昌主編：《出土文獻研究方法論文集初集》（臺北：臺灣大學出版中心，2005年），頁265-287。

3　梁濤：〈上博簡《內禮》與《大戴禮記‧曾子》〉，《中國思想史研究通訊》第6輯（2005年8月）。

4　〔日〕淺野裕一：〈新出土資料と諸子百家研究〉，《中國研究集刊》第38號（2005年12月），頁65-114。

5　林素清：〈上博四《內禮》篇重探〉，收入《出土簡帛文獻與古代學術國際研討會論文集》（臺北：國立政治大學中國文學系主辦，2005年12月2-3日），頁1-6。後收入武漢大學簡帛研究中心主辦：《簡帛（第一輯）》（上海：上海古籍出版社，2006年），頁153-160。

6　〔日〕福田哲之：〈上博楚簡內禮的文獻性格——以與大戴禮記曾子立孝篇、曾子

逐句比對,解釋二者的差異,篇中主要有幾個論點╱結論:

1. 〈曾子立孝〉首章只有對「為人子」、「為人弟」、「為人臣」三者的要求,〈內禮〉則又有對「為人君」、「為人父」、「為人兄」的要求。[8]對此,李朝遠認為:「簡文中的『為人君』、『為人父』、『為人兄』句,文獻失載,且君臣、父子、兄弟的順序也不同於現存文獻。簡文更體現了儒家『君君、臣臣、父父、子子』以及『兄兄、弟弟』的思想。」[9]廖名春則認為:「今本〈曾子立孝〉篇去掉了『為人君』、『為人父』、『為人兄』三句,正是君主專制思想的產物」[10]

2. 〈內禮〉與〈曾子立孝〉首章稱舉倫常次序不同,〈內禮〉為君臣、父子、兄弟,〈曾子立孝〉則是父子、兄弟、君臣。廖氏認為:「〈內禮〉篇稱舉君臣、父子、兄弟的次序,較之〈曾子立孝〉篇首更合符早期文獻的慣例。」[11]

3. 廖文列舉數例,認為〈曾子立孝〉在文句上曾經改寫,並說:「兩者比較,明顯是〈曾子立孝〉篇改寫了簡文。……

事父母篇之比較為中心〉,收入《出土簡帛文獻與古代學術國際研討會論文集》,頁289-303。後改題〈上博楚簡《內禮》的文獻性質——以與《大戴禮記》之《曾子立孝》、《曾子事父母》比較為中心〉,收入《簡帛(第一輯)》,頁161-175。

7 張宇衛:〈《上博四‧內禮》「負」字新釋與簡序考——兼以〈內禮〉版本探大、小戴《禮》傳承等問題〉,《雲漢學刊》,第13期(2006年6月),頁175-196。

8 即〈曾子立孝〉較〈內禮〉少「為人君者,言人之君之不能使其臣者,不與言人之臣之不能事其君者」、「為人父者,言人之父不能畜子者,不與言人之子之不孝者」、「為人兄者,言人之兄之不能慈弟者,不與言人之弟之不能承兄者」三句。

9 李朝遠:〈內禮‧釋文考釋〉,馬承源主編:《上海博物館藏戰國楚竹書(四)》,頁220。

10 廖名春:〈楚竹書〈內禮〉、〈曾子立孝〉首章的對比研究〉,《出土文獻研究方法論文集初集》,頁286。

11 同前注,頁287。

　　　　一定是〈曾子立孝〉篇改寫了竹書〈內禮〉篇，而不是竹書
　　　　〈內禮〉篇改寫了〈曾子立孝〉篇。」[12]

　　首先，廖氏基本上假設〈內禮〉與〈曾子立孝〉二文乃一脈相承，[13]
故十足肯定的認為〈曾子立孝〉「改寫」了〈內禮〉。筆者則以為：二
文除彼此具有關聯性這個「唯一」的可能外，至少尚有兩種可能：其
一為〈內禮〉與〈曾子立孝〉都根據某一資料編纂而成，故二者相當
類似，[14]若然，則何者較接近「原貌」，便難以確定；另一為二者來自
不同思想體系／學術派別，[15]乃其學派／學者各自反映的倫常次序，
若然，則〈內禮〉便如李朝遠所說的更體現了儒家的君臣、父子、兄
弟的倫常觀。

　　其次，〈曾子立孝〉少「為人君」等三句，有許多可能性，不少
學者已提出看法，如梁濤、淺野裕一、福田哲之等；筆者不揣淺陋，
提出另一可能：《大戴禮記》〈曾子本孝〉、〈曾子立孝〉、〈曾子大
孝〉、〈曾子事父母〉接連四篇皆論「孝道」，內容為對孝子各種行為
的規範／要求，或許即係針對「孝子」的要求，故〈曾子立孝〉並不
要求「為人君」、「為人父」、「為人兄」者。筆者以為文獻之稱舉某些

---

12 廖名春：〈楚竹書〈內禮〉、〈曾子立孝〉首章的對比研究〉，頁287。

13 梁濤、淺野裕一、福田哲之三人亦皆認為二者有密切關係，說見〈上博簡《內禮》
　　與《大戴禮記·曾子》〉、〈新出土資料と諸子百家研究〉、〈上博楚簡內禮的文獻性
　　格──以與《大戴禮記》之《曾子立孝》、《曾子事父母》比較為中心〉。但福田哲
　　之又認為〈曾子立孝〉也有可能編成之後遭後人改變，見〈上博楚簡內禮的文獻性
　　質──以與《大戴禮記》之《曾子立孝》、《曾子事父母》比較為中心〉，頁166。

14 福田哲之即認為可能根據《漢書·藝文志》著錄之「《曾子》十八篇」有關聯的資
　　料編成，說見同前注，頁175。

15 「學派」一詞可能遲至司馬談〈論六家要指〉始見，但《莊子·天下》已述及儒、
　　墨、道、法、陰陽五家「道術」的淵源。戰國時雖尚無「學派」的稱呼，但隱約中
　　似乎已有類似概念。此聊且藉用，特此說明。

身分／階級，宜由其所欲論述之內容與性質進行思考，方能更為客觀、貼切。

　　復次，廖文第三點結論來自第二點假設；但廖文在探討〈內禮〉與〈曾子立孝〉二文倫常次序不同的論述上，似乎仍有商榷空間。若然，則上述三點結論是否成立，似乎尚待仔細探究。

　　且讓我們回顧廖文的舉證與論述，作為商榷的基礎。針對〈內禮〉、〈曾子立孝〉二文倫常次序之異，廖文認為：

> 〈曾子立孝〉篇的「與父言」段，盧辯注早就指出：「〈士相見禮〉曰『與君言言使臣，與大夫言言事君，與老者言言使弟子，與幼者言言孝父兄，與眾言言慈祥，與泲官者言言忠信』也。」簡文的次序與《儀禮・士相見禮》較為接近。……文獻裡一般都是此一次序。如《左傳・襄公三十一年》：「《衛詩》曰：『威儀棣棣，不可選也』，言君臣、上下、父子、兄弟、內外、大小皆有威儀也。」《墨子・兼愛中》：「君臣不惠忠，父子不慈孝，兄弟不和調，此則天下之害也。」《孟子・告子下》：「為人臣者懷利以事其君，為人子者懷利以事其父，為人弟者懷利以事其兄，是君臣、父子、兄弟終去仁義，懷利以相接，然而不亡者，未之有也。……」《荀子・王制》：「君君、臣臣、父父、子子、兄兄、弟弟一也。」《荀子・大略》：「君臣不得不尊，父子不得不親，兄弟不得不順，夫婦不得不驩。」《禮記・曲禮上》：「君臣上下父子兄弟，非禮不定。」《禮記・禮運》：「以正君臣，以篤父子，以睦兄弟，以和夫婦。……」《禮記・中庸》：「天下之達道五，所以行之者三，曰：君臣也，父子也，夫婦也，昆弟也，朋友之交也，五者天

下之達道也。」都是由君臣到父子再到兄弟。[16]

廖氏僅先舉《儀禮・士相見禮》，遽謂〈內禮〉所述倫常次序與之相符，即進而舉《左傳》、《墨子》、《孟子》、《荀子》與《禮記》〈曲禮〉、〈禮運〉、〈中庸〉等傳世文獻中之倫常次序與〈內禮〉相符者證成其說。至於與〈曾子立孝〉次序相同者，廖文則說：

> 而由父子到兄弟再到君臣的則較為少見。《禮記・王制》：「七教：父子、兄弟、夫婦、君臣、長幼、朋友、賓客。」《大戴禮記・文王官人》：「父子之閒觀其孝慈也，兄弟之閒觀其和友也，君臣之閒觀其忠惠也，鄉黨之閒觀其信憚也。」〈曾子立孝〉篇的次序與《禮記・王制》、《大戴禮記・文王官人》接近。比較之下，應該說竹書〈內禮〉篇君臣、父子、兄弟的次序反映了文獻早期的面貌，而〈曾子立孝〉篇父子、兄弟、君臣的次序當屬晚出。[17]

廖氏認為：依「父子」、「兄弟」、「君臣」為序者，除〈曾子立孝〉外，僅《禮記・王制》、《大戴禮記・文王官人》二例，遂認定〈內禮〉早出，〈曾子立孝〉晚出。

廖氏所舉《左傳》以至《禮記》諸典籍所記，確實反映傳世文獻的某種倫常次序；但廖氏未經明確考證，即認定《禮記・王制》、《大戴禮記》〈曾子立孝〉、〈文王官人〉等篇所記父子、兄弟、君臣次序為晚出，恐不免失之武斷。成書於戰國末期，時代可能已與二戴《禮

---

16 廖名春：〈楚竹書〈內禮〉、〈曾子立孝〉首章的對比研究〉，頁283-284。
17 同前注，頁284。

記》相當接近的《荀子》，何以依然使用與《左傳》、《墨子》等戰國前、中期文獻相同的倫常次序？《禮記‧王制》、《大戴禮記》〈曾子立孝〉、〈文王官人〉等篇倫常次序與《荀子》不同，究竟是時代因素，抑尚有其他可能因素？

有關二戴《禮記》的成書時間，歷來異說紛紜，直至今日依然有學者提出種種新說，而未必能盡釋群疑。[18]〈王制〉或許的確作於西漢初年，[19]〈曾子立孝〉、〈文王官人〉是否成於戰國末至西漢間，則尚待更縝密的考證；[20]況且，父子、兄弟、君臣此種倫常次序，究竟產生於西漢，抑或源自先秦？又，「父子」在「君臣」前，或「君臣」在「父子」前，二者究竟孰先孰後？抑或同時並存？凡此皆尚待詳加索解，不宜遽爾論斷。

除廖文上舉例證外，目前固然無法確定既為先秦文獻，其倫常次序又採父子、兄弟、君臣為序者，但廖文檢驗文獻的採樣方式，卻有商榷餘地。廖氏在檢核傳世文獻時，認為必須同時出現君臣／父子／兄弟三者，才能成為例證。這的確不失為嚴謹的方式，但先秦、漢初文獻之稱舉「倫常」次序，計有下列幾種情況：或二、或三、或四、

---

18 關於二戴《禮記》的成書時代，近年來的研究，可參考王鍔：《〈禮記〉成書考》（北京：中華書局，2007年）；黃懷信：《大戴禮記彙校集注》（西安：三秦出版社，2005年），〈前言〉「三、材料來源及各篇性質與時代」，頁20-30。

19 陸德明《經典釋文》引盧植之說：「漢文帝令博士諸生作此篇。」（卷11，〈禮記音義之一〉，頁24上）陳師瑞庚詳考各家之說，認為〈王制〉確實作於西漢，說見其《王制著成之時代及其制度與周禮之異同》（臺北：嘉新水泥公司文化基金會，1972年），頁1-40；王夢鷗先生則就〈王制〉原文詳舉古籍以為考證，認為〈王制〉之作乃因漢文帝「思賈生之言而起」，說見氏著：《禮記校證》（臺北：藝文印書館，1976年），頁59-69。但學界猶有異說，如王鍔即認為〈王制〉成篇於「戰國中期，《孟子》之前」（《〈禮記〉成書考》，頁184-188）。

20 如黃懷信即認為〈文王官人〉「當是晚周人據舊聞而記」（《大戴禮記彙校集注》，頁27）。

或五、或七。舉「二倫」者，多為君臣、父子；舉「三倫」者，則有
君臣、父子、兄弟／長幼，君臣、父子、夫婦，父子、君臣、兄弟／
長幼，夫婦、父子、君臣等四種次序；舉「四倫」者，或君臣、父
子、兄弟、夫婦（《禮記・禮運》），或父子、君臣、兄弟、朋友（《禮
記・中庸》）；舉「五倫」／「五教」者，或父子、君臣、夫婦、長幼
（兄弟）、朋友（《孟子・滕文公上》），或君臣、父子、夫婦、昆弟、
朋友（《禮記・中庸》）；舉「七教」者，則為父子、兄弟、夫婦、君
臣、長幼、朋友、賓客（《禮記・王制》）。

　　其中「君臣」、「父子」、「夫婦」三者皆有居倫常次序之首者，其
餘則無。故筆者認為：君臣／父子／兄弟三者，檢驗次序的必要條件
只須「君臣」、「父子」二者即可，「兄弟」並非必要條件。因為就倫
常次序的常理判斷，絕無「兄弟」先於「父子」的可能，「兄弟」大
部分的情形也後於「君臣」，[21]所以「兄弟」不是必要的採樣元素。若
改採「君臣」與「父子」兩者的次序來檢驗文獻，則「父子」在「君
臣」前的文獻便有不少。

　　由檢核先秦、漢初文獻，可知不論「君臣」、「父子」、「夫婦」何
者居人倫次序之首，傳世、出土文獻皆不乏例證，可見「君臣」或
「父子」居前的次序在先秦或漢初典籍的流傳，都有例證可尋，實在
難以確定何種次序較可能為先秦典籍的原貌，〈曾子立孝〉「父子」居
前的次序，未必晚出；不過，這並不足以充分論證此一次序的早晚問
題。

21　「兄弟」唯一可能在「君臣」之前的情形，乃父子、兄弟、君臣這個次序，這是合
　　理的，因這個次序著重於「人倫」的起點與開展，說詳下。

二　文獻性質影響倫常次序排列的假設與論證

　　根據筆者粗略考察，先秦、兩漢文獻，凡著重於政治／社會角度論述者，其倫常次序多以「君臣」居首，因君臣關係干繫政治之清明、社會之安定；而以孝道／人倫為主要關懷者，則以「父子」居首，因父子乃人倫繁衍的根基所在。「兄弟」在兩類文獻中，沒有絕對存在的必要，有些文獻論及倫常時，「兄弟」便不在序列之中。[22]可知檢驗倫常次序，「君臣」、「父子」才是關鍵元素，「兄弟」並非必要。《論語・顏淵》載：

> 齊景公問政於孔子。孔子對曰：「君君、臣臣、父父、子子。」公曰：「善哉！信如君不君，臣不臣，父不父，子不子，雖有粟，吾得而食諸？」（《論語注疏》，卷12，頁6下）

這是僅論「君臣」、「父子」，沒有「兄弟」的例證。孔子之所以如此回答，乃因齊景公「問政」；在「政治」層面，「君臣」先於「父子」，且不必提及「兄弟」，是極合理／自然的現象。《論語・學而》又載：

> 有子曰：「其為人也孝弟，而好犯上者，鮮矣。不好犯上，而好作亂者，未之有也。君子務本，本立而道生。孝弟也者，其為仁之本與？」（《論語注疏》，卷1，頁2下）[23]

---

22 或以「夫婦」取代「兄弟」，詳下。

23 《禮記・中庸》：「君子之道四，丘未能一焉：所求乎子，以事父未能也；所求乎臣，以事君未能也；所求乎弟，以事兄未能也；所求乎朋友，先施之未能也。」

文中的「孝」即「父子」關係，「弟」即「兄弟」關係，「犯上」或泛
指「在上者」，[24]或引申為「君臣」關係。[25]就此而言，此條資料實可
作為《論語》具有父子、兄弟，或父子、兄弟、君臣次序的例證。其
次，此條資料也揭櫫了《論語》如此排列——孝／父子、弟／兄弟
（不好犯上／君臣）——其用意在強調「孝弟」的重要性，亦即「孝
弟」為萬事之本。此條材料具體顯示「人倫秩序」乃以「家庭」為核
心，意即只要是孝悌之人便不會犯上。《孝經‧士章》「資於事父以事
君而敬同」，[26]基本上即反映與此相同的精神。當然，本條資料也可解
釋為論述人倫的「孝」「弟」時，僅須論「父子」「兄弟」即可，不必
及於「君臣」關係。

　　合觀上引〈顏淵〉、〈學而〉兩條文獻，與前文關於文獻性質影響
倫常次序的論述，筆者大膽提出一個假設：由政治／社會角度出發的
論述，則「君臣」關係居首；從孝道／人倫開展論說者，則或以「父
子」，或以「夫婦」居首。

　　以下分別對先秦、漢初文獻進行省察、詮解。因〈內禮〉與〈曾
子立孝〉所言皆與「禮」有關，故先由「禮書」開始：

（《禮記正義》，卷52，頁9）亦可解為依父子、君臣、兄弟、朋友為序的倫常次
　序，但因見載於〈中庸〉，故不引為例證。

24 何晏《集解》：「上，謂凡在己上者。言孝弟之人，必恭順，好欲犯其上者少也。」
　（《論語注疏》，卷1，頁2下）朱熹《論語集注》：「犯上，謂干犯在上之人。……此
　言人能孝弟，則其心和順，少好犯上，必不好作亂也。」〔宋〕朱熹：《四書章句集
　注》（臺北：大安出版社，1996年），頁62。

25 〔清〕劉寶楠《論語正義》：「丘光庭〈兼明書〉以犯上為干犯君上之法令，亦此
　《注》義所括。」〔清〕劉寶楠：《論語正義》（北京：中華書局，1990年），卷1，頁
　7。是「犯上」可指「君臣」關係。

26 《孝經注疏》，卷2，頁5下。

（一）「君臣」關係居首例證的省察與詮釋

以「君臣」關係居首之禮書，如《儀禮・士相見禮》：

> 凡言非對也，妥而後傳言。與君言，言使臣；與大人言，言事君；與老者言，言使弟子；與幼者言，言孝弟於父兄；與眾言，言忠信慈祥；與居官者言，言忠信。（《儀禮注疏》，卷7，頁9）

本章乃論「進言之法」，其順序由君敘起，自無可疑，但與「君臣」、「父子」之次序較無關係，廖氏以此為最基本／關鍵的證據，其實並不貼切。又如《禮記・曲禮》載：

> 道德仁義，非禮不成；教訓正俗，非禮不備；分爭辨訟，非禮不決；君臣、上下、父子、兄弟，非禮不定；宦學事師，非禮不親；班朝治軍，涖官行法，非禮，威嚴不行；禱祠、祭祀，供給鬼神，非禮不誠不莊。是以君子恭敬撙節，退讓以明禮。（《禮記正義》，卷1，頁10下-11上）

所論皆為教訓正俗、爭訟、官宦等事，明顯由國家／社會角度論述，其以「君臣」居前，「上下」為次，「父子」、「兄弟」繼之，自屬合理。至於〈禮運〉所載：

> 今大道既隱，天下為家，各親其親，各子其子，貨力為己，大人世及以為禮，城郭溝池以為固，禮義以為紀。以正君臣，以篤父子，以睦兄弟，以和夫婦，以設制度，以立田里，以賢勇

知，以功為己。故謀用是作，而兵由此起。（《禮記正義》，卷
21，頁4下）

所述乃「大道既隱，天下為家」時代所採的禮制，亦由政治／社會角
度立論，故次序亦以「君臣」居首，接以父子、兄弟、夫婦。又，
《禮記·冠義》云：

> 凡人之所以為人者，禮義也。禮義之始，在於正容體、齊顏
> 色、順辭令。容體正，顏色齊，辭令順，而后禮義備。以正君
> 臣、親父子、和長幼。君臣正，父子親，長幼和，而后禮義
> 立。故冠而后服備，服備而后容體正、顏色齊、辭令順。故曰
> 「冠者，禮之始也」，是故古者聖王重冠。……見於母，母拜
> 之；見於兄弟，兄弟拜之：成人而與為禮也。玄冠、玄端，奠
> 摯於君，遂以摯見於鄉大夫、鄉先生，以成人見也。成人之
> 者，將責成人禮焉也。責成人禮焉者，將責為人子、為人弟、
> 為人臣、為人少者之禮行焉。將責四者之行於人，其禮可不重
> 與？故孝、弟、忠、順之行立，而后可以為人；可以為人，而
> 后可以治人也。故聖王重禮，故曰「冠者，禮之始也，嘉事之
> 重者也」，是故古者重冠。（《禮記正義》，卷61，頁1下-2下）[27]

〈冠義〉乃論「冠禮」的意義，文中先是「以正君臣，親父子，和長
幼。君臣正，父子親，長幼和，而後禮義立」，明顯以君臣居首，父
子次之；其後卻又說「將責為人子、為人弟、為人臣、為人少者之
禮」，則是以父子居首，兄弟次之，君臣又次之。同篇之中，次序迥

---

27 文中的「長幼」涵蓋兄弟，故亦可視為父子、兄弟、君臣次序的例證之一。下舉
《禮記·聘義》、《大戴禮記·盛德》、《孟子·滕文公上》同。

異，似乎費解，實則此蓋有可論述者：篇中論行「冠禮」之後的「成年者」，固然將責其「為人子、為人弟、為人臣、為人少者」之禮，但其中最重要者實乃「為人臣者」一項，因為，不論成年與否，人人皆須遵循「為人子」、「為人弟」、「為人少者」之禮。「冠禮」的意義在於宣示男子已成年，可以參與社會與政治活動，他必須面對新來臨的「君臣」關係，遂有「為人臣」之禮，其論述重點在冠禮所帶來的社會／政治意義，[28]因此一再強調冠禮的政治意義，如云「敬冠事所以重禮，重禮所以為國本也」、「可以為人，而后可以治人也」、「古者聖王重冠」，而這也是全篇的核心精神。故〈冠義〉篇首採君臣、父子的次序，亦符合上述假設。再如《禮記・聘義》云：

> 聘、射之禮，至大禮也，質明而始行事，日幾中而后禮成，非強有力者，弗能行也。故強有力者，將以行禮也，酒清人渴而不敢飲也，肉乾人飢而不敢食也，日莫人倦，齊莊、正齊，而不敢解惰，以成禮節，以正君臣，以親父子，以和長幼。此眾人之所難，而君子行之，故謂之有行。（《禮記正義》，卷63，頁7）

所論乃聘、射之禮，賈公彥《疏》云：

> 「以正君臣」者，謂射前行燕禮，……「以親父子，以和長幼」者，此謂鄉射之前，行鄉飲酒之禮。（《禮記正義》，卷63，頁8下）

---

28 關於周代「冠禮」的「成年」意義，可參拙撰：〈歷代成年禮的特色與沿革——兼論成年禮衰微的原因〉，原載《臺大中文學報》第18期（2003年6月），頁85-138，收入本書之〈捌〉。

所述乃政治／社會禮節，自宜「君臣」居首，「父子」次之，「兄弟」
殿後。

　　禮書之外，其他經書，《論語‧顏淵》已見前文；襄公三十一年
《左傳》載北宮文子回答衛襄公之問「威儀」云：

　　　有威而可畏謂之威，有儀而可象謂之儀。君有君之威儀，其臣
　　　畏而愛之，則而象之，故能有其國家，令聞長世。臣有臣之威
　　　儀，其下畏而愛之，故能守其官職，保族宜家。順是以下皆如
　　　是，是以上下能相固也。〈衛詩〉曰：「威儀棣棣，不可選
　　　也」，言君臣、上下、父子、兄弟、內外、大小皆有威儀也。
　　　〈周詩〉曰：「朋友攸攝，攝以威儀」，言朋友之道必相教訓以
　　　威儀也。〈周書〉數文王之德，曰：「大國畏其力，小國懷其
　　　德」，言畏而愛之也。《詩》云：「不識不知，順帝之則」，言則
　　　而象之也。（《左傳正義》，卷40，頁23）

全文重點在論威儀對君、臣與國家的重要性，自當「君臣」居首。猶
可注意者，本文在倫常次序間，插入「上下」、「內外」、「大小」等，
尤具政治／社會意義，亦可見文獻性質影響倫常次序與稱舉數目的多
寡。《孟子‧告子下》載孟子勸宋牼進諫秦、楚之王的方式云：

　　　先生以利說秦、楚之王，秦、楚之王悅於利，以罷三軍之師，
　　　是三軍之士樂罷而悅於利也。為人臣者懷利以事其君，為人子
　　　者懷利以事其父，為人弟者懷利以事其兄。是君臣、父子、兄
　　　弟終去仁義，懷利以相接，然而不亡者，未之有也。先生以仁
　　　義說秦、楚之王，秦、楚之王悅於仁義，以罷三軍之師，是三

> 軍之士樂罷而悅於仁義也。為人臣者懷仁義以事其君,為人子
> 者懷仁義以事其父,為人弟者懷仁義以事其兄,是君臣、父
> 子、兄弟去利,懷仁義以相接也,然而不王者,未之有也。何
> 必曰利?(《孟子注疏》,卷12上,頁7)

所述乃孟子告誡宋牼勸諫秦、楚時不應以「利」為號召,而應採「仁
義」立說,重在論政治,自當以「君臣」關係居首。

經書之外,子書以「君臣」關係居首,亦皆著眼於政治。如《墨
子》:

> 若使天下兼相愛,國與國不相攻,家與家不相亂,盜賊無有,
> 君臣父子皆能孝慈,若此則天下治。(〈兼愛上〉)[29]

> 子墨子言曰:「今若國之與國之相攻,家之與家之相篡,人之
> 與人之相賊,君臣不惠忠,父子不慈孝,兄弟不和調,此則天
> 下之害也。」(〈兼愛中〉)[30]

墨子重社會,故亦偏向以國家平治、社會安定為重,二文皆然,故亦
皆「君臣」居首,一則以「父子」居次,而不言「兄弟」,一則以「兄
弟」殿後,可見「兄弟」非必要稱舉之元素。又如《管子·形勢解》:

> 道行則君臣親,父子安,諸生育;故明主之務,務在行道,不
> 顧小物。[31]

---

29 〔清〕孫詒讓:《墨子閒詁》(臺北:華正書局,1987年),卷4,頁93。
30 同前注,卷4,頁93。
31 黎翔鳳:《管子校注》,卷20,頁1172。《管子》書,舊以為偽作。1972年山東臨沂
  銀雀山漢墓出土竹簡中有《管子》殘本。王師叔岷:《先秦道法思想講稿》以為:

所言重在「明主之務」，乃由統治者之「治道」立論，自以「君臣」
關係居前，且亦無「兄弟」倫。又如《荀子‧王制》：

> 君臣、父子、兄弟、夫婦，始則終，終則始，與天地同理，與
> 萬世同久，夫是之謂大本。故喪祭、朝聘、師旅一也；貴賤、
> 殺生、與奪一也；君君、臣臣、父父、子子、兄兄、弟弟一
> 也；農農、士士、工工、商商一也。[32]

荀子重視人與政治、社會的關係，乃世所共知，不繁贅述。本篇篇名
既為「王制」，所論自以「政治」為主，故「君臣」居首，無論就
《荀子》思想體系或本篇內容而言皆為必然順序，而一則「兄弟」之
外尚有「夫婦」，一則無「夫婦」：可見「兄弟」、「夫婦」二者並非倫
常次序的必要元素。〈天論〉於論自然變化「可怪而不可畏」，「人
祅」最可畏後，云：

> 無用之辯，不急之察，棄而不治。若夫君臣之義，父子之親，
> 夫婦之別，則日切瑳而不舍也。[33]

乃論人世治亂與天象毫無關係，以政治、社會為重，自以「君臣」關
係居首。尚可注意的是：〈天論〉有「夫婦」而無「兄弟」。〈大略〉
則云：

「《管子》書乃戰國中期至晚期各家學說之總匯，……《黃帝書》與《管子書》蓋
並出於《莊子》之後，《韓非子》之前與？」（頁152）。

32　〔清〕王先謙：《荀子集解》，卷5，頁163-164。楊倞《注》：「言上下尊卑，人之大
本，有君子然後可以長久也。」（同前，頁163）

33　〔清〕王先謙：《荀子集解》，卷11，頁316。

君臣不得不尊，父子不得不親，兄弟不得不順，夫婦不得不
驪。少者以長，老者以養。故天地生之，聖人成之。[34]

本章所論亦偏重政治，故亦以「君臣」為先，有趣的是加入了「夫
婦」倫，且又云：

《易》之〈咸〉，見夫婦。夫婦之道，不可不正也，君臣、父
子之本也。咸，感也，以高下下，以男下女，柔上而剛下。[35]

此段雖仍以「君臣」居「父子」之前，但強調「夫婦」倫，推為「君
臣、父子之本」，且置之於君臣、父子之前，可見倫常次序可因欲強
調者而更動之。又如《呂氏春秋・處方》：

凡為治必先定分。君臣、父子、夫婦，君臣、父子、夫婦，六
者當位，則下不踰節，而上不苟為矣；少不悍辟，而長不簡慢
矣。[36]

本段言「為治」之道，亦即論述「治國」之道，必然標榜國君的重要
性，次序自以「君臣」居首，而以「夫婦」取代「兄弟」。出土《郭
店楚墓竹簡・成之聞之》則載：

---

34 〔清〕王先謙：《荀子集解》，卷19，頁494。
35 同前注，頁495。
36 王利器：《呂氏春秋注疏》，卷25，頁3000-3001。譚戒甫云：「此疑當作『君君臣
臣、父父子子、夫夫婦婦』，即下所謂『六者當位』也。」（同前，頁3000）譚說
是，古書疊字，類皆不重書，而於其下作「二」畫以示，後人不察，傳抄多致誤。
其例繁多，茲不贅舉。

天降大常，以理人倫。制為君臣之義，著為父子之親，分為夫
婦之辨。是故小人亂天常以逆大道，君子治人倫以順天德。
（簡31-32）[37]

文中雖云「以理人倫」，但〈成之聞之〉全篇著重在論「君子」如何
「用民」，亦以政治、社會範疇為主，故以「君臣」居首，亦以「夫
婦」取代「兄弟」。

根據以上分析、詮釋，可知採「君臣」居首，「父子」為次的文
獻，皆由政治／社會角度開展其論述；且「兄弟」非必要稱舉之要
素。凡此皆與前文之假設若合符節。

（二）「父子」關係居首例證的省察與詮釋

「父子」關係居首者，禮書中有《大戴禮記》〈盛德〉、〈文王官
人〉、〈曾子立孝〉三篇。〈盛德〉云：

宗伯之官以成仁。……父子不親，長幼無序，君臣上下相乖，
曰「不和」也；不和則飭宗伯。[38]

〈盛德〉旨在論「聖王之盛德」及其大臣之職掌，偏向政治角度；但
本段乃論「宗伯」之職掌。[39]宗伯主掌者為日常人倫之調和，其次序

---

37 荊門市博物館編：《郭店楚墓竹簡》，頁168。

38 黃懷信：《大戴禮記彙注集校》，卷8，頁902、910。「乖」，〔清〕王聘珍：《大戴禮
記解詁》（北京：中華書局，1983年）誤作「乘」，王氏《注》云：「乖，戾也。」
（卷8，頁148）可證。

39 「宗伯」為《周禮》六官之一，其職掌詳〔清〕孫詒讓撰，王文錦、陳玉霞點校：
《周禮正義》（北京：中華書局，1987年），卷32，頁1245-1249。

乃著眼於「人倫」發展，故「父子」居首，長幼／兄弟次之，君臣居末。〈文王官人〉則云：

> 王曰：「於乎！女因方以觀之。……父子之間，觀其孝慈也；兄弟之間，觀其和友也；君臣之間，觀其忠惠也；鄉黨之間，觀其信憚也。」[40]

「官」讀為「觀」，本篇託名文王，記「觀人」之法；本段乃論「上位者」觀察臣民「日常居處」之狀，汪照引吳澄之說云：

> 國之倫，君臣為大，上下次之；家之倫，父子為大，兄弟次之。有分有義，有恩有情。[41]

正說明「國」與「家」各為其「倫」之「大」者，故以家庭倫理為出發點者，即以「父子」為先。又，〈曾子立孝〉云：

> 曾子曰：「君子立孝，其忠之用，禮之貴。故為人子而不能孝其父者，不敢言人父不能畜其子者；為人弟而不能承其兄者，不敢言人兄不能順其弟者；為人臣而不能事其君者，不敢言人君不能使其臣者也。故與父言，言畜子；與子言，言孝父；與兄言，言順弟；與弟言，言承兄；與君言，言使臣；與臣言，言事君。君子之孝也，忠愛以敬；反是，亂也。……不恥其親，君子之孝也。是故未有君而忠臣可知者，孝子之謂也；未

---

40 黃懷信：《大戴禮記彙注集校》，卷10，頁1090、1093。
41 同前注，頁1093。

有長而順下可知者，弟弟之謂也；未有治而能仕可知者，先脩
之謂也。故曰：孝子善事君，弟弟善事長，君子一孝一悌，可
謂知終矣。」[42]

本篇先提出對「父子」、「兄弟」、「君臣」言「孝」的要求，次論「君
子之孝」，三則言「孝弟」為君子之孝。通篇強調「孝」，而歸結於
「孝弟」，其意正與前引《論語‧學而》若合符節。且《大戴禮記》
自〈曾子立事〉至〈曾子天圓〉十篇，多為曾子語錄，或以為即出自
《史記‧仲尼弟子列傳》所說，被孔子認為「能通孝道」[43]的曾子之
手。[44]前文已言及，〈曾子本孝〉、〈曾子立孝〉、〈曾子大孝〉、〈曾子事
父母〉四篇皆論述「孝道」，而重點略異。〈曾子立孝〉所論歸結於
「孝弟」，固由「人倫」立論，故「父子」居首，「兄弟」次之，「君
臣」居末，乃理所當然。

　　禮書之外，子書中以「父子」關係居首者，如《孟子‧滕文公
上》載孟子辯駁農家許行「賢者與民並耕」之說云：

人之有道也，飽食、煖衣，逸居而無教，則近於禽獸。聖人有
憂之，使契為司徒，教以人倫：父子有親，君臣有義，夫婦有
別，長幼有序，朋友有信。（《孟子注疏》，卷5下，頁3下）

《孟子》所舉即一般所稱之「五教」。「五教」乃司徒職掌，文中明標

---

42 黃懷信：《大戴禮記彙注集校》，卷4，頁513-523。

43 《史記會注考證》，卷67，頁32。

44 黃懷信認為《大戴禮記‧曾子立事》等十篇即《漢書‧藝文志》著錄之「《曾子》十
　八篇」中之十篇，說見《大戴禮記校集注‧前言》，頁24。鄙意則以為此蓋戴德
　據《曾子》改編，未必為「《曾子》十八篇中之十篇」；〈內禮〉或亦可作如是觀。

「教以人倫」；依前文假設，凡以「人倫」為主之次序，皆以「父子」居前，正與此段次序吻合。

（三）「夫婦」關係居首例證的省察與詮釋

以「夫婦」關係居首者，如《禮記・昏義》：

> 男女有別，而后夫婦有義；夫婦有義，而后父子有親；父子有親，而後君臣有正。故曰：「昏禮者，禮之本也。」（《禮記正義》，卷61，頁6下）

〈昏義〉重在論「婚禮」的意義，「婚禮」乃男女／夫婦之事，故其序，首「夫婦」、次「父子」，而後「君臣」。又，《禮記・哀公問》、《大戴禮記・哀公問於孔子》二文同載魯哀公「問政」於孔子事。[45]〈哀公問〉云：

> 孔子侍坐於哀公。哀公曰：「敢問人道誰為大？」孔子愀然作色而對曰：「君之及此言也，百姓之德也，固臣敢無辭而對？人道『政』為大。」公曰：「敢問：何謂為政？」孔子對曰：「政者，正也。君為正，則百姓從政矣。君之所為，百姓之所從也；君所不為，百姓何從？」公曰：「敢問為政如之何？」孔子對曰：「夫婦別，父子親，君臣嚴。三者正，則庶物從之矣。」公曰：「寡人雖無似也，願聞所以行三言之道。可得聞乎？」孔子對曰：「古之為政，愛人為大。所以治愛人，禮為大；所以治禮，敬為大；敬之至矣，大昏為大，大昏至矣！大

---

45 《大戴禮記・哀公問於孔子》所載幾全同《禮記・哀公問》，僅少數文字略有差異，茲不繁引。

昏既至，冕而親迎，親之也。親之也者，親之也。是故君子興敬為親，舍敬是遺親也。弗愛不親，弗敬不正，愛與敬，其政之本與？」公曰：「寡人願有言；然，[46]冕而親迎，不已重乎？」孔子愀然作色而對曰：「合二姓之好，以繼先聖之後，以為天地宗廟社稷之主，君何謂已重乎？」公曰：「寡人固。不固，焉得聞此言也？寡人欲問，不得其辭，請少進。」孔子曰：「天地不合，萬物不生。大昏，萬世之嗣也。君何謂已重焉？」孔子遂言曰：「內以治宗廟之禮，足以配天地之神明；出以治直言之禮，足以立上下之敬。物恥足以振之，國恥足以興之。為政先禮，禮其政之本與？」孔子遂言曰：「昔三代明王之政，必敬其妻、子也，有道。妻也者，親之主也，敢不敬與？子也者，親之後也，敢不敬與？君子無不敬也，敬身為大；身也者，親之枝也；敢不敬與？不能敬其身，是傷其親；傷其親，是傷其本；傷其本，枝從而亡。三者，百姓之象也。身以及身，子以及子，妃以及妃。君行此三者，則愾乎天下矣。大王之道也；如此國家順矣。」（《禮記正義》，卷50，頁9上-11上）

二戴《禮》同載哀公問孔子「為政」之道，孔子的回答，同樣是「夫婦別，父子親，君臣嚴」，皆先「夫婦」，次「父子」，而「君臣」居末。但細味此章，乃論「國君」婚禮為「禮」之大者與婚禮對政教的影響。「婚禮」乃人倫繁衍之始，故云「天地不合，萬物不生。大昏，萬世之嗣也」，全文乃由「夫婦之道」論「為政之道」，故以「夫

46　或以「寡人願有言然」為句，如李學勤主編：《禮記正義》，《十三經注疏整理本》（臺北：臺灣古籍出版公司，2001年），卷50，頁1606；黃懷信：《大戴禮記彙校集注》，卷1，頁82。

婦」關係居首,「父子」次之,「君臣」居末,亦屬當然。孫希旦另由「修身」的角度提出解釋:

> 為政在於修身,三綱[47]正,則身修道立,以之正朝廷、正百官、正萬民,而莫不一於正矣。有夫婦然後有父子,有父子然後有君臣,故其序如此。[48]

孫氏「修身」乃「為政」之本之說合乎儒家思想,如漢揚雄《法言·先知》即云:

> 或問:「何以治國?」曰:「立政。」曰:「何以立政?」曰:「政之本,身也。身立則政立矣。」[49]

孫希旦又認為有「夫婦」關係然後有「父子」關係,有「父子」關係然後有「君臣」關係,故先「夫婦」。其說與筆者之論亦相吻合。

禮書之外,《荀子·大略》亦有以「夫婦」居首之例,已見上述。出土《郭店楚墓竹簡·六德》云:

> 故夫夫、婦婦、父父、子子、君君、臣臣,六者各行其職,而讒諂篾由作也。……其反,夫不夫、婦不婦、父不父、子不子、君不君、臣不臣,昏所由作也。(簡23-24,37-58)[50]

---

47 案:「三綱」一詞乃董仲舒所倡之觀念,為《白虎通義》所發揮,本文不稱「三綱」。

48 〔清〕孫希旦撰,沈嘯寰、王星賢點校:《禮記集解》(北京:中華書局,1989年),卷48,頁1260。

49 汪榮寶撰,陳仲夫點校:《法言義疏》(北京:中華書局,1987年),卷12,頁286。

50 荊門市博物館編:《郭店楚墓竹簡》,頁188。

〈六德〉通篇論述「人倫」發展與「德行」的關係，並以服喪為例進行闡發，亦以「人倫」關係之開展為重，其次序首「夫婦」，次「父子」，「君臣」居末，亦屬當然。

蓋「人倫」次序，除「父子」關係外，另一重要根基即為「夫婦」。有「夫婦」關係，始能繁衍，也才能開展「父子」關係。故先秦、漢初文獻論述人倫開展，又常置「夫婦」於「父子」之前。由此益可見：文獻所述之倫常次序因其所欲論述之內容／性質而定，並非一成不變。

上引關於倫常次序的材料，大抵合乎筆者之假設，但仍有兩則資料的倫常次序與文獻性質屬較難論定者，茲亦逐條省察、詮釋。首先，《禮記·王制》載：

> 司徒脩六禮以節民性，明七教以興民德，齊八政以防淫，一道德以同俗；養耆老以致孝，恤孤獨以逮不足；上賢以崇德，簡不肖以絀惡。……
> 六禮：冠、昏、喪、祭、鄉、相見。
> 七教：父子、兄弟、夫婦、君臣、長幼、朋友、賓客。
> 八政：飲食、衣服、事為、異別、度、量、數、制。（《禮記正義》，卷13，頁1上、28下）

〈王制〉本應由「政治」角度立論，但此段之倫常次序卻「父子」居首，「君臣」居四，與本文假設齟齬。《孟子·滕文公上》、《禮記·王制》二文所舉「人倫」有「五教」／「七教」之異：〈滕文公上〉謂司徒掌「五教」，〈王制〉則謂司徒掌「明七教」。孫希旦釋「七教」云：

父子有親，君臣有義，夫婦有別，長幼有序，朋友有信，謂之
「五教」，《書》所謂「敬敷五教」是也。然旁親皆謂之長幼，
而兄弟則其情尤親，故分兄弟於長幼而為二。賓客即朋友之
類，然同志者乃謂之朋友，而賓客則所該者廣，故分賓客於朋
友而為二。此七教之所由名也。[51]

無論〈滕文公上〉的「五教」或〈王制〉的「七教」，都由「教育」
的角度出發。「教育」的程序，由人倫次序之首的「父子」開始，也
合乎儒家思想。前引《孟子‧滕文公上》「使契為司徒，教以人倫」，
亦以「父子」居首，正與此合。可見，凡以人倫／教化為主旨之論
述，概以「父子」居首。再者，由〈滕文公上〉的「五教」與〈王
制〉的「七教」，似可隱約得知：先秦、漢初文獻所述的倫常次序，
或可因文獻強調的重點，[52]或學派／學者的不同，[53]或傳衍過程中的
累增，[54]而有次序前後與數目多寡不同的情形。

其次，《禮記‧中庸》載：

哀公問政。子曰：「……故為政在人，取人以身，脩身以道，
脩道以仁。仁者人也，親親為大；義者宜也，尊賢為大；親親
之殺，尊賢之等，禮所生也。在下位不獲乎上，民不可得而治
矣！故君子不可以不脩身；思脩身，不可以不事親；思事親，

---

51 〔清〕孫希旦：《禮記集解》，卷14，頁398。
52 如《孟子‧告子下》以君臣、父子、兄弟為序；〈滕文公上〉以父子、君臣、夫
婦、長幼（兄弟）為序。
53 今存《大戴禮記》皆為「父子」居首；但《大戴禮記》僅存四十篇，不及全書之
半，故不足以證明其必然如此，亦難以有進一步的推論。
54 如〈滕文公上〉的「五教」、〈中庸〉的「五達道」、〈王制〉的「七教」等。

不可以不知人；思知人，不可以不知天。」天下之達道五，所
以行之者三，曰：君臣也，父子也，夫婦也，昆弟也，朋友之
交也：五者天下之達道也。知、仁、勇三者，天下之達德也，
所以行之者，一也。……子曰：「好學近乎知，力行近乎仁，
知恥近乎勇。知斯三者，則知所以脩身；知所以脩身，則知所
以治人；知所以治人，則知所以治天下國家矣。」凡為天下國
家有九經，曰：脩身也，尊賢也，親親也，敬大臣也，體群臣
也，子庶民也，來百工也，柔遠人也，懷諸侯也。脩身則道
立，尊賢則不惑，親親則諸父昆弟不怨，敬大臣則不眩，體羣
臣則士之報禮重，子庶民則百姓勸，來百工則財用足，柔遠人
則四方歸之，懷諸侯則天下畏之。（《禮記正義》，卷52，頁18
下-20上）

此章乃孔子回答哀公「問政」之語，就此性質言，其次序自當「君
臣」先於「父子」；但若對照前舉二戴《禮記》同樣記載孔子回答哀
公問政的次序，卻不相合。第一個可能，如前所言，《禮記‧哀公
問》、《大戴禮記‧哀公問於孔子》皆論「婚禮」的重要，故先「夫
婦」，次「父子」，再次「君臣」；其次，本文哀公問「政」，偏重政
治，故以「君臣」關係居首；再次，也有可能是學派／學者的不同所
造成。但哀公「問政」，孔子的回答，卻由「修身」談起。這可以回
顧〈哀公問於孔子〉又載哀公另一次「敢問何謂為政」，孔子對曰：
「政者正也。君為正，則百姓從政矣。」[55]其敘述與《論語‧顏淵》
正相吻合：

季康子問政於孔子。孔子對曰：「政者，正也。子帥以正，孰

---

55 黃懷信：《大戴禮記彙注集校》，卷1，頁79。

敢不正？」(《論語注疏》，卷12，頁8上）

蓋儒家以「修身」為「為政」之本，故〈中庸〉於論「五達道」後，又論「修身」的重要，亦與儒家思想契合；且有文章先後轉折之用意與作用。另一值得注意的是〈中庸〉此章論「天下國家有九經」之次序。朱子引宋呂大臨論「九經之序」云：

> 天下國家之本在身，故脩身為九經之本。然必親師取友，然後脩身之道進，故尊賢次之。道之所進，莫先其家，故親親次之。由家以及朝廷，故敬大臣、體羣臣次之。由朝廷以及其國，故子庶民、來百工次之。由其國以及天下，故柔遠人、懷諸侯次之，此九經之序也。[56]

凡此，皆可見儒家以「修身」為根本的觀念，故在強調「君臣」、「父子」、「夫婦」、「兄弟」、「朋友」之後，又常強調「修身」為一切的根本。若然，則又屬由「人倫」根基立論者，是則與本文之假設並無齟齬。[57]

　　總結而言，先秦乃至漢初文獻，端視其內容係以政治／社會角度出發，抑由人倫／孝道為核心，這便影響、乃至決定其君臣／父子／夫婦次序的先後。其中「父子」居首的次序，《論語》已見端倪，《孟子》繼之；二戴《禮記》尤不乏例證。廖名春未慮及文獻的性質，遽爾認定乃因文獻年代先後的差別有以致之，遂有〈曾子立孝〉「父子、兄弟、君臣的次序當屬晚出」之論。

---

56 〔宋〕朱熹：《四書章句集注·中庸章句》，頁40。

57 當然也不能排除下列可能：先秦、漢初的某些文獻，在論述倫常次序時，或有泛指者，其君臣、父子等先後次序並無深意。

三　〈內禮〉與〈曾子立孝〉所述倫常次序之異的再檢討

　　若上文論述得以成立，則可進而重新思考〈內禮〉與〈曾子立孝〉倫常次序不同的相關問題：廖文因取樣條件的設定，實不足以反映倫常次序的真實／全部面貌，且未慮及文獻內容／性質深切影響倫常次序的先後關係，故其「竹書〈內禮〉篇君臣、父子、兄弟的次序反映了文獻早期的面貌，而〈曾子立孝〉篇父子、兄弟、君臣的次序當屬晚出」之論，實待商榷。

　　由文獻內容性質言，〈內禮〉與〈曾子立孝〉通篇皆環繞「孝道」論述，可以確定二文皆著重在論「孝」。〈曾子立孝〉的倫常次序完全切合論「孝道」文獻的次序，〈內禮〉反不符合。茲略加探論。

　　上博四〈內禮〉，前半與〈曾子立孝〉相近，後半則與〈曾子事父母〉部分接近，但又與《大戴禮記》二文同中有異。關乎此，已有不少學者提出討論，茲不贅述。關於「內禮」篇題的涵義，李朝遠認為：

> 「內禮」一詞，文獻中未見。《禮記》中有〈內則〉，篇題鄭玄注云：「以其記男女居室事父母舅姑之法。」〈內禮〉或與〈內則〉有關。[58]

詳察〈內禮〉內容，頗多超出「男女居室事父母舅姑之法」範圍，〈內禮〉之「內」應不同於「內則」之內。[59]《大戴禮記・曾子事父

58　李朝遠：〈內禮・釋文考釋〉，馬承源主編：《上海博物館藏戰國楚竹書（四）》，頁219。

59　參林素清：〈上博四《內禮》篇重探〉，頁159。

母》「是故君子內外養之也」，清儒王聘珍《大戴禮記解詁》云：

> 「養」讀若「中心養養」，憂念也。內謂心，外謂貌。……內
> 外養之，謂憂誠於中，形於外，冀感悟之也。[60]

梁濤進而解釋說：

> 「養之內」，是指從內心憂念之，而「養之外」，則是從容貌禮
> 節上憂念之。〈曾子事父母〉主張「君子內外養之也」，實際也
> 是「內禮」一詞所要表達的含義。故「內禮」是說孝既要有內
> 心忠愛之情，還要有外在的禮節儀式，它實際是對該篇首句
> 「君子立孝，愛是用，禮是貴」的概括和總結。[61]

此說當較接近〈內禮〉的內涵與篇旨。但無論如何解釋「內禮」，若
說〈內禮〉的內容是論述「孝道」的，當無人反對。考量〈內禮〉文
句與竹簡的連貫性，其首章先「君臣」次「父子」的次序，應非錯簡
所產生的訛誤；但，〈內禮〉何以與同類文獻有不同的倫常排序？這
或許可以考量前述先秦儒家可能因不同派別而產生不同的主張，遂有
倫常次序不同的可能性。另一可能則是反映了編纂〈內禮〉者的特殊
倫常觀。

此外，經由上文的論證，可知先秦文獻已有如〈曾子立孝〉等以
「父子」為先的倫常次序，且此種排序法，似可上推至《論語》、《孟
子》，絕非所謂「晚出的次序」；但究竟何種次序始為先秦原貌，則恐

---

60 〔清〕王聘珍：《大戴禮記解詁》，卷4，頁86-87。
61 梁濤：〈上博簡《內禮》與《大戴禮記·曾子》〉，頁4。

難以確論。〈曾子立孝〉首章次序雖因符合本文假設之「先秦文獻性質決定倫常次序」的條件而最有可能，但根據現有材料尚無法如此論定，因目前尚難確知〈內禮〉、〈曾子立孝〉二文倫常次序歧異的詳細緣由，以及此一內容究竟屬於儒家哪一學派，故不宜貿然斷定。而〈內禮〉雖較〈曾子立孝〉完整，但這並不足以表示〈內禮〉的內容必然較〈曾子立孝〉為可信，或時代更早，[62]遑論〈曾子立孝〉是否改寫〈內禮〉成文。

四　餘論：面對出土／傳世文獻應有的態度

〈內禮〉與〈曾子立孝〉兩相對照，顯示〈曾子立孝〉可能有某些殘損或訛誤，但二文並非全然相似／重疊，故不宜據此即認定〈內禮〉為文獻最初的面貌。由此，可以重新思考面對出土與傳世文獻時應有的態度。

身處當代，吾人對先秦文獻流傳的詳細情形，雖較前人有更為詳細／繁多的掌握，但卻仍未達到充分、遑論完全／徹底的瞭解，因此出土文獻與傳世文獻若有歧異，除懷疑傳世文獻因曾遭到修改——改寫／改編——以致訛誤的可能性外，亦應考慮造成歧異的其他可能：如先秦不同學派／學者，是否可能依其學說的思想體系而改動文獻的內容？抑或同樣的內容，在流傳的過程——傳抄、編撰等——而發生了不同情況的修改／訛誤？這些因素都是比對出土文獻與傳世文獻時所應審慎考量的。

爰此可知，比對出土文獻與傳世文獻時，實不宜遽爾認定二者只有時間前後的單線傳承關係，亦須考量多線流變的可能性；當出土文

62　內容較完整，更有晚出的可能性，這是中國古籍常見的現象。

獻內容與傳世文獻不同時，亦不宜率爾認定出土文獻即是原貌，傳世
文獻便是遭到修改、或訛誤的版本。王國維《古史新證》第一章「總
論」曾說：

> 吾輩生於今日，幸於紙上之材料外，更得地下之新材料。由此
> 種材料，我輩固得據以補正紙上之材料，亦得証明古書之某部
> 分全為實錄，即百家不雅馴之言，亦不無表示一面之事實。此
> 「二重証據法」惟在今日始得為之，雖古書之未得証明者不能
> 加以否定，而其已得証明者不能不加以肯定，可斷言也。[63]

王國維提倡「二重證據法」，認為地下新材料可補正紙上材料／傳世
文獻，亦可證明古書的真實性；但古書材料中不能證明者，則不能斷
言其必不可信。此說既闡發出土文獻的重要性，也標舉傳世文獻的可
貴價值。學長葉國良先生在〈二重證據法的省思〉更加申述說：

> 王先生將「二重證據法」的具體操作方法，歸納為二語：「既
> 據史傳以考遺刻，復以遺刻以考史傳。」按：此二語有兩層意
> 涵，第一層含有辨偽之意，即必須先根據已有的知識以確定地
> 下材料為真品，然後乃能利用地下材料補正紙上材料的闕誤。
> 第二層意涵，則因二類材料既屬真品，又都有錯誤闕漏的可
> 能，因此「可據史傳以考遺刻，可據遺刻以正史傳」。[64]

葉文指出：傳世文獻與出土文獻雖皆屬真品，但二者仍都有錯誤闕漏

---

63 王國維：《古史新證——王國維最後的講義》（北京：清華大學出版社，1994年），
   頁2-3。
64 葉國良：〈二重證據法的省思〉，收入《出土文獻研究方法論文集初集》，頁12。

的可能，不必然可用出土文獻修正傳世文獻，也有可能用傳世文獻修正出土文獻。葉文進而歸納「具體操作二重證據法」的方法為六，筆者覺得其中之（二）「比較異同時，地下與紙上材料何者為底本，視情況而定」、（三）「既有異同，當加解釋」、（四）「難以解釋，應闕疑不論；同理，闕文不應輕補」等三方法，[65]頗與本文所論相關。葉文精確掌握「二重證據法」的核心價值，既肯定出土文獻的價值，亦申明不可輕忽傳世文獻的重要性，提倡出土文獻和傳世文獻必須互相比較補證，始能窺見學術真貌。

一九二〇至三〇年代，由錢玄同、胡適之、顧頡剛等所引發的「疑古」風氣，經過王國維提出的「二重證據法」與馮友蘭主張由「信古」、「疑古」而「釋古」，加上近幾十年來地下文物／文獻的大量出土，誠如李學勤先生所言，學術界已經「走出疑古時代」，[66]遂有「重建」／「重寫」學術史的呼籲，且早已付諸實行。[67]這當然是值得肯定且必須全力以赴的工作；但如何重建／重寫學術史，才能避免如《古史辨》時代所造成的「冤假錯案」，[68]才能不重蹈覆轍，才能更正確，則已有不少學者提出高見，如裘錫圭先生、[69]葉國良先生[70]

---

65 葉國良：〈二重證據法的省思〉，頁13-16。

66 李學勤：《走出疑古時代》，瀋陽：遼寧大學出版社，1997年。

67 姑舉數例，以見一斑：李學勤：《簡帛佚籍與學術史》（臺北：時報文化出版公司，1994年）、《走出疑古時代》；姜廣輝：《中國經學思想史》（北京：中國社會科學出版社，2003年）；邢文：《著乎竹帛——中國古代思想與學派》（臺北：蘭臺出版社，2005年）；〔日〕淺野裕一著，佐藤將之監譯：《戰國楚簡研究》（臺北：萬卷樓圖書公司，2004年）；〔日〕池田知久著，曹峰譯：《池田知久簡帛研究論集》（北京：中華書局，2006年）。

68 李學勤：《走出疑古時代》，頁9。

69 裘錫圭：〈中國古典學重建中應該注意的問題〉，收入氏著：《中國出土古文獻十講》（上海：復旦大學出版社，2004年），頁1-16。

70 葉國良曾先後在〈郭店儒家著作的學術譜系問題〉（原載《臺大中文學報》第13期〔2000年12月〕，頁1-26，收入氏著：《經學側論》〔新竹：清華大學出版社，2005

等。凡關心中國學術者，自宜早日面對／正視，以免噬臍莫及。《論
語・為政》載孔子之言云：「多聞闕疑，慎言其餘，則寡尤；多見闕
殆，慎行其餘，則寡悔」，[71]旨哉斯言！

（原載《2007中國簡帛學國際論壇論文集》〔臺北：國立臺灣大
　　學中國文學系，2011年〕，頁217-248）

年〕，頁179-207）、〈上博楚竹書《孔子詩論》劄記六則〉（《臺大中文學報》第17期
〔2002年12月〕，頁1-20）、〈二重證據法的省思〉、〈公孫尼子及其論述考辨〉（《臺大
中文學報》第25期〔2006年12月〕，頁25-50）四致斯意。
71　《論語注疏》，卷2，頁6上。

下編
文獻與經學史

拾壹　《文選》宋玉〈對楚王問〉箋證及其相關的兩個問題

一　前言

　　屈、宋並稱，已成學界習語；唯與大詩人屈原並稱之宋玉，其生平非唯後人所知不多，甚且有疑其為「假名」者。[1]宋玉生平資料既多闕略，其作品亦屢見疑於後人。〈對楚王問〉首見於蕭統《昭明文選》，疑者亦多。

　　本文擬箋證〈對楚王問〉，而宋玉生平難明，故先就粗略翻閱古籍所得，輯錄宋玉資料，以便箋證。

　　〈對楚王問〉，前人或以為非出宋玉之手，故本文次就〈對楚王問〉之真偽略作釐探；又因「對問」體關涉〈對楚王問〉之真偽與著作時代，故次就「對問體」之起源略加探討，並蠡測〈對楚王問〉之著成時代。最後則逐字逐句箋證〈對楚王問〉。

　　箋證之底本為清胡克家重刻宋淳熙本《文選李善注》[2]（簡稱

1　見胡適：〈讀楚辭〉，《胡適文存》第二集（臺北：遠東圖書公司，1990年），卷1，頁93，胡先生以為屈原乃一「箭垛式人物」，實無其人；其於宋玉亦云。
2　〔南朝梁〕蕭統撰，〔唐〕李善注：《文選（附考異）》（臺北：藝文印書館影印清胡克家重刻宋淳熙本，1972年），卷45，頁1下-2下。本書所引《文選》本文及李善注皆據此本。

《胡刻本》），而以《四部叢刊》影宋本《六臣注文選》[3]（簡稱《四部叢刊本》）、華正書局影印中央研究院歷史語言研究所藏宋末刊本《增補六臣註文選》[4]（簡稱《宋末刊本》）、中央研究院傅斯年圖書館藏元刊本《文選殘存》（簡稱《元刊殘存本》、宋刻明初刊本《文選殘存》（簡稱《明初殘存本》，以上二書並為美國國會圖書館攝製北平圖書館善本書膠片）、臺灣大學圖書館藏日本《烏石山房文庫》影乾隆三十年（1765）明方廷珪評點本《昭明文選集成》（簡稱《烏石山房本》）及長沙葉涵峰重刻清何義門評點本《文選李善注》（簡稱《何評本》）等為輔本；並參酌漢劉向《新序》、[5]晉習鑿齒《襄陽耆舊記》、[6]唐趙蕤《長短經》、[7]宋李昉等《太平御覽》、[8]清嚴可均《全上古文》[9]等加以讎斠。

　　本文先引前賢之說，再加箋證。為免繁瑣，凡引用古籍，除首次註明其版本及相關資訊外，再次徵引，皆僅於引文之後逕標註卷數、頁碼。

3　〔南朝梁〕蕭統撰，〔唐〕李善等注：《六臣注文選》（臺北：臺灣商務印書館《四部叢刊正編》影印宋刊本，1979年），卷45，頁1上-2上。

4　〔南朝梁〕蕭統撰，〔唐〕李善等注：《增補六臣註文選》（臺北：華正書局影印宋末刊本，1974年），卷45，頁1上-2上。本書所引《文選》五臣注皆據此本。

5　〔漢〕劉向撰，〔日〕武井驥注：《劉向新序纂註》，臺北：廣文書局，1981年。

6　〔晉〕習鑿齒撰，〔清〕任兆麟訂：《襄陽耆舊記》，《續修四庫全書》（上海：上海古籍出版社影印清乾隆任氏忠敏家塾刻心齋十種本，2002年），史部第548冊，頁1上-2上。

7　〔唐〕趙蕤撰：《長短經》（臺北：廣文書局，1988年），卷1，頁39上。

8　〔宋〕李昉等：《太平御覽》，臺北：臺灣商務印書館影印日本帝室圖書寮京都東福寺東京岩崎氏「靜嘉堂文庫」藏宋刊本，1975年。

9　〔清〕嚴可均校輯：《全上古三代秦漢三國六朝文》，北京：中華書局，1958年。

二 古籍中之宋玉資料

宋玉，自東漢王叔師稱其為「屈原弟子」後，[10]後世多因之；唯王說未必得實。宋玉事跡，可考者無多；即太史公司馬遷言及宋玉者亦僅寥寥數語。《史記·屈原賈生列傳》云：

> 屈原既死之後，楚有宋玉、唐勒、景差之徒者，皆好辭而以賦見稱；然皆祖屈原之從容辭令，終莫敢直諫。(《史記會注考證》，卷84，頁19-20)

史遷若非以為宋玉生平不足稱述，即宋玉事跡至漢初已難稽考，故所言止此。大抵唐以前有關宋玉事跡、著作，除《史記》外，見諸載籍者，約有下列數端：

1. 《韓詩外傳》卷七：「宋玉因其友見楚襄王，襄王待之無以異，乃讓其友。……」[11]

2. 《新序·雜事五》亦載宋玉不為襄王重用事，文與《韓詩外傳》略同。[12]

3. 《新序·雜事一》載楚威王問宋玉，宋玉對問，文與《文選》宋玉〈對楚王問〉略同。(同前，卷1，頁18上-19上)唯「威王」，《文選》作「襄王」。

---

10 〔漢〕王逸：《楚辭章句·九辯章句序》，〔宋〕洪興祖：《楚辭補註》(臺北：藝文印書館，1973年)，卷8，頁1下。文詳下引。

11 屈守元箋疏：《韓詩外傳箋疏》，卷7，頁637。

12 〔漢〕劉向撰，〔日〕武井驥注：《劉向新序纂註》，卷5，頁21下-22下。

4. 《新序・雜事五》：宋玉事楚襄王，而不見察，意氣不得，形於顏色。（卷5，頁22下）

5. 班固《漢書・藝文志》「詩賦略」：宋玉賦十六篇。原注：「楚人；與唐勒並時，在屈原後也。」（《漢書補注》，卷30，頁3008）

6. 《文選》卷四十五載宋玉〈對楚王問〉（卷45，頁1下-2下），文與《新序・雜事一》所載略同。

7. 《文選》卷十三載宋玉〈風賦〉：「楚襄王游於蘭臺之宮，宋玉、景差侍。」（卷13，頁1下）

8. 同上卷十九載宋玉〈高唐賦〉：「昔者楚襄王與宋玉遊於雲夢之臺。」（卷19，頁1下）

9. 同上〈神女賦〉：「楚襄王與宋玉遊於雲夢之浦，使宋玉賦高唐之事。」（頁7上）

10. 同上〈登徒子好色賦〉：「大夫登徒子侍於楚王，短宋玉曰……」（頁9下）

11. 又卷十七載東漢傅毅〈舞賦〉，其序云：「楚襄王既遊雲夢，使宋玉賦高唐之事。」（卷17，頁15下）

12. 又卷十九載曹植〈洛神賦〉，其序云：「黃初三年，……感宋玉對楚王神女之事，遂作斯賦。」（卷19，頁12上）

13. 《楚辭・九辯章句・序》：「〈九辯〉者，楚大夫宋玉之所作也，……宋玉者，屈原弟子也。閔惜其師忠而放逐，故作〈九辯〉以述其志。」[13]

---

13 〔漢〕劉向集，〔漢〕王逸：《楚辭章句》，〔宋〕洪興祖補注：《楚辭補註》，卷8，頁1。

14.晉習鑿齒《襄陽耆舊傳》：「宋玉者，楚之鄙人也。故宜城有宋玉塚，始事屈原。」

15.《隋書‧經籍志》：《宋玉集》三卷。（《隋書》，卷35，頁1056）

16.《太平御覽》三九九引《襄陽耆舊記》：「楚襄王與宋玉遊於雲夢之野，將使宋玉賦高唐之事。……」[14]

17.酈道元《水經注》卷二十八「沔水」下：「城故鄀郢之舊都，秦以為縣，漢惠帝三年，改曰宜城。……城南有宋玉宅。玉，邑人，儁才辯給，善屬文而識音者也。」[15]

18.《古文苑》[16]卷二載宋玉〈大言賦〉：「楚襄王與唐勒、景差、宋玉遊於陽雲之臺。……」[17]

19.同上〈小言賦〉：「楚襄王既登陽雲之臺，令諸大夫景差、唐勒、宋玉等並造〈大言賦〉。賦畢而宋玉受賞。……」（頁4下-6上）[18]

20.同上〈諷賦〉：「楚襄王時宋玉休歸，唐勒讒之於王曰……」（頁6上-7下）

---

14 嚴可均《全上古三代文》題為〈高唐對〉（卷10，頁14）。

15 無名氏撰，〔北魏〕酈道元注，楊守敬、熊會貞疏，段熙仲點校，陳橋驛復校：《水經注疏》（南京：江蘇古籍出版社，1989年），卷28，頁2396-2398。

16 《古文苑》，唐某氏編，收「史傳所不載，《文選》所未取」之文，原為九卷（卷首，韓元吉語），〔宋〕章樵編為二十卷。其中第二卷為宋玉賦，計收六篇；後人多疑出自偽託，殆是。

17 《古文苑》（上海：商務印書館《四部叢刊》影印常熟瞿氏鐵琴銅劍樓藏宋刊本，1936年），卷2，頁1上。又見於〔唐〕余知古撰：《渚宮舊事》（臺北：藝文印書館《百部叢書集成》影印《平津館叢書》本，1968年），卷3，頁12。文稍異。

18 又見《渚宮舊事》卷三（頁12下-13下），文稍異。

21. 同上〈釣賦〉:「宋玉與登徒子偕受釣於玄洲,止而並見於楚襄王。……」(頁7下-9下)[19]

22. 同上〈舞賦〉:「楚襄王既遊雲夢,將置酒宴飲,謂宋玉曰……」(頁9下-10下)

23. 《漢書・司馬相如傳》「楚王乃登陽雲之臺」,孟康《注》:「雲夢中高唐之臺,宋玉所賦者。」(《漢書補注》,卷57上,頁4088)

24. 《文選》卷三十一「雜擬下」江淹〈雜體詩擬潘岳悼亡〉:「我慙北海術,爾無帝女靈」,李善《注》引《宋玉集》:「楚襄王與宋玉遊於雲夢之野。……」(卷31,頁14下-15上)[20]

25. 《北堂書鈔》卷三十三引〈宋玉集序〉:「宋玉事楚懷王,友人言之宋玉,玉以為小臣。王議友人。……」[21]

以上資料,姑不論其真偽,[22]其對釐清宋玉生平皆難有大用;且其間或矛盾,或牴牾,實難稽考。如或云玉為楚威王時人,或云在懷王時,或云侍於襄王。楚威王在位十一年(西元前339-329),懷王在位三十年(西元前328-299),頃襄王在位三十六年(西元前298-263),

---

19 又見《太平御覽》卷八三四(頁6下);《渚宮舊事》卷三(頁13下-14下)。

20 案:文與《文選・高唐賦》(卷19,頁1下-6下)、《太平御覽》引《襄陽耆舊記》(卷399,頁7)、《渚宮舊事》小異(卷3,頁11)。

21 〔唐〕虞世南輯:《北堂書鈔》,《續修四庫全書》(上海:上海古籍出版社影印清光緒十四年〔1888〕孔氏三十三萬卷堂刻本,2002年),子部第1213冊,卷33,頁1下。嚴可均《全上古三代文》卷十〈宋玉集序〉:「宋玉事楚懷王,友人言之王,王以為小臣。玉讓友人。……」(卷10,頁14下)文句有異。

22 如《古文苑》所錄宋玉賦六篇,後人多疑出自偽託。

前後計七十七年。[23]若宋玉侍威王時年三十，則至襄王時已八、九十齡矣。玉恐難如此長壽，得以遍侍三君；且屈原侍懷王時，年僅二十，宋玉若得侍威王、懷王，則為屈原長輩無疑。是則與史傳所載齟齬。關乎此，前賢論考已多，[24]茲不贅論。

　　竊謂宋玉當實有其人，非如胡適之先生所云乃一「假名」耳；然其生平恐難碻考，或以《史》、《漢》所言近是，大抵乃楚頃襄王時文學侍從之臣，如漢武帝時之司馬相如、枚皋、東方朔之徒。唯缺乏真確史料，姑存疑之，以待來日。

三　〈對楚王問〉真偽駁議

　　宋玉作品，《漢書・藝文志》「詩賦略」著錄「賦十六篇」，今所傳者，王逸《楚辭章句》有〈九辯〉、〈招魂〉各一篇；蕭統《昭明文選》有〈風賦〉、〈高唐賦〉、〈神女賦〉、〈登徒子好色賦〉、〈對楚王問〉五篇；無名氏《古文苑》有〈笛賦〉、〈大言賦〉、〈小言賦〉、〈諷賦〉、〈釣賦〉、〈舞賦〉六篇；此外《文選》江淹〈雜體詩〉李善《注》引《宋玉集》一段，嚴可均《全上古三代文》卷十稱為〈高唐對〉，實則此文乃〈高唐賦序〉之異文，非單獨成篇者，嚴氏失考。另《太平御覽》三九九引《襄陽耆舊記》（嚴可均《全上古文》亦題〈高唐對〉）、《北堂書鈔》三十三引〈宋玉集序〉並存宋玉作品一段。

　　宋玉作品，前賢多致其疑，《古文苑》所收宋作無論矣；即《楚

23　參《史記》〈楚世家〉、〈六國年表〉。

24　參考陸侃如：〈宋玉評傳〉，郁達夫主編：《中國文學研究》（臺北：清流出版社，1976年），頁75-80；游國恩：《楚辭概論》（臺北：九思出版社，1978年），第四編，〈宋玉〉，頁219-224。

辭》、《文選》所收諸作，疑者亦夥，如明焦竑疑〈九辯〉非宋玉作；[25]
清崔述疑〈神女賦〉、〈登徒子好色賦〉乃古人「假託成文」，非出宋
玉之手；[26]清沈欽韓謂〈笛賦〉非宋玉作；[27]明黃文煥、清林雲銘、
蔣驥、馬其昶及近人梁任公、游國恩、林庚諸先生並疑〈招魂〉非出
玉手；[28]近賢劉大白、陸侃如並力辨宋玉作品之偽。[29]依劉、陸二先
生說，宋玉作品之可靠者唯〈九辯〉、〈招魂〉耳；若依前人以〈招
魂〉出屈原之手（前引黃文煥等說）、〈九辯〉非宋玉作（前引焦竑
說），則宋玉竟無作品傳世！其後胡念貽作〈宋玉作品的真偽問題〉，
採較審慎態度，以為前人否定〈風賦〉、〈高唐〉、〈神女〉、〈登徒子好
色〉諸賦之證據不夠堅實，不足信據，又將諸賦還諸宋玉。真可謂眾
說紛然，令人莫衷一是。以其與本文關係不密，茲不詳論，僅專論
〈對楚王問〉一文之真偽。

　　胡念貽推考〈風賦〉諸篇真偽之態度，或可謂慎重，然亦未必

<hr>

25　〔明〕焦竑：《焦氏筆乘》（臺北：藝文印書館《百部叢書集成》影印《粵雅堂叢
　　書》本，1966年），卷3，「九歌九辯皆屈原自作」條，頁29下-30上。

26　崔述：《崔東壁遺書》（臺北：河洛圖書出版社，1975年），第3冊，《考信錄·考古
　　續說》，卷1，「觀書餘論」，頁23。

27　沈氏有《漢書疏證》，此據王先謙：《漢書補注》，卷30，頁3008。

28　見〔明〕黃文煥：《楚辭聽直·合論·聽二招》，《續修四庫全書》（上海：上海古籍
　　出版社影印明崇禎十六年〔1643〕清順治十四年〔1657〕增修本，2002年），集部
　　第1301冊，頁80下-82下。〔清〕林雲銘：《楚辭燈》（臺北：廣文書局影刻本，1963
　　年），卷4，頁24上-26上。〔清〕蔣驥：《山帶閣注楚辭·楚辭餘論》（臺北：洪氏出
　　版社，1975年），卷下，頁234-236。馬其昶：《屈賦微·序》（臺北：神州書局，
　　1959年），頁1。梁啟超：〈屈原研究〉，《飲冰室文集》（臺北：臺灣中華書局，1960
　　年），文集之39，頁53。游國恩：《楚辭概論》，第三編，〈屈原〉，頁175-184。林
　　庚：〈招魂解〉，《詩人屈原及其作品研究》（上海：上海古籍出版社，1981年），頁
　　100-101。

29　劉大白：〈宋玉賦辨偽〉，《中國文學研究》，頁101-107；陸侃如：〈宋玉評傳〉，頁
　　91-99。

是，[30]其於〈對楚王問〉之真偽判斷則頗嫌輕率。胡先生〈宋玉作品的真偽問題〉云：

> 為什麼說《文選》所載的五篇賦中，〈對楚王問〉可以斷定不是宋玉的作品呢？正如〈卜居〉、〈漁父〉是記載屈原的軼事一樣，〈對楚王問〉是後人記載的宋玉軼事。這篇文章又見於《新序·雜事》，只有字句間的略異。《新序》是把它當作軼聞記載，《文選》題「楚襄王」，而《新序》作「楚威王」。宋玉不會是楚威王時人，劉向顯係根據別的記載或傳聞而非根據宋玉的文章。劉向應該讀過「宋玉賦」十六篇，可見十六篇裡沒有這一篇。蕭統也許是根據《新序》收錄的，也許是根據六朝人所編《宋玉集》之類，而《宋玉集》也可能是從《新序》裡摘錄了這一篇。把威王改成襄王以求和〈高唐〉、〈神女〉等賦一致，做這件事的人也許是蕭統，也許是編《宋玉集》人。還有，〈對楚王問〉通篇是散文，不曾用韻，文筆頗像《戰國策》之類，當然不能稱為賦；而《漢書·藝文志》只載宋玉賦

30　胡氏推定宋玉作品之當否，本文不擬討論。然胡氏有誤解或誤引前人之說者，如云：「首先懷疑〈風賦〉、〈高唐〉等賦的人，是清代的崔述。崔述看到這些賦都敘述楚襄王和宋玉的對談，認為是古人『假託成文』，……因此推測〈高唐〉、〈神女〉等賦，也是託之宋玉，並非宋玉自作。（原注：《東壁遺書·考信錄·考古續說下》）」胡念貽：〈宋玉作品的真偽問題〉，《文史集林》第二輯（臺北：木鐸出版社，1980年），頁27。案：崔東壁原文見〈考古續說〉卷一「觀書餘論」，其文云：「……謝惠連之賦雪也託之相如，謝莊之賦月也託之曹植，是知假託成文乃詞人之常事。然則〈卜居〉、〈漁父〉亦必非屈原之所自作，〈神女〉、〈登徒〉亦必非宋玉之所自作明矣。但惠連、〔謝〕莊、〔庾〕信其世近，其作者之名傳，則人皆知之；〈卜居〉、〈神女〉之賦其世遠，其作者之名不傳，遂以為屈原、宋玉之所為耳。」（《考信錄·考古續說》，卷1，頁23）姑不論崔述說之然否，其疑者乃〈神女〉、〈登徒〉，非〈風賦〉、〈高唐〉則顯然可知。胡氏乃先謂〈風賦〉、〈高唐〉，後言〈高唐〉、〈神女〉，其無定說，實非考信之道。

十六篇，可見宋玉沒有散文流傳，〈對楚王問〉也就不是他的
作品。[31]

〈對楚王問〉雖未必出宋玉手，然胡氏之論證待商之點猶多：《文
選》特列「對問」一體，收錄宋玉〈對楚王問〉一篇，胡氏竟列為宋
玉十六賦之一，而稱之為「賦」；且因其為散文，「不能稱為賦」，即
否定其為宋玉作品，似欠深思，此其一。

〈卜居〉、〈漁父〉是否為屈原作品，猶待覈考，不宜遽斷；即若
〈卜居〉、〈漁父〉非屈原作，記載作者軼事之文亦未必即非作者自
著。胡氏於文中引《莊子·逍遙遊》惠子謂莊子曰：「魏王貽我大瓠
之種」及〈齊物論〉「昔者莊周夢為蝴蝶」、〈外物〉「莊周家貧，故往
貸粟於監河侯」諸證，認為以己身姓名入文未必此一作品即偽之證，
正可為〈對楚王問〉未必非宋玉作品之反證；而胡氏又自言「可見戰
國時人寫文章，有時是喜歡立在第三者的地位把自己寫進去的，何況
即使沒有這些例子，我們也不能說宋玉不能開其端」。[32]此論較為持
平，而正可為宋玉〈對問〉未必非宋玉作品之反證，此其二。

《新序》是否將此文當軼聞記載，劉向不能復起於九泉，實難得
知；宋玉非威王時人，固矣，然《新序》作威王，或劉向所據本如
此，或傳寫之誤，皆未可知，何可遽而斷言「劉向顯係根據別的記載
或傳聞而非據宋玉的文章」，並進而論定此文出於偽作？此其三。

蕭統是否根據《新序》收錄，[33]或據六朝人所編之《宋玉集》收
錄，亦無由推考；《宋玉集》是否即據《新序》摘錄，亦難臆斷；至

---

31 胡念貽：〈宋玉作品的真偽問題〉，《文史集林》，第二輯，頁27。

32 同前注，頁28。

33 實則《文選》恐非據《新序》，否則異文當不致如是之多。

於蕭統編《文選》，或《宋玉集》編者是否將威王改為襄王，亦乏顯
證：胡氏所論，並乏理據，此其四。

　　《漢志》謂宋玉賦十六篇，宋玉賦於班固作〈藝文志〉時或確為
十六篇；然宋玉有賦十六篇，並不礙其另有散文作品。胡氏即以《漢
志》僅著錄宋玉賦作，而斷定宋玉無散文之作，亦嫌輕率，此其五。

　　由上五事，可知〈對楚王問〉雖未必出宋玉之手，然胡氏據以論
斷其非玉作之證，並難信據。竊以為考察「對問」體之起源或有助於
釐清〈對楚王問〉之著作時代。故下文試就「對問」體之起源略作探
索。

四　「對問體」之起源與〈對楚王問〉之可能著作時代

　　劉勰《文心雕龍・雜文》云：

> 宋玉含才，頗亦負俗，始造〈對問〉，以申其志，放懷寥廓，
> 氣實使之。[34]及枚乘摛豔，首製《七發》……自〈對問〉以
> 後，東方朔效而廣之，名為〈客難〉。……揚雄〈解嘲〉，……
> 班固〈賓戲〉，……崔駰〈達旨〉，……張衡〈應間〉[35]，……

---

34 「之」，唐寫本作「文」。楊明照云：「按唐寫本是。《金樓子・序》『蓋以金樓子為
　　文也』，氣不遂文，文常使氣。』足為旁證。」見黃叔琳注，李詳補注，楊明照校注
　　拾遺：《增訂文心雕龍校注》（北京：中華書局，2005年），卷3，頁186。

35 范文瀾《文心雕龍注》：「孫云：唐寫本作問，鈴木云：諸本皆做『問』。」〔南朝
　　梁〕劉勰著，范文瀾注：《文心雕龍注》（臺北：臺灣明倫出版社，1974年），卷3，
　　頁255。又詳注云：「張衡〈應間〉，見《後漢書》本傳。李賢注引《衡集》云：『觀
　　者觀余去史官。……唯衡內識利鈍，操心不改。或不我知者，以為失志矣。用為間
　　余（原注：問，非也）。余應之以時有遇否，性命難求，因茲以露余誠焉，名之曰
　　〈應間〉云。』」（頁264，注8）

崔實〈客譏〉，……蔡邕〈釋誨〉，……景純〈客傲〉，……雖
迭相祖述，然屬篇之高者也。[36]

顯見劉彥和乃以宋玉〈對問〉為對問體之始祖。明吳訥《文章辨體‧
序說》「問對」條亦云：

> 問對體者，載昔人一時問答之辭，或設客難以著其意者也。
> 《文選》所錄宋玉之於楚王，相如之於蜀父老，是所謂問對之
> 辭。至若〈答客難〉、〈解嘲〉、〈賓戲〉等作，則皆設辭以自慰
> 者焉。[37]

吳氏大抵承襲《文心》之說，唯以〈對楚王問〉為「一時問答之
辭」，而謂〈答客難〉乃「設客難以著其意者」，雖析「問對」為二
類，於其起源則無異說。清儒紀昀則不以《文心》之說為然，其《文
心雕龍評》云：

> 〈卜居〉、〈漁父〉已先是對問，但未標「對問」之名耳。然宋
> 玉此文載於《新序》，其標曰「對問」，似亦蕭統所題。[38]

紀說要點有二：

一、「對問體」濫觴於〈卜居〉、〈漁父〉，非始自宋玉〈對
　　問〉；

---

36 范文瀾：《文心雕龍注》，頁254-255。

37 〔明〕吳訥等：《文體序說三種》，（臺北：大安出版社，1998年），頁61。

38 黃叔琳注，李詳補注，楊明照校注拾遺：《增訂文心雕龍校注》，卷3，頁186引。

二、宋玉〈對楚王問〉之名為「對問」，係蕭統編《文選》時
　　所擬，非其原題。

第一點下文另有析論，茲先論第二點。楊明照《文心雕龍校注拾遺》
評紀說云：

> 按《文心》成於齊代，為時先於《文選》，昭明既可標題，舍
> 人又何嘗不可？紀說過泥。[39]

楊說甚是。《文心》、《文選》二書既並稱之為「對問」，則〈對楚王
問〉一稱，當在昭明、彥和之前即已有之，否則焉有如是巧合之理？
即令不然，「對問」標題亦當出於彥和，而非昭明所題。[40]紀曉嵐之說
確有未當。

　　茲請進而論紀說之第一點。紀文達謂〈卜居〉、〈漁父〉已先是對
問，其說誠是。實則「對問」之體，起源甚早，古籍屢見：如《尚
書》雖僅有「曰」、「若曰」、「反曰」、「答曰」，實則已具對問體雛
形。至《左傳》則對問之式，其例甚多，茲姑舉二、三例為證，如僖
公十五年「陰飴甥對秦伯」云：

> 秦伯（穆公）曰：「晉國和乎？」對曰：「不和。……」秦伯
> 曰：「國謂君何？」對曰：……（《左傳正義》，卷14，頁12
> 下）

---

39 黃叔琳注，李詳補注，楊明照校注拾遺：《增訂文心雕龍校注》，卷3，頁186。
40 昭明於彥和深愛接之，或見及《文心‧雜文》亦未可知。此意蒙王師叔岷垂示，謹
　　誌謝忱。

宣公三年「王孫滿對楚子」云：

> 楚子（莊王）伐陸渾之戎，遂至於雒，……問鼎之大小輕重焉。
> （王孫滿）對曰：……（《左傳正義》，卷21，頁15下）

昭公十二年「子革對靈王」甚至連用五次「對曰」，[41]此不具引。

　　《國語》亦有此體，茲亦僅略舉數例為證，如〈魯語上〉「曹劌問戰」章：

> 長勺之役，曹劌問所以戰於莊公，公曰：「余不愛衣食於民，
> 不愛牲玉於神。」對曰：……公曰：「余聽獄雖不能察，必以
> 情斷之。」對曰：「是則可矣。……」（《國語》，卷4，頁151）

〈晉語二〉「獻公問卜偃攻虢之月」章：

> 獻公問於卜偃曰：「攻虢何月也？」對曰：……（《國語》，卷
> 8，頁299）

〈晉語四〉「箕鄭對文公問」章則連用三「對曰」，此不具引。

　　《禮記》亦有此式，如〈樂記〉載魏文侯與子夏論樂，云：

> 魏文侯問於子夏曰：「……敢問……」子夏對曰：……。文侯
> 曰：「敢問何如？」子夏對曰：……。文侯曰：「敢問……」子

41　以上文題參用《古文觀止》。〔清〕吳楚材輯，王文濡校勘：《精校評註古文觀止》，
　　臺北：華正書局，1979年。

夏對曰：……（《禮記正義》，卷38，頁19；卷39，頁1下-3上）

連用三「對曰」。又載賓牟賈與孔子言樂事：

> 賓牟賈侍坐於孔子，孔子與之言，及樂，曰：「夫武之備戒之
> 已久，何也？」對曰：「病不得其眾也。」「咏歎之，淫液之，
> 何也？」對曰：「恐不逮事也。」「發揚蹈厲之已蚤，何也？」
> 對曰：「及時事也。」「武坐，致右憲左，何也？」對曰：「非
> 武坐也。」「聲淫及商，何也？」對曰：「非武音也。」子曰：
> 「若非武音，則何音也？」對曰：「有司失其傳也。……」
> （《禮記正義》，卷39，頁7上-8上）

連用六「對曰」。

對問之體，《孟子》亦習見，開篇之〈梁惠王上〉共七章，皆採
對問體：

- 孟子見梁惠王，王曰：……。孟子對曰：……。（《孟子注
  疏》，卷1上，頁2上）

- 孟子見梁惠王，王立於沼上……　王曰：……　。孟子對
  曰：……。（同上，頁4）

- 梁惠王曰：「寡人之於國也……。」孟子對曰：……。（同
  上，頁6下-7上）

- 梁惠王曰：「寡人願安承教……。」孟子對曰：……。（同
  上，頁10下）

- 梁惠王曰:「晉國,天下莫強焉……。」孟子對曰:……。
  (同上,頁11下-12上)

- 孟子見梁襄王,出,語人曰:「望之不似人君,就之而不見所
  是焉。卒然問曰:『天下惡乎定?』吾對曰:『定于一』。『孰
  能一之?』對曰:『不嗜殺人者能一之。』『孰能與之?』對
  曰:『天下莫不與也……。』」(同上,卷1下,頁1上)

- 齊宣王問曰:「齊桓、晉文之事可得聞乎?」孟子對
  曰:……。(同上,頁2)

其餘各篇仍多,茲不縷舉。

此體《國策》尤多,茲亦僅略舉三、四例以證:如〈東周策〉
「秦攻宜陽」章云:

秦攻宜陽,周君謂趙累曰:「子以為何如?」對曰:「宜陽必拔
也。」君曰:……對曰:……君曰:……對曰:……[42]

〈秦策一〉「司馬錯與張儀爭論」章:

司馬錯與張儀爭論於秦惠王前。司馬錯欲伐蜀,張儀曰:「不
如伐韓。」……王曰:「請問其說。」對曰:……(卷3,頁
201-202)

〈齊策四〉「齊宣王見顏斶」章:

---

42 范祥雍:《戰國策箋證》,卷1,頁13-14。

齊宣王見顏斶，曰：「斶前！」斶亦曰：「王前！」宣王不悅。
左右曰……斶對曰：……王忿然作色曰：……對曰……王曰：
「有說乎？」斶曰：……（卷11，頁639-640）

〈楚策一〉「楚王問於范環」章云：

楚王問於范環曰：「寡人欲置相於秦，孰可？」對曰：「臣不足
以知之。」王曰：……范環對曰：……（卷14，頁782）

除散見於各書之例證外，《晏子春秋》[43]則有全卷皆採對問體者，
如內篇〈問〉上下篇即皆為問對體式，今僅由〈問〉上下篇各揭一例
以明：〈問上〉「莊公問威當世服天下時耶晏子對以行也第一」章：

莊公問晏子曰：「威當世而服天下，時耶？」晏子對曰：「行
也。」
公曰：「何行？」對曰：……[44]

〈問下〉「景公問欲逮桓公之後晏子對以任非其人第三」章云：

景公問晏子曰：「昔吾先君桓公，從車三百乘，九合諸侯，一
匡天下。今吾從車千乘，可以逮先君桓公之後乎？」晏子對

---

43 《晏子春秋》，後人多以為非晏嬰所作，亦有以為成於西漢初年者。此書當成於戰
　國末期，漢朝之前；尤以內篇，學者大抵無異說。參考張心澂：《偽書通考》（臺
　北：明倫出版社，1971年），〈子部・儒家類〉，頁607-609；屈翼鵬先生：《先秦文史
　資料考辨》，《屈萬里先生全集》，第4冊，下編第二章，頁405-407。
44 吳則虞：《晏子春秋集釋》（臺北：鼎文書局，1977年），卷3，頁173。

曰：……（卷4，頁747）

此並先秦典籍中明用「問」「對」者之顯例，其他未明標「問」「對」
之詞，而實具「問對」形式者更多如恆河沙數，難以勝舉。

又《晏子春秋・外篇第八》「景公問天下有極大極細晏子對第十
四」亦明標「問」、「對」，且所云「至大」之「鵬」，即〈對楚王問〉
之「鳳鳥」（卷8，頁514），清儒蘇時學即云：

　　此大言、小言之類，宋玉、唐勒所本也。[45]

綜上資料，可知「對問」之體於春秋末期或戰國初期實已屢見，[46]
至戰國末期則已頗為流行，唯未必名其文為「對問」耳。

或者以為上引皆史傳、諸子資料。史官記言、諸子說理，與文士
諷諭之作於本質上有其基本差異，史傳、諸子之文有對問之體，不足
以證明文士亦有問對之作。

先秦文人，其名之可考者，以屈原為最早。後人雖多疑〈卜
居〉、〈漁父〉非屈原作，唯於〈天問〉大抵無疑。〈天問〉有問而無
對，或者即為文士採用問對體入文之濫觴；其後〈卜居〉、〈漁父〉雖
以「問曰」、「曰」起問，而答者以「曰」回答，不見「對」字，然問
對之體實已純然成形矣。或者〈對楚王問〉即踵承〈卜居〉、〈漁父〉
而作者也。相傳為宋玉所作之〈風〉、〈高唐〉、〈神女〉、〈登徒子好

---

45 〔清〕蘇時學：《爻山筆話》，《四庫未收輯刊》（北京：北京出版社影印清同治三年
　〔1864〕五羊城味經堂刻本，2000年），第柒輯第11冊，卷4，頁17上。

46 《左傳》之成書時代，蓋在春秋末戰國初；《國語》之成書雖較複雜，蓋亦在戰國
　中、晚期，茲不贅論。

色〉四賦中，〈神女〉、〈登徒〉二賦之答皆無「對」字，而僅用「玉曰」；〈風賦〉、〈高唐賦〉則並以「對曰」之形式回答，蓋非偶然。且《荀子》有「問答體」之賦，《漢志》稱之為「客主」，「雜體類」中載有客主賦十八篇：[47]故凡以「對問體」係後出，並據此以為〈對楚王問〉非宋玉作，於理恐有未當。是則戰國末期之宋玉作〈對楚王問〉之可能性不可謂不大。劉師培〈論文雜記〉云：

> 劉彥和作《文心雕龍》，敘「雜文」為一類。吾觀雜文之體，約有三端：一曰「答問」，始于宋玉（原注：〈答楚王問〉），蓋縱橫家之流亞也；厥後子雲有〈解嘲〉之篇，孟堅有〈賓戲〉之答，而韓昌黎〈進學解〉亦此體之正宗也。一曰「七發」，始于枚乘，蓋《楚辭・九歌》、《九辯》之流亞也。……一曰「連珠」，始于漢魏，蓋《荀子》演〈成相〉之流亞也。[48]

劉申叔謂宋玉〈對楚王問〉乃縱橫家之流亞，雖未必是，亦不為無見。或此體即成於戰國晚期之宋玉亦未可知；或文成於宋玉之手，而篇名出於後人所擬；即非出於玉手，亦不致晚於西漢初年。[49]《漢書・東方朔傳》載朔之「答客難」云：

---

47 荀子有「問答體」之賦，《漢志》載有「客主賦十八篇」，亦「對問」之式，說參馮承基先生：〈六朝文述論略〉，載羅師聯添編：《中國文學史論文選集（二）》，（臺北：臺灣學生書局，1978年），頁394-396。

48 〔清〕劉師培著，萬仕國點校：《儀徵劉申叔遺書》（揚州：廣陵出版社，2014年），第5冊，頁2089。

49 《春秋繁露》有二篇以〈對〉為名：〈對膠西王越大夫不得為仁第三十二〉、〈郊事對第七十一〉（《漢魏六朝百三家集》作〈郊祀對〉），見蘇輿撰，鍾哲點校：《春秋繁露義證》（北京：中華書局，1992年），目錄頁3、6。又《漢書・藝文志》儒家有河間獻王〈對上下三雍宮〉三篇，雜家有〈博士臣賢對〉一篇（《漢書補注》，卷30，頁2962、2998）：並可見漢初「對體」已頗普遍。

朔上書陳農戰彊國之計，因自訟獨不得大官，欲求試用，……辭數萬言，終不見用。朔因著論，設客難己，用位卑以自慰諭，其辭曰：

客難東方朔曰：「蘇秦、張儀一當萬乘之主，而都卿相之位，澤及後世。今子大夫修先王之術，慕聖人之義，諷誦《詩》《書》、百家之言，不可勝數，著於竹帛，脣腐齒落，服膺而不釋，好學樂道之效，明白甚矣。自以智能海內無雙，則可謂博聞辯智矣。然悉力盡忠以事聖帝，曠日持久，官不過侍郎，位不過執戟，意者尚有遺行邪？同胞之徒無所容居，其故何也？」[50]

細繹東方曼倩之〈答客難〉，其承襲〈對楚王問〉，並演而大之之跡，昭然可見；而襲用「遺行」一辭，尤為明證：「時會聚宮下，博士諸先生與論議，共難之」，瀧川資言《考證》云：

東方朔〈答客難〉，蓋倣宋玉〈對楚王問〉。[51]

瀧川之說是也。

竊以為〈對楚王問〉一文，宋玉手著之可能性甚大；即令非出宋玉手，其著成時代亦不致太晚，否則必不能為漢初文學大家所誦習祖述。下文即姑以其為宋玉作品，加以箋證。

50 《漢書補注》，卷65，頁4532-4533。《史記》褚少孫〈補滑稽列傳〉亦載此文，無「脣腐齒落，服膺而不釋，好學樂道之效，明白甚矣」及「同胞之徒無所容居」等二十七字，而「曠日持久」下有「積數十年」四字，「智能」作「為」，「則」作「即」。
51 褚少孫：〈補滑稽列傳〉，《史記會注考證》，卷126，頁17。

五　〈對楚王問〉箋證

楚襄王問於宋玉曰：

> 〔清〕余蕭客《文選紀聞》卷二十五：「『襄』作『威王』，《新序》一。」[52]

> 〔清〕盧文弨《羣書拾補》「新序卷第一」：「『楚威王』，《文選》作『襄王』。」[53]

案：《新序》卷一〈雜事〉、唐趙蕤《長短經》卷一〈論士〉、《太平御覽》九三八引晉孔衍《春秋後語》（頁1上）、卷七二引《新序》（頁5上），「襄王」並作「威王」。當作「襄王」。《史記》、《漢書》並云宋玉在屈原後（已詳前〈二〉），而屈原事威王子懷王，若宋玉得與威王對問，反為屈原前輩矣。襄王乃懷王子，正與宋玉年代吻合。

《長短經》、《春秋後語》並無「於」字。

楚襄王，名熊橫，楚懷王子。懷王三十年，為秦所紿，入秦，太子橫自齊歸楚，立為頃襄王。[54]

「先生其有遺行與？何士民眾庶不譽之甚也？」

> 五臣呂向《注》：「先生，謂宋玉也。王問宋玉不有遺失之行於

52　〔清〕余蕭客：《文選紀聞》，《叢書集成續編》，文學類第103冊，卷25，頁1上。

53　〔清〕盧文弨：《羣書拾補·新序》，《續修四庫全書》（上海：上海古籍出版社影印清《抱經堂叢書》本，2002年），子部第1149冊，頁2下。

54　參《史記·楚世家》，《史記會注考證》，卷40，頁64-67。

國中之人乎？何為眾庶百姓不談先生聲譽？」（《文選》六臣
注，卷45，頁1上）

李善《注》：「遺行，可遺弃之行也。《韓詩外傳》：『子路謂孔
子曰：「夫子尚有遺行乎？奚居之隱？」』」（《文選》李善注，卷
45，頁1下）

案：「其」猶「豈」。遺，闕失。遺行，謂過失之行。王念孫《讀書
雜志・漢書弟十一》卷四之十一「《漢書・東方朔傳》『遺行』」
條云：「『意者尚有遺行邪』，師古曰：『可遺之行，言不盡善
也。』念孫案：此言遺行，不言可遺之行，顏說非也。遺者失
也，謂尚有過失之行。」[55]王說是也。

「與」，《新序》作「邪」，[56]《長短經》、《春秋後語》、《文選》卷
五十五陸機〈演連珠〉李善《注》引《宋玉集》（文見下引）並
作「歟」。與、歟古今字；與、邪並語末疑詞，《呂氏春秋・自知
篇》高誘《注》：「歟，邪也。」[57]《長短經》、《御覽》七十二引
《新序》並無「也」字。也，同邪，亦語末疑詞。

《長短經》「民」作「人」，蓋避唐太宗諱而改。士指士人，民指
人民，眾庶泛指平民。士民眾庶謂士人與平民。「不譽」謂不加
稱譽，引申有貶斥之意。甚猶極也。

此楚襄王以士眾議論宋玉之人品，故問宋玉云：先生豈有過失之
行歟？何以國中無論士人或眾庶皆不稱譽先生如是之甚耶？

---

55 〔清〕王念孫撰：《讀書雜志・漢書弟十一》，頁851。
56 〔日〕武井驥：《劉向新序纂註》，卷1，頁18上。《太平御覽》卷七十二引《新序》
　　作「也」，無下「也」字（頁5上）。
57 王利器：《呂氏春秋注疏》，卷24，頁2907。

宋玉對曰：「唯，然，有之。願大王寬其罪使得畢其辭。

　　五臣張銑《注》：「唯，敬應之辭。」（卷45，頁1上）

　　五臣劉良《注》：「然，亦有其所以。」（同上）

　　〔清〕許巽行《文選筆記》卷七：「使得畢其辭，『使』，一作『請』。案，今從一本。」[58]

案：對，答也。由上文〈四〉所舉諸例，知「對曰」僅用於下對上。唯、然，並應辭。有，肯定之辭。之，是也。願，企盼之辭。寬，寬假、寬恕。畢，盡也。

　　此宋玉先承認自己確有不譽之事，進而請楚王寬假其罪，使其得以陳述遭罹不譽聲名之因由。

客有歌於郢中者，

　　〔唐〕余知古《渚宮舊事》卷一注：「許慎注（墨翟重繭趍郢）『郢』字云：『郢，楚都，今江陵北三十里有郢城是也。』」（頁1上）

　　〔日〕武井驥《劉向新序纂註》：「郢，楚之國都，文王始都之。」（卷1，頁18上）

　　〔宋〕吳曾《能改齋漫錄》卷九地理「紀南城」條引王觀國《學林新編》「論楚都郢」曰：「《史記》：周成王封熊繹於荊蠻，為楚子，居丹陽。楚文王自丹陽徙郢，楚頃襄王自郢徙

---

58 〔清〕許巽行：《文選筆記》（臺北：廣文書局《選學叢書》影印杭州任有容齋刻本，1966年），卷7，頁37上。

陳，楚考烈王自陳徙壽春，命曰郢楚。既徙而猶命曰郢，亦猶南朝蕭氏出於蘭陵，而其後又刱南蘭陵，各貴其所自出也。今之郢州，乃楚之別邑，號郢亭，非楚都之郢。」[59]

〔清〕梁章鉅《文選旁證》卷三十七「客有歌於郢中者」條云：「姜氏皋曰：『《左氏‧桓十一年傳》「君次於郊郢」，杜《注》：「楚地。」僖十二年《傳》「自郢及我九百里」，杜《注》：「郢，楚都。」是楚有二郢。《說文》：「郢，故楚都，在南郡江陵北十里。」《班書》〈（地理）志〉：「南郡江陵縣，故楚郢都。楚文王自丹陽徙此；後九世平王城之；後十世秦拔我郢，徙陳。」又：「南郡郢縣下，楚別邑，故郢。」錢氏坫、段氏玉裁皆疑此即郊郢。』按：秦拔我郢事，以《史記》〈六國年表〉、〈楚世家〉證之，襄王二十一年。宋玉對問時，大約尚都郢也。……」[60]

〔宋〕沈括《夢溪筆談》卷五「樂律」一：「世稱善歌者，皆曰郢人，郢州至今有白雪樓，此乃因宋玉（對）問曰：『客有歌於郢中者，其始曰〈下里〉〈巴人〉，次為〈陽阿〉〈薤露〉，又為〈陽春〉〈白雪〉，引商刻羽，雜以流徵』，遂謂郢人善歌，殊不考其義。其曰『客有歌於郢中者』，則歌者非郢人也。其曰『〈下里〉〈巴人〉，國中屬而和者數千人；〈陽阿〉〈薤露〉，和者數百人；〈陽春〉〈白雪〉，和者不過數十人；引商刻羽，雜以流徵，則和者不過數人而已』。以楚之故都，人物猥盛，而和者止於數人，則為不知歌甚矣，故玉以此自況。〈陽春〉、〈白雪〉，皆郢人所不能也，以其所不能者名其俗，豈非大誤

---

59 〔宋〕吳曾：《能改齋漫錄》（臺北：木鐸出版社，1982年），卷9，頁265。

60 〔清〕梁章鉅：《文選旁證》（臺北：廣文書局《選學叢書》影印清光緒八年（1882）吳下重刻本，1966年），卷37，頁1上。

也！《襄陽耆舊傳》雖云『楚有善歌者，歌〈陽菱〉、〈白露〉、〈朝日〉、〈魚麗〉，[61]和之者不過數人』，復無〈陽春〉、〈白雪〉之名。……」[62]

案：《史記‧楚世家》：楚襄王二十一年秦將白起拔楚都郢，襄王兵散，自郢遷陳城（卷40，頁78）；《漢書‧地理志》亦謂頃襄王東徙於陳（卷28下，頁2851）。據此，〈對楚王問〉似當成於楚襄王二十一年之前。唯古多有以國都為國家之代稱者，此云「歌於郢中」，或謂歌於楚，未必即歌於郢都也。又沈括之說，失之拘泥：後世以郢人稱善歌者，固非；而宋玉此係借歌為喻，特寓言耳，實情未必如此；至《襄陽耆舊傳》所引則恐有異文，亦不得據之謂無〈陽春〉、〈白雪〉之名。

其始曰〈下里〉、〈巴人〉，國中屬而和者數千人；

五臣李周翰《注》：「〈下里〉、〈巴人〉，下曲名也。」（卷45，頁1下）

〔清〕張雲璈《選學膠言》卷十八「下里巴人」條：「（方以智）《通雅》云：『《漢‧田延年傳》「陰積貯葦炭諸下里物」，孟康曰：「死者歸蒿里，葬地下，故曰下里。」』其曰〈下里〉、〈巴人〉之歌，即〈蒿里〉、〈薤露〉之類也。古人好挽歌以為適，桓伊善歌挽歌，袁山松道上行殯亦謂好此聲也。』雲璈按：下文復有〈陽阿〉、〈薤露〉，此不得以蒿里為下里。方氏所引未

61　《類苑》卷十九引「魚」作「莫」，見〔宋〕江少虞撰：《宋朝事實類苑》（上海：上海古籍出版社，1981年），卷19，頁232。獻案：「莫」蓋「魚」之誤。「魚」俗作「𩵋」。

62　〔宋〕沈括：《夢溪筆談校證》（臺北：世界書局，1961年），卷5，頁246。

的。〈下里〉、〈巴人〉自是鄙俗之曲有此二種,故〈文賦〉『綴
〈下里〉於〈白雪〉』,〈長笛賦〉『下采制於〈延露〉〈巴
人〉』,可以分用;而方氏概以為虧露之挽歌,尤謬。」[63]

案:「里」,《文選》卷五十五陸機〈演連珠〉李善《注》引《宋玉
集》作「俚」(文見下引)。下里猶言鄉里。巴謂巴蜀之巴,古蠻
地。巴人猶言蠻人。〈下里〉、〈巴人〉,泛指俚俗之曲,曲之最下
者也。《文選》卷十七陸機〈文賦〉「綴下里於〈白雪〉」,李善
《注》:「以下里鄙曲綴於〈白雪〉之高唱。」(頁6下)五臣張銑
《注》:「〈下里〉,鄙辭也。」(頁9下)方以智以挽歌釋之,恐
非,張雲璈所駁是也。

屬,連屬,謂相連續而不絕也。《漢書・司馬相如傳下》「犯屬車
之清塵」,顏師古《注》:「屬者,言相連續不絕也。」(卷57下,
頁4174)和,唱和。《莊子・天地》:「大聲不入於里耳,〈折
揚〉、〈皇荂〉,則嗑然而笑。是故高言不止於眾人之心,至言不
出,俗言勝也。」[64]或本句所本。

宋玉謂此異鄉之客,初則歌〈下里〉、〈巴人〉等鄉鄙小曲,國中
之人連屬唱和者甚眾,高達數千人之譜。

其為〈陽阿〉、〈薤露〉,國中屬而和者數百人;

〔清〕盧文弨《群書拾補》「新序卷第一」:「『其為陽陵採
薇』,《文選》作『陽阿薤露』。」(頁2下)

---

63 〔清〕張雲璈:《選學膠言》(臺北:廣文書局《選學叢書》影印《聚學軒叢書》
本,1966年),卷18,頁8。
64 〔清〕郭慶藩:《莊子集釋》,卷5上,頁450。

〔清〕余蕭客《文選紀聞》卷二十五：「『陽阿薤露』，《新序》
一、郭《樂府》五十，並作『陽陵採薇』。」（頁1下）

案：〈陽阿〉，古曲名，《淮南子・俶真》「足蹀陽阿之舞」，高誘
　　《注》：「〈陽阿〉，古之名倡也。」[65]〈說山〉「欲美和者，必先始
　　於〈陽阿〉〈采菱〉」，高《注》：「〈陽阿〉、〈采菱〉，樂曲之和聲
　　有陽阿，古之名俳，善和也。」（卷16，頁545）據《淮南・說
　　山》，是〈陽阿〉乃易和之曲，故宋玉言「〈下里〉〈巴人〉」後，
　　即舉較易唱和之〈陽阿〉，層而進之。〈薤露〉，當亦古曲名，晉
　　崔豹《古今注》卷中「音樂」：「〈薤露〉、〈蒿里〉，並喪歌也。出
　　田橫門人，橫自殺，門人傷之，為之悲歌，言人命如薤上之露易
　　晞滅也，亦謂人死，魂魄歸乎蒿里。……至孝武時，李延年乃分
　　為二曲，〈薤露〉送王公貴人，〈蒿里〉送士大夫庶人，使挽柩者
　　歌之，世呼為挽歌。」[66]此〈薤露〉疑與挽歌之〈薤露〉異曲。
　　《新序》作「陽陵採薇」（卷1，頁18下），陽陵，漢陵名，亦漢
　　縣名。「陽阿」之作「陽陵」，或聯想之誤。採薇，據郭茂倩《樂
　　府詩集》卷五十七「採薇操」：「《琴集》曰：『〈採薇操〉，伯夷所
　　作也。』《史記》曰：『武王克殷，伯夷、叔齊恥之，不食周粟，
　　隱於首陽山，採薇而食之，乃作歌。』因傳以為操。」[67]是〈採
　　薇〉乃伯夷、叔齊所作，[68]其曲當與〈陽春〉、〈白雪〉同其高
　　潔，故疑此不當作「採薇」。又余蕭客所引「郭樂府」見郭茂倩
　　《樂府詩集》卷五十「陽春曲」條（卷50，頁729-730）。

65　劉文典：《淮南鴻烈集解》，卷2，頁72。
66　〔晉〕崔豹：《古今注》，頁2下-3上。
67　〔宋〕郭茂倩編撰：《樂府詩集》（臺北：里仁書局，1981年），卷57，頁833。
68　事、辭並見《史記・伯夷列傳》，《史記會注考證》，卷61，頁9-11。

其為〈陽春〉、〈白雪〉，國中屬而和者，不過數十人；

五臣李周翰《注》：「〈陽春〉、〈白雪〉，高曲名也。」（卷45，頁1下）

〔宋〕尤袤《文選攷異》：「『不過數十人』，五臣無『不過』字，（人）下有『而已』字。」[69]

〔宋〕王應麟《困學紀聞》卷十七〈評文〉：「宋玉〈對問〉，『陽春白雪』，《集》云『陵陽白雪』，見《文選·琴賦》《注》。」[70]

〔清〕孫志祖《文選考異》卷四：「『其為陽春白雪』，『陽春』，《宋玉集》作『陵陽』，見〈琴賦〉『紹陵陽』（李善）《注》。李善云：『《集》所載與《文選》不同，各隨所用而引之。』」[71]

〔清〕梁章鉅《文選旁證》卷三十七：「本書〈琴賦·注〉：『宋玉〈對問〉曰：「既而曰陵陽、白雪，國中唱而和之者彌寡。」然《集》所載與《文選》不同，各隨所用而引之』云云，蓋〈琴賦〉本云『紹陵陽』，故引彼作注，此以『陵陽』作『陽春』為異耳。《六臣本》無『不過』二字，『人』下有『而已』二字。」（頁1下）

---

69 〔宋〕尤袤：《文選攷異》（臺北：藝文印書館《叢書集成三編》影印《常州先哲遺書》本，1971年），頁22下。

70 〔宋〕王應麟著，〔清〕翁元圻等注，欒保群、田松青、呂宗力校點：《困學紀聞》（上海：上海古籍出版社，2008年），卷17，頁1836。

71 〔清〕孫志祖輯：《文選考異》（臺北：廣文書局《選學叢書》影印《讀書齋叢書》本，1966年），卷4，頁1上。

案：當從《李善本》作「不過數十人」，「不過數十人」與下文「不過
　　數人而已」相對而言，若作「數十人而已」（《五臣本》）或「數
　　十人而已也」（《新序》），則語氣欠佳。蓋此云「不過數十人」，
　　謂和者已寡，唯尚得數十人；下文云「不過數人而已」，則謂和
　　者尤寡，僅得數人而已。若此先著「而已」，下文反無「而已」
　　字，則於語意、語氣皆欠順暢。清吳楚材《古文觀止》評之云：
　　「數十人，加『不過』字，妙；數人又加『而已』字，妙。」
　　（卷4，頁50）其說是也。

　　《古文苑》載宋玉〈笛賦〉：「師曠將為〈陽春〉、〈北鄙〉、〈白
　　雪〉之曲。」（卷2，頁1下-2上）是〈陽春〉、〈白雪〉蓋並師曠
　　所作。《淮南子‧俶真篇》「耳聽〈白雪〉清角之聲」，高誘
　　《注》：「〈白雪〉，師曠所奏太一五十弦琴樂曲，神物為下降
　　者。」（卷2，頁51）《文選》卷十八嵇康〈琴賦〉「揚〈白雪〉」，
　　李善《注》：「《淮南子》曰：『師曠奏〈白雪〉，而神禽下』，[72]
　　〈白雪〉，五十弦瑟樂曲未詳。……宋玉〈對問〉曰：『其為〈陽
　　春〉、〈白雪〉。』」（頁16上）又卷二十九張協〈雜詩〉「〈陽春〉
　　無和者，〈巴人〉皆下節」，五臣李周翰《注》：「郢中之歌有〈陽
　　春〉、〈巴人〉二曲。〈陽春〉，高曲，和者甚少；〈巴人〉，下曲，
　　和者數千人。」（頁38）郭茂倩《樂府詩集》卷五十七「白雪
　　歌」條：「謝希逸《琴論》曰：『劉涓子善鼓琴，制〈陽春〉、〈白
　　雪〉曲。《琴集》曰：〈白雪〉，師曠所作，商調曲也。』《唐書‧
　　樂志》曰：『〈白雪〉，周曲也。』張華《博物志》曰：『〈白雪〉
　　者，太帝使素女鼓五十弦瑟曲名也。』……」（卷57，頁823）

72　《淮南子‧覽冥》：「昔者師曠奏白雪之音，而神物為之下降。」（卷6，頁191）蓋
　　即李善《注》所本。古注引書多有改寫或節引者。

宋玉云：此客繼而又歌〈陽春〉、〈白雪〉之曲，國中之人能連屬
而唱和者，已不過數十人。

引商刻羽，雜以流徵，國中屬而和者，不過數人而已：

〔清〕方廷珪《文選集成》卷四十四：「〔流徵〕，高曲之變
調。五臣無『而已』字。」[73]

〔清〕盧文弨《羣書拾補》「新序卷第一」：「『引商刻角』，《文
選》作『羽』。」（頁2下）

〔清〕余蕭客《文選紀聞》卷二十五：「『刻羽』，作『角』，
《新序》一。」（頁2下）

〔清〕梁章鉅《文選旁證》卷三十七：「『引商刻羽，雜以流
徵』，本書〈演連珠〉（李善）《注》引《宋玉集》作『含商吐
角，絕節赴曲』，亦與《文選》不同，蓋〈演連珠〉本云『絕
節高唱』，故亦各隨用而引之也。」（頁2上）

案：《五臣本》無「而已」二字，說已詳上。

「引商刻羽」，習鑿齒《襄陽耆舊記》（文詳下引）、《文選》卷五
十五陸機〈演連珠〉李善《注》引《宋玉集》並作「含商吐
角」。善《注》所引《宋玉集》云：「楚襄王問於宋玉曰：『先生
有遺行歟？』宋玉對曰：『唯，然，有之。客有歌於郢中者，其
始曰〈下俚〉、〈巴人〉，國中屬而和者數千人；既而〈陽春〉、
〈白雪〉，含商吐角，絕節赴曲，國中唱而和之者彌寡。』」（頁

20上）李善《注》引《宋玉集》蓋如梁章鉅所言，乃隨所用而引之，有所刪略改動，未必《宋玉集》如是作也；而習書則係總宋玉資料而成者（說詳下），未必可靠。

商、羽並五音之一，《素問》卷二〈陰陽應象大論〉「在音為商」，王冰《注》：「商，謂金聲，輕而勁也。」[74] 同上「在音為羽」，《注》：「羽，謂水音，沈而深也。」（卷2，頁6下）羽借為霺，《說文》：「霺，水音也。」[75] 郝懿行《爾雅義疏・釋樂》云：唐徐景安引劉歆謂五音性質為：「宮者，……其聲重厚……；商者，……其聲敏疾……；角者，……其聲圓長……；徵者，……其聲抑揚遞續，……；羽者，……其聲低平掩映，自高而下。」[76]

引商，《中文大辭典》云：「奏商調之樂也。」[77] 引宋玉〈對問〉為證；楊蔭瀏《中國古代音樂史稿》云：「引用第二度音。」[78] 並解引為引進、引用。愚謂此「引」當作拉長解。《爾雅・釋詁》：「引，長也。」郝懿行《義疏》：「……〈釋名〉云：『引，演也。』演亦長也。〈齊語〉云：『是以國家不日引，不月長。』《漢書・律曆志》云：『引者，信也。』信與伸同。故《文選・典引》蔡邕《注》：『引者，伸也，長也。』按：樂歌皆有引，引

74　《重廣補注黃帝內經素問》（臺北：臺灣商務印書館《四部叢刊正編》影印明顧氏翻宋本，1979年），卷2，頁6上。

75　〔清〕段玉裁注：《說文解字注》，11篇下，頁15下。

76　〔清〕郝懿行撰，王其和、吳慶峰、張金霞點校：《爾雅義疏》（北京：中華書局，2017年），卷中之3，頁536。

77　中文大辭典編纂委員會編：《中文大辭典》（臺北：中國文化大學出版部，1993年），第3冊，頁1403。

78　楊蔭瀏：《中國古代音樂史稿》（臺北：丹青圖書公司，1985年），第1冊，第三編第四章〈春秋、戰國〉，「三、樂曲的藝術性」，頁71。

聲長言之意,故〈樂記〉《注》:『長言之,引其聲也。』《詩》〈楚茨〉、〈行葦〉、〈卷阿〉、〈召旻〉《傳》並云:『引,長也。』……」(卷上之1,頁68)引商謂拉長商音也。

刻謂刻劃,引申有縮短、減削之意。刻羽,謂縮短羽音,殆即《國策》所載荊軻將赴秦時所唱之「慷慨羽聲」。[79]《文選》卷五五陸機〈演連珠〉李善《注》引《宋玉集》敘此段有「含商吐角,絕節赴曲」之語(文見上引),疑即括用此段文義;而云「絕節赴曲」,絕節即縮短音節之意,與此「刻羽」義近。

「刻羽」,《新序》作「刻角」(頁18下)。角音圓長,羽音低平深沉(說詳下)。圓長之音易唱,低平深沉之音難唱,宋玉意在強調難和,恐以作「刻羽」為是。

雜謂參雜使用。流徵,高調曲名,《古文苑》宋玉〈笛賦〉:「吟清商,追流徵。」章樵《注》:「皆歌曲也。晉王嘉《拾遺記》:『師延奏清商、流徵、滌角之音。』」(卷2,頁2下)《文選》卷十六司馬相如〈長門賦〉:「案流徵以卻轉兮。」(卷16,頁10下)前賢多解此流徵之流為流動、變化之義,如楊蔭瀏即云「夾雜運用流動的第五度音」,[80]以流徵為變動之徵音。竊疑此「流徵」當與上文「商」、「羽」並為名詞(上文所引三例亦皆以流徵為名詞),乃指變徵之音。古於宮、商、角、徵、羽五音外,復有變宮、變徵,合為七音。疑流徵即七音中之變徵,亦即荊軻赴秦前所唱之「變徵之聲」。

---

79 《戰國策·燕策三》載荊軻將赴秦事云:「太子及賓客知其事者,皆白衣冠以送之。至易水上,既祖,取道。高漸離擊筑,荊軻和而歌,為變徵之聲,士皆垂淚涕泣。又前而為歌曰:『風蕭蕭兮易水寒,壯士一去兮不復還!』復為忼慨羽聲,士皆瞋目,髮盡上指冠。」(范祥雍:《戰國策箋證》,卷31,頁1790)

80 楊蔭瀏:《中國古代音樂史稿》,頁71。

宋玉謂「引商」、「刻羽」、「雜以流徵」，並謂此客不依宮、商、角、徵、羽之音歌唱，而皆加變改，故尤難唱和也。據此，則本句乃謂此客拉長敏疾之商音，縮短低平之羽音，並參雜悲壯的變徵之聲，國中之人能唱和者僅數人而已耳。

是其曲彌高，其和彌寡。

〔清〕梁章鉅《文選旁證》卷三十七：「『是其曲彌高』，《六臣本》『是』下有『以』字。」（頁2上）

案：《新序》亦無「以」字，「是」下不必有「以」字。《文選》卷二十九張協〈雜詩〉「〈陽春〉無和者，〈巴人〉皆下節。」李善《注》引宋玉〈對問〉「高」下有「者」字（頁26上）。若有「者」字，則以作「是以」於義為順；唯恐係後人據作「是以」之本而加「者」字，非其原貌。

總上「下里巴人」、「陽阿薤露」、「陽春白雪」、「引商刻羽，雜以流徵」四者而言，謂客所唱之曲愈高，則能和者愈寡，用此以喻己行之高，非國人所能及也。

以上以歌為喻，蓋宋玉本「識音者」。習鑿齒《襄陽耆舊記》：「宋玉者，楚之鄢人也。故宜城有宋玉塚。始事屈原，原既放逐，求事楚友景差。景差懼其勝己，言之於王，王以為小臣。玉讓其友，……友謝之，復言於王。玉識音而善文；襄王好樂愛賦，既美其才，而憎之似屈原也。曰：『子盍從俗，使楚人貴子之德乎？』對曰：『昔楚有善歌者，始而曰〈下里〉、〈巴人〉，國中屬而和之者數百人；既而曰〈陽春〉、〈白雪〉、〈朝日〉、〈魚離〉，國中屬而和之者不至十人，含商吐角，絕倫赴曲，國中屬

而和之者不至三人矣；其曲彌高，其和彌寡也。』」（卷1，頁1上
-2上）習氏蓋據所見宋玉生平資料參雜改寫而成，其間頗多牴牾
難通之處，亦未必為宋玉〈對問〉原文。謹錄於此，用供核考。

故鳥有鳳而魚有鯤：

五臣呂延濟《注》：「鳳，鳥之長；鯤，魚之長。」（卷45，頁1
下）

李善《注》：「曾子曰：『聞諸夫子曰：「羽蟲之精者曰鳳，鱗蟲
之精者曰龍。」』《淮南子》曰：『孟春之月，……其蟲鱗』，許
慎《注》：『鱗，龍之屬也。』」（同上，頁2上）[81]

〔清〕盧文弨《羣書拾補》「新序卷第一」：「『故鳥有鳳而魚有
鯨』，《文選》作『鯤』，下同。」（頁2下）

〔清〕朱珔《文選集釋》卷二十二：「『故鳥有鳳而魚有鯤』，
《注》引曾子曰：『羽蟲之精者曰鳳。』案：《困學紀聞》引此
語，而云：『《說文》朋及鵬，皆古文鳳字。《莊子音義》崔譔
云：「鵬音鳳。」』[82]是王氏以此所說之鳳即《莊子》之鵬也。
今《說文》：『朋，古文鳳，象形，鳳飛，羣鳥從以萬數，故以
為朋黨字。鵬亦古文鳳。』[83]《莊子·逍遙游·釋文》引崔
云：『鵬即古鳳字，非來儀之鳳也』；然此下云：『上擊九千
里，絕雲霓，負蒼天』，正與《莊子》合，而即云『鳳皇』：然
則鵬非別有是鳥也。《玉篇》乃云『大鵬鳥』，不以為即鳳，同

---

81 李善《注》引《淮南子》文，見〈時則〉，今傳此篇乃高誘注，高《注》云：「鱗
　蟲，龍為之長。」（卷5，頁159）略異許《注》。
82 見〔宋〕王應麟：《困學紀聞》，卷20，〈雜識〉，頁2138。
83 見〔清〕段玉裁：《說文解字注》，4篇上「鳥部」，頁39上。

於崔說，似因《莊子》『大不知幾千里』而誤。實則《莊子》
特寓言耳。」[84]

〔清〕胡紹煐《文選箋證》卷二十九：「『故鳥有鳳而魚有鯤』，
《注》善曰：『《淮南子》曰：「孟春之月，其蟲麟」，許慎曰：
「鱗，龍之屬也。」』按：《注》引《淮南》與正文無涉。《御
覽》九百三十六引『魚有鯤』作『魚則有鯨』；下『黦魚朝發
崑崙之墟』同。『鯨鯢』條[85]引《春秋後語》：『宋玉對曰：「夫
鳥有鳳而魚有鯨。」』下『鯨魚朝發於崑崙之墟』，並作
『鯨』。[86]據此，則本作『鯨』，不作『鯤』。今按鯤惟見《莊
子·逍遙遊》，而陸氏《音義》引崔譔：『鯤當為鯨。』崔知鯤
為魚子，故改為鯨。[87]《說文》作：『鱷，海大魚也。』本書
〈吳都賦〉『長鯨別吞航』劉〔淵林〕《注》：『鯨猶言鳳。』是
對鳳為鯨。此舉魚之大者曰鯨，猶舉鳥之大者曰鳳耳。」[88]

案：故，發端之詞，猶夫。

鳳即《莊子·逍遙遊》之鵬。〈逍遙遊〉《釋文》：「鵬，……崔音
鳳，云：『鵬即古鳳字，非來儀之鳳也。』」[89]茆泮林《莊子司馬
彪注考逸》云：「鵬者鳳也。《廣川書跋·寶龢鐘》引司馬
說。……《通雅》四十五亦引之。」[90]鯤，《新序》、《長短經》、

---

84 〔清〕朱珔：《文選集釋》（臺北：廣文書局《選學叢書》，1966年），卷22，頁1上。
85 見李昉等：《太平御覽》，卷938，頁1上。
86 案：見《太平御覽》，卷938，〈鱗介部十〉「鯨鯢魚」條，頁1引《春秋後語》。
87 胡氏實未得崔《注》之意。
88 〔清〕胡紹煐：《文選箋證》（臺北：廣文書局《選學叢書》，1966年），卷29，頁8
　下-9上。
89 〔唐〕陸德明撰，〔清〕盧文弨校：《經典釋文》，卷26，〈莊子音義上〉，頁1上。
90 〔清〕茆泮林：《莊子司馬彪注考逸·莊子司馬注又補遺》（臺北：藝文印書館《百
　部叢書集成》影印茆泮林輯刊《十種古逸書》，1966年），頁1上。

《春秋後語》、[91]《御覽》九三六引宋玉〈對問〉[92]並作「鯨」。《莊子·逍遙遊》《釋文》:「鯤,大魚名也。崔譔云:『鯤當為鯨。』簡文同。」(卷26,〈莊子音義上〉,頁1上)郭慶藩《集釋》云:「方以智曰:『鯤本小魚之名,莊子用為大魚之名。』其說是也。《爾雅·釋魚》:『鯤,魚子。』凡魚之子名鯤,〈魯語〉『魚禁鯤鮞』,韋昭《注》:『鯤,魚子也。』張衡〈西[93]京賦〉『�鯤鮞』,薛綜《注》:『鯤,魚子也。』《說文》無鯤篆。段玉裁曰:『魚子未生者曰鯤。』鯤即卵子,許慎作卝,古音讀如關,亦讀如昆。《禮·內則》『濡魚卵醬』,鄭讀卵若鯤。凡未出者曰卵,已出者曰子。鯤即魚卵,故叔重以卝包之。《莊子》謂絕大之魚為鯤,此則齊物之寓言,所謂『汪洋自恣以適己』者也。[94]《釋文》引李頤云:『鯤,大魚名也。』[95]崔譔、簡文並云:『鯤當為鯨。』皆失之。」(卷1上,頁3)案:郭氏以鯤為魚子,恐非。王師叔岷《莊子校詮》云:「《玉篇》亦云:『鯤,大魚也。』《莊子》夸大為幾千里耳。鯤即鯨,《文選》宋玉〈對楚王問〉:『鳥有鳳而魚有鯤』,《新序·雜事第一》、《御覽》九三八引〔晉孔衍〕《春秋後語》、唐趙蕤《長短經·論士篇》鯤皆作鯨,則崔譔、簡文謂『鯤當作鯨』,說自有據,不得以為失也。《淮南子·墜形篇》:『蛟龍生鯤鯁』,此鯤是蛟龍所生,豈是小魚邪?」[96]鯤、鯨並為大魚名,王師言之詳矣。王念孫〈釋大〉

---

91 《春秋後語》作「天鳥有鳳而魚有鯨」(《太平御覽》,卷938,頁1上),「天」疑「夫」之訛。

92 《太平御覽》作「夫鳥則有鳳,魚則有鯨」(卷936,頁3上)。

93 原作「東」,依《文選》改(卷2,頁23下)。

94 《史記·老子韓非列傳》謂莊子:「洸洋自恣以適己。」(卷63,頁11)

95 此陸德明說,非李頤說,郭氏誤引。

96 王師叔岷:《莊子校詮》,頁5。

第一云：「大魚謂之鰝，亦謂之鯤。」[97]又〈釋大〉第三：「海大魚謂之鱣。」原注：「《說文》：『鱣，海大魚也。』[98]引《左傳》宣十二年『取其鱣鯢』，今《左傳》作『鯨』。孔《疏》引裴淵《廣州記》：『鯨鯢長百尺，雄曰鯨，雌曰鯢。』」（頁1上）又云：「海大魚謂之鯨。」（頁1上）是鯤、鯨並大魚之名。唯竊疑李善《注》所見〈對楚王問〉本作「魚有鱗」，故引許慎《淮南・注》釋之，下文「非獨鳥有鳳而魚有鯤也」，胡克家《考異》卷八云：「袁本、茶陵本云：『「鯤」，善作「鱗」。』案：所見傳寫誤。尤（袤）校改正之也。」（頁4下）梁章鉅《文選旁證》卷三十七亦云：「『而魚有鯤也』，《六臣本》『鯤』作『鱗』，此傳寫誤。」（頁2上）《四部叢刊本》、《宋末刊本》並云「善本作『鱗』字」，《烏石山房本》亦云「善作『鱗』」：並可證「魚有鯤也」，《李善本》作「鱗」，故李善釋之如此。蓋唐代有作「鱗」者之本。胡紹煐謂李善《注》引《淮南》與正文無涉，恐未必是；胡克家、梁章鉅謂傳寫誤，亦非。據《淮南子・墜形》「蛟龍生鯤鯁」（卷4，頁155），是鯤為龍；又據《淮南》許《注》「鱗，龍之屬」：是鱗、鯤並龍之屬。

《莊子・逍遙遊》：「北冥有魚，其名為鯤，鯤之大，不知其幾千里也。化而為鳥，其名為鵬，鵬之大，不知其幾千里也」，殆即此句所本。

97　〔清〕王念孫等撰，羅振玉輯印：《高郵王氏遺書》（南京：江蘇古籍出版社，2000年），〈釋大〉第一，頁4上。

98　獻案：《說文》無鯨字。

鳳皇上擊九千里，絕雲霓，負蒼天，翱翔乎杳冥之上，夫蕃籬之鷃，
豈能與之料天地之高哉！

> 五臣呂向《注》：「杳冥，絕遠處。」（卷45，頁1下）
>
> 五臣張銑《注》：「蕃籬，蒿草之屬。鷃，小鳥也。言栖於蕃籬
> 之上，豈能料計天地之高遠哉？言其不自知也。玉自喻高才，
> 人安能知之，乃肯輒自為聲譽。」（同上，頁1下-2上）[99]
>
> 〔明〕尤袤《文選攷異》：「『負蒼天』，五臣下有『尺亂浮雲』
> 四字。」（頁22下）[100]
>
> 〔清〕梁章鉅《文選旁證》卷三十七：「『負蒼天』，《六臣本》
> 此下有『足亂浮雲』四字，非也。」（頁2下）
>
> 〔清〕許巽行《文選筆記》卷七「足亂」條云：「『負蒼天』
> 下，《善本》無『足亂浮雲』四字，俗妄加之。《新序》載此
> 文，字句微異，亦無『足亂浮雲』句，削！」又巽行玄孫許嘉
> 德案語云：「《六臣本》云『五臣有「足亂浮雲」字』[101]，是有
> 者沿五臣之誤也。」（頁37上）
>
> 〔清〕盧文弨《羣書拾補》「新序卷第一」：「『夫冀田之鷃』，
> 《文選》作『藩籬之鷃』。」又云：「『豈能與之斷』，疑
> 『𢇍』，《文選》作『絕』。」（頁2下）

案：《春秋後語》、《長短經》作「豈能與料天地之高哉」，無上「之」

99　「自為聲譽」，諸本並作「自」，唯《明初殘存本》作「有」。「自」、「人」相對為
　　義，作「有」，蓋因「自」「有」形近而訛。
100　案：「尺」乃「足」之訛。《五臣本》、《六臣本》並作「足」。
101　《明初殘存本》作「善無足亂浮雲字」，意同。

字。又,《李善本》作「籬」,《六臣本》作「蘺」。

皇,《何評本》、《春秋後語》並作「凰」,《新序》作「鳥」。皇、凰,古今字。疑本作「鳥」,「鳳鳥」與下「鯤魚」相對成文;且「鳳鳥」即「鵬」,作「鳳皇」則是「來儀之鳳」矣。其作「皇」者,蓋以鳳皇為慣語,又涉鳥、皇二字形近而訛。作「凰」者,則易「皇」為「凰」也。

千,《長短經》作「萬」,蓋涉《莊子‧逍遙遊》而誤。上擊謂高飛也。《莊子‧逍遙遊》:「鵬之徙於南冥也,水擊三千里,搏扶搖而上者九萬里。」絕,超絕,凌越。負,背負。絕雲霓,《新序》作「絕浮雲」,義同。雲霓並在天空,霓又為雲之一種景色,故並舉以言天之高處也。浮雲,飄浮於天際之雲,亦喻其高。《莊子‧逍遙遊》:「絕雲氣,負青天,然後圖南。」

《五臣本》「負蒼天」下有「足亂浮雲」四字,嚴可均《全上古三代文》同。《晏子春秋‧外篇第八》「景公問天下有極大極細晏子對第十四」云:「景公問晏子曰:『天下有極大乎?』晏子對曰:『有。足游浮雲,背負蒼天,尾偃天閒,躍啄北海,……』」[102]此文《五臣本》有「足亂浮雲」句,蓋據《晏子春秋》旁注而竄入正文者,唯易「游」為「亂」耳。

翱翔,徜徉逍遙也。《詩‧齊風‧載驅》「齊子翱翔」,《毛傳》:「翱翔猶彷徉也。」[103]又〈檜風‧羔裘〉「羔裘翱翔」,鄭

---

102 吳則虞:《晏子春秋集釋》,卷8,頁514。王念孫《讀書雜志‧晏子春秋弟二》:「案:『足游浮雲』上,原有『鵬』字,自『足游浮雲』以下六句,皆指鵬而言,今本脫去『鵬』字,則不知為何物矣。《太平御覽‧羽族部》十四『鵬』下引此作『鵬足游浮雲』云云,則有『鵬』字明矣。」(頁1422)獻案:有「鵬」字語意始完,王說是也。

103 《毛詩正義》,卷5之2,頁13上。

《箋》:「翱翔猶逍遙也。」（卷7之2，頁5上）《莊子‧逍遙遊》:「斥鴳笑之曰:『彼且奚適也？我騰躍而上，不過數仞而下，翱翔蓬蒿之間，此亦飛之至也。而彼且奚適也？』」（卷1上，頁14）《莊子》本用以形容斥鴳之飛，此變而用以形容鳳鳥之飛。又《國策‧楚策四》莊辛曰:「王獨不見夫蜻蛉乎？六足四翼，飛翔乎天地之間。」（卷17，頁871）

杳，《新序》、《春秋後語》、《長短經》並作「窈」，杳、窈通。《元刊殘存本》作「香」，蓋「杳」之形誤。杳冥，深遠貌，此用以形容鳳鳥高飛之高遠難見。

鷃，同鴳，鶉也。《莊子‧逍遙遊‧釋文》:「（鴳）字亦作『鷃』。司馬云:『鴳，鴳雀也。』」（卷26，〈莊子音義上〉，頁3上）蕃，《何評本》、《春秋後語》並作「藩」，《烏石山房本》作「籓」。蕃，藩古今字。籓，借為藩。《說文通訓定聲》:「籓，段借為藩。」[104] 或涉籬字而訛為「籓」。籬，當借為「蘺」，蕃蘺，蓬蒿之屬，猶《莊子‧逍遙遊》之「蓬蒿」也（卷1上，頁14）。《新序》作「糞田」，「糞」乃「蕃」之誤。「蕃」籀文作「𦬊」，[105] 作「糞」蓋以「𦬊」字少見而誤也。

豈猶安、何也。料、量互文，謂量度也。《新序》作「斷」，蓋「斷」俗作「断」，「料」、「断」形近而訛，後遂易為「斷」也。盧文弨疑當作「𢇍」，「𢇍」乃絕之古文，《說文》十三篇上「糸部」:「𢇍，古文絕，象不連體，絕二絲。」（頁5下）盧氏蓋不曉「斷」乃「料」之訛，遂有是說。盧氏又謂《文選》作

---

104 〔清〕朱駿聲:《說文通訓定聲》（臺北:藝文印書館，1966年），〈乾部弟十四〉，頁97下。

105 《說文解字》1篇下「蕃」字段玉裁《注》，頁52下。

「斷」，考今本《文選》無作「斷」者，蓋盧氏所見有如此作者。作「斷」正可為「料」訛「斷」再易為「斷」之證。

宋玉謂鳳鳥高飛，陵越九千里高空，超越雲霓，背負青天，逍遙於高遠不可測之高空，騰躍於蓬蒿間之鷃雀安足以與之量度天地之高哉？

余蕭客《文選紀聞》卷二十五引孔平仲〈雜說四〉云：「宋玉賦：『豈能與之料天地之高哉。』天言高可也，地言高不可。……」（頁3上）「天地」乃偏義複詞，孔說泥矣。

鯤魚朝發崑崙之墟，暴鬐於碣石，暮宿於孟諸，夫尺澤之鯢，豈能與之量江海之大哉！

五臣劉良《注》：「崑崙山，黃河之源出焉。墟，山根也。暴，露也。鬐，魚之鬐鬣也。」（卷45，頁2上）

又云：「孟諸，大澤名。鯢，小魚名。」（同上）

李善《注》：「《爾雅》（〈釋水〉）曰：『河出崑崙墟，色白。』郭璞曰：『墟，山下基也。』」（卷45，頁2上）

又云：「孔安國《尚書傳》曰：『碣石，海畔山。』」（同上）

又云：「尺澤，言小也。」（同上，頁2下）

案：鯤，《新序》、《春秋後語》、《長短經》、《御覽》九三六引宋玉〈對問〉並作「鯨」，說已詳上。

墟，《新序》作「虛」，虛、墟古今字。崑崙，古崑崙山，《史記・大宛列傳》、《說文》、《山海經》、《水經》並云其為黃河發源處。

暴，乃暴之隸變，《說文》七篇上「日部」：「暴，晞也。」（頁11

下）暴之本義為曬米，引申凡暴物於日皆謂之暴，經典中多作
「暴」，俗加日作曝。鬐，《儀禮・士虞禮》「魚進鬐」，鄭
《注》：「鬐，脊。」[106]《文選》卷十二木華〈海賦〉「鬐鬣刺
天」，李善《注》：「郭璞〈上林賦注〉曰：『鰭，魚背上鬣
也。』」（頁7上）今通作鰭。碣石，《御覽》九三六引宋玉〈對
問〉作「碣石」，蓋形近而誤（頁3上）。《說文》九篇下「石
部」：「碣，……東海有碣石山。」（頁25上）碣石山地望，古今
說法不一，宋玉〈對問〉蓋寓言耳，茲不詳考。

暮，《御覽》九三六引宋玉〈對問〉作「夕」（頁3上）。孟諸，古
澤藪名，〈禹貢〉作孟豬。[107]《春秋後語》、《長短經》作「孟
津」，蓋以「孟津」習見而誤。

尺澤猶言小澤。陸德明《經典釋文・莊子音義上》：「斥如字，司
馬云：『小澤也。』本亦作『尺』，《崔本》同。簡文云：『作
「尺」非。』」（卷26，頁3上）王念孫《廣雅疏證》卷九下〈釋
地〉「斥，池也」條云：「《淮南子・精神訓》：『鳳皇不能與之
儷，而況尺鷃乎？』《新序・雜事篇》：『尺澤之鯢，豈能與之量
江海之大？』尺竝與斥同。鷃在斥中，故曰斥鷃。作尺者假借字
耳。《文選・七啟・注》引許慎云：『鷃雀飛不過一尺。』失
之。」[108]鯢，本有大魚、[109]小魚二義，此指小魚。《莊子・外物
篇》「守鯢鮒」，《釋文》：「李云：『鯢、鮒，皆小魚也。』」（卷

---

106 《儀禮注疏》，卷42，頁17下。
107 《尚書正義》，卷6，頁17下。
108 〔清〕王念孫撰：《廣雅疏證》，《續修四庫全書》（上海：上海古籍出版社影印清
　　嘉慶元年〔1796〕刻本，2002年），經部第191冊，卷9下，頁2下-3上。
109 見上「鳥有鳳而魚有鯤」下引王念孫〈釋大〉說及《廣雅疏證》卷十下「鮞，鯢
　　也」條（頁22上）。

28，〈莊子音義下〉，頁14下）

量、料互文，說詳上。江海，《春秋後語》作「江漢」，誤。鯤游
於海中，江漢不足以容其身，江漢亦不足以形其大也。「豈能與
之量江海之大哉」，《春秋後語》、《長短經》、《御覽》九三六引宋
玉〈對問〉並無上「之」字。

宋玉又以魚為譬，謂鯤魚朝發於崑崙之山，游至碣石山而曝其脊
鰭，暮宿於孟諸之澤；尺澤之小鯢，焉能與之量度江海之大哉！
借之以形容小者之不足以知大，以言世俗之人不知其大志也。

以上二事蓋本之《莊子‧逍遙遊》：「窮髮之北有冥海者，天池
也。有魚焉，其廣數千里，未有知其修者，其名為鯤。有鳥焉，
其名為鵬，背若太山，翼若垂天之雲，摶扶搖羊角而上者九萬
里，絕雲氣，負青天，然後圖南，且適南冥也。斥鴳笑之曰：
『彼且奚適也？我騰躍而上，不過數仞而下，翱翔蓬蒿之間，此
亦飛之至也。而彼且奚適也？』此小大之辯也。」（卷1上，頁
14）

故非獨鳥有鳳而魚有鯤也，士亦有之。

　　五臣李周翰《注》：「言亦有大才不可識知者。」（卷45，頁2上）

　　〔清〕胡克家《文選考異》卷八：「《袁本》、《茶陵本》云：
　　『「鯤」，善作「鱗」。』案：所見傳寫誤。尤校改正之也。」
　　（頁7上）

　　〔清〕梁章鉅《文選旁證》卷三十七：「『而魚有鯤也』，《六臣
　　本》『鯤』作『鱗』，此傳寫誤。」（頁2上）

案：鯤，《新序》、《春秋後語》、《長短經》並作「鯨」，《李善本》作「鱗」，說並詳上「夫鳥有鳳而魚有鯤」條。又，《春秋後語》、《長短經》並無「也」字。

宋玉先借歌為喻，言品高，故不合於俗；又借物為喻，言行高，故俗無以知；至此引入正旨，謂己品高、行高，此其所以士民眾庶不譽之甚也。

夫聖人瑰意琦行，超然獨處；夫世俗之民，又安知臣之所為哉！」

五臣呂向《注》：「瑰，大也；琦，美也。」（卷45，頁2上）

又云：「玉自言其才，俗人所不知。」（同上）

〔清〕盧文弨《羣書拾補》「新序卷第一」：「『夫聖人瑰意奇行』，《文選》作『琦』。」（頁2下）

〔清〕梁章鉅《文選旁證》卷三十七：「『世俗之民』，《六臣本》『世』上有『夫』字。」（頁2上）

案：《胡刻本》「世俗」上有「夫」字，《長短經》同。《新序》、《五臣本》、《何評本》、《烏石山房本》、《全上古三代文》並無「夫」字。夫猶彼也；唯此疑涉上「夫」字而衍。

瑰，偉也。琦，《新序》作「奇」，奇、琦通。《荀子·非十二子》「好治怪說，玩琦辭」，楊倞《注》：「琦，讀為奇異之奇。」[110] 瑰意琦行，謂思想行為異於凡俗，對前文裏王「遺行」之問而言，「瑰意琦行」，於世人眼中正為「遺行」也。《長短經》作

---

110 〔清〕王先謙：《荀子集解》，卷3，頁93。

「瑰琦意行」,「琦意」二字蓋誤倒。

超然,謂超出世俗之外;獨處,謂卓然特立,不與世俗同流。《淮南子‧脩務》:「超然獨立,卓然離世。」(卷19,頁647)

世俗之民,指前文之「士民眾庶」也。

安猶焉、豈。

此宋玉答楚王,謂己之不譽乃因世俗之人不能知也,謂聖人之思想行為超乎凡俗,卓然獨立,固無法見知於世俗;世俗之人又焉能知玉之所為哉!

(原載《臺大中文學報》,第6期〔1994年6月〕,頁171-208)

拾貳 〈五柳先生傳并贊〉箋證稿

一 例言

一、南宋蔡啟《蔡寬夫詩話》「陶詩異文」條云：「《淵明集》，世既多本，校之不勝其異。有一字而數十字不同者，不可概舉。」[1]可見《陶集》各本文字互異之一斑。唯〈五柳先生傳〉異文較少，故本稿僅以宋紹熙三年曾集刻本為底本（以下簡稱《曾本》），[2]而輔以宋巾箱本李公煥《箋注陶淵明集》（以下簡稱《李公煥本》）、[3]清陶澍注《靖節先生集》，[4]並參酌《宋書》、《晉書》、《南史》三書之〈隱逸‧陶潛傳〉、蕭統〈陶淵明傳〉[5]及《藝文類聚》（卷八十九〈木部下〉節錄〈五柳先生傳〉）、[6]《太平御覽》（卷四八五〈人事部〉「貧下」、卷五百四「逸民部四」節錄《宋書‧五柳先生傳》）[7]加以讐校；他如明張

1　郭紹虞輯：《宋詩話輯佚》（臺北：華正書局，1981年），頁380。

2　〔晉〕陶潛撰，〔宋〕曾集輯：《陶淵明雜文》，《續修四庫全書》（上海：上海古籍出版社影印宋紹熙三年〔1192〕刻本，2002年），集部第1304冊，頁57上-58上。

3　〔晉〕陶潛撰，〔宋〕李公煥箋：《箋注陶淵明集》（臺灣：臺灣商務印書館《四部叢刊正編》影印宋刊巾箱本，1979年），卷5，頁9下-10上。

4　〔清〕陶澍注，戚煥塤校：《靖節先生集》（臺北：華正書局影印1956年古籍刊行社排印本，1975年），卷之6，頁12-13。

5　〔南朝梁〕蕭統：〈陶淵明傳〉，收入〔晉〕陶潛撰，〔宋〕李公煥箋：《箋注陶淵明集》，卷10，頁13下-17上。

6　〔唐〕歐陽詢撰，汪紹楹校：《藝文類聚》（上海：上海古籍出版社，1982年），卷89，頁1530。

7　〔宋〕李昉等撰：《太平御覽》，卷485，頁1下-2上；卷504，頁1下-2上。

溥《漢魏六朝百三家集》之《陶彭澤集》、[8]《四庫全書》本《陶淵明集》（實即《李公煥本》之清寫本）、近賢逯欽立《陶淵明集》、[9]楊勇《陶淵明集校箋》[10]等亦併加參證。

　　二、本稿體例略依王師叔岷《陶淵明詩箋證稿》：[11]先引前人之說，再加箋證。

　　三、本稿除探尋〈五柳先生傳〉之字、詞根源，文例、體裁所自出外，並引證淵明詩文，以陶解陶。

　　四、本稿所引陶淵明詩文，概據《李公煥本》。為免歧見，於前賢所疑之〈五孝傳〉、〈四八目〉（或稱〈聖賢羣輔錄〉），概不引證。

　　五、為免繁瑣，本稿引書僅於初次引用時註明版本，再次徵引則皆僅標明卷數、頁碼，讀者查之。

　　六、本稿多參用王師叔岷《陶淵明詩箋證稿》，不一一標注，謹此說明。

二　〈五柳先生傳并贊〉箋證

五柳先生傳

　　清張廷玉云：「余二十歲時讀陶淵明〈五柳先生傳〉，以為此後人代作，非先生手筆也。蓋篇中『不慕榮利』、『忘懷得失』、『不戚戚於貧賤，不汲汲於富貴』諸語，大有痕跡，恐夭懷曠

8　〔明〕張溥編：《漢魏六朝百三家集》，臺北：新興書局，1963年。

9　逯欽立：《陶淵明集》，臺北：里仁書局，1979年。

10　楊勇：《陶淵集明校箋》，香港：吳興記書局，1971年。

11　王叔岷先生：《陶淵明詩箋證稿》，臺北：藝文印書館，1975年。

遠者不為此等語也。此雖少年狂肆之談，迄今思之，亦未必全非。」[12]

案：此余所寓目，唯一主張〈五柳先生傳〉係偽作者。〈五柳〉一文，雖誠如張氏所言，不免偶落痕跡：試將陶公〈飲酒〉二十首之五：「採菊東籬下，悠然見南山。山氣日夕佳，飛鳥相與還；此中有真意，欲辯已忘言」及〈讀山海經〉十三首之一：「孟夏草木長，遶屋樹扶疎。眾鳥欣有托，吾亦愛吾廬。既耕亦已種，時還讀我書。……微雨從東來，好風與之俱。……俯仰終宇宙，不樂復何如」等細加吟翫，再與〈五柳先生傳〉所述之意境詳加推比，即知張廷玉「大有痕跡」之說非屬無稽。然不妨其為陶公自況之作；觀其以塊然自足之襟懷，肯定自我真宰；又能擺落外在羈縻，契入存在真諦，凡此皆與陶公思想冥契。且文筆省淨簡鍊，典實樸質，亦與陶公詩文一貫特色密合，[13]實天地間第一等文字，無由疑其非出淵明手也。再者陶公其他詩文亦有如張氏所言之「大有痕跡」者在，豈此類作品皆非出淵明手筆邪？且沈約撰《宋書·隱逸》，僅在陶公卒後數十年，〈五柳傳〉若屬贗品，休文似無不知之理（參注18）；而與淵明交情深篤之顏延之，於陶公卒後，為作〈陶徵士誄〉，[14]復多採〈五柳傳〉入文，顏氏必見及〈五柳傳〉無疑：故張氏偽作之說，恐不免「狂肆」之疑。

〈五柳先生傳〉寫作年代向有二說：

12　〔清〕張廷玉：《澄懷園語》，《叢書集成續編》，社會科學類第60冊，卷1，頁17下。

13　鍾嶸《詩品》中品「宋徵士陶潛詩」條：「文體省淨，殆無長語。篤意真古，辭興婉愜。」見王叔岷先生：《鍾嶸詩品箋證稿》（臺北：中央研究院中國文哲研究所，1992年），卷中，頁260。

14　見《文選》，卷57，頁15上-20上。

一、陶公少作；

二、靖節晚年不屈宋祚手筆。

清林雲銘謂此文「暗寓不仕宋意」，[15]吳楚材、吳調侯謂「淵明以
彭澤令辭歸；後劉裕移晉祚，恥不復仕，號五柳先生，此傳乃自
述其生平之行也」；[16]並以為陶公晚年不仕典午，用明心跡之作。
逯欽立先生據林、吳之說，並謂陶公無酒可飲乃五十一至五十七
歲時事，遂繫之於淵明五十六歲。[17]然陶公自少家貧，平時恐未
必皆得飽酣；五十一至五十六歲，六年之間，也未必全然無酒可
飲，逯說未免拘泥。沈約《宋書·隱逸·陶潛傳》（以下簡稱
〈宋傳〉）云：「潛少有高趣，嘗著〈五柳先生傳〉以自況。……
其自序如此，時人謂之實錄。親老家貧，起為州祭酒。」[18]蕭統
〈陶淵明傳〉（以下簡稱〈蕭傳〉）、令狐德棻等《晉書·隱逸
上·陶潛傳》（以下簡稱〈晉傳〉）、李延壽《南史·隱逸上·陶
潛傳》（以下簡稱〈南傳〉）等除敘述文字稍異外，並同〈宋
傳〉。[19]今賢王瑤、[20]楊勇[21]並據此定〈五柳先生傳〉為陶公二十
八歲所作。王、楊二氏蓋以為史傳敘事概依時間先後為序，故定

---

15 林雲銘《古文析義合編》：「贊末『無懷、葛天』二句，即夷齊、神農、虞夏之思。
  暗寓不仕宋意。」見〔清〕林雲銘：《古文析義合編》（臺北：廣文書局影印宣統己
  酉〔1909〕刊本，1981年），二編，卷5，頁23下。

16 〔清〕王文濡校勘：《精校評註古文觀止》，卷7，頁10。

17 說見逯欽立：〈陶淵明事跡詩文繫年〉，見氏著：《陶淵明集》，〈附錄〉，頁287。

18 《宋書》，卷93，頁2286-2287。

19 或謂〈晉傳〉、〈南傳〉蓋承〈宋傳〉、〈蕭傳〉立論。史傳確有此情，然沈約（441-
  513）撰作《宋書》時，距陶公之卒（427）僅數十年，蕭統（501-531）與淵明相隔
  亦僅百年左右，二傳所載淵明事應非無據。

20 《魏晉南北朝文學史參考資料》（臺北：里仁書局，1992年）引，頁437。

21 楊勇：《陶淵明集校箋》，卷6，頁414-415。

此文為淵明任州祭酒前所作。[22]然史傳敘事，未必全依時間順序。〈宋傳〉先引〈五柳先生傳〉以見陶公之為人，[23]然後敘其生平事跡以證，似非以此〈傳〉為陶公任州祭酒前之作；且〈傳〉末謂「常著文章自娛，頗示己志」，收句又謂「以此自終」，似亦非少年時口吻。故此傳雖未必為靖節不屈宋祚而作，如林雲銘等所以為者，亦未必為陶公少年之作。

後世仿效陶公〈五柳先生傳〉而自作傳者，有唐白居易〈醉吟先生傳〉、[24]明周履靖〈梅顛道人傳〉[25]等；近人繆艮〈葉子先生傳〉[26]則仿〈五柳傳〉而故唱反調之遊戲文章。

先生不知何許人也，

　　周雲青〈箋注蕭統陶淵明傳〉[27]云：「《文選》謝玄暉〈在郡臥病〉詩[28]『良辰竟何許』，李善《注》：『何許，猶何所也。』」

案：王充《論衡‧道虛》：「〔漢〕武帝之時有李少君，……少君匿其年及其所長，……人聞其能使物及不老，更饋遺之，常餘錢金衣

22　陶公任州祭酒在晉武帝太元十八年（393），時年二十九。此採陶公六十三歲（365-427）說。

23　〈蕭傳〉、〈晉傳〉、〈南傳〉並承之。

24　〔唐〕白居易著，朱金城箋校：《白居易集箋校》，卷70，頁3782-3783。

25　〔明〕周履靖：《五柳賡歌》（臺北：藝文印書館《百部叢書集成》影印《夷門廣牘》本，1968年），卷4，頁54上-55上。

26　繆艮：〈葉子先生傳〉，《文章游戲二編》，轉引自郭紹虞：《學文示例》（臺北：臺灣開明書局，1969年），頁175。

27　以下簡稱「周〈箋注〉」，見丁仲祜：《陶淵明詩箋注》（臺北：藝文印書館影印民國十六年〔1927〕醫學書局排印本，1960年），〈附錄〉，頁2上。

28　《文選》題作〈在郡臥病呈沈尚書〉（卷26，頁8上）。

食。人皆以為不治產業〔而〕饒給，又不知其何許人，愈爭事
之。」[29]《史記・孝武本紀》、[30]《漢書・郊祀志上》、[31]《通鑑》
卷十八〈漢紀十〉「何許」並作「何所」。[32]阮籍〈詠懷詩〉之十
一：「良辰在何許。」[33]陶公〈讀山海經〉十三首之四：「丹木生
何許。」《列仙傳》：「主柱者，不知何所人也。」[34]「何許」即
「何所」，即今「何處」之意。

《藝文類聚》卷八十九〈木部下〉「楊柳」條引此無「也」字
（頁1530），〈宋傳〉、〈晉傳〉、〈南傳〉、《太平御覽》卷五百四引
並同。人下當有「也」字。「不知何許人也」乃古書常用句法，
如《後漢書・逸民傳》於「野王二老」、[35]「漢陰老父」（卷83，
頁2775），並云「不知何許人也」，即其例；而尤為《高士傳》[36]
所習用，如卷上之「石戶之農」、「商容」、「榮啟期」、「長沮、桀
溺」、「荷篠丈人」，卷中之「老商氏」，卷下之「東海隱者」、「漢
濱老父」諸條，並云「不知何許人也」。[37]陶公心慕高士，《高士

---

29 黃暉撰：《論衡校釋》（北京：中華書局，1990年），卷7，329-330。

30 《史記會注考證》，卷12，頁6。

31 《漢書補注》，卷25上，頁1700。

32 〔宋〕司馬光撰，〔元〕胡三省音注，標點資治通鑑小組校點：《資治通鑑》（臺
北：華世出版社影印北京中華書局本，1987年），卷18，頁579。

33 〔魏〕阮籍：《阮嗣宗集》（臺北：華正書局，1979年），卷7，頁88。

34 〔漢〕劉向：《列仙傳》（臺北：臺灣商務印書館影印明刊本《古今逸史》，1969
年），卷下，頁3下。

35 〔南朝宋〕范曄：《後漢書》，卷83，頁2758。

36 《高士傳》，〔晉〕皇甫謐撰；〔三國魏〕嵇康亦撰有《高士傳》（戴明揚有嵇康〈聖
賢高士傳贊〉輯本，見〔三國魏〕嵇康著，戴明揚校注：《嵇康集校注》〔臺北：河
洛圖書出版社，1978年〕，〈附錄〉，頁397-398）。皇甫謐蓋據嵇書增益而成。

37 分見〔晉〕皇甫謐：《高士傳》（臺北：臺灣商務印書館影印明刊本《古今逸史》，
1969年），卷上，頁6下、9下、13上、14上、15上；卷中，頁2下；卷下，頁3上、
10上。

傳》必所耽讀，此由〈五柳傳〉之體裁、句例與《高士傳》近似可證。此句，陶公蓋亦承《高士傳》句例。類書引書本多有刪節原書語詞之例；《論衡・道虛》雖亦無「也」字，然與〈五柳傳〉之「不知何許人也」位置不同，褒貶亦殊，故《論衡》之無「也」字，未足證明〈五柳傳〉本無「也」字；〈蕭傳〉正有「也」字。

或解「何許」為「何等樣」，恐非古義。「何許」乃指地望，非指為人，陶公自謂不以地傳也。下文即自云其為人，安得謂不知其為何等樣人耶？且前文指明陶公此句實襲《高士傳》，而《高士傳》於某人名號下概敘明其籍貫；唯前舉「不知何許人也」諸人，並無地望，亦其證。又《類聚》引「先生」上有「五柳」二字，蓋兼傳題引之，類書引書多如此。

亦不詳其姓字；

〈蕭傳〉有「亦」無「其」。（卷10，頁14上）

周〈箋注〉作「不詳（姓字）」，云：「一作『亦不詳（姓字）』。」（頁2上）

陶澍《靖節先生集》（以下簡稱陶《注》）：「《何〔孟春〕本》云：『一無「其」字。』」[38]

案：〈宋傳〉、〈晉傳〉、〈南傳〉、《御覽》卷五百四引並無「亦」、「其」。〈蕭傳〉有「亦」無「其」，與《類聚》卷八十九引合。當有「亦」、「其」二字，此猶上引《論衡・道虛》「又不知其何

---

38 〔清〕陶澍注，戚煥塤校：《靖節先生集》，卷之6，頁12。

許人」,「又」即「亦」。「其」,指示代名詞,指五柳先生;且有
「其」字,於文章聲調之迴轉亦較為調順。

此句承上「不知何許人也」,謂非唯不知其籍貫,亦且不詳其姓
字。「姓字」謂姓名命字。[39]《後漢書·班彪列傳上》載彪論《史
記》,有云:「若序司馬相如,舉郡縣,著其字;至蕭、曹、陳平
之屬,及董仲舒並時之人,不記其字,或縣而不郡者,蓋不暇
也。」(卷40上,頁1327)班叔皮所稱之郡、縣,即〈五柳傳〉
所稱之「何許」;「字」即「姓字」之「字」。陶公非唯不著郡、
縣、字,亦且不著姓名,真不欲以「地」、以「名」傳者矣。清
毛慶蕃云:「無鄉人之心,故不知何許人;無求名之心,故不詳
其姓字。」[40]謂陶公「無鄉人之心」,固嫌小視靖節;稱其「無求
名之心」,則確乎不移。蓋魏晉南北朝特重門閥,淵明曾祖陶
侃,因出身寒微,屢為名門大族所鄙視,雖軍功赫赫,社會地位
卻未受肯定,甚且受斥為「溪狗」,[41]可知郡望、名字似可恃而實
不可恃。常人多流為籍貫、名號之奴隸,受其擺弄而不自知;陶
公欲破執妄,故云「不知何許人也」,又云「亦不詳其姓字」。

---

39 古人命字皆與「名」有關,如「淵明」與「潛」即其比。陶公謂「不詳姓字」,乃
不以世俗之名、字傳世之意,與下文之號「五柳」不同。

40 毛慶蕃評選:《古文學餘》,卷26,轉引自《陶淵明詩文彙評》(臺北:明倫出版
社,1972年),頁366。

41 《世說新語·容止》:「石頭事故,朝廷傾覆。溫忠武(溫嶠)與庾文康(庾亮)投
陶公(陶侃)求救。陶公云:『肅祖顧命不及見,且蘇峻作亂,釁由諸庾,誅其兄
弟,不足以謝天下!』于時庾在溫船後,聞之,憂怖無計。別日,溫勸庾見陶,庾
猶豫未能往,溫曰:『溪狗我所悉,卿但見之,必無憂也!』庾風姿神貌,陶一見
便改觀。談宴竟日,愛重頓至。」見余嘉錫:《世說新語箋疏》(臺北:華正書局,
1984年),卷14,頁616-617。並參《晉書·陶侃傳》(卷66,頁1774-1775)、陳寅恪
先生:〈魏書司馬叡傳江東民族條釋證及推論〉,《金明館叢稿初編》,《陳寅恪先生
文集(一)》(臺北:里仁書局,1981年),頁69-106。

宅邊有五柳樹，因以為號焉。

《曾本》云：「一無『樹』字。」（頁57下）

李公煥箋注〈陶淵明傳〉：「一本無『樹』字。」（頁14上）

周〈箋注〉：「一無『樹』字。」（頁2上）

吳士鑑、劉承幹《晉書・隱逸・陶潛傳》《斠注》（以下簡稱〈晉傳〉《斠注》）：「《御覽》一百八十《郡國志》曰：『潯陽郡溢城亭有陶潛宅。』《寰宇記》百十一曰：『陶公舊宅在江西南五十里柴桑山。唐白居易有〈訪陶公舊宅〉詩。』」[42]

案：陶公舊宅在江西潯陽柴桑，前賢論之已夥，茲不贅。

《類聚》卷八十九引此無「樹」、「焉」二字。柳本木名，不煩疊「樹」字，「樹」字蓋後人之注誤入正文。「焉」字諸本並有，《類聚》蓋以其為語詞而略之邪？

陶公以「柳」為號，蓋因心慕柳下惠為人：《淮南子・說林》高誘《注》：「柳下惠，魯大夫展無駭之子，名獲，字禽。家有大柳樹，惠德，因號柳下惠。」[43]陶公〈飲酒〉二十首之十八云：「有時不肯言，豈不在伐國？仁者用其心，何嘗失顯默！」「仁者」即指柳下惠。《漢書・董仲舒傳》云：「昔者魯君問柳下惠：『吾欲伐齊，何如？』柳下惠曰：『不可。』歸而有憂色，曰：『吾聞伐國不問仁人；此言何為至於我哉？』」（卷56，頁4052）陶澍於〈飲酒〉下注云：「伐國不對，實希風于柳下。」謂陶公詠柳

---

42 〔唐〕房玄齡等著，吳士鑑、劉承幹斠注：《晉書斠注》（臺北：藝文印書館影刻本，1975年），卷94，頁48下。

43 劉文典：《淮南鴻烈集解》，卷17，頁570。

下,即以自詠。陶說是也。《文選》卷五十七顏延年〈陶徵士
誄〉云:「黔婁既沒,展禽亦逝,其在先生,同塵往世。」(卷
57,頁20上)顏延之知陶公甚深,其於誄文中以展禽比陶公,亦
可為陶公乃心慕柳下惠,遂以五柳為號之旁證。

葛洪《抱朴子·自敘》云:「洪期於守常,不隨世變;言則率
實,杜絕嘲戲,不得其人,終日默然:故邦人咸稱之為抱朴之
士。是以洪著書,因以自號焉。」[44]陶公此句蓋襲自葛稚川。相
對於人之內在,「五柳」亦外在「名號」;然人欲群居,勢需名
號。故陶公於破除迷執之「地」、「名」後,又不得不以一符號為
代表,以資識別。陶公〈擬古〉九首之一云:「榮榮牕下蘭,密
密堂前柳」,是陶公宅邊確有柳樹,遂以柳為號焉。唯此一「名
號」,係出自我意識,可用以建立個性,發展自我,與前述世人
所重「名號」之缺乏自主性、偏執迷妄不同。[45]

閑靖少言,不慕榮利。

周〈箋注〉:「『閒』通作『閑』。《楚辭·招魂·注》:『閒,靜
也。』《文選·魯靈光殿賦·注》:『閒,清閒也。』」(頁2上)

案:《曾本》、《李公煥本》、〈宋傳〉、〈蕭傳〉、〈晉傳〉、〈南傳〉、《漢
魏六朝百三家集本》、《御覽》卷五百四亦並作「閑」。閑、閒古
通。《說文》十二篇上「門部」「閑」字段玉裁《注》:「古多借為
『清閒』字。」(頁12下)同上,「閒」字段《注》:「閒,稍暇

---

44 〔晉〕葛洪撰,楊明照校箋:《抱朴子外篇校箋》(北京:中華書局,1991年),卷
   50,頁663。

45 說參齊師益壽:〈五柳先生傳注〉,《古今文選》新313期(臺北:國語日報社,1974
   年1月25日),頁2。

也，故曰閒暇。」（頁12上）《漢書·鄒陽傳》「乘閒而請」，顏師古《注》：「閒，謂空隙無事之時。」（卷51，頁3824）

陶公喜用「閑」字：如〈停雲〉二章：「閑飲東牕」、〈時運〉三章：「閑詠以歸」、「九日閑居」序：「余閑居」、〈歸園田居〉五首之一：「虛室有餘閑」、〈遊斜川〉序：「風物閑美」、詩：「閑谷矯鳴鷗」、〈示周祖謝三郎〉：「藥石有時閑」、〈答龐參軍〉：「閑飲自歡然」、〈移居〉二首之二：「閑暇輒相思」、〈和郭主簿〉二首之一：「息交遊閑業」、〈和胡西曹示顧賊曹〉：「閑雨紛微微」、〈辛丑歲七月赴假還江陵夜行塗口〉：「閑居三十載」、〈戊申歲六月中遇火〉：「靈府長獨閑」、〈丙辰歲八月中於下潠田舍穫〉：「猿聲閑且哀」、〈飲酒〉序：「閑居寡歡」、〈飲酒〉二十首之十：「息駕歸閑居」、〈止酒〉：「逍遙自閑止」、〈述酒〉：「閑居離世紛」、〈雜詩〉十二首之十：「閑居執蕩志」、〈詠貧士〉七首之二：「閑居非陳厄」、〈扇上畫贊〉：「稱疾閑居」、〈與子儼等疏〉：「偶愛閑靜」、〈自祭文〉：「心有常閑」，皆其例。

《曾本》、《李公煥本》、《陶澍注本》、《百三家集本》並作「靖」，餘本作「靜」。《說文》十篇下「立部」：「靖，立竫也。」段《注》：「謂立容安竫也。」（頁20下）同上：「竫，亭安也。」段《注》：「凡安靜字宜作『竫』，『靜』其叚借字，靜者審也。」（頁20下）又五篇下「青部」：「靜，案（審）也。」段《注》：「采色詳案得其宜謂之靜。……安靜本字當从立部之竫。」（頁1下）段氏之說精審謹嚴，「靜」本無安靜義，惟借為安靜義耳。

陶公亦喜用「靜」字：〈停雲〉首章：「靜寄東軒」、〈時運〉三章：「我愛其靜」、〈榮木〉首章：「靜言孔念」、〈庚子歲五月中從

都還阻風於規林〉二首之二:「靜念園林好」、〈丙辰歲八月中於下潠田舍穫〉:「悲風愛靜夜」、〈雜詩〉十二首之二:「終曉不能靜」、〈感士不遇賦〉序:「抱朴守靜」、〈與子儼等疏〉:「偶愛閑靜」:皆其比。

「閑靖」即「閒靜」,謂恬靜寡慾。《淮南子‧本經》:「太清之始也,和順以寂漠,質直而素樸,閑靜而不躁,推而無故。」高誘《注》:「閑靜,言無欲也。」(卷8,頁244)

少言,謂不多言也。上條曾引《抱朴子‧自敘》,葛洪自謂「不得其人,終日默然」,陶公蓋亦有類於稚川,於熱衷榮利之俗人及非知己者,固不願多與之言。〈讀山海經〉十三首之二:「高酣發新謠,寧效俗中言」、〈飲酒〉二十首之十二:「去去當奚道,世俗久相欺;擺落悠悠談,請從余所之」:並不欲與俗人多言之意。〈歸園田居〉五首之二:「時復墟曲中,披草共來往;相見無雜言,但道桑麻長」、〈飲酒〉二十首之十三:「醉醒還相笑,發言各不領」、又之十六:「孟公不在茲,終以翳吾情」、〈雜詩〉十二首之二:「欲言無予和,揮杯勸孤影」:則並歎無知己可抒衷情也。顏延之〈陶徵士誄〉序云:「在眾不失其寡,處言愈見其默」(卷57,頁16上),即陶公「閑靖少言」之寫照。

《抱朴子》外篇〈自敘〉:「榮位勢利,譬如寄客,既非常物,又其去不可得留也。隆隆者絕,赫赫者滅,有若春華,須臾凋落。得之不喜,失之安悲!」(卷50,頁690)陶公本性恬淡,自足於內,故不慕虛名浮利。其仕為彭澤令,八十有三日即解印綬賦〈歸去來〉,即「不慕榮利」之驗。陶公詩文亦屢見不慕榮利之意者:〈辛丑歲七月赴假江陵夜行塗口〉:「商歌非吾事,依依在耦耕。投冠旋舊墟,不為好爵縈」、〈戊申歲六月中遇火〉:「草廬

寄窮巷，甘以辭華軒」、〈擬古〉九首之四：「榮華誠足貴，亦復可憐傷」、〈詠貧士〉七首之四：「好爵吾不榮，厚饋吾不酬」、又之六：「介焉安其業，所樂非窮通」、〈詠二疎〉：「餘榮何足顧」、〈感士不遇賦〉：「甘貧賤以辭榮」、又：「既軒冕之非榮，豈縕袍之為恥」、〈歸去來兮辭〉：「富貴非吾願」、〈自祭文〉：「寵非己榮，涅豈吾緇」：並其驗。白樂天〈訪陶公舊宅〉有云：「不慕樽有酒，不慕琴無絃；慕君遺榮利，老死此丘園。」（卷7，頁362）陶公以不慕榮利之高操自持，故能隱居柴桑，樂志園田，守拙躬耕，不求聞達，以此自終，為人仰止。

好讀書，不求甚解；每有會意，便欣然忘食。

　　周〈箋注〉：「會意，猶言會心，謂領悟也。」（頁2上）

　　又云：「忘食，謂心專一事，至於忘食也。《論語》〔〈述而〉〕：『發憤忘食，樂以忘憂。』」（同上）

案：〈宋傳〉、〈蕭傳〉、〈晉傳〉、〈南傳〉並無「便」字。有「便」字，語意較完；〈與子儼等疏〉：「開卷有得，便欣然忘食。」亦有「便」字。

陶公一生好琴、書與酒。顏延之〈陶徵士誄·序〉謂陶公「心好異書」（卷57，頁17上）；實則靖節非僅好書，尤非僅好異書。[46] 陶公之「好讀書」屢屢見諸詩文：〈答龐參軍〉首章：「衡門之

---

46 據王師叔岷〈談「好讀書不求甚解」〉（收入《慕廬演講稿》〔臺北：藝文印書館，1981年〕，頁75-91）。陶公所讀異書包括：《山海經》、《穆天子傳》、《燕丹子》、劉向《列仙傳》及緯書等；而陶公詩文中多用經、傳、子、史等純正之書，依次為：化用《詩經》一百四十次，《莊子》一百三十五次，《論語》六十七次，其餘《楚辭》、《史記》、《漢書》亦常用及（頁80）。

下，有琴有書」、〈和郭主簿〉二首之一：「息交遊閑業，臥起弄
書琴」、〈贈羊長史〉：「得知千載外，正賴古人書」、〈始作鎮軍參
軍經曲阿〉：「弱齡寄事外，委懷在琴書」、〈辛丑歲七月赴假江陵
夜行塗口〉：「詩書敦宿好」、〈癸卯歲十二月中作與從弟敬遠〉：
「歷覽千載書」、〈飲酒〉二十首之十六：「少年罕人事，游好在
《六經》」、〈讀山海經〉十三首之一：「既耕亦已種，時還讀我
書」、〈歸去來兮辭〉：「樂琴、書以消憂」、〈扇上畫贊〉：「曰琴曰
書，顧盼有儔」、〈與子儼等疏〉：「少學琴書」、〈自祭文〉：「欣以
素牘，和以七弦」：並其驗。

陶公自謂讀書「不求甚解」，自宋王應麟以下，[47]明楊慎、[48]清林
雲銘、[49]方宗誠，[50]降及近賢饒宗頤先生，[51]並有探賾，然恐未燭
照陶公真意。吾師王叔岷先生有〈談「好讀書不求甚解」〉一

---

47 〔宋〕王應麟：《困學紀聞·雜識》：「善讀書者，……或不求甚解，或務知大義。」
（卷20，頁2161）

48 〔明〕楊慎《丹鉛雜錄》卷一「讀書不求甚解」條：「《晉書》云：『陶淵明讀書，
不求甚解。』……自兩漢來，訓詁甚行，……陶心知厭之，……而晚廢訓詁。俗士
不達，便謂其不求甚解矣。」見〔明〕楊慎：《丹鉛雜錄》（臺北：藝文印書館《百
部叢書集成》影印《函海》本，1969年），卷1，頁9下-10上。

49 〔清〕林雲銘《古文析義合編》：「此傳乃陶公實錄也。看來此老胸中浩浩落落，總
無一點粘著，即好讀書，亦不知有章句。嗜飲酒，亦不知有主客。無論富貴貧賤，
非得孔顏樂處，豈易語此乎？」（二編，卷5，頁23下）

50 〔清〕方宗誠《陶詩真詮》：「淵明詩曰：『區區諸老翁，為事誠殷勤』，蓋深嘉漢儒
之抱殘守缺及章句訓詁之有功於六經也；然又曰『好讀書，不求甚解』，蓋又嫌漢
儒章句訓詁之多穿鑿附會，失孔子之旨也：是真持平之論，真得讀經之法。」見
〔清〕方宗誠：《陶詩真詮》（臺北：藝文印書館《叢書集成三編》影印《柏堂遺
書》本，1971年），頁9上。

51 饒宗頤先生序楊勇《陶淵明集校箋》：「古今之論淵明者多矣，皆欲以其所知，以明
人之所不知，以其深解，而求勝於前人之解，此豈淵明之意耶？淵明喜讀書，不求
甚解。夫惟泛覽，故無往而不樂，流觀則何幽而不燭。」見楊勇：《陶淵明集校
箋》，頁1。

文，謂陶公「不求甚解」，非不求深解，係順乎自然，不求強解強釋之意。師說誠可謂發千古之疑義。蓋世人讀書，多有求之太深之病，《韓非子》所載「郢書燕說」一事，[52]即其顯例。陶公乃質性「任真」之人，於讀書亦以「真」字貫通，以探其「意」。淵明平生最服膺孔子、莊周，此云「好讀書，不求甚解」，即《論語‧為政》所載孔子「知之為知之，不知為不知，是知也」與《莊子‧齊物論》「知止其所不知，至矣」（卷1下，頁83）、〈庚桑楚〉「知止乎其所不能知，至矣」（卷8上，頁792）兩種觀念之會通：於不知處不隨意穿鑿，任意解釋，而止於所不知，如此方為「真知」，故云「不求甚解」也。[53]觀陶公〈移居〉二首之一：「奇文共欣賞，疑義相與析」，知陶公欣於賞奇析疑，非不求解明甚。蓋陶公所重者在意：〈飲酒〉二十首之五：「此中有真意」、又之十一：「人當解意表」、〈贈羊長史〉：「言盡意不舒」、〈癸卯歲十二月中作與從弟敬遠〉：「寄意一言外」：並其證。唯意蘊言內，欲探書中真意，勢需通過言關；言則屢為意之障蔽。《易‧繫辭下》：「子曰：『書不盡言，言不盡意。』」[54]《莊子‧齊物論》：「言辯而不及」（卷1下，頁83）、〈天道〉：「語之所貴者，意也，意有所隨。意之所隨者，不可以言傳也」（卷5中，頁488）：可見「言意之辨」，先秦已啟其端。降及魏晉，言意之辨大盛；唯魏晉玄學大抵輕言重意，時有類於「郢書燕說」之論。

52　《韓非子‧外儲說左上》：「郢人有遺燕相國書者，夜書，火不明，因謂持燭者曰：『舉燭。』云而過書『舉燭』。舉燭，非書意也；燕相受書而說之，曰：『舉燭者，尚明也，尚明也者，舉賢而任之。』燕相白王，王大說，國以治，治則治矣，非書意也。今世舉（案：『舉』字剩文，當刪）學者多似此類。」（張覺：《韓非子校疏》，卷11，頁744）

53　可參王師叔岷：〈談「好讀書不求甚解」〉，《慕廬演講稿》，頁82-85。

54　《周易正義》，卷7，頁30下。

陶公處重意輕言之時，雖亦以為言不足以盡意（已詳上），卻反
對不切實際、玄虛悠渺之言。〈飲酒〉二十首之十二云：「去去當
奚道，世俗久相欺；擺落悠悠談，請從余所之」。「擺落悠悠
談」，正欲針砭當時過重玄虛之弊。《莊子·外物》謂：「言者所
以在意，得意而忘言。」（卷9上，頁944）陶公讀書，意在排除
語言障蔽，直透書中真旨；當其「得意」，其樂足以忘憂療飢，
故特標「會意」一旨，以為讀書之無上妙境。其〈與子儼等疏〉
云：「開卷有得，便欣然忘食」，「得」即謂得書中真意也。

性嗜酒，家貧不能常得。

　　　《曾本》「常」字下云：「一作『恒』。」（頁57下）

　　　「常」，〈蕭傳〉作「恒」。（頁14上）

案：〈宋傳〉、〈晉傳〉、〈南傳〉、《御覽》卷四八五、五百四，「家」
　　上並有「而」字。而，詞之轉也。

　　〈宋傳〉、〈晉傳〉、〈南傳〉「常」並作「恒」；〈蕭傳〉作「恒」。
　　「常」當作「恒」，作「常」、「恒」，皆避諱而改。〈九日閑居〉：
　　「世短意常多」、〈始作鎮軍參軍經曲阿〉：「屢空常晏如」，二
　　「常」字與此同例。作「恒」者，避宋真宗（名恒，998-1022在
　　位）諱而缺下筆也。《正字通》云：「宋避上諱，缺下畫……作
　　『恒』。」[55]洪邁《容齋三筆》云：「真宗諱從忄、從亘，音胡登
　　切。若缺其下畫，則為『恒』，遂并『恒』字不敢用，而易為

---

55 〔明〕張自烈撰：《正字通》，《續修四庫全書》（上海：上海古籍出版社影印清康熙
　　二十四年〔1685〕清畏堂刻本，2002年），經部第234冊，〈卯集上·心部〉，頁18
　　下。

『常』矣。」[56]洪氏未指明並「㳷」字亦不敢用之因；周密《齊東野語》云：「本朝真宗諱恒，音胡登切，若闕其下畫，則為『㳷』，又犯徽宗旁諱，後併『㳷』字不用，而易為『常』。」[57]周氏謂「恒」本避宋真宗（名恒）諱而缺筆作「㳷」，又避宋欽宗（名桓，1125-1127在位）諱而改為「常」。唯王暐《道山清話》載宋諱有云：「慶曆中，[58]胡瑗以白衣召對邇英殿，講《易》不避『貞』字，後因《孟子》『民無恒產』讀為『常』，上微笑曰：『卻又避此一字。』蓋自唐穆宗已改『常』字，積久而熟讀故也。」[59]據此，則改「恒」作「常」，自唐已然。且改「恒」為「常」當與宋真宗之名「恒」有關，而與欽宗之名「桓」無涉。今傳百衲本《宋書》係宋紹興[60]刊本，不避真宗諱，仍作「恒」，是作「常」者非避宋諱而改也。疑作「常」者乃唐人避唐穆宗[61]諱而改（時慣改「恒」為「常」），宋本依之，遂作「常」；作「㳷」者則係避宋真宗諱而缺筆（時慣缺「恒」下筆為「㳷」）。[62]

陶公性好杜康，古今皆曉。顏延之〈陶徵士誄·序〉謂陶公「性樂酒德」（卷57，頁17上）；〈宋傳〉云：「先是顏延之為劉柳後軍

56 〔宋〕洪邁撰，孔凡禮點校：《容齋隨筆》（北京：中華書局，2006年），卷11，「帝王名諱」條，頁553。

57 〔宋〕周密撰，張茂鵬點校：《齊東野語》（北京：中華書局，1997年），卷4，頁60。案：徽宗諱「佶」，當係避欽宗諱。

58 宋仁宗年號，1041-1048在位。

59 〔宋〕王暐：《道山清話》（臺北：藝文印書館《百部叢書集成》影印《百川學海》本，1965年），頁21。

60 宋高宗年號，1131-1162在位。

61 名恒，820-824在位。

62 參〔清〕周廣業：《經史避名彙考》（臺北：明文書局影印適園刻本，1981年），卷16，頁252；卷20，頁312-313。

功曹，在尋陽與潛情款；後為始安郡，經過，日日造潛，每往必
酣飲致醉。臨去，留二萬錢與潛；潛悉送酒家，稍就取酒。」
（卷93，頁2288。又見〈蕭傳〉、〈南傳〉，文字略有出入）又
云：「郡將候潛，值其酒熟，取頭上葛巾漉酒，畢，還復著之。」
（同前）〈蕭傳〉亦云：「〔潛〕為彭澤令，……公田悉令吏種
秫，曰：『吾常得醉於酒，足矣！』」（頁15上）〈晉傳〉則謂其
「遇酒則飲」（卷94，頁2462）：並可見陶公之嗜酒。

蕭統〈陶淵明集序〉云：「有疑陶淵明詩，篇篇有酒；吾觀其意
不在酒，亦寄酒為迹者也。」[63]洵哉斯言，陶公乃寄酒以繫其幽
思愁懷，蓋非嗜酒成癖者也。陶詩中有「酒」者實未及半數，非
真篇篇有酒也；唯陶公之嗜酒，徵諸詩文，不難得知：〈時運〉
二章：「揮茲一觴，陶然自樂」、又四章：「清琴橫床，濁酒半
壺」、〈諸人共游周家墓栢下〉：「綠酒開芳顏」、〈移居〉二首之
二：「有酒斟酌之」、〈和郭主簿〉二首之一：「春秫作美酒，酒熟
吾自斟」、〈己酉歲九月九日〉：「濁酒且自陶」、〈庚戌歲九月中於
西田穫早稻〉：「斗酒散襟顏」、〈飲酒〉序：「余閑居寡歡，……
偶有名酒，無夕不飲」、〈飲酒〉二十首之二十：「若復不快飲，
空負頭上巾」、〈止酒〉：「平生不止酒，止酒情無喜。暮止不安
寢，晨止不能起；日日欲止之，營衛止不理」、〈責子〉：「天運苟
如此，且進杯中物」、〈讀山海經〉十三首之五：「在世無所須，
惟酒與長年」、〈挽歌詩〉[64]三首之一：「但恨在世時，飲酒不得
足」：並其證。其〈和劉柴桑〉且云：「春醪解飢劬」：以酒解

---

63 〔南朝梁〕蕭統著，俞紹初校注：《昭明太子集校注》（鄭州：中州古籍出版社，
　2001年），頁200。

64 各本作〈擬挽歌辭〉，此據陶澍《靖節先生集》卷四（頁28）、王師叔岷《陶淵明詩
　箋證稿》卷四（頁496-497）校改。

飢，陶公真嗜酒者也！陶公於〈晉故征西大將軍長史孟府君傳〉中載桓溫、孟嘉問答云：「〔桓〕溫嘗問君（孟嘉）：『酒有何好，而卿嗜之？』君笑而答曰：『明公但不得酒中趣爾！』」陶公蓋深得酒中真趣，故嗜之成癖耶？

陶公固貧士也，顏延之〈陶徵士誄·序〉稱其：「少而貧病，居無僕妾，井臼弗任，藜菽不給，母老子幼，就養勤匱。」（卷57，頁16上）延年乃淵明摯交，所言當非虛造。陶公詩文亦屢有家貧之歎：〈怨詩楚調示龐主簿鄧治中〉：「弱冠逢世阻」、〈丙辰歲八月中於下潠田舍穫〉：「貧居依稼穡」、〈飲酒〉二十首之十五：「貧居乏人工」、〈有會而作〉：「弱年逢家乏，老至更長飢」、〈歸去來兮辭·序〉：「余家貧，耕植不足以自給」、〈與子儼等疏〉：「少而窮苦，每以家弊，東西游走，……汝輩稚小家貧，每役柴水之勞，何時可免？念之在心，若何可言」、〈自祭文〉：「自余為人，逢運之貧」：皆其證。又〈詠貧士〉七首，即藉歌詠古代貧士以自況者也。陶公之貧乃真貧，非如名士派之口頭禪，故或為飢寒所迫，竟至登門乞食（有〈乞食詩〉）。以此家境，欲恒得杜康，自屬奢望。〈宋傳〉載其無酒可飲事云：「嘗九月九日無酒，出宅邊菊叢中久坐，值〔王〕弘送酒至，即便就酌，醉而後歸。」（卷93，頁2288）陶公詩文亦屢有無酒之憾：〈九日閑居·序〉：「秋菊盈園，而持醪靡由」、詩：「塵爵恥虛罍」、〈歲暮和張常侍〉：「屢闕清酤至，無以樂當年」、〈和胡西曹示顧賊曹〉：「每恨靡所揮」、〈詠貧士〉七首之二：「傾壺絕餘瀝」、〈挽歌詩〉三首之二：「在昔無酒飲，今但湛空觴」：並陶公嗜酒而不得之歎也。

親舊知其如此，或置酒而招之。

周〈箋注〉：「親舊，謂親戚故舊也。」（頁2上）

案：〈宋傳〉、〈蕭傳〉、〈晉傳〉、〈南傳〉、《御覽》卷四八五、五百四引並無「而」字。而，語詞，上下一意而用為聯屬者也。

嵇康〈與山巨源絕交書〉：「今但願守陋巷，教養子孫，時與親舊敘闊，陳說平生，濁酒一杯，彈琴一曲，志願畢矣。」[65]陶公多用「親舊」語，如〈答龐參軍‧序〉：「款然良對，忽成舊游。俗諺云：數面成親舊，況情過此者乎」、〈和劉柴桑〉：「直為親舊故，未忍言索居」、〈與子儼等疏〉：「親舊不遺，每以藥石見救」、〈挽歌詩〉三首之二：「親舊哭我傍」；又〈歸去來兮辭‧序〉之「親故」亦「親舊」之意。「如此」，謂親舊知其嗜酒而家貧不能恒得。招謂招徠。陶公親舊知其家貧而性嗜酒，或以酒招之，如〈飲酒〉二十首之九：「田父有好懷，壺漿遠見候」；或餽贈之，如〈連雨獨飲〉：「故老贈余酒」；或竟攜酒與之共飲，如〈飲酒〉二十首之十四：「故人賞我趣，挈壺相與至」。有關陶公親舊以酒相招事，並詳下條。

《漢書‧揚雄傳‧贊》謂雄：「家素貧，耆酒，人希至其門；時有好事者載酒肴，從游學。」（卷87下，頁5410）陶公〈飲酒〉二十首之十八云：「子雲性嗜酒，家貧無由得。時賴好事人，載醪祛所惑。觴來為之盡，是諮無不塞。」〈晉傳〉載陶公事有云：「其親朋好事，或載酒肴而往，潛亦無所辭焉，每一醉則大適融然。」（卷94，頁2462）陶公、揚雄二人事跡何其若合符契耶！子雲蓋陶公傾心者也歟。

---

65 〔三國魏〕嵇康著，戴明揚校注：《嵇康集校注》，卷2，頁126-127。

造飲輒盡，期在必醉；既醉而退，曾不吝情去留。

周〈箋注〉：「《儀禮・士喪禮》：『造于西階下』，《注》：『造，至也。』《詩》〔〈周頌〉〕〈酌〉：『蹻蹻王之造』，《釋文》：『造，詣也。』」（頁2）

周〈箋注〉「吝」作「悋」，云：「《家語・致思篇・注》：『悋，嗇甚也。』」（同上）

〈晉傳〉「輒」作「必」，無「去留」二字。〈晉傳〉《斠注》云：「梁昭明太子撰〈傳〉『必盡』作『輒盡』。」（卷94，頁49上）

又云：「梁昭明太子撰〈傳〉作『曾不悋情去留』。」（同上）

案：諸本有「去留」，有此二字語意較究，〈晉傳〉殆略之或誤脫。

《廣雅・釋言》：「造，詣也。」[66]輒，每也，即也，必也。《韻會》：「輒，忽然也，又每事即然也。」[67]「必盡」即「輒盡」，輒、必本同義；唯〈晉傳〉作「必」，與下文「必」字複，蓋涉下「必」字而誤。期，希冀，企望。而猶則。「不」與未同義，「曾不」猶「曾未」，即未曾、未嘗。

吝，〈宋傳〉、〈南傳〉、《逯欽立本》、《楊勇本》皆作「吝」，〈蕭傳〉作「悋」。「吝」，吝之俗字；「悋」，同吝。朱駿聲《說文通訓定聲・屯部弟十五》「吝」字條云：「恨惜也。……字亦作悋，

---

66 〔清〕王念孫：《廣雅疏證》，卷5上，頁35下。
67 〔元〕黃公紹、〔元〕熊忠著，甯忌浮整理：《古今韻會舉要》（北京：中華書局，2000年），卷30，頁16上。

俗作𠈅、作悋。《方言》十:『凡貪而不施,或謂之悋。』」[68]嵇叔
夜〈琴賦〉李善《注》:「《說文》曰:『𠈅,亦貪惜也。』」(卷
18,頁20上)[69]《後漢書‧黃憲傳》:「鄙吝之萌,復存乎心」,李
賢《注》:「吝,貪也。」(卷53,頁1744)吝謂貪戀,猶今語
「捨不得」。「去留」,偏義複詞,去也。

陶公質性自然,造飲必醉,醉即辭退,未嘗戀棧。〈宋傳〉云:
「貴賤造之者,有酒輒設;潛若先醉,便語客:『我醉欲眠,卿
可去!』其真率如此!」[70]陶公以此率真之本性,既能固窮,亦
能不以貧困為恥,故〈有會而作〉云:「常善粥者心,深恨蒙袂
非。」又〈乞食詩〉寫其乞食,因主人解意,遂至「談諧終日
夕,觴至輒傾杯。情欣新知歡,言詠遂賦詩」,全無靦覥意。是
故親舊以其貧困,置酒相邀,陶公自欣然不以為忤;且凡所造
訪,則輒傾盃空,務求盡親舊之醪,全無虛矯客套之氣;既醉則
退,亦無貪戀恨惜之情。〈酬丁柴桑〉云:「放歡一遇,既醉還
休」,正陶公率真質直本性之抒發。

〈宋傳〉載陶公故舊以酒相招事云:「江州刺史王弘欲識之,不
能致也。潛嘗往廬山,弘令潛故人龐通之齎酒具於半道栗里要
之。潛有腳疾,使一門生二兒舁籃輿;既至,欣然便共飲酌。俄
頃弘至,亦無忤也」;[71]〈晉傳〉亦云:「既絕州郡覲謁,其鄉親
張野及周旋人羊松齡、寵遵等,或有酒要之,或要之共至酒坐,

---

68 〔清〕朱駿聲:《說文通訓定聲》,〈屯部弟十五〉,頁2上。

69 案:今本《說文》作:「吝,恨惜也。」(2篇上,頁26上)

70 《宋書》,卷93,頁2288;並見〈蕭傳〉(頁16上)、〈南傳〉(卷75,頁1858)。

71 《宋書‧隱逸‧陶潛傳》,卷93,頁2288。〈蕭傳〉(頁15下)、〈南傳〉(卷75,頁
1858)並同;惟〈晉傳〉(卷94,頁2462)載此事特詳,並有為陶公「造履」事,茲
不繁引。

雖不識主人，亦欣然無忤；酣醉便反」（卷94，頁2462）：並可見
陶公不以受親舊周濟為恥與自然率直之本性；唯陶公亦非遇酒輒
飲，全無別擇。《蓮社高賢傳》載：「遠法師與諸賢結蓮社，以書
招淵明，淵明曰：『若許飲則往。』許之，遂造焉；忽攢眉而
去。」[72]是不合陶公心意，即有酒亦不飲也。[73]蓋陶公飲酒，非
但求一醉耳，乃在喚醒真實之自我，使本性得以全然展現；若屈
己本性，則寧醒以全我真，不醉而失己志。《抱朴子》外篇〈自
敘〉云：「至於糧用窮匱，急合湯藥，則喚求朋類，或見濟，亦
不讓也。……非類則不妄受其饋致焉。……村里凡人之謂良守善
者，用時或齎酒餚候洪，雖非儔匹，亦不拒也。」（卷50，頁670-
671）二人行事若此契合，前後輝映，陶公蓋有取於稚川矣。

環堵蕭然，不蔽風日。

　　周〈箋注〉：「《禮記》〔〈儒行篇〉〕：『儒有一畝之宮，環堵之
　　室』，《疏》：『方丈為堵，東西南北各一堵。』」（頁2下）

案：《禮記・儒行》鄭玄《注》：「環堵，面一堵也。五版為堵，五堵
　　為雉。」陸德明《釋文》：「方丈為堵。」[74]周〈箋注〉引孔
　　《疏》與原文稍異。孔《疏》云：「環堵之室者，環謂周迴也。

72　《蓮社高賢傳》（臺北：藝文印書館《百部叢書集成》影印《漢魏叢書》本，1968
　　年），頁27上。

73　〈蕭傳〉云：「躬耕自資，遂抱羸疾。江州刺史檀道濟往候之，偃臥瘠餒有日矣。
　　道濟謂曰：『賢者處世，天下無道則隱，有道則至。今子生文明之世，奈何自苦如
　　此！』對曰：『潛也何敢望賢，志不及也。』道濟饋以粱肉，麾而去之。」亦可證
　　陶公雖不以親舊之饋為忤，卻自有其原則在。

74　〔唐〕陸德明：《經典釋文》，卷14，〈禮記音義之四〉，頁16下。

東西南北唯一堵。」（卷59，頁6下-7上）蓋合引《釋文》為《疏》文。《說文》十三篇下「土部」：「堵，垣也。五版為堵。」（頁22上）堵之度，眾說不一，說詳《說文詁林》「堵」字條，茲不詳論。陶公此文蓋僅用以喻其居宅之簡陋耳，未必真如古制。

蕭然，空寂貌，謂家徒四壁，空寂而無所陳設。《廣雅・釋詁》：「蔽，隱也。」（卷4下，頁14）《淮南子・脩務》：「陰以防雨，晏以蔽日。」（卷19，頁646）不蔽風日，喻屋舍之破舊，無以蔽風雨、烈日，〈飲酒〉二十首之十六：「敝廬交悲風」，是其證。

劉克莊〈村校書〉詩：「短衣穿結半瓢空，所住茅簷僅蔽風。」[75]後村先生屋舍猶可蔽風，五柳先生宅則竟風日亦不得蔽！《莊子・讓王》云：「原憲居魯，環堵之室，茨以生草，蓬戶不完，桑以為樞；而甕牖二室，褐以為塞；上漏下濕，匡坐而弦〔歌〕。」[76]《韓詩外傳》卷一亦云：「原憲居魯，環堵之室，茨以蒿萊，蓬戶甕牖，桷桑而無樞，上漏下濕，匡坐而絃歌。」[77]陶公與子思何其相似耶！陶公〈歸園田居〉五首之一自云：「草屋八九間」；〈移居〉二首之一則云：「弊廬何必廣，取足蔽床席」：是陶公固不以居處之惡為累。仲尼所稱不懷居之「士」，[78]陶公當之無愧！

75 〔宋〕劉克莊：《後村先生大全集》（臺北：臺灣商務印書館《四部叢刊正編》影印舊鈔本，1979年），卷4，頁16上。
76 《莊子集釋》，卷28，頁975。《高士傳》卷上「原憲」條同（頁17上），唯作「匡坐而彈琴」。
77 屈守元：《韓詩外傳箋疏》，卷1，頁35。
78 《論語・憲問》：「子曰：『士而懷居，不足以為士也。』」（《論語注疏》，卷14，頁1下）

短褐穿結，簞瓢屢空，晏如也。

周〈箋注〉：「短褐，貧者之服也。《史記・貨殖傳》：『寒者利短褐。』」（頁2下）

又云：「《論語・雍也篇》：『子曰：「賢哉回也！一簞食，一瓢飲。」』又〔〈先進篇〉〕：『回也其庶乎，屢空。』」（同上）

又云：「《漢書・揚雄傳》：『揚雄室無擔石之儲，晏如也。』」（同上）

案：周〈箋注〉所引《史記・貨殖列傳》，蓋《史記・秦始皇本紀》之誤。唯〈秦始皇本紀〉作「裋褐」（卷6，頁101），亦作「短褐」，《漢書・貨殖傳》則作「貧者裋褐不完」（卷61，頁5531）。短，〈宋傳〉、〈南傳〉作「裋」。裋、短，正、假字。《史記・秦始皇本紀》「太史公曰」：「夫寒者利裋褐」，裴駰《集解》：「徐廣曰：『一作「短」，小襦也，音豎。』」司馬貞《索隱》：「趙岐曰：『……裋，一音豎，謂褐布豎裁，為勞役之衣，短而且狹，故謂之「短褐」，亦曰豎褐。』」（卷6，頁101）又〈孟嘗君列傳〉：「今君後宮蹈綺縠而士不得裋褐」，《索隱》：「短，亦音豎。豎褐謂褐衣而豎裁之，以其省而便事也。」瀧川資言《考證》引陳仁錫云：「今本『裋』作『短』，誤。」（卷75，頁5）《淮南子・覽冥》：「短褐不完」，高誘《注》：「短，字或作『裋』。」（卷6，頁213）又〈齊俗篇〉：「裋褐不完」。[79]劉文典於《淮南

---

[79] 日本《漢文大系》本高誘《淮南鴻烈解》、劉文典《淮南鴻烈集解》並作「短褐」，此從劉家立《淮南集證》。見〔漢〕高誘註，〔日〕服部宇之吉校：《淮南鴻烈解》（東京：富山房，1915年），卷11，頁2。劉文典：《淮南鴻烈集解》，卷11，頁345。劉家立纂：《淮南集證》（臺北：廣文書局，1978年），卷11，頁2下。

子・覽冥・注》引陶方琦云：「《後漢書・王望傳》注引『短』作『裋』。《後漢書・注》、《列子・釋文》又引許〔慎〕《注》：『楚人謂袍曰裋。』按：《說文》：『裋，豎使布長襦也。从衣、豆聲。』徐廣曰：『裋，一作短，小襦也。』《廣雅》：『袍，長襦也。』《說文》以襦為短衣，茲曰長襦，乃稍長于襦，因別言之。袍與裋皆長于襦，故《漢書・貢禹傳・注》：『裋者，謂僮豎所著布長襦也。』與《說文》裋訓長襦同。」（卷6，頁213）《漢書・貢禹傳》載貢禹上書云：「妻子糠豆不贍，裋褐不完。」（卷72，頁4774）又〈貨殖傳・序〉：「貧者裋褐不完。」（卷91，頁5531）《列子・力命篇》：「衣則裋褐」，殷敬順《釋文》云：「裋音豎，褐音曷。《方言》：『裋，複襦也。』許慎注《淮南子》云：『楚人謂袍為裋。』《說文》云：『粗衣也；又：敝布襦也。』又云：『襜褕短者曰裋褕。』有作『短褐』者，誤。《荀子》作『豎褐』，楊倞《注》云：『僮豎之褐。』於義亦曲。」[80]《文選》卷五十二班叔皮〈王命論〉：「思有短褐之襲」，李善《注》：「韋昭曰：[81]短為裋。裋，襦也。」（頁2下）《後漢書・張衡傳》：「士或解裋褐而襲黼黻」，李賢《注》：「《方言》曰：『自關而西，謂襜褕短者謂之裋』也。」[82]據上引文字，可見裋、短互用之一斑。短，借為裋，非誤字。「短褐」即「裋褐」，麤服也，非「短衣」。

---

80 《列子集釋》，卷6，頁194。楊倞《荀子注》蓋承顏師古《漢書注》立說。《漢書・貢禹傳》顏師古《注》云：「裋者，謂僮豎所著布長襦也。」（卷72，頁4775）〈貨殖傳〉顏注云：「裋，布長襦也。」（卷91，頁5532）

81 胡克家《文選考異》九：「『曰』當作『以』。」（頁9下）

82 《後漢書》，卷59，頁1901。今本《方言》四云：「自關而西謂之襜褕，其短者謂之裋褕。」〔漢〕揚雄：《輶軒使者絕代語釋別國方言》（臺北：臺灣商務印書館影印明刊本《古今逸史》，1969年），卷4，頁1上。

穿，破也，孔也。《莊子・山木》：「衣弊履穿。」（卷7上，頁688）結，因補綻而打結也。穿結，衣服弊爛之貌。陶公〈擬古〉九首之五：「東方有一士，被服常不完。」「短褐穿結」即「短褐不完」，白居易〈訪陶公舊宅〉：「身上衣不完。」（卷7，頁362）

《說文》五篇上「竹部」：「簞，笥也。」（頁8下）《論語・雍也》何晏《集解》：「孔〔安國〕曰：『簞，笥也。』」（卷6，頁5上）《禮記・曲禮上》鄭玄《注》：「簞、笥，盛飯食者；圜曰簞，方曰笥。」（卷2，頁30上）瓢，剖瓠為之，以盛水漿。《說文》七篇下「瓜部」：「瓢，蠡也。」段《注》：「以一瓠劙為二曰瓢，亦曰蠡。」（頁5上）揚雄《法言・修身》：「回之簞瓢，臞如之何！」[83]

屢空，猶常窮。陶公〈始作鎮軍參軍經曲阿〉：「屢空常晏如」、〈癸卯歲始春懷古田舍〉：「屢空既有人」、〈飲酒〉二十首之十一：「屢空不獲年」，〈自祭文〉：「簞瓢屢罄」，罄猶空也。

周〈箋注〉引《論語・雍也》，其下尚有「在陋巷，人不堪其憂，回也不改其樂。賢哉回也」數語。陶公此處自比顏回，數語正可見其安貧而樂道，非僅安貧耳。《漢書・諸侯王表》：「高后女主攝位，而海內晏如」，顏師古《注》：「晏如，安然也。」（卷14，頁524）《漢書・揚雄傳》：「家產不過十金，乏無儋石之儲，晏如也。」（卷87上，頁5307）陶公〈始作鎮軍參軍經曲阿〉：「被褐欣自得，屢空常晏如」，丁仲祜《箋注》：「晏如猶晏然。」《莊子・山木》：「聖人晏然體逝而終矣。」（卷7上，頁694）

---

83 汪榮寶：《法言義疏》，卷5，頁98。

陶公固常不免於飢寒者也，其詩文中屢有困窮之歎：〈勸農〉五章：「儋石不儲，飢寒交至」、〈怨詩楚調示龐主簿鄧治中〉：「風雨縱橫至，收斂不盈廛。夏日抱長（或作「長抱」）飢，寒夜無被眠」、〈癸卯歲十二月中作與從弟敬遠〉：「勁氣侵襟袖，簞瓢謝屢設」、〈飲酒〉二十首之十一：「屢空不獲年，長飢至于老」、又之十六：「竟抱固窮節，飢寒飽所更，……披褐守長夜，晨雞不肯鳴」、又之十九：「疇昔苦長飢」、〈有會而作〉：「菽麥實所羨，孰敢慕甘肥」、〈雜詩〉十二首之八：「躬親未曾替，寒餒常糟糠。豈期過滿腹，但願飽粳糧。御冬足大布，粗絺以應陽。正爾不能得，哀哉亦可傷」、〈詠貧士〉七首之一：「量力守故轍，豈不寒與飢」、〈歸去來兮辭・序〉：「缾無儲粟」、〈自祭文〉：「簞瓢屢罄，絺綌冬陳」：可見陶公之窮可謂極矣！然其所懼者固非飢寒：〈癸卯歲始春懷古田舍〉二首之二：「先師有遺訓，憂道不憂貧」、〈詠貧士〉七首之七：「誰云固窮難」：可見其心跡。故陶公雖身處劣境，卻能固窮守節，晏然自安：〈始作鎮軍參軍經曲阿〉：「被褐欣自得，屢空常晏如」、〈戊申歲六月中遇火〉：「草廬寄窮巷，甘以辭華軒」、〈飲酒〉二十首之二：「不賴固窮節，百世當誰傳」：並其證。〈癸卯歲十二月中作與從弟敬遠〉：「高操非所攀，謬得固窮節」：陶公雖自謙如此，益足顯其固窮而安然之情。陶公諸作，〈詠貧士〉最足見其固窮之節：第一首喻眾人奔競榮華，己獨安於飢寒，堅守故園；第四首引安貧守賤之黔婁自況；第六首寫其願從張仲蔚愛窮居；第七首明固窮之志，願繼踵前修。

晉、宋士流大都如《文心雕龍・情采》所云：「志深軒冕而汎詠皋壤，心纏幾務而虛述人外。」（卷7，頁538）陶公雖簞瓢屢

空，裋褐不完，卻能晏然自足，其去當日士流何啻雲泥！陶公平生欽慕顏淵、子思、揚雄、葛洪。顏淵之固窮樂道，已見前引《論語·雍也》。《文選》卷二十六〈始作鎮軍參軍經曲阿作〉李善《注》：「《家語》曰：『原憲衣冠弊，并日而食蔬，衎然有自得之志。』」（卷26，頁21下）《漢書·揚雄傳》稱雄：「家產不過十金，乏無儋石之儲，晏如也。」（卷87上，頁5307）《抱朴子》外篇〈自敘〉：「冠履垢弊，衣或繿縷，而或不恥焉。」（卷50，頁662-663）又云：「衣不辟寒，室不免漏，食不充虛，名不出戶，不能憂也。」（卷50，頁665）陶公於〈五柳傳〉自比固窮諸賢，蓋謂其自足於內，安泰樂道，不以衣弊食乏縈懷也。

常著文章自娛，頗示己志。

案：〈宋傳〉、〈蕭傳〉「常」並作「嘗」。「嘗」借為「常」。

　　《莊子·讓王》載顏淵曰：「鼓琴足以自娛。」（卷9下，頁978）《淮南子·脩務》謂士人當：「閒居靜思，鼓琴讀書，追觀上古，及賢大夫學問講辯，日以自娛。」（卷19，頁647）《高士傳》載梁鴻與妻孟氏隱於山中，耕織為業，「詠詩書，彈琴以自娛，仰慕前世高士」（卷下，頁4下-5上）。陶公〈飲酒·序〉：「余閑居寡歡，兼比夜已長，偶有名酒，無夕不飲，顧影獨進，忽焉復醉。既醉之後，輒題數句自娛」、〈扇上畫贊〉：「寄心清尚，悠然自娛」：陶公蓋有取於前賢矣。

　　《御覽》卷五百四引無「章」字，蓋節引。「文章」括指詩、文。今傳陶公詩一百二十五首、[84]辭賦三篇、記傳贊述五篇、疏

84　此依王師叔岷《陶淵明詩箋證稿》，聯句一首併計。

祭文四篇；即以〈五孝傳〉、〈四八目〉（《聖賢羣輔錄》）併計，[85]
亦未達百五之譜。陶公既自言「常著文章自娛」，所作當不止百
餘之數。漢魏六朝文集，五代之後已多散佚，傳於今者益多殘
闕。陶公當日不諧流俗，鍾嶸《詩品》列陶詩中品，劉勰《文心
雕龍》甚且於陶公未置一辭，可見當時輕忽陶公詩文之一斑。昭
明太子蕭統以尚想其德，愛嗜其文，著手編錄，以待「更加搜
求」，始得彙為八卷；[86]唯時逾百年，昭明雖加搜求，佚失而未能
搜及者恐不在少。北齊陽休之編錄陶集，另錄〈五孝傳〉、〈四八
目〉，足成十卷。陽氏所收二種，後人雖多疑其出於他手，唯未
必即屬贗作。[87]唐初歐陽詢等編撰《藝文類聚》，所載陶作，竟有
軼出今本者。清陶澍《靖節先生集》卷六〈尚長禽慶贊〉下云：
「各本無此篇，何孟春據《藝文類聚》採附〈扇上畫贊〉《注》
中，今特補載卷後。何曰：『此〈贊〉今本無之，豈唐初歐陽詢
所見本至宋或有缺脫耶？』」（卷6，頁19）〈尚長禽慶贊〉見《類
聚》卷三十六（頁652），未知係唐後佚失，抑蕭、陽原已失載，

---

85 〈五孝傳〉、〈四八目〉，前賢多疑之。有關〈四八目〉之真偽，參註87。
86 蕭統〈陶淵明集序〉：「余愛嗜其文，不能釋手；尚想其德，恨不同時。故更加搜
求，粗為區目。」（頁200）陽休之〈陶集序錄〉：「蕭統所撰八卷，合序目誄傳，而
少〈五孝傳〉及〈四八目〉。」（見陶澍：《靖節先生集》，卷首〈諸本序錄〉，頁3）
87 〈聖賢羣輔錄〉（即〈四八目〉）自《四庫全書總目》斷為偽託（卷137，〈子部·類
書類存目一〉，頁1上），其後陶澍、梁啓超、郭紹虞、魏茂林、逯欽立等亦並以為非
陶公所作。惟清方宗誠不以為然，謂：「此或淵明偶以書籍所載，故老所傳，集錄之
以示諸子，識故實，廣見聞，非著述也。」（《陶詩真詮》，頁10上）潘重規先生更
加推衍，據史實與所載內容，定其出自淵明手筆，惟原名乃〈四八目〉，非〈聖賢羣
輔錄〉，說見〈聖賢羣輔錄新箋〉，《新亞書院學術年刊》第7期（1965年9月），頁
305-312。又〈集聖賢羣輔錄〉下「三墨」條有云「相里勤、五侯子之墨」，與日本
高山寺舊鈔本《莊子》合。而高山寺《莊子》與宋元嘉本《莊子》則屬同一系統
（說參王師叔岷：〈校書的甘苦〉，《慕廬演講稿》，頁52），可見〈集聖賢羣輔錄〉
之出甚早。陶淵明卒於劉宋文帝元嘉四年（427），〈集聖賢羣輔錄〉出陶公手之可
能性甚大。

歐陽詢據他書鈔錄。[88]又《文選》江文通〈雜體詩〉三十首〈擬陶徵君田居〉，李善《注》引陶潛詩：「雖欲揮手歸，濁酒聊自持」（卷31，頁23下），亦不見於今本：並可見陶公作品，必不止今傳之數。

陶公之志蓋有三焉：一為「性本愛丘山」之「適志之志」，如〈歸園田居〉五首之一：「少無適俗韻，性本愛丘山」、〈雜詩〉十二首之八：「代耕本非望，所業在田桑」、〈歸去來兮辭・序〉：「質性自然，非矯勵所得」等所言者是；一為「猛志逸四海」之「濟世之志」：如〈榮木〉末章：「先師遺訓，余豈云墜！四十無聞，斯不足畏！脂我名車，策我名驥，千里雖遙，孰敢不至」、〈雜詩〉十二首之五：「憶我少壯時，無樂自欣豫。猛志逸四海，騫翮思遠翥」、〈讀山海經〉十三首之十：「精衛銜微木，將以填滄海；形夭無干戚，[89]猛志固常在」等是。此乃陶公入世抱負。封建之世，出仕乃施展個人抱負之唯一途徑，故陶公少時亦出而任官；然一入仕途，便覺政治污濁，積習難返，遂生「有志不獲騁」之歎，且多悔恨之言：〈歸園田居〉五首之一：「誤落塵網中，一去三十年。羈鳥戀舊林，池魚思故淵」、〈始作鎮軍參軍經曲阿〉：「時來苟冥會，宛轡[90]憩通衢。投策命晨裝，暫與園田疎。眇眇孤舟逝，綿綿歸思紆。我行豈不遙？登陟千里餘。目倦川塗異，心念山澤居。望雲慚高鳥，臨水愧游魚。真想初在襟，誰謂形跡拘！聊且憑化遷，終返班生廬」、〈乙巳歲三月為建威參

88　〈尚長禽慶贊〉，王師垂示云：「《類聚》三六引，乃陶公逸詩誤收入〈贊〉中者。蓋其他諸人之贊皆四言，與此不類也。」

89　「形天無干戚」，或作「刑天舞干戚」，或作「形夭無干歲」。鄙意以為「刑天舞干戚」較近陶公屢挫而不屈之心境與節操。

90　「宛轡」原作「婉變」，據王師叔岷《陶淵明詩箋證稿》校改（卷3，頁215）。

軍使都經錢溪〉:「伊余何為者,勉勵從茲役!一形似有制,素襟
不可易。園田日夢想,安得久離析!終懷在壑舟,諒哉宜霜
柏」、〈歸去來兮辭·序〉:「見用于小邑,……及少日,眷然有歸
歟之情,何則?質性自然,非矯勵所得;飢凍雖切,違己交病。
嘗從人事,皆口腹自役。於是悵然慷慨,深媿平生之志」。以任
真自適之陶公,自難適應官場之拘羈、齷齪。然陶公出仕之動
機,入世濟世雖亦一因,要非主因——要在「為飢所驅」耳:
〈宋傳〉、〈蕭傳〉、〈晉傳〉、〈南傳〉並謂其「親老家貧,起為州
祭酒」;陶公亦嘗自道:〈飲酒〉二十首之十:「在昔曾遠遊,直
至東海隅;道路迥且長,風波阻中塗。此行誰使然?似為飢所
驅」、又之十九:「疇昔苦長飢,投耒去學仕。將養不得節,凍餒
固纏己」、〈歸去來兮辭·序〉:「余家貧,耕植不足以自給。幼稚
盈室,缾無儲粟,生生所資,未見其術。親故多勸余為長吏,脫
然有懷,……遂見用于小邑。……嘗從人事,皆口腹自役」:並其
證。然於違己之病煎逼下,陶公終取「適志」,賦〈歸去來〉,
「開荒南野際,守拙歸園田」。[91]可知陶公本無意於仕宦,其初
乃為飢貧所迫,遂違己出岫;既而倦鳥知還,即歸守園林。自此
躬耕守拙,固窮不易,長吟「託身已得所,千載不相違」、[92]「介
焉安其業,所樂非窮通」、[93]「衣沾不足惜,但使願無違」:[94]此
則陶公「固窮之志」也。

清方東樹《昭昧詹言》卷四「陶公」條六云:「如阮公〔籍〕、陶
公〔潛〕,曷嘗有意於為詩?內性既充,率其胸臆而發為德音

---

91 〈歸園田居〉五首之一。
92 〈飲酒〉二十首之四。
93 〈詠貧士〉七首之六。
94 〈歸園田居〉五首之三。

耳。」[95]實則陶公之作皆以發抒襟抱，故云「常著文章自娛，頗
示己志」；或亦非無意，如「擬古」諸作，唯非執著於有意耳。
蕭統〈陶淵明集序〉云：「語時事則指而可想，論懷抱則曠而且
真。」（頁200）陶公心有所感，發為詩文，既以「自娛」，亦以
「示志」，故不因〈閑情賦〉所寫涉及男女之思而迴避，反以真
切之筆，抒發其委婉纏綿之真情；唯其如此，吾人更可由其真
情、深情了解其人格之高淡。[96]此與俗人之藉作品頌讚己身，以
之為名利之敲門磚者大相逕庭，故頗能示達一己志意，所謂「文
如其人」也。

忘懷得失，以此自終。

　　周〈箋注〉：「忘懷，謂心不留事也。」（頁2下）

案：忘懷，偏義複詞，忘也。〈飲酒〉二十首之十五：「若不委窮達，
　　素抱深可惜」、〈挽歌詩〉三首之一：「得失不復知，是非安能
　　覺？千秋萬歲後，誰知榮與辱」：並忘懷得失之意。

　　世人之有得失之心，大抵在好名；陶公勘破名關，故能得失不縈
　　胸懷：〈怨詩楚調示龐主簿鄧治中〉：「吁嗟身後名，於我若浮
　　煙」、〈雜詩〉十二首之四：「百年歸丘壟，用此空名道」、〈和劉
　　柴桑〉：「去去百年外，身名同翳如」、〈飲酒〉二十首之十一：
　　「雖留身後名，一生亦枯槁。死去何所知！稱心固為好」、〈自祭
　　文〉：「寵非己榮，涅豈吾緇！……匪貴前譽，孰重後歌」：並陶
　　公勘破名關之證。又〈形影神〉三首〈神釋〉：「立善常所欣，誰

95　〔清〕方東樹：《昭昧詹言》（臺北：漢京文化事業公司，1985年），卷4，頁98。
96　說參王師叔岷：〈論陶潛的閑情賦與林逋的惜別詞〉，《慕廬雜著》（臺北：華正書
　　局，1988年），頁432。

當為汝譽！」雖無不必立善之意，卻已突破留名之心，故得失自
不足以縈懷矣。實則陶公已達忘死生之境：〈歸園田居〉五首之
四：「人生似幻化，終當歸空無」、〈五月旦作和戴主簿〉：「既來
孰不去，人理固有終」、〈連雨獨飲〉：「運生會歸盡，終古謂之
然」、〈挽歌詩〉三首之一：「有生必有死，早終非命促」、〈歸去
來兮辭〉：「寓形宇內復幾時，曷不委心任去留！胡為乎遑遑兮欲
何之？……聊乘化以歸盡，樂夫天命復奚疑」、〈與子儼等疏〉：
「天地賦命，生必有死。自古聖賢，誰獨能免」、〈形影神〉三首
〈神釋〉：「甚念傷吾生，正宜委運去。縱浪大化中，不喜亦不
懼；應盡便須盡，無復獨多慮」：死生猶且不喜不懼，世俗之得
失又豈足道哉！

「以此自終」之「此」，謂自〈傳〉文起首至「忘懷得失」所建
構自足於內之人生態度。陶公少時，雖有逸四海之鴻志，騫翮遠
赴之行，而終不為榮利所羈絆；於鎩羽斂翎，佇立蒼茫之際，即
能回歸園田，固窮篤志，超脫塵世，忘懷得失，斯為難得。

陶公既有儒家之篤厚，又得莊子之超脫，故能固窮守節，亦能忘
懷得失。《莊子‧大宗師》云：「得者，時也；失者，順也。安時
而處順，哀樂不能入也。」（卷3上，頁260）又〈讓王〉載顏回
家貧居卑，孔子勸其出仕，顏回不肯，孔子讚云：「知足者，不
以利自累也；審自得者，失之而不懼；行修於內者，无位而不
怍。」（卷9下，頁978）陶公亦審自得者也。又〈天下篇〉云：
「上與造物者遊，而下與外死生无終始者為友。」（卷10下，頁
1099）莊生倡齊物之論，破除彼我、是非、大小、貴賤、美醜、
文野、榮辱、窮通、成敗、得失、壽夭、生死等對待，委運順
化，與天地同遊；陶公深契於莊生，亦能委心任化，無欣戚喜懼
之念，故能得失兩忘，樂天安命。

贊曰：

案：唐劉知幾《史通・論贊》：「《春秋左氏傳》每有發論，假『君
　　子』以稱之。二《傳》云『公羊子』、『穀梁子』，《史記》云『太
　　史公』。既而班固曰『贊』、荀悅曰『論』、《東觀》曰『序』、謝
　　承曰『論』、陳壽曰『評』、王隱曰『議』……其名萬殊，其義一
　　揆。必取便於時者，則總歸論贊焉。……史之有論也，蓋欲事無
　　重出，文省可知。如太史公曰：觀張良貌如美婦人；項羽重瞳，
　　豈舜苗裔：此則別加他語，以補書中，所謂『事無重出』者也。
　　又如班固贊曰：石建之浣衣，君子非之；楊王孫裸葬，賢於秦始
　　皇遠矣：此則片言如約，而諸義皆備，所謂『文省可知』者
　　也。」[97]又明凌稚隆《史記評林》於〈淮陰侯列傳〉「太史公曰」
　　下引明楊慎說：「多見評者以一兩語囊括鄭重，或取其大者為
　　贊；不知贊在傳外，直補所不足，或寄竇笑，非必如後人書法與
　　史評也。」[98]劉知幾、楊慎並謂「贊」除囊括傳意外，並有別加
　　他語，以補傳文不足之用。蓋贊本有助意，謂助成之也。史傳之
　　「贊」，或於篇末抒發己意，以為評騭；或傳所未詳，贊以補
　　足：皆兼褒貶二義。

　　《左傳》「君子曰」、[99]「仲尼曰」，[100]《史記》「太史公曰」乃「贊
　　體」之濫觴，其後班孟堅作《漢書》，易之為「贊」，遂成定體。

97　〔唐〕劉知幾撰，〔清〕浦起龍釋：《史通通釋》（臺北：里仁書局，1980年），卷
　　4，頁81-82。

98　〔明〕凌稚隆輯校，〔明〕李光縉增補，〔日〕有井範平補校：《史記評林》，卷
　　92，頁12上。

99　可參龔慧治：《左傳「君子曰」問題研究》，臺北：國立臺灣大學中國文學研究所
　　碩士論文，裴溥言、張以仁教授指導，1988年。

100　可參拙作：〈《左傳》「仲尼曰敘事」芻論〉，收入《先秦兩漢歷史敘事隅論》之
　　〈玖〉，頁425-503。

然《史記》「太史公曰」頗多不為讚頌評論所限者，如〈伯夷列傳〉，夷齊事跡乃在「太史公曰」下，夾敘夾議，非僅議論而已（卷61，頁7-18）；如〈韓長孺列傳〉「太史公曰」之：「余與壺遂定律歷。觀韓長孺之義，壺遂之深中隱厚。世言梁多長者，不虛哉！壺遂官至詹事，天子方倚以為漢相，會遂卒；不然，壺遂之內廉行修，斯鞠躬君子也。」（卷108，頁15）以壺遂事作結，非僅評論，且兼補足之義；又如〈魏公子列傳〉「太史公曰」：「吾過大梁之墟，求問其所謂夷門；夷門者，城之東門也。」（卷77，頁16）再如〈淮陰侯列傳〉「太史公曰」：「吾如淮陰，淮陰人為余言：『韓信雖為布衣時，其志與眾異；其母死，貧無以葬，然乃行營高敞地，令其旁可置萬家。』余視其母冢，良然。」（卷92，頁41）並以補傳所不足也。即如《漢書・陳勝項籍傳》「贊曰」引賈生〈過秦論〉，雖涉評騭，亦兼補足（卷31，頁3125-3132）；又如〈高五王傳〉「贊曰」末云：「自吳、楚誅後，稍奪諸侯權，左官附益阿黨之法設；其後諸侯唯得衣食粗稅，貧者或乘牛車。」（卷38，頁3343）所言即非〈高五王傳〉所可藩限，亦兼助成補益之意。再如〈揚雄傳〉「贊曰」補載揚雄著書事，亦議論而兼敘述，評騭而兼補贊（卷87下，頁5408-5412）。陶公此文乃仿史書傳體，其「贊曰」亦非止於評論讚頌，乃兼有贊足前文不足之意。

黔婁有言：「不戚戚於貧賤，不汲汲於富貴。」

《曾本》「黔婁」下云：「一有『之妻』二字。」（頁57下）

「汲汲」下又云：「一作『惶惶』。」（同上）

案：《列女傳》卷二〈賢明傳・魯黔婁妻〉：「魯黔婁先生之妻也。先生死，曾子與門人往弔之。……（曾子）遂哭之曰：『嗟乎！先生之終也，何以為謚？』其妻曰：『以「康」為謚。』曾子曰：『先生在時，食不充虛，衣不蓋形；死則手足不斂，旁無酒肉。生不得其美，死不得其榮，何樂於此而謚為「康」乎？』其妻曰：『昔先生君嘗欲授之政，以為國相，辭而不為，是有餘貴也；君嘗賜之粟三十[101]鍾，先生辭而不受，是有餘富也。彼先生者，甘天下之淡味，安天下之卑位，不戚戚於貧賤，不忻忻[102]於富貴，求仁而得仁，求義而得義，其謚為「康」，不亦宜乎！』」[103]陶公蓋依《列女傳・魯黔婁妻》而言，故當據《列女傳》，於「黔婁」下補「之妻」二字。

《漢書・揚雄傳》：「雄，……不汲汲於富貴，不戚戚於貧賤。」（卷87下，頁5408-5412）《論語・述而》：「小人長戚戚」，何晏《集解》：「鄭〔玄〕曰：坦蕩蕩，寬廣貌；長戚戚，多憂懼。」（卷7，頁12）

「惶惶」義同「汲汲」，並「急急」之貌。惟汲借為彶。《說文》二篇下「彳部」：「彶，急行也。」段《注》：「急、彶疊韵。凡用汲汲字，乃彶彶之叚借也。」（頁15下）《廣雅・釋訓》：「彶彶、惶惶，勴也。」（卷6上，頁10下）〈釋詁〉：「勴，疾也。」（卷1上，頁21）疾與急通。「惶惶」亦作「皇皇」，《孟子・滕文公下》：「孔子三月無君，則皇皇如也」，朱熹《集注》：「皇皇，如

101　案：「十」當為「千」之譌。

102　《太平御覽》卷五六二〈禮儀部・四十一〉「謚」條引作「汲汲」（頁7上）。

103　〔漢〕劉向撰，〔清〕梁端校注：《列女傳》（臺北：臺灣中華書局《四部備要》據汪氏振綺堂補刊本校刊，1966年），卷2，頁7下-8上。

有求而弗得之意。」[104]《禮記・檀弓下》:「始死皇皇焉,如有求而弗得。」(卷9,頁29上)合《列女傳》、〈揚雄傳〉以觀,當作「汲汲」,作「惶惶」者,疑後人所改。

《禮記・問喪》:「其往送也,望望然,汲汲然,如有追而弗及也。」(卷56,頁14下)「汲汲」,本急切欲速之貌,引申為奔營干進之貌。《列女傳》作「忻忻」,忻忻,喜貌。《淮南子・覽冥》:「忻忻然常自以為治」,高誘《注》:「忻忻猶自喜得意之貌也。」(卷6,頁215)《列女傳》梁端《校注》云:「《太平御覽・禮儀部》四十一作『急急』。」(卷2,頁8上)急急正急切追求之意。「急急」與「忻忻」之義亦相因,喜富貴,故急之。唯據古本《太平御覽》及梁端《列女傳校注》,蓋《列女傳》原亦作「汲汲」也。

《高士傳》卷中「黔婁先生」條:「黔婁先生者,齊人也。修身清節,不求進於諸侯。魯恭王聞其賢,遣使致禮,賜粟三千鍾,欲以為相,辭不受。齊王又禮之以黃金百斤,聘為卿,又不就。著書四篇,言道家之務,號黔婁子。終身不屈,以壽終。」(卷中,頁8上)陶公〈詠貧士〉七首之四云:「安貧守賤者,自古有黔婁。好爵吾不榮,厚饋吾不酬。一旦壽命盡,弊服仍不周。豈不知其極?非道故無憂。從來將千載,未復見斯儔。朝與仁義生,夕死復何求!」即藉詠安貧守道之黔婁以自況,此贊亦有以黔婁自比之意。

《論語・述而》:「子曰:富而可求也,雖執鞭之士,吾亦為之;如不可求,從吾所好。」(卷7,頁4上)又云:「飯疏食飲水,曲肱而枕之,樂亦在其中矣;不義而富且貴,於我如浮雲。」(卷

---

104 〔宋〕朱熹:《四書章句集注・孟子集注》,卷6,頁372。

7，頁5下-6上）陶公〈感士不遇賦〉：「望軒唐而永歎，甘貧賤以辭榮。……寧固窮以濟意，不委曲以累己。既軒冕之非榮，豈縕袍之為恥！」並「不戚戚於貧賤，不汲汲於富貴」之意。

極其言，茲若人之儔乎？

　　陶《注》「極其言」作「其言」，云：「一本作『味其言』，本作『極其言』，今從《李公煥本》、《毛晉本》作『其言』。」（卷之6，頁13）

案：當有「極」字，作「其言」者，蓋誤脫。極，究也，謂推究、推考。《淮南子・脩務》：「窮道本末，究事之情」，高誘《注》：「窮，盡也；究，極也。」（卷19，頁648）味，品味、思量。作「味其言」者，或不曉「極」字之義而改者也。

茲，則也。參王引之《經傳釋詞》、[105]裴學海《古書虛字集釋》。[106]若人，此人，指五柳先生；或謂指黔婁，非。《玉篇》、《廣韻》並云：「儔，侶也。」[107]《正字通》：「儔，眾也，等類也。」（〈子集中・人部〉，頁75下）

此謂推究黔婁妻之言，則黔婁乃五柳先生之儔類乎？〈詠貧士〉七首之四（此首正詠黔婁）：「從來將千載，未復見斯儔」、〈扇上畫贊〉：「曰琴曰書，顧盼有儔。……緬懷千載，託契孤遊」：並反用其意，謂千載以降，未見黔婁之屬矣。陶公固安貧守賤者，

105 〔清〕王引之：《經傳釋詞》（臺北：河洛圖書出版社，1980年），卷8，頁166-167。

106 裴學海：《古書虛字集釋》（臺北：廣文書局，1971年），卷8，頁628。

107 〔南朝梁〕顧野王撰：《大廣益會玉篇》（臺北：新興書局影印宋大中祥符六年〔1013〕刻本，1968年），卷3，頁66；並參〔宋〕陳彭年等：《校正宋本廣韻》（臺北：藝文印書館，1991年），〈韻下平〉，頁40上。

故引黔婁妻之言，以黔婁為己之儔儕。顏延之〈陶徵士誄〉：「黔婁既沒，展禽亦逝。其在先生，同塵往世。」（卷59，頁20上）亦以黔婁比陶公。唯陶公除自比黔婁外，或亦兼比揚子雲也。

酣觴賦詩，以樂其志。

《曾本》云：「一作『酒酣自得，賦詩樂志』。」（頁58上）

案：《玉篇》：「觴，飲器也。」（卷26，頁375）《戰國策·秦策五》高誘《注》：「觴，酒爵也。」（卷7，頁471）《國語·吳語》韋昭《解》：「觴，爵名。」（卷19，頁517）

「酣觴」，《李公煥本》作「酬觴」，或作「銜觴」。「酬觴」，無義；蓋酣、酬形近，遂訛為「酬」。「銜觴」即銜杯。陶公凡兩用「銜觴」：〈答龐參軍〉四章：「送爾于路，銜觴無欣」、〈和郭主簿〉二首之二：「銜觴念幽人，千載撫爾訣。檢素不獲展，厭厭竟良月」：並乏欣然之意。此文則為酣暢樂志，作「酣觴」於義為長。《說文》十四篇下「酉部」：「酣，酒樂也。」（頁37下）《玉篇》：「酣，樂酒也。」（卷30，頁413）《晉書·阮裕傳》：「裕以敦有不臣之心，乃終日酣觴，以酒廢職。」（卷49，頁1367）「酣觴」，飲酒而樂也。陶公嗜酒，喜用「酣」字：〈飲酒〉二十首之十三：「寄言酣中客」、〈擬古〉九首之七：「達曙酣且歌」、〈讀山海經〉十三首之二：「高酣發新謠」、〈自祭文〉：「酣飲賦詩」：並其證。又，作「酒酣自得，賦詩樂志」者亦非：陶公無酒時未必不自得，未必不樂志；「酣觴」、「賦詩」皆足樂志，非「酒酣」始能自得，「賦詩」始得樂志也。疑「酒酣自得」本「酣觴」之注，誤入正文，遂移「賦詩」入下句，而刪「以」、

「其」二字以成句。

嵇康〈琴賦〉:「臨清流,賦新詩。」(卷2,頁102)陶公〈乞食〉:「情欣新知歡,言詠遂賦詩」、〈移居〉二首之二:「登高賦新詩」、〈自祭文〉:「酣飲賦詩」:蓋陶公意有所感,則喜「賦詩」以示志。此謂五柳先生有酒酣飲,興至賦詩,足以樂志,樂何可言!

無懷氏之民歟?葛天氏之民歟?

案:無懷、葛天二氏,《漢書‧古今人表》並列於上中、仁人(卷20,頁1010。「無懷氏」,《漢書》作「亡懷氏」)。古書類云二氏乃古帝王,唯時代多有歧錯。《呂氏春秋‧古樂》高誘《注》:「葛天氏,古帝名。」(卷5,頁536)《抱朴子》外篇〈自敘〉:「葛天氏,蓋古之有天下者也。」(卷50,頁644)《文選》司馬相如〈上林賦〉李善《注》引張揖曰:「葛天氏,三皇時君號也。」(卷8,頁12上)《史記‧封禪書》載齊桓公欲封禪,管仲勸曰:「古者封泰山禪梁父者七十二家,而夷吾所記者十有二焉:昔無懷氏封泰山,禪云云;虙羲封泰山,禪云云。」(卷28,頁12)又見《管子》所補〈封禪〉。[108]裴駰《集解》云:「服虔曰:(無懷氏)古之王者,在伏羲前,見《莊子》。」[109]《路史》亦以葛天、無懷二氏在伏羲前;[110]宋劉恕《資治通鑑外紀》卷一則置二氏於包(伏)羲後。[111]清梁玉繩《人表考》卷二謂班

108　《管子‧封禪篇》已亡佚,今傳之〈封禪篇〉乃後人據《史記‧封禪書》所補。

109　《史記會注考證》,卷28,頁12。案:今本《莊子》不見無懷氏。

110　《路史》葛天氏在〈前紀〉卷七,無懷氏在〈前紀〉卷九,伏羲氏在〈後紀〉卷一。〔宋〕羅泌:《路史》,《文淵閣四庫全書》,史部第383冊。

111　〔宋〕劉恕:《資治通鑑外紀》(臺北:臺灣商務印書館《四庫叢刊正編》影印明刊本,1979年),卷1,頁4上。

固《漢書》不當以《史記》、《管子》、《路史》等說為定次。[112]實則無懷、葛天二氏皆傳說中之古聖王，未必真有其人；陶公乃以之寓託其淳樸襟懷、高潔情操耳。

《路史》前紀九〈禪通紀〉「無懷氏」條云：「無懷氏，帝太昊之先。其撫世也，以道存生，以德安刑，過而不悔，當而不愉。當世之人，甘其食，樂其俗，安其居，而重其生。意羔不見于色，堅白不刑于心，而漸毒不萌于動。形有動作，心無好惡。雞犬之音相聞，而民至老死不相往來，令之曰無懷氏之民。」（卷9，頁13上）又前紀七〈禪通紀〉「葛天氏」條云：「葛天氏，……其為治也，不言而自信，不化而自行，湯湯乎無能名之。」（卷7，頁6下-7上）《路史》所載葛天、無懷二氏之治，蓋有取於《老子》八十章所描述之「理想國」，[113]亦即《莊子・胠篋》所稱之「至德之世」與《史記・貨殖列傳》所述道家之「至治之極」。[114]陶公

---

112 〔清〕梁玉繩撰，吳樹平、王佚之、汪玉可點校：《人表考》，收入《史記漢書諸表訂補十種》（北京：中華書局，1982年），「亡懷氏」條，頁518。

113 《老子》八十章乃老子政治思想所衍生之烏托邦，其言曰：「小國寡民，使有什伯之器而不用，使民重死而不遠徙。雖有舟輿，無所乘之；雖有甲兵，無所陳之。使民復結繩而用之。甘其食，美其服，安其居，樂其俗。鄰國相望，雞犬之聲相聞，民至老死不相往來。」〔三國魏〕王弼等：《老子四種》，頁66。

114 《莊子・胠篋》：「子獨不知至德之世乎？昔者容成氏、大庭氏、伯皇氏、中央氏、栗陸氏、驪畜氏、軒轅氏、赫胥氏、尊盧氏、祝融氏、伏犧氏、神農氏，當是時也，民結繩而用之，甘其食，美其服，樂其俗，安其居，鄰國相望，雞狗之音相聞，民至老死而不相往來。若此之時，則至治已。」（《莊子集釋》，卷4中，頁357）《史記・貨殖列傳・序》：「《老子》曰：『至治之極，鄰國相望，雞狗之聲相聞，民各甘其食，美其服，安其俗，樂其業，至老死不相往來。』必用此為務，輓近世，塗民耳目，則幾無行矣。太史公曰：夫神農以前，吾不知已。至若《詩》、《書》所述，虞夏以來，耳目欲極聲色之好，口欲窮芻豢之味，身安逸樂，而心誇矜執能之榮。使俗之漸民久矣，雖戶說以眇論，終不能化。故善者因之，其次利道之，其次教誨之，其次整齊之，最下者與之爭。」（《史記會注考證》，卷126，頁2-4）《史記》之評，蓋括指《老子》八十章與《莊子・胠篋》而言。

〈桃花源記〉所述境界與葛天、無懷二氏之治相近，蓋二氏之治即陶公理想世界，故託古以示志歟。[115]

陶公〈和郭主簿〉二首之一云：「遙遙望白雲，懷古一何深！」陶公詩文屢見懷古之思：〈時運〉四章：「黃唐莫逮，慨獨在余」、〈勸農〉首章：「悠悠上古，厥初生民。傲然自足，抱朴含真；智巧既萌，資待靡因」、〈贈羊長史〉：「愚生三季後，慨然念黃虞」、〈戊申歲六月中遇火〉：「仰想東戶時，餘糧宿中田，鼓腹無所思，朝起暮歸眠；既已不遇茲，且遂灌我園」、〈飲酒〉二十首之二十：「羲皇去我久，舉世少復真」、〈詠貧士〉七首之三：「重華去我久，貧士世相尋」、〈感士不遇賦〉：「望軒、唐而永歎」、〈桃花源詩〉：「願言躡輕風，高舉尋吾契」、〈扇上畫贊〉：「三五道邈，淳風日盡」、又：「緬懷千載，託契孤遊」、〈讀史述〉九章「夷齊」章：「采薇高歌，慨想黃虞；貞風凌俗，爰感懦夫」：並其比。

晉、宋之際，政風污濁，士風卑下，陶公〈感士不遇賦・序〉云：「自真風告逝，大偽斯興，閭閻懈廉退之節，市朝驅易進之心。懷正志道之士，或潛玉於當年；潔己清操之人，或沒世以徒勤」，正以斥之。陶公每一思及，悲慨難當，故以傳說中古聖王之政教寓其志意，託其高潔。〈與子儼等疏〉云：「常言：五六月中，北牕下臥，遇涼風暫至，自謂是羲皇上人」，亦此意也。

（原載《王叔岷先生八十壽慶論文集》〔臺北：大安出版社，1993年〕，頁465-503）

---

115 陶公〈桃花源記〉蓋依當日屯聚堡塢實況，兼取《老子》八十章及有關理想世界之描述，益以其自身之政治理想而成之烏托邦。說參陳寅恪先生：〈桃花源記旁證〉，《金明館叢稿初編》，頁168-179。

附識

　　本文初稿成於一九八六年六月。草薥初成，蒙王師叔岷惠閱一過，多所垂示。一九八七年暑假，課餘得暇，復加修補，並於次年獲國科會（今科技部）獎助。一九八七年末學長方介於《漢學研究》發表〈陶淵明五柳先生傳疏證〉。[116]私心以為既有類似之作，遂棄之篋中，不復措意。一九九三年，欣逢叔岷師八秩華誕，同門師友擬刊行論文集以為先生壽，愧無以應，因思舊作於陶公生平、思想、風格及〈五柳先生傳〉之了解或不無小補；而方介學長大作與拙作非僅方向殊異，內容復各有詳略。爰發之篋中，重加整葺，奉以為禮。

　　叔岷師高風亮節，著述閎富，所著《陶淵明詩箋證稿》向為學界推重。本文雖欲學步，但恨樗材淺識，徒興尋跡莫由之歎耳！

　　又，叔岷師〈陶淵明〈五柳先生傳〉箋證〉「附記」云：「一九八七年二月，方介女弟於《漢學研究》第五卷第二期發表〈陶淵明五柳先生傳疏證〉，一九九三年六月，李隆獻學弟於大安出版社《王叔岷先生八十壽慶論文集》發表〈五柳先生傳并贊箋證稿〉。二文並佳作，李文尤博贍。岷此篇乃多年前舊稿，較簡略，與方、李所見同中有異，可互參，俾陶公此〈傳〉之典實與義蘊闡發愈周洽也。」[117]先生之謙遜，令人折服。

---

116 文載《漢學研究》第5卷第2期（1987年12月），頁529-545。
117 王叔岷先生：《慕廬雜稿》，臺北：大安出版社，2001年，頁129。

拾參　《劉子》作者問題再探

一　前言

　　《劉子》，或稱《劉子新論》，[1]或稱《新論》，[2]亦有稱《劉晝新論》、[3]《劉子新編》、[4]《流子》者。[5]

1　稱《劉子新論》，如：〔明〕沈津：〈劉子新論題辭〉，《百家類纂‧雜家類》，《四庫存目叢書》（臺南：莊嚴文化事業公司影印明隆慶元年〔1567〕含山縣儒學刻本，1995年），子部第128冊，卷37；〔明〕程榮輯：《漢魏叢書》，京都：中文出版社影印明萬曆壬辰年（1592）刻本，1978年；〔清〕姚際恆：《古今偽書考》，《姚際恆著作集》，第5冊，頁336；〔清〕黃丕烈：《菉圃藏書題識》（臺北：廣文書局《書目叢編》影印民國八年〔1919〕刊本，1967年），卷5，〈子類二〉「《劉子新論》」（校宋本、校宋明鈔本、明本），頁20、24；〔清〕瞿鏞編纂：《鐵琴銅劍樓藏書目錄》（上海：上海古籍出版社，2000年），卷16，〈子部四‧雜家類〉，頁406；今人王重民：《敦煌古籍敘錄》（北京：中華書局，2010年），頁181。

2　〔清〕王謨輯：《增訂漢魏叢書附遺書鈔》，臺北：大化書局影印清乾隆五十六年（1791）金谿王氏刻八十六種本，1983年；〔清〕盧文弨：《羣書拾補‧新論》，《續修四庫全書》，子部第1149冊，〈校序〉，頁1上；〔清〕周中孚：《鄭堂讀書記》，《續修四庫全書》（上海：上海古籍出版社影印民國十年〔1921〕刻《吳興叢書》本，2002年），史部第924冊，卷52，〈子部十之一‧雜家類一〉，頁19上-20下；〔清〕孫詒讓著，梁運華點校：〈新論袁孝政注〉，《札迻》（北京：中華書局，1989年），卷10，頁347。

3　〔清〕錢謙益：《絳雲樓書目》，《續修四庫全書》（上海：上海古籍出版社影印清嘉慶二十五年〔1820〕劉氏味經書屋抄本，2002年），史部第920冊，卷2，無頁數。

4　〔清〕季振宜藏並編：《季滄葦藏書目‧延令宋板書目》，《中國著名藏書家書目匯刊‧明清卷》（北京：商務印書館影印清嘉慶十年〔1805〕黃氏士禮居刻本，2004年），第20冊，頁2下。案：以上王師叔岷皆有論列，詳〈劉子集證自序〉，《劉子集證》（臺北：中央研究院歷史語言研究所專刊之44，1961年），頁6下。

5　王重民《敦煌古籍敘錄》「雜抄（？）伯三六三六」條云：「唐人稱《劉子》為《流

　　此書中唐以前頗為流行，天子如唐太宗，后妃如武則天，史臣如虞世南、魏徵、長孫無忌，方外高士如釋道世、湛然，詩人如李太白、白樂天，或採其文入書，或受其影響。[6]中唐以降，漸為士林所忘，竟至作者誰屬，眾說雜出，莫衷一是。

　　《劉子》一書，見諸著錄，始於《隋書‧經籍志》；[7]自爾以降，歷代史志與官私書目，尟有不記載者。但《隋志》僅於雜家楊偉《時務論》注下著錄「劉子」，而云：「亡。」並未指明作者與時代，於是《劉子》究為何人所作，頗多異說。去其枝葉文字之異，大抵可得九說：或以為漢劉歆所作，[8]或以為齊、梁間人所作，[9]或以為梁劉孝標作，[10]或以為梁劉勰作，[11]或以為北齊劉晝作，[12]或以為出唐袁孝政偽

子》，余在二七二一與三六四九兩卷中並見之。雖未得其解，而此卷又引作《流子》，唐人固有此稱也。」王重民：《敦煌古籍敘錄》，卷3，「雜抄（？）伯三六三六」條，頁218。

6　唐太宗之《帝範》，武則天之《臣軌》，虞世南之《北堂書鈔》，魏徵、長孫無忌之《隋書‧經籍志》，道世之《法苑珠林》，湛然之《輔行記》並採《劉子》之文入書。

7　《隋書‧經籍志‧子部‧雜家類》，「楊偉《時務論》」條下自注：「梁有《古世論》十七卷，《桓子》一卷；《秦子》三卷，吳秦菁撰；《劉子》十卷，《何子》五卷，亡。」（卷34，頁1006）

8　〔唐〕袁孝政〈劉子序〉，現存宋本以下並不載，見陳振孫《直齋書錄解題》引。〔宋〕陳振孫著，徐小蠻、顧美華點校：《直齋書錄解題》（上海：上海古籍出版社，1987年），卷10，「《劉子》」條，頁304。文詳下引。

9　〔明〕胡應麟著，顧頡剛點校：《四部正譌》（臺北：華聯出版社，1968年），頁45。

10　〔唐〕袁孝政〈劉子序〉引「或曰」。

11　〔唐〕袁孝政〈劉子序〉引「時人」說；〔唐〕釋慧琳：《一切經音義》，《續修四庫全書》（上海：上海古籍出版社影印日本元文三年至延享三年〔1738-1746〕獅谷白蓮社刻本，2002年），經部第197冊，卷90，頁3；〔後晉〕劉昫：《舊唐書‧經籍下‧丙部子錄‧雜家類》，卷47，頁2033；〔宋〕歐陽修等：《新唐書‧藝文三‧丙部子錄‧雜家類》，卷59，頁1534；〔宋〕鄭樵：《通志‧藝文四》，卷66，頁「志」785；〔明〕宋濂著，顧頡剛標點：《諸子辨》（北平：樸社，1928年），「《劉子》」條，頁39；今人王重民：《敦煌古籍敘錄》，卷3，「伯二五四六」條，頁186；林其錟、陳鳳金：〈劉子作者考辨〉，見〔南朝梁〕劉勰撰，林其錟、陳鳳金集校：《劉子集校》（上海：上海古籍出版社，1985年），附錄二，頁335-389。

託，[13]或以為乃唐貞觀以後人所作，[14]或以為金劉處玄作，[15]或以為出明人偽託；[16]甚至有因難以確認《劉子》作者，遂主張存疑者。[17]

12　〔唐〕袁孝政〈劉子序〉；〔唐〕張鷟：《朝野僉載》，見〔宋〕劉克莊：《詩話續集》引，《後村先生大全集》，卷179，頁15上；〔明〕沈津：〈劉子新論題辭〉；〔明〕周子義：〈刻子彙小序‧劉子〉，《交翠軒佚稿》（臺北：漢學研究中心影印日本內閣文庫藏明刊本，1990年），卷2，頁22；〔明〕王道焜：〈北齊劉子序〉，題〔明〕孫鑛評本《劉子》（國家圖書館藏明抄本）；〔清〕盧文弨：《羣書拾補‧新論‧校序》，頁1上、及〈劉子跋〉，《抱經堂文集》（北京：中華書局，1990年），卷12，頁172；〔清〕陳鱣：〈劉子注跋〉，《簡莊文鈔續編》，《續修四庫全書》（上海：上海古籍出版社影印清光緒十四年〔1888〕羊復禮刻本，2002年），集部第1487冊，卷1，頁13下；〔清〕嚴可均：〈書劉子後〉，《鐵橋漫稿》，《續修四庫全書》（上海：上海古籍出版社影印清道光十八年〔1838〕四錄堂刻本，2002年），集部第1488冊，卷8，頁8上；〔清〕丁丙：《善本書室藏書志》，《續修四庫全書》（上海：上海古籍出版社影印清光緒二十七年錢塘丁氏刻本，2002年），史部第927冊，卷18，〈子部九上‧雜家類〉「《劉子》」條，頁20上；今人余嘉錫撰：《四庫提要辨證》（臺北：藝文印書館，1965年），卷14，〈子部五‧雜家類〉「《劉子》」條，頁829-830；楊明照：〈劉子理惑〉，《燕京大學文學年報》1937年第3期，後收入楊明照校注，陳應鸞增訂：《增訂劉子校注》（成都：巴蜀書社，2008年），頁42-43；張嚴：〈劉子五十五篇作者辨正〉，《大陸雜誌》第27卷第1期（1963年7月），頁31-32；王師叔岷：〈劉子集證自序〉，《劉子集證》，頁3。

13　〔宋〕黃震：《黃氏日抄》，卷55，〈讀諸子〉「《劉子》」條，頁19下；〔清〕紀昀等：《四庫全書總目》「《劉子》」條，頁22上；〔清〕邵懿辰撰，〔清〕邵章續錄：《增訂四庫簡明目錄標注》（上海：上海古籍出版社，2000年），卷13，〈子部十‧雜家類〉「《劉子》」條，頁509-510；〔清〕丁日昌撰，路子強、王雅新標點：《持靜齋書目》（上海：上海古籍出版社，2008年），卷3，〈子部十‧雜家類〉「《劉子》」條，頁317。

14　〔清〕紀昀等：《四庫全書總目》「《劉子》」條，頁22上。

15　如周春，見吳騫《尖陽叢筆》：「范氾大令有抄本《劉處玄集》，紙色甚舊，細視其書，即世所傳之《劉子》五十五篇，不知何以寫作《劉處玄集》。……大令謂劉晝書乃實處玄作，未知然否。」案：范氾為周春之字。〔清〕吳騫：《尖陽叢筆》，《續修四庫全書》（上海：上海古籍出版社影印清抄本，2002年），子部第1139冊，卷9，無頁數。

16　〔清〕王昶：〈跋劉子〉，《春融堂集》，《續修四庫全書》（上海：上海古籍出版社影印清嘉慶十二年〔1807〕塾南書舍刻本，2002年），集部第1438冊，卷43，頁13上。

　　《劉子》一書，不論誰作，必有撰主，故存疑之說，雖出矜慎，但對《劉子》作者問題之解決實無裨益。而劉歆、[18]劉孝標、[19]齊、梁間人、[20]劉處玄、[21]明人偽託[22]諸說，或昧於史實，或流於臆度，或陋謬可鄙，前賢言之已多，茲不贅論。至於袁孝政偽託、貞觀以後人

---

17 〔宋〕晁公武著，孫猛校證：《郡齋讀書志校證》（上海：上海古籍出版社，1990年），卷12，〈雜家類〉「《劉子》」條，頁517；〔宋〕趙希弁：《讀書附志》，見《郡齋讀書志校證》，〈諸子略〉「《劉子》」條，頁1142；〔宋〕章如愚撰：《群書考索》（臺北：新興書局影印明正德三年戊辰〔1508〕建陽劉氏慎獨齋刊鈔補本，1971年），卷11，〈諸子百家門・雜家類〉「《劉子》」條，頁2上；〔宋〕陳振孫：《直齋書錄解題》，卷10，〈雜家類〉「《劉子》」條，頁304；〔宋〕王應麟：《玉海》（臺北：華文書局影印元後至元三年〔1337〕慶元路儒學刊本，1967年），卷53，〈藝文門・諸子略〉「《劉子》」條，頁24上；〔元〕脫脫等：《宋史・藝文四・子類一・雜家類》，卷205，頁5208；〔元〕馬端臨：《文獻通考・經籍考四十一・子七・雜家二》，《十通》本，卷214，頁「考」1749；〔清〕姚際恆：《古今偽書考》「《劉子新論》」條（頁336）；〔清〕許心宸：〈明鈔本劉子注十卷跋〉，見〔清〕黃丕烈：《蕘圃藏書題識》，卷5，頁20下引；《四庫全書總目》「《劉子》」條（頁22）；〔清〕彭元瑞撰：《欽定天祿琳琅書目後編》，《續修四庫全書》（上海：上海古籍出版社影印清光緒十年〔1884〕長沙王氏刻本，2002年），史部第917冊，卷5，〈宋版子部〉「《劉子》」條，頁19下-20上；〔清〕孫志祖：《讀書脞錄》，《續修四庫全書》（上海：上海古籍出版社影印清嘉慶刻本，2002年），子部第1152冊，卷4，「《劉子》」條，頁19上；黃雲眉：《古今偽書考補證》（臺北：文海出版社，1972年），「《劉子新論》」條，頁319-320。

18 見《四庫全書總目》「《劉子》」條（頁21下）、陳鱣〈劉子注跋〉（頁13下）、楊明照〈劉子理惑〉（頁39-40）、王師叔岷〈劉子集證自序〉（頁1）、張嚴〈劉子五十五篇作者辨正〉（頁30-31）。

19 見《四庫全書總目》「《劉子》」條（頁21下）、陳鱣〈劉子注跋〉（頁13下）、楊明照〈劉子理惑〉（頁40）。

20 胡應麟《四部正譌》以為：（一）漢、魏、六朝劉姓者甚眾，著論以「新」名者亦甚眾；（二）依《劉子》體例，當作於齊、梁間（頁45）。關於（一），王師叔岷於〈劉子集證自序〉中曾加辨駁（頁5下-6上）。至於（二），《劉子》體例，上則有似於秦之《呂氏春秋》，下則有類於唐趙蕤《長短經》，謂劉子作於齊、梁間，頗乏信據。

21 余嘉錫《四庫提要辨證》「《劉子》」條曾對劉處玄作說加以駁斥（頁839）。

22 《劉子》有唐及唐前鈔本（說詳下），豈會遲至明朝始作？且明人偽託，而避唐、宋諱，亦難想像。

作二說，前人亦已指陳其非，[23]今更舉二事證之：

　　黃震謂《劉子》避唐時國諱，以「世」為「代」。今本《劉子》確有避唐諱現象，「世」字以外，又有以「人」代「民」，以「理」代「治」者。但此乃唐以後傳鈔本。一八九九年敦煌殘卷面世，其中鳴沙山第二八八石窟有《劉子》鈔本四種，其系統大致可歸為二類：一為避唐諱之唐寫本（伯二五四六、三七○四）；一為不避唐諱之唐前鈔本（伯三五六二；另一為羅振玉藏，今下落不明）。伯二五四六、三七○四二本，於唐諱以「代」易「世」，以「理」易「治」，王重民以為此二卷乃開元、天寶之際寫本。[24]羅振玉藏本，羅氏以為寫於盛唐。[25]伯三五六二不避唐諱，傅增湘以為乃隋時寫本，[26]王重民則以為出六朝之末。[27]不論伯三五六二寫於隋世，或鈔於六朝，其為唐前

23　前人駁斥袁孝政偽託說者，有：胡應麟《四部正譌》（頁45-46）、盧文弨〈劉子跋〉（《抱經堂文集》，卷12，頁172）及《羣書拾補・新論・校序》（頁1上）、孫詒讓〈新論袁孝政注〉（《札迻》，卷10，頁347）、余嘉錫《四庫提要辨證》（頁837-839）等。

24　王重民：《敦煌古籍敘錄》，卷3，「伯二五四六」條，頁185。

25　羅振玉〈劉子校記序〉：「此本寫於盛唐，且遠及邊裔，其為六朝人舊箸可知。」收入羅振玉：《永豐鄉人雜箸續編》，《羅雪堂先生全集・初編》（臺北：文海出版公司，1968年），第3冊，校錄頁1上。羅氏將校錄之《劉子》殘卷收於《敦煌石室碎金》中，唯原本下落不明。

26　傅增湘校錄何穆忞藏《劉氏子》眉批：「此卷『民』字不缺避，當為隋時寫本。」（卷上，頁9下）見林其錟、陳鳳金輯校：《敦煌遺書劉子殘卷集錄》（上海：上海書店，1988年），頁18。

27　王重民《敦煌古籍敘錄》「伯三五六二」條：「《劉子新論》殘卷，起〈韜光〉第四之後半，訖〈法術〉第十四之開端，得整篇九，殘卷二。羅振玉於江陰何氏許，曾得一敦煌本《劉子殘卷》，起〈去情〉第三之後半，訖〈思順〉第九之前半。此卷與羅卷同者五篇，又得多五篇，為可寶也。……羅卷寫於初唐，此卷不避唐諱，當出於六朝之末。羅跋云：『此書《唐志》稱梁劉勰撰，《宋志》作北齊劉晝撰，《四庫全書總目》謂當出貞觀以後，訖莫能定為誰何。惜此卷前題已闕，不可攷矣。然此本寫於盛唐，且遠及邊裔，其為六朝舊著可知。』按此卷亦闕前題，繹羅氏言，同此缺望。然揆以唐人寫書之例，凡避諱字，或缺筆，或改用代字；又揆以唐人著書之例，凡避諱字則逕用代字。檢此卷〈崇學篇〉：『學為禮儀，彫以文藻，

寫本碻無可疑。且《劉子》書屢為虞世南《北堂書鈔》所援引,《書鈔》成於隋季,《劉子》之為唐前作品,絕無可疑。[28]今傳《劉子》於唐諱或避或不避,蓋唐時避而未盡,或後世復而未盡。古書流傳,此種現象並不罕見。

又初唐盛主李世民曾著《帝範》以示太子,其篇名與《劉子》也頗有關聯;《帝範》、《劉子》並有〈誡盈〉(《劉子》作「戒」)、〈賞罰〉、〈閱武〉之篇;《劉子》有〈薦賢〉,《帝範》有〈求賢〉;《劉子》有〈傷讒〉,《帝範》有〈去讒〉;《劉子》有〈崇學〉,《帝範》有〈崇文〉;《劉子》有〈貴農〉,《帝範》有〈務農〉。《帝範》詞句亦多承襲《劉子》之跡。《帝範·求賢》注亦明引「《劉子》曰」。[29]又高后武曌《臣軌·慎密篇》也頗受《劉子·慎言篇》影響。可見《劉子》書盛行於初、中唐,袁孝政生於中唐,[30]焉能偽作初唐盛行之書?因此《劉子》作者的爭端,主要在劉勰、劉晝二人。

劉勰、劉晝二說,人數大致旗鼓相當,論據也各有千秋;但民國五十年(1961),王師叔岷撰《劉子集證》,其〈自序〉除引證諸家之說外,復由《劉子》的內容思想與劉勰、劉晝文風的差異及《北齊書》、《北史》劉晝本傳所載諸事加以推考,定《劉子》為北齊劉晝孔

則世人榮之』,羅卷世作代。又〈辨樂篇〉:『三王異世,不相襲禮』,羅卷世亦作代,則原書運用避字,不但可知此卷寫於貞觀以前,且可斷知此書非作於唐世矣。於羅氏所謂為六朝舊著者,此為一強有力之證據。」(卷3,頁182)

28 參用楊明照:〈劉子理惑〉、〈再論劉子的作者〉,收入《增訂劉子校注》,頁38-57。

29 《帝範》注今佚名。《四庫全書總目·子部一·儒家類一》云:「《唐書·藝文志》載有賈行註,而《舊唐書·敬宗本紀》稱寶歷二年祕書省著作郎韋公肅註是書以進,特賜錦綵百匹。是唐時已有二註。今本註無姓名,觀其體裁,似唐人註經之式,而其中時稱楊萬里、呂祖謙之言,疑元人因舊註而補之。」(卷91,頁27上)

30 袁孝政,新、舊《唐書》並無傳。王師叔岷據袁注本《劉子》避太宗、高宗諱,且諱止高宗,疑其為高宗時人(唐高宗卒於683)。說見〈劉子集證自序〉,頁5上。

昭所撰，《劉子》作者問題，實已定讞；未料一九八五年，上海學者
林其錟、陳鳳金作《劉子集校》，[31]附錄二〈劉子作者考辨〉論及《劉
子》作者，歸之於劉勰彥和，於是《劉子》作者又有異議。

　　個人以為若能重新檢討二劉諸說的論證，確認何者僅出臆測，何
者論據不足，何者論斷有誤，何者證據可信，必能有助於澄清問題。
不過，二說論辯頭緒紛繁錯雜，證據也不免瑕瑜互見，若一一討論，
不免繁雜，故本文僅擇其較具證據力者歸納條舉，加以檢討，其無關
宏旨者，因諸文俱在，可以覆按，不擬細述。又文中引述前賢之說，
多見前註，不再詳註出處，以避繁瑣，讀者察之。

二　前賢論據的檢討

　　最早言及《劉子》撰人者為唐袁孝政，《劉子》作者之論辯也由其
〈劉子序〉所引起。宋陳振孫《直齋書錄解題》「《劉子》五卷」條云：

> 劉晝孔昭撰。播州錄事參軍袁孝政為序。凡五十五篇。案《唐
> 志》十卷，劉勰撰。今序云：「晝傷己不遇，天下陵遲，播遷
> 江表，故作此書。時人莫知，謂為劉勰。或曰劉歆、劉孝標
> 作。」孝政之言云爾。終不知晝為何代人。其書近出，傳記無
> 稱，莫詳其始末，不知何以知其名晝而字孔昭也。[32]

陳振孫謂「終不知晝為何代人」；趙希弁據此，遂謂袁孝政作序之

---

31 林其錟、陳鳳金：《劉子集校》，上海：上海古籍出版社，1985年。
32 〔宋〕陳振孫：《直齋書錄解題》，卷10，頁304。〔唐〕袁孝政〈劉子序〉現存宋本
　　以下並不載。〔宋〕趙希弁《讀書附志》（頁1142）、〔清〕姚際恆《古今偽書考》引
　　並同（頁336）；唯〔宋〕晁公武《郡齋讀書志》引袁序不及劉歆（卷12，頁517）。

際，已不能明辨作者為誰：[33]並疑劉畫非《劉子》作者。實則袁孝政之〈序〉可分兩說，前說乃肯定劉畫為《劉子》撰主，後說則引述時人誤說；但既以「時人莫知」指陳，可見袁氏本人並非不能明辨作者為誰。趙希弁之說恐係對袁〈序〉未加深究所致。

關於陳振孫「終不知畫為何代人」之說，胡應麟駁之云：

> 畫傳載《北史》甚明，又嘗為〈高才不遇傳〉。袁孝政〈序〉正據畫傳言之。陳振孫謂「終不知畫為何代人」，殊失考。[34]

孫志祖亦云：

> 劉畫見《北齊書·儒林傳》，即賦六合者也。直齋偶忘之爾。[35]

胡、孫二氏之言誠是；但《北齊書》、《北史》並有畫傳，直齋似不應未嘗寓目。其謂「終不知畫為何代人」，蓋譏袁孝政不知畫為何代人：袁序云「劉畫傷己不遇；天下陵遲，播遷江表，故作此書」，陳氏蓋謂畫乃北朝人，未嘗播遷江表，故譏孝政「終不知畫為何代人」也。但劉畫雖為北人，不妨其有「天下陵遲，播遷江表」之歎。余嘉錫據《朝野僉載》所述，推定：

---

33 〔宋〕趙希弁：《讀書附志》「《劉子》五卷」條：「右劉畫字孔昭之書也。或云劉勰所撰，或曰劉歆之制，或謂劉孝標之作。袁孝政為序之際已不能明辨之矣。《唐·藝文志》列于雜家。」見〔宋〕晁公武著，孫猛校證：《郡齋讀書志校證》，頁1142。

34 〔明〕胡應麟著：《四部正譌》，頁45。

35 〔清〕孫志祖：《讀書脞錄》，卷4，頁19上。

孝政之〈序〉曰：「天下陵遲，播遷江表。」詳其文義，非謂畫
也。蓋謂五胡亂華，天下陵遲，遂致中國共主播遷江表耳。[36]

是袁孝政謂劉書「傷己不遇」，乃指個人遭遇；謂「天下陵遲，播遷
江表」，則歎當時世運，二者可並列而不悖。故據袁〈序〉以疑劉畫
撰作《劉子》，其理據實欠充足。

劉勰、劉畫二說，互為辯駁，論證糾葛纏連，難求涇渭分明，僅
能粗略歸類。為求行文方便，下文先由劉勰說的檢討開始。

（一）劉勰說論據的檢討

主劉勰說者雖有九人，但除宋濂、王重民與林其錟、陳鳳金外，
都未提出明確論據。茲略加董理，並進行檢討。

1. 《文心雕龍》與《劉子》文體相類。（宋濂）

案：《劉子》之文辭、風格與《文心雕龍》實不相似，沈津、周中
孚、張嚴、王師叔岷已為指明。本文〈三〉之（三）將加詳論，
茲不贅。況且文體相類，也不能作為二書同出一人之充分證據，
故宋濂之說論據實欠充足。

2. 《敦煌遺書·隨身寶》有「《流子》劉協注」，王重民推為
「《劉子》劉勰著」；王氏又據伯三六三六「九流」條注「事
在《流子》第五十五章」，而所錄即今《劉子·九流篇》
文，推定《劉子》為劉勰所著。

---

36 余嘉錫：《四庫提要辨證》，卷14，「《劉子》條」，頁834。

案：王重民或亦自覺其說未盡穩妥，故自云：「唐人稱《劉子》為『流子』，……未得其解」。[37]實則「《劉子》」之作「流子」亦非不可解：王氏云：伯三六三六號卷子為雜抄，卷中有「九流」一條，目下有注云：「事在《流子》第五十五章」，經王氏核校，謂「所錄正是《新論‧九流》篇原文」，然則《劉子》之作「流子」，乃涉上稱「九流」字而誤也。[38]《隨身寶》「流子」為「《劉子》」之誤雖無可疑，但王說仍有疑義：「注」與「著」雖僅一字之差，實則大有差別；即使「注」字真如王氏所云乃「著」字之訛，但《隨身寶》也可能將《劉子》作者劉晝誤題為劉勰。可見王氏之說，理據並未十分堅實。

3. 《隋書‧經籍志》著錄《劉子》，云：「亡。」《舊唐書‧經籍志》著錄「《劉子》十卷」，自注：「劉勰撰。」林其錟、陳鳳金遂謂：《唐志》之所以著錄《劉子》，且指明作者，乃因此時原書已見（二氏以為《劉子》原佚，說詳本節之（二）），作者亦隨之而明。

案：古書固有如鄭樵《通志‧校讎略》所稱之「亡於前而備於後」[39]者，但《舊唐書》成於後晉劉昫等人之手，雖其敘錄言及所據者乃開元時毋煚論定之《古今書錄》；但毋煚晚於袁孝政、張鷟。[40]

---

37 王重民：《敦煌古籍敘錄》，文見注5。

38 王重民：《敦煌古籍敘錄》，卷3，「伯二五四六」條，頁186。此意蒙王師叔岷提示，謹誌謝忱。

39 〔宋〕鄭樵：《通志》，卷71，頁「志」831。

40 余嘉錫《四庫題要辨證》謂：「鷟高宗調露時進士。」（頁830）案：唐高宗調露（679）僅一年，下距玄宗開元（713-741）三十年以上，張鷟早於毋煚應無可疑。

袁、張既並云《劉子》為劉晝所作，[41]則後於袁、張之毋煚所言
未必可取。且孝政既謂「時人莫知，謂為劉勰」，張鷟亦云「人
莫知也」，蓋時人有此誤傳，故袁、張並加駁斥；而毋煚不察，
仍採時人誤說入錄。再者，劉昫是否即據毋煚之《古今書錄》，
亦非絕無可疑。故林、陳所提論據，似失之臆度。

4. 林、陳又據王重民、慧琳[42]之說，謂：唐人關於《劉子》作
　　者問題，以「肯定劉勰者居多」，主張劉晝者僅為少數。

案：多者未必正確；且所謂「肯定劉勰者居多」，也只是林、陳一廂
　　情願之說而已。王重民說之不必然，已詳上。慧琳之說雖與袁孝
　　政序所謂「時人謂為劉勰」合；但慧琳所稱「劉勰著書四卷，名
　　《劉子》」之「《劉子》」未必即為今傳之《劉子》五十五篇。況
　　且慧琳也沒有指明劉勰所作之「《劉子》」究為何書。即令慧琳所
　　稱之《劉子》即今本《劉子》，其說也未必可信：慧琳生於開元二
　　十四年（736），卒於元和十五年（820），[43]晚於袁孝政百餘年；
　　況且慧琳之說是否便如二氏所指陳，也還有可疑。林、陳以慧
　　琳、王重民之說作為劉勰撰作《劉子》的證據，有類築塔於沙。

---

41 〔宋〕劉克莊《詩話續集》引張鷟《朝野僉載》：「《劉子》書，咸以為劉勰所撰，
　乃渤海劉晝所製。晝無位，博學有才，□（獻案：余嘉錫《四庫提要辨證》引作
　「竊」）取其名，人莫知也。」見《後村先生大全集》，卷179，頁15上。

42 釋慧琳《一切經音義》卷九十「劉勰」下云：「梁朝時才名之士也。著書四卷，名
　《劉子》。」（頁3）

43 慧琳生卒年，陳垣《中國佛教史籍概論》引《宋僧傳》卷五，謂其「以元和十五年
　庚子卒於所在，春秋八十四矣」，可以推知慧琳生於開元二十四年（736）。參陳
　垣：《中國佛教史籍概論》（北京：中華書局，1977年），卷4，頁82。

5. 林、陳謂：史傳不載劉勰撰作《劉子》，不足以作為劉勰未
　作《劉子》的證據。

案：史傳不載，未必即無此著作，所言甚是；但施之劉晝亦然，並不
　能解決二劉之說的爭議。二氏又列舉劉勰佚文篇目，並說：

　　史傳既有「文集行於世」的記載，又有這麼多未被本傳列舉，
　　但已被證實確是劉勰的著述，我們為什麼不可以認為《劉子》
　　五十五篇亦屬劉勰行世「文集」的一部分呢？[44]

此說恐非。既是專書，便非「文集」之部分，此義自《漢書・藝文
志》以下，大抵確立；且《劉子》屬子書性質，焉可繫之文集？二氏
之論，恐失之牽強。

6. 劉勰卒年凡三說：

（1）梁普通二年（521）前後；

（2）梁中大通四年（532）前後；

（3）梁大同四或五年（538、539）前後。

林、陳以為：後二說較近情；並據之作為劉勰撰作《劉子》的
證據。

案：依劉勰卒年之三說推之，二氏之說恐難成立：二氏既以為《隋
　志》之著錄《劉子》乃據阮孝緒《七錄》；《七錄》成於普通四年

---

44 林其錟、陳鳳金：〈劉子作者考辨〉，《劉子集校》，頁365。

（523）。以梁中大通、大同二說推算，阮《錄》編成時，《劉子》恐猶未成書，則其誤不待言辯；[45]二氏竟以此二說為較近情，似未能照顧前後。即以普通二年說驗之，彥和之卒距《七錄》之作僅二年，而其書云亡，亦難取信於人。故由劉勰卒年觀之，其作《劉子》書的可能性可說微乎其微。

　　7. 林、陳又據《文心》與《劉子》同用《韓非子》「南郭吹竽」一典，而並作「東郭吹竽」，定二書同出劉勰之手。

案：「南郭吹竽」，見《韓非子・內儲說上》。《劉子・審名》云：「東郭吹竽，而不知音」；[46]《文心雕龍・聲律》稱：「若長風之過籟，東郭之吹竽耳」（卷7，頁554）：並作「東郭吹竽」。此種情況，個人以為有三種可能：

　　（1）如黃侃《文心雕龍札記》引孫詒讓說：古書「南郭」自有作「東郭」者，不必依《韓子》；[47]

　　（2）《韓子》傳本至南北朝之際，有作「東郭」者，《文心》、《劉子》並據此本，遂皆作「東郭」；

　　（3）《劉子》作者取自《文心・聲律》，故同作「東郭」。

況唐人羅隱《兩同書・真偽篇》作「北郭吹竽」，與《韓子》、《文心》、《劉子》並異，則作何「郭」似難據為《劉子》撰主歸屬之碻證。

45　《劉子》書成於作者晚年，說詳本文〈三〉之（一）。

46　王師叔岷：《劉子集證》，卷3，頁33下。本文所引《劉子》，概依王師叔岷《劉子集證》，而皆於文後逐注頁碼；其原文之有訛誤者，則逕依師說校改，不另注明。

47　黃侃：《文心雕龍札記》（香港：新亞書院中國文學系，1962年），頁118。

8. 林、陳細分二十小節,節引《劉子》與《文心》之文,加以
　比照,認為兩書之思想方法、語言風格至為相似,必出一人
　之手。

案:二氏實僅臚列資料,並未細加比論,意義不大,茲不詳加駁論,
　　僅提出三點質疑:

（1）思想相近之人不少,二書思想相近,未必即同出一人之
　　　手;且《劉子》、《文心》二書之思想雖有相近處,亦有
　　　相異點,二氏僅舉其同而略其異,似有隨心所欲之嫌。

（2）二氏節引之文全由相似處而未由相異點著眼。若二書所用
　　　典實、文句偶合,便認為同出一人,豈不也可說《國策》
　　　與《史記》、《左傳》與《史記》、《國語》與《史記》各
　　　同出一人之手?再者,細審《劉子‧正賞》,似乎《劉
　　　子》作者曾見過《文心‧知音》（說詳本文〈三〉之
　　　（五））。或者《劉子》之作,部分原因即有感於《文心
　　　雕龍》一書。[48]若然,則二書之有相似處,並不可怪。
　　　林、陳曾引明人蔣以化「刻《劉子》引」之說,謂《劉
　　　子》「分類鑄辭,尊仲尼,卑百家,一似《文心雕龍》,
　　　謂必梁舍人劉勰所著也。」[49]但蔣說非唯未得其旨,且
　　　恰足反證二書並非出於一人之手:彥和之《文心》固然
　　　「尊仲尼卑百家」,《劉子》則尊仲尼而尚老莊,未卑道
　　　家,二氏自陷矛盾而不知。

---

48 劉勰在當時雖非名人,但其《文心雕龍》經由沈約推重,當為士林所共知。當時雖
　有南北相輕之習,但北人於南人之著作向所推重,劉書及見《文心》,當無可疑。
49 林其錟、陳鳳金:〈劉子作者考辨〉,《劉子集校》,頁373。

（3）《劉子》、《文心》之風格實不相似。王師叔岷〈劉子集證
　　自序〉曾論二書風格之差異云：「《雕龍》文筆豐美，《劉
　　子》文筆清秀；《雕龍》詞義深晦，《劉子》詞義淺顯；
　　《雕龍》於陳言故實多化用，《劉子》於陳言故實多因
　　襲，此又可證《劉子》非劉勰所作矣。」（〈劉子集證自
　　序〉，頁3上）

二氏謂二書語言風格相似，恐欠深究。此點本文〈三〉之（三）將進
一步討論。

　　另有反駁劉勰作說之一說，附論於此：《文心雕龍・樂府》「有城
謠乎飛燕，始為北聲」（卷2，頁101）與《劉子・辯樂》「殷辛作靡靡
之樂，始為北音」（卷2，頁16上），皆論北音之起源而所言不同，《四
庫全書總目》與楊明照遂據此作為駁斥劉勰作《劉子》的證據。

　　案：此據猶有可議。林其錟、陳鳳金駁之云：

　　我們認為兩書在此討論的問題不同。《文心雕龍》關於東、
　　西、南、北音的起源，指的是「樂」的起源；而《劉子》指的
　　是「淫聲」的起源。《文心雕龍》取的是《呂氏春秋・音初》
　　的材料，而《劉子》則採之於《淮南子・原道》。……在「北
　　音」問題上，正如《淮南子》同《呂氏春秋》所論主旨不同一
　　樣，《劉子》同《文心雕龍》所論主旨也是不同的。因此，不
　　能斷言《劉子》同《文心雕龍》有矛盾，更不能以此作為根據
　　來否定《劉子》是劉勰所著。[50]

---

50 林其錟、陳鳳金：〈劉子作者考辨〉，《劉子集校》，頁386-387。

林、陳之言甚是,以此作為論斷二書作者之論據確乎不夠堅實。

由上文檢討,可見:宋濂、王重民、林其錟、陳鳳金四人所提諸論證,乍看似言之成理,實則或論據不足,或流於臆測,或出於誤解,並不足以構成支持《劉子》為劉勰所作之有力證據;而各家及個人之駁詞,雖不能構成肯定《劉子》為劉晝作之決定性論據,但已足夠削弱劉勰撰作《劉子》的可能性。

(二)劉晝說論據的檢討

主張《劉子》為劉晝作者,約有十四、五人,其所提論據,林其錟、陳鳳金大抵曾加駁論。茲將各家之說略為歸納,並條述林、陳駁詞,一同加以檢視。

> 1. 劉晝為名儒,《劉子》書「雜論治國修身之道,不失為儒者之言」。(周中孚)
>
> 林其錟、陳鳳金則認為:劉晝乃典型北朝經學儒生,屬保守漢儒煩瑣經學一派。一生既未涉及政治、經濟、軍事等方面,且「讀書二十年,而答策不第」,上書又「多非世要」,乃一通於經學而不達世務之人,難以寫出內容廣泛,又能反映時代精神的《劉子》。

案:林、陳的基本論據是「劉晝乃典型北朝經學儒生」云云,但這一論據,實出誤解:劉晝是以董仲舒、公孫弘自命的經學儒生,並不是保守的煩瑣派——董仲舒、公孫弘本非煩瑣派經生——此點可由劉晝本傳得知:晝與李寶鼎習三《禮》,受《服氏春秋》於

馬敬德，[51]「俱通大義」。再者，劉晝也曾涉及政治，只是欲求仕進卻不可得而已。況且劉晝既是儒生，對於文化諸事焉能不知？既然欲求用世，對經濟、軍事又怎能不涉獵？《劉子》書雖歸心道家，卻託志儒家，不失為儒者言。劉晝為名儒，既見本傳，其非煩瑣派經學儒生，亦如上述。周中孚之說於《劉子》、劉晝二者關係之聯繫雖不具必然性，卻也不是全無道理。

2. 余嘉錫以為「晝無仕進」，「傷時無知己」，「多竊位妬賢」，與《劉子》〈知人〉、〈薦賢〉語意相合。

　　林其錟、陳鳳金則以為：「無仕進」等事，施之劉勰亦然：劉勰出身貧寒，社會地位低下，雖因沈約稱揚而入仕途，一生所任官職與其理想相去甚遠，以致鬱鬱遁入空門，也算是「不遇」與「無位」之士。

案：林、陳之論，乍看頗似合理，實則不無疑義：

（1）劉勰離開定林寺後，所任雖非高官，恐也不能稱為「無位」，況且還有「政有清績」之效呢；劉晝則求任一官而竟不可得。

（2）劉勰離定林寺出仕，其後又回定林寺。第二次回定林寺，並未即刻出家，乃先論撰佛經，待其功畢，方始上表求歸沙門。果如二氏所言，彥和仕途希望破滅，何以

51　東漢服虔有《春秋左氏傳解》（據《後漢書・儒林列傳・服虔傳》〔卷79下，頁2583〕，《隋志》作「解誼」〔卷32，頁928〕。事亦見《世說新語・文學》〔余嘉錫：《世說新語箋疏》，卷5，頁192〕），《服氏春秋》蓋即《服氏解》。

不返寺之初立即出家？何以必待論定經藏畢功之後再行皈依？二氏以為劉勰「鬱鬱遁入空門」，與彥和行跡似未盡合。

（3）劉勰自出家至辭世，不及一年，似乎難以撰成一部內容涵涉哲學、政治、經濟、文藝諸方面，思想頗為豐富的著作（借用林、陳二氏評《劉子》語）。

故二氏以劉勰生平遭遇與《劉子》比附，謂為《劉子》撰主，恐屬徒勞。余嘉錫之說雖非必然，但《劉子》〈知人〉、〈薦賢〉所敘與劉晝之生平遭遇卻若合符節。

林、陳又據《北史‧劉晝傳》所載：「孝昭即位，好受直言。晝聞之，喜曰：『董仲舒、公孫弘可以出矣！』」[52] 謂晝乃以公孫弘自命，反駁余嘉錫引《劉子‧薦賢》「公孫弘不引董生，汲黯指為妒賢」，證明劉晝「傷時無知己，多竊位妒賢，故有此言」之說，謂余氏之說與《北史‧劉晝傳》所載相悖。

案：《劉子‧薦賢》文字與《北史‧劉晝傳》所載劉晝言論實為不相干的兩件事：〈薦賢〉乃指責公孫弘的不引董仲舒為妒賢，所重者在公孫弘的個人行為；《北史》所載乃就董仲舒、公孫弘二人在儒學、政教方面的功勞而言，所重者在事功，故劉晝以之自比——晝有用世之意——二者並無矛盾。

3.《北史‧劉晝傳》載李璵薦劉晝事，[53] 劉晝答語與《劉子‧

---

52 《北史》，卷81，頁2730。

53 《北史‧儒林上‧劉晝傳》：「刺史隴西李璵，亦嘗以晝應詔。先告之，晝曰：『公自為國舉才，何勞語晝！』」（卷81，頁2730）

薦賢》語意合。（余嘉錫）

林、陳則認為：劉晝性格孤高，頗有不阿權貴的傲氣，與《劉子》〈因顯〉、〈託附〉二篇觀點相反，不可能將「投靠權貴，攀附達官的行徑加以理論化，並且津津有味地加以鼓吹」；而〈因顯〉、〈託附〉二篇所言恰與劉勰自薦其書於沈約的行為相合。

案：《劉子》作者乃借〈因顯〉、〈託附〉、〈知人〉、〈薦賢〉諸篇抒發其無人知、無人薦之慨，深歎士無因依，無由顯達，苟無寄託依附，則難騰昇顯揚，旨在指責時人不能舉薦賢能，與古人以薦賢為己任之襟度不侔，係以歎慨式的「反語」出之，非真汲汲於因顯、託附，更無「鼓吹」之意。〈託附〉篇末云：「故鳥有擇木之性，魚有選潭之情」（卷5，頁44上）：明白指出託附當有揀擇，與劉晝耿直孤高、不阿權貴的性格正相吻合，與彥和干休文車前的行徑迥異。林、陳於《劉子》文意似欠深解。

至於劉晝回答李璵之薦，云：「公自為國舉才，何勞語晝」，與《劉子·薦賢》所稱：「古人競舉所知，爭引其類」（卷4，頁40上）之意正合，並謂：薦賢乃分內之事。余嘉錫引為劉晝與《劉子》關聯之證，雖非必然，卻有相當的可信度。說又詳〈三〉之（四）。

4. 劉晝詆佛而不非老莊，與《劉子》之歸心道家合；史稱劉勰「長於佛理」，後且出家，與《劉子·九流》之歸心道家，志趣、秉心各異。（《四庫全書總目》、陳鱣、余嘉錫、楊明照、王師叔岷）

　　林、陳則謂：劉勰當時「常常統崇儒、尊道、禮佛於一
　　身」,「劉勰自然也不能例外」,上述論據,「沒有聯繫當時的
　　社會現實對劉勰進行全面考察,未免偏頗」;又謂:劉勰反
　　道教,未反道家,故《劉子‧九流》末段,其基本思想與劉
　　勰思想並不衝突;又以為:《劉子》思想中亦有小乘佛教因
　　果報應之跡。

案:劉晝歸心道家,非歸心道教——《四庫全書總目》謂晝歸心道
　　教——余嘉錫已為指明。劉勰不反道家,蓋是;但不反道家,未
　　必即歸心道家。錢鍾書《管錐編》云:

　　　　《文心雕龍‧諸子》篇先以「孟軻膺儒」與「莊周述道」並
　　　　列,及乎衡鑑文詞,則道孟、荀而不及莊,獨標「列禦寇之
　　　　書,氣偉而采奇」;〈時序〉篇亦稱孟、荀而遺莊,至於〈情
　　　　采〉篇不過借莊子語[54]以明藻繪之不可或缺而已。[55]

　　劉勰對莊周奇浩宏偉的文字尚且未曾加以拔揚,說他歸心道家,
　　恐不合實情。而由《劉子》首列道家思想四篇及〈九流〉觀之,
　　作者之歸心道家,殆無可疑。認為《劉子‧九流》篇末與劉勰之

---

54 案:《文心‧情采》:「莊周云:『辯雕萬物』:謂藻飾也。」(《文心雕龍注》,卷7,
　　頁537)「辯雕萬物」,文見《莊子‧天道》(《莊子集釋》,卷5中,頁465。「雕」,
　　《莊子》作「彫」)。劉勰引之,謂莊子重藻飾。莊子認為「文滅質」(〈繕性〉卷6
　　上,頁552),怎會重視雕飾、文彩?實則「雕」借為「周」,乃「周徧」意,彥和
　　之說係出誤解。
55 錢鍾書:《管錐編》(北京:生活‧讀書‧新知三聯書店,2001年),第2冊上卷「張
　　湛註列子」條,頁113。

基本思想並不衝突，也未必然（說詳〈三〉之（二））。此其一。
當時固然常有融儒、釋、道三家思想於一爐者，卻未必人人如
此，否則何以有人詆佛，而需劉勰作〈滅惑論〉加以辯駁？二氏
認為劉勰「自然也不例外」，似嫌武斷。且《劉子》若為勰著，
如二氏之論，勰既集佛、道、儒於一家，何以其書不集三家思想
而並崇之，惟獨崇道尊儒？此其二。即令《劉子》中有小乘佛教
因果報應之跡，也不能證明作者為崇佛之人：人本就難以脫離時
代思潮影響，南北朝佛教盛行，《劉子》作者受佛教思想影響，
並不足怪；但受某種思想影響，未必就是加以尊崇，二者仍有相
當大的差別。此其三。

劉勰對佛理深所推尊，至為落髮焚鬚。《劉子》書成於作者晚
年，若為劉勰所作，就情理言之，當有崇佛之論，但《劉子》書
中卻無崇佛之跡；劉晝雖曾詆佛，但《劉子》書既成於晚年，或
劉晝晚年心情歸於寧靜，不再大力詆佛，或其書不以詆佛為主，
故少見詆佛之論：是則以勰、晝二人思想論之，劉勰作《劉子》
的可能性絕不比劉晝大。

　　5.《劉子》屢見引於初唐人作品，且先於《隋志》之修撰，又
　　　有敦煌唐前抄本。（楊明照）

案：此一論據，若單獨論之，未必可靠；因引述者與敦煌本皆未註明
　　作者姓名，而勰、晝並在唐前，不足作為劉晝乃《劉子》撰主的
　　證據；但既為中唐之袁孝政、張鷟所指稱，其可信度亦不容輕易
　　抹煞。

6.《劉子》書文辭古拙，與史稱劉晝文風相合。（楊明照）

此論牽涉「標準」問題，故意見紛歧。如胡應麟、《四庫全書總目》、黃雲眉等並以為《劉子》文風與劉晝之「古拙」不合；黃震甚且以為《劉子》之文類俳；林其錟、陳鳳金非唯以為《劉子》語氣風格與史載劉晝之「言甚古拙」不合，且謂：

> 像劉晝這樣死鑽經書而又「舉動不倫」，對自己古拙的作品卻「自謂絕倫，吟諷不輟」的人，會寫出語言淺顯流暢的作品來，是難以置信的。[56]

案：前人評《劉子》文，有比為「古拙」者（楊明照），有毀之為「詞頗俗薄」者（晁公武），有譽之為「豐腴秀整」、「豐美」者（盧文弨），有評為「縟麗輕蒨」者（《四庫全書總目》）。實則《劉子》文辭，或古拙、或朗暢、或雄渾、或莊重、或華靡，而以清秀為宗。[57]楊明照逕稱之為「古拙」，確嫌太過。但胡應麟、林其錟、陳鳳金等以為史稱劉晝「文辭古拙」，恐難撰著文風不甚「古拙」之《劉子》，亦不無疑義：劉晝作品今存者不全，難以詳知其文「古拙」之程度；且吾人又安知今傳《劉子》之文詞在當時不被視為「古拙」？此其一。其次，劉晝「舉動不倫」，未必與「文風」相關，孔昭也未必是「死鑽經書」之人，否則又怎會「力學為文」？林、陳二氏以之譏彈，實風馬牛不相及。此

---

56 林其錟、陳鳳金：〈劉子作者考辨〉，《劉子集校》，頁371。
57 晁公武謂《劉子》文辭俗薄，恐抑之太過；盧文弨謂其豐美，又嫌揚之太高。《總目》謂其「縟麗輕蒨」，實則《劉子》之文，「輕蒨」有之，「縟麗」則少。細繹之，清麗秀整——偶有雄渾古拙者——差可當之。

其二。林、陳又忽略另一問題：劉晝的「言甚古拙」，乃是初學為文時的文風。史載劉晝：「入京考策不第，乃恨不學屬文，方復緝綴辭藻，言甚古拙」，[58]明指其初學為文時之風格。安知劉晝非因「古拙」之文風為魏收、邢邵及時人所鄙譏，於是力改「古拙」，晚年成就其輕蒨流暢之風？況且《劉子》中也偶有「古拙」之風的文句，[59]似乎便是改而未盡的遺跡。楊明照之論，亦非全無根據。此其三。

> 7. 《劉子》之陳言故實，異聞奇說，援引萬端，非博物奇才，絕不能作；而史稱劉晝「自謂博物奇才」，二事正相吻合。（王師叔岷）

案：史稱劉晝「愛學」，「常閉戶讀書」，得宋世良家藏書，即「恣意披覽」，至於「晝夜不息」。因有此等工夫，遂能成就其博物奇才之具。而《劉子》所用典實，奇聞異說特多，至有不能明其根柢者，[60]其作者必為博物奇才無疑；而劉晝正具備此一才具。王師之說，於《劉子》與劉晝二者之關聯性最能扣合。

另有反駁劉晝作之論證數項，附論於此：

> 1. 黃震等謂史書並未記載劉晝撰有《劉子》書。

58　《北齊書・儒林・劉晝傳》，卷44，頁589。

59　《劉子》之文偶有古拙者，如〈均任〉：「奔蜂不能化藿蠋，而螟蛉能化之；越雞不能伏鵠卵，魯雞能伏之。藿蠋與螟蛉，俱蟲也；魯雞與越雞，同禽也。然化與不化，伏與不伏者，藿蠋大，越雞小也。」（卷6，頁60下）又《劉子》用典多直接承襲，不加轉化，亦古拙之例，茲不繁引。

60　參王師叔岷：〈劉子集證自序〉，頁4下、17下。

案：《隋志》及劉晝本傳未明載劉晝撰作《劉子》，屢為《劉子》非
劉晝作致疑之因。但此說之不足信據，實不難明瞭：史志、目錄
的載錄書名、撰人以及史傳的記載某人著作，自難以彌綸宇內，
鉅細無遺；偶或失載，有何可疑？羅振玉〈劉子校記序〉云：

> 《隋書‧經籍志‧子部》論諸家得失，與此書〈九流〉篇略
> 合，館臣遂疑《隋志》若襲用其說不應反不錄其書。所疑固
> 當；然安知非史臣一時漏略，致未箸錄，非有意遺之耶？[61]

姑不論《隋志》襲用《劉子‧九流》，而故為掩飾，不著錄《劉子》
撰主姓名可能性之大小，羅氏所言固甚切理。余嘉錫《古書通例‧緒
論》論「辨別古書真偽之法」曾有「考之史志及目錄以定其著述之
人，及其書曾否著錄」一法，並論此法之難云：

> 然周秦之書，不必手著。《漢志》所載之姓名，不盡屬之著述
> 之人。其他史志及目錄所載書名撰人（原注：《新唐志》及《宋
> 史‧藝文志》），皆不免有譌誤。若其著錄與否，則歷代求書，
> 不能舉天下之載籍，盡藏之於祕府；況書有別稱，史惟載其定
> 名；篇有單行，志僅記其總會（原注：《漢志》多有此例）。又
> 往往前代已亡，後來復出。或發自老屋，而登中祕；或獻自外
> 國，以效梯航。至於晁子止之《讀書》，陳直齋之撰錄，只紀
> 一家之有無，未及當代之存佚。其餘諸家書目，見聞益隘，蓋
> 不足言。是則據史志目錄以分真偽之法，不盡可憑也。[62]

61 羅振玉：《永豐鄉人雜箸續編》，《羅雪堂先生全集‧初編》，第3冊，校記頁1上。
62 余嘉錫：《古書通例》（臺北：丹青圖書公司，1986年），頁4-5。

余氏所論雖僅為史志目錄，推之本傳載錄，亦無不可。若能通曉此
理，則劉晝撰作《劉子》一事，雖不見載於史志目錄與本傳，而劉晝
之未必不著《劉子》，當可無疑。林其錟、陳鳳金以為劉晝著述，除
〈高才不遇傳〉、《帝道》、《金箱璧言》[63]外，無他書或文集行世，其
理與此正同，不煩贅論。

> 2. 林其錟、陳鳳金由《劉子》之著錄情形對劉晝說提出質疑：
> 據《隋書·經籍志·序》：「遠覽馬《史》、班《書》，近視
> 王、阮《志》、《錄》」（卷32，頁908），可見《隋志》實承南
> 齊王儉《七志》與梁阮孝緒《七錄》；又據《廣弘明集》卷
> 三所載阮孝緒〈七錄序〉：「有梁普通四年（523）撰」與錢大
> 昕〈隋書考異〉：「阮孝緒《七錄》撰於梁普通中，《志》所云
> 『梁』者，阮氏書也」、章宗源《隋書經籍志考證》：「《隋
> 志》依《七錄》，凡注中稱梁有今亡者，皆阮氏舊有」；並參
> 《隋志》「梁有《劉子》十卷，亡」之注，謂：史臣撰寫
> 《隋志》時，《劉子》已有目無書。並引章宗源、姚振宗說，
> 謂《劉子》見載於阮氏《七錄》。

案：姑不論《隋志》是否根據阮《錄》編撰，[64]此說即有三點可議：

---

63 「壁」，鄭樵《通志》（卷174，頁「志」2797）、王應麟《玉海》（卷53，頁24上）
　並作「璧」，蓋是。本文行文皆逕作「璧」，不另注明。
64 傳統以為《隋書·經籍志》乃據阮孝緒《七錄》而作，王欣夫則以為《隋志》乃據
　李延壽、敬播所修之《五代史志》作成，《五代史志》則係根據隋煬帝命柳顧言等
　所修之《大業正御書目錄》而成。說見王氏：《文獻學講義》（臺北：文史哲出版
　社，1987年）第二章「《隋書·經籍志》根據《五代史志》」及「隋代官家目錄」二
　小節（分見頁83-84；102-103）。鄙意則以為《隋志》蓋綜合阮孝緒《七錄》與《大
　業正御書目錄》，並有所增減。

（1）《隋志・子部・雜家類》楊偉《時務論》下云：「《時務論》十二卷。」原注：「楊偉撰。梁有《古世論》十七卷，《桓子》一卷。《秦子》三卷，吳秦菁撰；《劉子》十卷，《何子》五卷，亡。」《隋志》於「梁有《古世論》」下，既又言及「吳」時之《秦子》，則其所稱之「梁」字是否直貫至「《劉子》」，不無可疑。

（2）若如二氏所言，梁時已有目無書，則此本《劉子》早經亡佚，唐人焉得援引？

（3）見載於《七錄》之《劉子》，既不云作者，則是否即為今傳之《劉子》，猶有可疑。

《梁書・處士・阮孝緒傳》載阮氏論述有云：

> 夫至道之本，貴在無為；聖人之跡，存乎拯弊。弊拯由跡，跡用有乖於本。本既無為；為，非道之至。然不垂其跡，則世無以平；不究其本，則道實交喪。丘、旦將存其跡，故宜權晦其本；老、莊但明其本，亦宜深抑其跡。……若能體茲本跡，悟彼抑揚，則孔、莊之意，其過半矣。（《梁書》，卷51，頁741）

林、陳謂阮氏此文與《劉子・九流》一脈相承。據此，遂謂：阮孝緒撰《七錄》時不僅收錄《劉子》，可能還受《劉子》思想影響。《劉子・九流》篇末云：

> 夫道以無為化世，儒以六藝濟俗。無為以清虛為心，六藝以禮教為訓。若以〔禮〕教行於大同，則邪偽萌生；使無為化於

成、康，則氛亂競起。何者？澆淳時異，則風化應殊；古今乖
舛，則政教宜隔。以此觀之，儒教雖非得真之說，然茲教可以
導物；道家雖為達情之論，而違禮復不可以救弊。今治世之
賢，宜以禮教為先；嘉遁之士，應以無為是務：則操業俱遂，
而身名兩全也。（《劉子集證》，卷10，頁107上）

細繹上文，可知：《劉子》之意重在「通變」，故云「澆淳時異，則風
化應殊」，文末則歸結於「廊廟山林，各適其適」，與《梁書》所載阮
文之重點在闡明儒、道二家之意異趣。又當時莊老盛行，以儒道二家
並重，不足深怪；且思想相同，或二者來自同一來源，或《劉子》作
者根據阮文立論，未必就是阮孝緒見過《劉子》，受其影響。若阮孝
緒見過《劉子》，且錄入《七錄》，何以又注明此書已「亡」？或謂此
「亡」乃指編《隋志》時始「亡」，非指編《七錄》時已「亡」。若依
此解，亦有病焉：前文既謂「凡《隋志》所云『梁』者，阮氏書
也」；而《隋志》正作「梁……《劉子》……亡」（據林、陳說），豈
非正謂《劉子》亡邪？若謂《隋志》之「梁」字不指《七錄》，則此
說之立論根本業已動搖。林、陳蓋亦有見於此，故既謂《劉子》「有
目無書」，又云：「是否書已全佚抑或有殘卷當另作別論」；又云：

> 《隋志》的作者，不僅見到過《劉子》的目，而且還見到過
> 《劉子》的殘帙（原注：這種殘帙很可能是底柱漂沒的殘
> 存），至少是見到過《劉子·九流篇》。[65]

唯此種解說並不能解決阮孝緒著錄《劉子》，而稱「亡」的問題：底

---

65 林其錟、陳鳳金：〈劉子作者考辨〉，《劉子集校》，頁338。

柱漂沒，事在初唐武德五年（622），阮氏焉能預知《劉子》將遭底柱漂沒之厄而預先注云「亡」耶？故而此一論據並不足以動搖劉晝撰作《劉子》的根基。

清姚振宗云：

> 此《劉子》似非劉晝。晝在北齊孝昭時著書，名〈帝道〉，又名《金箱璧言》者，非此之類。且其時當南朝陳文帝之世，已在梁普通後四十餘年；阮氏《七錄》作于普通四年，而是書載《七錄》，其非劉晝所撰更可知。[66]

林、陳據之，遂謂：阮孝緒作《七錄》時劉晝方十齡，不能作《劉子》書。但姚振宗於上引文字之後，又說：

> 然其（案：指袁孝政）言天下陵遲，播遷江表，必有所本，亦非晝、非勰、非劉孝標之遭遇。《七錄》列是書於吳、晉人之間，似猶為東晉時人；其書亦名《新論》，與魏、晉時風尚尤近。[67]

姚氏謂阮錄之《劉子》乃東晉人所作，與二劉無關，尤可證浩翰書林中稱「《劉子》」者，非特一書。林、陳則舉二證以非姚氏東晉人所作之說：

1. 播遷江表非指個人遭遇；

---

66 〔清〕姚振宗：《隋書經籍志考證》，《歷代史志書目叢刊》（北京：國家圖書館出版社，2009年），第6冊，卷30，〈子部七‧雜家〉「梁有《劉子》十卷亡」條，頁12。
67 同前注。

2. 目錄偶有倒置情況，姚氏由《七錄》列《劉子》於吳、晉人之間，遂推斷其為東晉人，不足信。

播遷江表，不必指個人遭遇，說已詳上。但如前所言，即使阮氏所見《劉子》真為劉彥和所作，也無妨於今本《劉子》乃劉畫所作這一可能。可見由書目、著錄論《劉子》作者，恐皆無補於問題之澄清。

3. 林、陳又以為劉畫詆佛甚力，但《劉子》卻無詆佛的言論與思想，反與佛教典籍頗有淵源；並引證《弘明集》所載牟子〈理惑論〉，謂《劉子》用釋家典實，以為：若《劉子》反映出劉畫之詆佛思想，則堅守揚佛抑道門戶冤親無等的釋道宣，必不引《劉子》為同調。

二氏之言，個人未能同意，理由有四：排佛者未必需於所著之每一書中詆佛。劉勰排道教，而《文心雕龍》中並無詆諆道教文字，吾人寧可謂《雕龍》非彥和所作歟？此其一。且《劉子》中未必真如二氏所言全未詆佛（說詳〈三〉之（二））。此其二。排佛之人，未必即不用釋家典故。宋王應麟云：

王坦之著〈廢莊論〉，而其論多用莊語。[68]

以釋易莊，其理亦同。此其三。釋道宣引《劉子》文也可能是以彼之矛攻彼之盾，未必便如二氏所說「引為同調」；也可能因劉畫《劉子·妄瑕》主張當忘人微瑕，已身卻大力排佛，遂引其文——道宣所

---

68 〔宋〕王應麟：《困學紀聞》，卷10，〈諸子〉，頁1240。

引正為〈妄瑕〉文字——以塞其口,猶之乎今人互為駁難,而各引對方文字以攻其矛盾。此其四。

由上文檢討,可知:反駁劉晝作者之說並不能構成推翻劉晝為《劉子》撰主的有力論據;主劉晝作者,論據也不是全然可信,但部分證據卻提供《劉子》為劉晝所作的可能訊息;可惜大抵吉光片羽,並未詳加舉證分析,無法完成充分的論證。因此,欲期釐清《劉子》作者問題,還有待提出進一步的證據。

三　論《劉子》作者當為劉晝

在前人所提論據難以確定作者歸屬的情況下,個人以為《劉子》本文與二劉本傳的重要性便益顯重要。實因書籍常反映作者個人的遭遇、文體風格、志趣與思想;尤以欲成就一家之言,留名後世之人為甚。而凡此諸點,都可由史書本傳中覓得訊息。雖則《梁書》、《南史・劉勰傳》與《北齊書》、《北史・劉晝傳》所載,對《劉子》作者並未直接指明,但二劉的生平、事跡、思想卻可按史而索。個人以為,透過史傳所載相關事跡與《劉子》本書所顯現的相關內容之比較,當可釐清《劉子》的作者問題。故於檢討舊說之後,進一步再就這二方面進行釐探,提出個人對《劉子》作者的淺見,以就正於海內外方家。

(一)由寫作年歲與著作目的蠡探

《劉子・惜時》篇末云:

> 今日向西峯,道業未就,鬱聲於窮岫之陰,無聞於休明之世,已矣夫!亦奚能不霑衿於將來,染意於松煙者哉!(《劉子集

證》，卷10，頁102上）

以上數語透露二點訊息：

    1. 作者撰寫《劉子》時已近晚年，故云「日向西峯」；

    2. 作者因感於「道業未就」，故有意以著述留名後世。

茲據此二點，就二劉生平、思想加以蠡探：

    劉勰於三十三歲上下完成《文心雕龍》，[69]其後仍寓居定林寺，依沙門僧祐；天監後出仕，歷任奉朝請、臨川王記事、車騎倉曹參軍、太末令、南康王記事、東宮通事舍人、步兵校尉；其後敕與沙門慧震於定林寺撰經，畢功，遂上表自求出家，並焚鬢（《梁書》作「鬢」）髮以誓，遂變服為沙門，未朞年而卒：可知劉勰卒前數年乃潛心於編撰經藏，未必有餘力撰寫《劉子》。或謂《劉子》乃彥和皈依佛門後所作，但彥和皈依沙門，既未朞年而卒，於時間上恐未能撰成《劉子》全書；[70]再則彥和晚年既心向佛門，至燔髮自誓，其所著書非唯未涉及佛理，反歸心道家，亦有違常理。

    林其錟、陳鳳金論《劉子》之寫作年歲曾說：

---

69 《文心雕龍·序志》云：「齒在踰立，則嘗夜夢執丹漆之禮器，隨仲尼而南行；……於是搦筆和墨，乃始論文。」（《文心雕龍注》，卷10，頁725-726）據此，《文心》之作，當在劉勰三十三、四歲時，蓋即作於依僧祐之前後。並參楊明照：〈梁書劉勰傳箋注〉「既成，未為時流所稱」條，見黃叔琳注，李詳補注，楊明照校注拾遺：《增訂文心雕龍校注》，頁20-21；范文瀾：《文心雕龍·序志》注（卷10，頁729-731）。

70 據楊明照〈梁書劉勰傳箋注〉推論，《文心》之成書約費時四載（參同前注）。個人以為劉勰出家，未及一年而卒，以數月工夫作《劉子》恐未必能竟全功。

《劉子》一書各篇的寫作時間是不同的，但其中的大部分篇
章，則可能是寫於劉勰「出為太末令」期間及其以後。[71]

並以為《劉子》乃劉勰為響應天監六年（507）梁武帝詔令「陳言刑
政」而作。

案：《劉子》一書，雖屬雜家性質，卻有脈絡可尋，當為一系列
作品無疑。林、陳認為非作於一時，恐未能配合篇目前後關係。又
《劉子》若為「陳言刑政」而作，其書自當涉及時政；但《劉子》內
容卻極少關涉時政，誠可謂「言亦切直，多非世要」。[72]以劉勰任職朝
廷的經歷與欲陳言時政的目的論之，似不應有此現象。再者，如劉勰
於出任太末令時作此書以應帝詔，「陳言刑政」，史書於述其出任太末
令，政有清績時，似應連帶敘及。又劉勰既歷任數職，且有清績之
效，似亦不應自稱「道業未就」，「鬱聲於窮岫之陰」：凡此並可見二
氏之說未免失之牽強臆度。

反觀劉畫一生：早年愛學，鑽研儒典二十餘年，有用世之意；舉
秀才不第，恨而緝綴辭采，力學為文，然終為魏收、邢邵所鄙；又步
詣上書，力求用世，終不見收采，一生竟無仕進。可知劉畫早年服膺
儒家，有用世大志，可惜未獲當政者重視。以之與《劉子》「鬱聲窮
岫」、「道業未就」比對，實相契符。史稱劉畫每言：

> 使我數十卷書行於後世，不易齊景之千駟也！（《北齊書·儒
> 林·劉畫傳》，卷44，頁590）

---

71 林其錟、陳鳳金：〈劉子作者考辨〉，《劉子集校》，頁387。
72 《北齊書·儒林·劉畫傳》評劉畫上書語（卷44，頁589）。

可見劉晝極為重視身後名，正與前引《劉子》作者歎「道業未就」，欲「染意松煙」以留名之意契合；而與劉勰晚年之勘破紅塵，皈依沙門大異其趣。

（二）由內容思想蠡探

《劉子》一書內容：首道家，繼之以儒家，又兼及農家、法家、名家、方術、兵家、文學理論與文學批評，總以對諸子學術之述評，誠可謂貫通諸子百家，但中心思想則為儒、道二家。宋儒黃震謂《劉子》：

> 往往雜取九流百家之言，引類援事，隨篇為證，皆會粹而成之，不能自有所發明，不足預諸子立言之列。[73]

黃東發之論，恐未得其旨。《劉子‧九流》篇末云：

> 道者玄化為本，儒者德教為宗。九流之中，二化為最。夫道以無為化世，儒以六藝濟俗。……儒教雖非得真之說，然茲教可以導物；道家雖為達情之論，而違禮復不可以救弊。今治世之賢，宜以禮教為先；嘉遁之士，應以無為是務：則操業俱遂，而身名兩全也。（《劉子集證》，卷10，頁107下）

可知《劉子》作者既通九流之學，又尊道重儒，且歸心道家。[74]盧文

73　〔宋〕黃震：《黃氏日抄》，卷55，「劉子」條，頁19下。

74　《劉子‧九流》篇名係採自《漢志‧諸子略》：「諸子十家，其可觀者九家而已」；又移道家於儒家前；且由其有關儒、道二家之敘述，並可見《劉子》作者之歸心於道家。

弨〈劉子跋〉云：

> 《劉子》五十五篇，南齊時劉晝孔昭撰。其文筆豐美，頗似劉
> 彥和，然此頗有用世之意焉：或疑即勰所著，殆不然也。……
> 其書首言清神、防慾、去情、韜光，近乎道家所言。末敘九
> 流，《道藏》本先道家，外閒本先儒家。觀其總括之語，則
> 《道藏》本實據其本書次弟如此，非由後來黃冠所妄為移易
> 也。東發又譏其文類俳。此在當時文體自爾，中閒亦不全避唐
> 諱，安得斷為唐人？[75]

實則《劉子》首四篇非僅「近乎道家所言」，直為道家之言：主由明
靜心神（〈清神〉）、節防情慾（〈防慾〉）、剗情遣累（〈去情〉），以達
鋒芒盡歛之道家最高境界——〈韜光〉。

史稱劉勰為文，長於佛理。《梁書‧文學下‧劉勰傳》云：

> 勰為文長於佛理，京師寺塔及名僧碑誌，必請勰製文。（《梁
> 書》，卷50，頁712）

其《文心雕龍》亦多引佛理為釋，范文瀾《文心雕龍‧序志‧注》云：

> 彥和精湛佛理，《文心》之作，科條分明，往古所無。自〈書
> 記篇〉以上，即所謂界品也；〈神思篇〉以下，即所謂問論
> 也。蓋採取釋書法式而為之，故能觸理明晰若此。[76]

---

75 〔清〕盧文弨：《抱經堂文集》，卷12，頁172。
76 范文瀾：《文心雕龍注》，卷10，頁728。《文心》之引佛理為釋，可參饒宗頤：〈劉

劉勰著作，今存者除《文心》外，另有〈滅惑論〉、〈梁建安王造剡山石城寺石像碑〉二文；[77]其亡佚而見諸載錄者，如僧祐《出三藏記集‧雜錄‧法集雜記銘目錄序》所列之〈鍾山定林上寺碑銘〉一卷、〈建初寺初創碑銘〉一卷、〈僧柔法師碑銘〉一卷及慧皎《高僧傳》所言之〈釋僧柔〉、〈釋僧祐〉、〈釋超辯〉三碑文：[78]均與釋家有關。而劉勰崇佛，晚年竟至上表、燔髮，以求皈依，皆與《劉子》之歸心道家異途。

史稱劉晝「自謂博物奇才，言好矜大」，與《劉子》之重韜光似亦不合；但劉晝一生受盡挫折，蓋歷經磨鍊，遂歸於韜光：劉晝早年力求通經致用，儒家思想正代表其少年壯志；後因無人賞識、薦舉，無以展其鴻材，晚年遂歸心道家，故道家思想正顯示劉晝之晚年歸趨，二者並無矛盾。至於博通九流之學正是孔昭早年愛學，恣意披覽的成效。〈清神〉「貴德而忘賤，故尊勢不能動；樂道而忘貧，故厚利不能傾」（卷1，頁2上），正可見《劉子》作者雖歸心道家之清靜，仍隱然透出貧賤不能移、威武不能屈的儒家孤高之氣，正與史載劉晝與李璵、河南王交往事若合符節。

《劉子》五、六兩篇論為學之道，主由崇尚為學（〈崇學〉），進而專心於學（〈專學〉），與史稱劉勰「篤志好學」，[79]劉晝「愛學」、

勰文藝思想與佛教〉，收入氏編：《文心雕龍研究專號》（臺北：明倫出版社，1971年），頁17-19。

77 〈滅惑論〉見〔南朝梁〕釋僧祐撰：《弘明集》（臺北：臺灣商務印書館《四部叢刊正編》影印明汪道昆本，1979年），卷8，頁7上-14上。〈梁建安王造剡山石城寺石像碑〉見〔宋〕孔延之編：《會稽掇英總集》，《文淵閣四庫全書》，集部第1345冊，卷16，頁3下-10下；《藝文類聚》卷七十六〈內典上〉亦有節引，題作〈剡縣石城寺彌勒石像碑銘〉，見〔唐〕歐陽詢：《藝文類聚》，卷76，〈內典上〉，頁1032-1033。

78 參楊明照：〈梁書劉勰傳箋注〉，《增訂文心雕龍校注》，頁24。

79 《南史‧文學‧劉勰傳》，卷72，頁1781；《梁書‧文學下‧劉勰傳》，卷50，頁710。

「服膺無倦」、「晝夜不息」並合。[80]唯勰傳於「篤志好學」外，再無特殊載錄；晝傳則謂劉晝愛學之程度，至於「恨下里少墳籍，便策杖入都」，知宋世良家有書五千卷，遂求為其子博士，「恣意披覽，晝夜不息」。[81]據此，《劉子》〈崇學〉、〈專學〉二篇為劉晝夫子自道的可能性便大於劉勰。

《劉子》七至十，四篇皆儒家思想：〈辯樂〉謂音樂通於正道，先王制作雅樂，雅樂之盛可感動天地，移風易俗，使人情性內和；〈履信〉則言「信」之重要，並力主履行；〈思順〉則由天象地形等配合人事以言順逆，歸結於當順儒家之忠孝仁義；〈慎獨〉由中庸「君子慎其獨」推衍，謂行當重視行善，止則宜「枕善而居」，如此則可「立不慚影，寢不愧衾」：要皆主由儒家思想，以達太平郅治。

劉勰、劉晝並有用世之意，[82]但際遇頗有不同：彥和家貧，依沙門，積十餘年，其後因著《文心》，為沈約所重，遂入仕途，居官十餘載，得遂用世之志；晚年董撰經藏事，乃上表力求皈依沙門，其思想蓋已由儒入釋。據此，彥和似不應有「道業未就」之歎。劉晝則家貧力學，通三《禮》、服氏《春秋》，可見其意在通經致用；又以董仲孫、公孫弘自比，至步詣上書，編其書為《帝道》，又著《金箱璧言》以指斥時政之不良：在在顯示其欲以儒學用世之心。奈何終其身不得仕進，又為當世名流所鄙笑。蓋即以此，遂退而以其博物奇才、博通諸子之才具著書，以寄其意。此數篇，即劉晝託志儒家之碻證，

---

80 〔宋〕鄭樵：《通志‧儒林三》，卷174，頁「志」2797。

81 《北史‧儒林上‧劉晝傳》，卷81，頁2729；《北齊書‧儒林‧劉晝傳》，卷44，頁589。

82 劉晝之欲用世，觀其本傳可知；劉勰之有用世之意由《文心雕龍‧程器》：「摛文必在緯軍國，負重必在任棟梁。窮則獨善以垂文，達則奉時以騁績」可見。（《文心雕龍注》，卷10，頁720）

所謂「烈士暮年，壯心未已」也。

　　林、陳二氏謂《劉子》有〈貴農〉，在清談風氣極盛之時，頗為難得。[83]個人則以為將貴農思想歸之處於清談風氣極盛，思想又崇佛，甚而出家遁入沙門之劉勰，實不如歸之身處較為素樸的北朝，又是重農的儒家信徒的劉晝來得合適。且〈貴農〉謂「民者國之本也」，恐亦有感而發。其時佛教盛行，出家者眾。劉晝曾上書云：

> 佛法詭誑，避役者以為林藪，又訛訶婬蕩，有尼有優婆夷，實是僧之妻妾，損胎殺子，其狀難言。今僧尼二百許萬，并俗女向有四百餘萬，六月一損胎，如是則年族二百萬戶矣！[84]

而僧尼向不役農。〈貴農〉篇末云：

> 穀之所以不積者，在於遊食者多，而農人少故也。（《劉子集證》，卷3，頁26上）

蓋亦有所指。疑劉晝即借貴農以詆佛，以其時帝室崇佛，不便直斥，遂隱約其言。

　　《廣弘明集》卷六〈辨惑篇〉引劉晝上書反佛教，謂信佛者逃避兵役，疑《劉子・兵術》即為此而作。〈風俗〉、〈從化〉二篇或皆感於帝室崇無用之佛（以劉晝之觀點言），故作以微諫也。〈貴言〉則似為己之步詣上書未蒙收採而發；〈傷讒〉又似為見譏於時流而作。〈辯施〉

83　林其錟、陳鳳金：〈劉子作者考辨〉，《劉子集校》，頁369。

84　《廣弘明集》卷六〈辨惑篇・敘列代王臣滯惑解上〉引，見〔唐〕釋道宣：《廣弘明集》（臺北：臺灣商務印書館《四部叢刊正編》影印明汪道昆本，1979年），卷6，頁18下。

論及施捨財富與施展德行，歸結於貧士徒有德行，難取人信之歎，似並與劉晝之孤貧、無仕進，不能施展德業、施捨財富深切關聯。

至如〈命相〉所論乃陰陽家之方術，與緯書關係極大。緯乃經之旁支，與劉晝之為儒家經生，恐亦不無關聯。

再由劉勰《文心》與《劉子》對「文意」輕重問題觀之：劉勰生當齊、梁之世，舉凡文字形式之美，諸如辭采、對偶、聲律等素為時人所重，內容則向所輕忽。劉勰為糾正當時偏重形式之弊，遂倡有內容之文以救之，故《文心》以〈原道〉居首；但劉勰雖有「道沿聖以垂文，聖因文而明道」[85]之說，於形式美，諸如聲律、麗辭、練字，並加肯定。《劉子》則以意為本，如〈正賞〉云：

> 採其制意之本，略其文外之華。（《劉子集證》，卷10，頁99下）

又〈從化〉云：

> 今觀言者，當顧言外之旨，不得拘文以害意也。（《劉子集證》，卷3，頁29下）

可見《劉子》所欲略者僅文外之華，非舉凡「華」皆欲略之；但其以「意」為本之意則顯然可見：是則《文心》、《劉子》於文意之主從關係仍有些微之別，並非全然密合。

（三）由文風與用典蠡探

周子義於明萬曆刊《子彙》，序《劉子》云：

---

85 范文瀾：《文心雕龍注》，卷1，頁3。

其書泛論治國修身之要，雜以九流之說，……篇中事多見傳記，
語亦頗淺顯。[86]

潛菴謂《劉子》文字淺顯，用事多見於傳記，頗能把握《劉子》部分
風格與特色。顧實《重考古今偽書考》亦云：

《隋志》雜家楊偉《時務論》十二卷注，引「梁有《劉子》十
卷亡」，當即此書。修《隋志》者必聞其緒言，故〈九流〉一
篇，與《隋志》子部所論相同。特南北混一之際，此書偶佚，
至唐代復出。袁孝政〈序〉曰：「劉晝傷己不遇，天下陵遲，
播遷江表，故作此書。時人莫知，謂為劉勰。或曰劉歆、劉孝
標作。」孝政唐人，定為劉晝孔昭，必有所據。故《宋志》、
《讀書志》、《書錄解題》、《通考》、《玉海》（原注：五十三）
俱從之。兩《唐志》俱題劉勰者，即孝政所謂「時人莫知，謂
為劉勰、劉孝標」也。勰所著《文心雕龍》，體格既異，宗旨
亦殊。惟孔昭號稱名儒，是書雜論治國修身之道，不失為儒者
之言。《北史》本傳有孔昭所撰《金箱璧言》，或即此書歟。至
「播遷江表」之說，與傳不合，安知非史冊失載？即據傳稱其
「綴輯詞藻，言甚古拙」，並疑此書，非其所能，亦非篤論。
蓋孔昭之才，本不嫻詩賦，既為邢、魏所笑，而耳食者過甚其
辭耳。[87]

顧氏既指出《文心》與《劉子》「體格既異，宗旨亦殊」，又謂孔昭本

86　〔明〕周子義：〈刻子彙小序・劉子〉，《交翠軒佚稿》，卷2，頁22。
87　顧實：《重考古今偽書考》（上海：大東書局，1926年），卷4，頁25-26。

不擅詩賦，故為邢邵、魏收所笑，而耳食者過甚其辭，非孔昭真言甚
古拙，所言頗具卓見。

前文提及《劉子》文筆清秀，辭意淺顯，陳言故實多因襲；《文
心雕龍》則文筆豐美，用意深晦，陳言故實多化用，二書風格、用典
方式相去懸遠。質而言之：《劉子》駢散兼行，常採大段敘述——
《劉子》喜用例證，而常以散文敘述——與《文心》之皆出以駢儷議
論大為不同。《劉子》用典方式與《呂覽》、《淮南》近似，往往雜取諸
子傳記之言，不加轉化，彙而成文，其最顯者，如：〈履信〉引柳下
惠拒為魚侯獻偽鼎，典出《呂覽‧審己》；子路拒盟叛臣，典出哀十
四年《左傳》；商鞅詐欺魏公子卬，典出《呂覽‧無義》、《史記‧商
君列傳》：並直接引述原事，再下結論，與《文心》用典之必經鎔鑄
化用者大異其趣。若《劉子》為作者早年作品，猶可謂為學問進程，
由易而難；《劉子》既屬作者晚年作品，似難謂彥和由早年作《文
心》之「難」，脫胎為晚年作《劉子》之「易」。若劉晝則壯年始力學
為文，其風格「古拙」——當與其沉潛於經典有關——甚且被目為
「疥駱駝」，似與《劉子》之淺顯風格較合。明胡應麟云：

> 案《北史》晝傳：晝好學而文辭俚拙。嘗作賦，名〈六合〉，
> 以示魏收，收調之，曰：「賦名〈六合〉，已是大愚；及觀其
> 賦，又愚於名。」晝不服，又示邢劭，劭曰：「此賦似疥駱
> 駝，伏而無媚態。」收輕薄吻流，不足深據；劭非訑訑人者。
> 此書雖無甚高論，而詞頗清旨，意非晝所能也。[88]

胡應麟謂《劉子》詞頗清旨，甚是；謂晝為〈六合賦〉，為魏、邢所

---

88 〔明〕胡應麟：《四部正譌》，頁45。案：史書並作「邵」，胡應麟作「劭」。

鄙譏，遂認定劉晝難達《劉子》之清旨，則恐未必然。誠如胡氏言，魏收輕薄吻流，不足深據；且據《北史》所載，收之鄙晝，實因晝以賦呈收而不拜，收忿之，遂加譏調。若然，則魏收之言益不足信據。至於邢子才之調笑晝賦，蓋緣於文風之異。南北朝之際，特重繁文縟藻，而晝賦獨「古拙」，其為邢氏所笑，猶之乎淵明之詩見棄於彥和也。但「古拙」乃劉晝壯年始學為文之風。疑劉晝即因受北朝二才之調笑，遂發憤力學，改其古拙，歸於清秀；但偶有改而未盡，猶存斧鑿之跡。唯其如此，其為劉晝作品的可能性更大。

再者，《劉子》除常用《論》、《孟》、《莊》、《韓》、《呂覽》、《淮南》、《史》、《漢》諸書典實外，也屢屢取用《左》、《國》、《荀子》故實。以彥和之《文心》與《劉子》之用儒家典實相較，可知《劉子》明顯多於《文心》。此一現象也可作為《劉子》出於晝手的一個證據：晝為經學儒生，熟知經學典籍，本不足怪；蓋亦引之以示其用世之志。而《劉子‧命相》又頗涉緯書，異聞奇說，援引萬端，亦與彥和之深通釋家經論未盡相符，而與孔昭之博物奇才，又為經學儒生深相契合：經生固通緯書，孔昭博物奇才，所知緯書當特多：類此並可證《劉子》作者當歸劉晝為宜。

（四）由書中透露的不遇之感蠡探

《劉子》〈知人〉、〈薦賢〉、〈因賢〉、〈託附〉、〈心隱〉、〈通塞〉、〈遇不遇〉、〈正賞〉、〈激通〉、〈惜時〉諸篇，皆傷己不遇之作。

劉勰雖「早孤」、「家貧」，[89]出身寒素，其撰《文心雕龍》既成，雖未為時流所稱，然經沈休文品定後，亦受重當時。《梁書‧文學下‧劉勰傳》云：

> 勰撰《文心雕龍》五十篇，……既成，未為時流所稱。勰自重
> 其文，欲取定於沈約；約時貴盛，無由自達，<u>乃負其書，候約
> 出，干之於車前，狀若貨鬻者</u>。約便命取讀，大重之，謂為深
> 得文理，常陳諸几案。（《梁書》，卷50，頁710-712）

宋葉廷珪《海錄碎事》亦云：

> 劉勰撰《文心雕龍》，論古今文體，未為時所重，沈約大賞
> 之，陳於几案，於是競相傳焉。[90]

末句雖或出葉氏臆加，亦合情理。可知劉勰當日雖非素享盛名，亦非
泯泯之輩；且經沈約推重，遂入仕途。《梁書·文學下·劉勰傳》載
彥和仕宦云：

> 天監初，起家奉朝請，中軍臨川王宏引兼記室，遷車騎倉曹參
> 軍。出為太末令，政有清績。除仁威南康王記事，兼東宮通事
> 舍人。……遷步兵校尉，兼舍人如故。昭明太子好文學，深愛
> 接之。（《梁書》，卷50，頁710）

其居官自天監初（天監元年，502）迄為步兵校尉（當在天監十八
年），歷時亦達十五、六寒暑，仕途雖不甚顯達，卻也並非隱晦無
聞；兼以昭明太子愛尚文學，「深愛接之」，雖未能標名當世，亦非沉
淪下僚。即令如王元化所言，沈約、蕭統並未特加重視；[91]但由本傳

---

90 〔宋〕葉廷珪：《海錄碎事》（上海：上海辭書出版社影印明萬曆卓顯卿刻本，1989
　年），卷18，「文心雕龍」條，頁23上。
91 說見王文化：〈劉勰身世與士庶區別問題〉，氏著：《文心雕龍創作論》（上海：上海
　古籍出版社，1979年），頁8-9。

所載觀之，終不可謂為「無知遇」。

劉晝則因容止舒緩，舉動不倫，遂為時人所鄙：如其為〈六合賦〉，自謂絕倫，及呈魏收，收竟云：「賦名〈六合〉，已是太愚；文又愚於〈六合〉；君四體又甚於文」；又示邢子才，子才亦云：「君此賦正似疥駱駝，伏而無姘媚」。[92]其後雖有冀州刺史酈伯偉之薦舉，以其介直，終未得展志，其興世無知遇、亟盼薦賢之歎，不亦宜乎！

茲請進而由《劉子》本文與二劉事跡略加比證：〈知人〉寫士待知音而顯，苟無知音，烈士徒悲。篇末云：

> 世之烈士，願為賞者授命，猶瞽者之思視，躄者之想行，而目終不得開，足不得伸，徒自悲夫！（《劉子集證》，卷4，頁38下）

蓋劉晝步詣上書，不為所用；時人又無知賞者，故自歎自悲夫。

〈薦賢〉則言：士有因依，則顯晦迥殊，士無因依，無由顯達，並寓生平遭遇之感。篇中有云：

> 古人競舉所知，爭引其類。才苟適治，不問世冑；智苟能謀，奚妨秕行！（《劉子集證》，卷4，頁40上）

前四句似責無人薦舉。或謂此與史載李瓛薦劉晝事不合。《北史·儒林上·劉晝傳》云：

> 刺史隴西李瓛亦嘗以晝應詔，先告之；晝曰：「公自為國舉才，何勞語晝！」（《北史》，卷81，頁2730）

---

92 引文並見《北史·儒林上·劉晝傳》，卷81，頁2729-2730。

蓋劉晝以為薦賢乃分內事，不須特別表明以邀功，故云「公自為國舉才，何勞語晝」。末二句則似為自身作解——晝舉動不倫，亦「粃行」也；劉勰則似無此等情事。

〈因顯〉先言才智因知遇而顯揚，次云聖賢喜為人稱揚，繼則舉吹瑩之效，接以有所因依則貴賤迥別，歸結於士無因依則無由顯達之歎，既為千古之無人因顯者歎，亦為己身之不得因顯慨歎。篇首云：

> 今雖智如樗里，才若賈生，居環堵之室，無知己之談，望迹流於地，聲聞於天，不可得也。（《劉子集證》，卷4，頁41）

蓋歎無人能為因依；而其「言好矜大，自恃其能」之情亦隱然透出。或謂以劉晝個性之耿直，必不求因顯；《劉子》所載實與劉勰行止相類。但若將〈因顯〉與〈託附〉同讀，即可見《劉子》作者雖則因顯之心甚切，卻未流於不擇手段。〈託附〉謂凡物之成事皆有所託，而歸結於託附須有揀別，故篇末云：

> 鳥有擇木之性，魚有選潭之情。（《劉子集證》，卷5，頁44上）

可見《劉子》作者之風格：不隨意託附。《北史·儒林上·劉晝傳》云：

> 齊河南王孝瑜聞晝名，每召見，輒與促席對飲。後遇有密親，使且在齋坐；晝須臾徑去，追謝要之，終不復屈。（《北史》，卷81，頁2730）

可見劉晝雖企盼有人為之薦舉，依附而騰聲流跡，但其原則固耿耿然

在也。以此與《劉子‧託附》比驗，豈非若合符契？而劉勰為求因顯，乃自為貨鬻者，干休文車前，以求託附。休文歷仕三朝，人品非高。[93]劉勰行止與〈託附〉講求揀別之《劉子》似不相侔。

《北齊書》、《北史》並謂畫撰〈高才不遇傳〉，此〈傳〉蓋上承董仲舒〈士不遇賦〉、司馬遷〈悲士不遇賦〉、陶淵明〈感士不遇賦〉而作；《劉子‧遇不遇》亦抒發士不遇之鬱氣，旨意與〈高才不遇傳〉合。劉勰雖乏真正知遇之人，仍得沈約、蕭統推重、愛接；若劉畫，則真無知遇之人。故而以〈遇不遇〉觀之，《劉子》亦當歸孔昭，不應屬彥和，其理顯然。

（五）由〈妄瑕〉、〈正賞〉兩篇蠡探

〈妄瑕〉、〈正賞〉二篇尤足作為探究《劉子》作者之資：《文心雕龍》有〈指瑕〉，由篇名觀之，《劉子》之〈妄瑕〉似與《文心》針鋒相對；實則不然。《文心‧指瑕》僅及於著作之批評，《劉子‧妄瑕》則兼指作品與為人；唯其如此，益合劉畫作品、人品並見譏彈之情。《北齊書》、《北史》並稱孔昭「容止舒緩，舉動不倫」：此劉畫「人」之瑕也；邢子才評孔昭〈六合賦〉「正似疥駱駝，伏而無妨媚」：此劉畫「文」之瑕也。劉畫人、文並有瑕疵，遭當世鄙棄，竟至連仕進亦不可得，[94]無從發揮其用世長才，致賚志以老，此蓋〈妄瑕〉之所以作也。本篇首言唯道無可毀譽；次言天地萬物皆有瑕疵；三言招賢求士，當誌長忘短；續舉史實，以徵小過無傷；又引史實，

93　《梁書‧沈約傳》謂休文：「自負高才，昧於榮利；乘時藉勢，頗累清談。及居端揆，稍弘止足，每進一官，輒殷勤請退，而終不能去，論者方之山濤。用事十餘年，未嘗有所薦達，政之得失，唯唯而已。」（卷13，頁242）

94　《北齊書‧儒林‧劉畫傳》謂孔昭：「容止舒緩，舉動不倫，由是竟無仕進。」（卷44，頁590）《北史‧儒林上‧劉畫傳》：「容止舒緩，舉動不倫，由是竟無仕，卒於家。」（卷81，頁2730）所載略同。

證當重大略，歸結於徒因德行茂高不足以膺大任。篇中有云：

> 今志人之細短，忘人之所長，以此招賢，是書空而尋跡，披水
> 而覓路，不可得也。（《劉子集證》，卷6，頁54上）

蓋有感於時人之誌短忘長，不知薦賢。又謂：

> 俗之觀士者，見其威儀屑屑，好行細潔，乃謂英彥；士有大趣，
> 不修容儀，不惜小檢，而謂之棄人。（《劉子集證》，卷6，頁54
> 下）

又云：

> 佐世良才，不拘細行。（《劉子集證》，卷6，頁55上）

蓋皆孔昭自歎、自況之文。

〈正賞〉則似針對《文心雕龍・知音》而發。首揭賞評當合情理；次謂賞評當重平實而避虛浮；續歎世俗之論不辨美惡真偽；故繼倡當制為法則，以明辨是非；又申言世乏真賞，古今同歎，進而斥責當時批評界，感歎受時人嗤誚；歸結於建立正賞之標準，盼有公正之鑑賞。

《文心雕龍・知音》云：

> 心之照理，譬目之照形。目瞭則形無不分，心敏則理無不達。[95]

---

95 范文瀾：《文心雕龍注》，卷10，頁715。

劉勰之意乃謂：心可作為評賞之權衡；《劉子‧正賞》則云：

> 觀俗之論，非苟欲以貴彼而賤此，飾名而挫實，由於美惡混
> 糅，真偽難分，棄法以度物情，信心而定是非也。今以心察錙
> 銖之重，則莫之能識；懸之權衡，則毫釐之重辨矣。是以聖人
> 知是非難明，輕重難定，制為法則，揆量物情。……故摹法以
> 測物，則真偽易辨矣；信心而度理，則是非難明矣。（《劉子集
> 證》，卷10，頁97下-98上）

《劉子》之言疑即針對劉勰「信心度理」之說而發，謂當制為法則，
方能依法度物，明辨是非。他如〈心隱〉云：

> 俗之常情，莫不自貴而鄙物，重己而輕人。觀其意也，非苟欲
> 以愚勝賢，以短加長，由于人心難知，非可以准衡平。（《劉子
> 集證》，卷5，頁45下-46上）

亦同此意。以此與《文心‧知音》比照，若將之歸諸彥知，恐有齟
齬。且欲「正賞」，非求「知音」不可，《劉子》棄「知音」而不用，
蓋即避《文心‧知音》篇名。《文心雕龍‧知音》篇首云：

> 知音其難哉！音實難知，知實難逢，逢其知音，千載其一乎！[96]

《劉子‧正賞》篇末云：

> 今述理者，貽之知音君子，聰達亮於聞前，明鑒出于意表，不

以名實眩惑，不為古今易情，採其制意之本，略其文外之華，不沒纖芥之善，不掩螢爝之光，可謂千載一遇也！（《劉子集證》，卷10，頁99下）

兩篇並歎知音之難遇，而一在篇首，一在篇末，謂《劉子》作者未見《文心雕龍‧知音》，其誰能信？

〈正賞〉又寓「不遇」之感云：

以聖賢之舉措，非有謬也，而不免於嗤誚；奚況世人未有名稱，其容止文華，能免於嗤誚者，豈不難也？以此觀之，則正可以為邪，美可以稱惡，名實顛倒，可謂歎息也！（《劉子集證》，卷10，頁99）

作者慨歎容止文華見嗤於世人，蓋時人對作者有此批評，故作者深為歎恨。據《北齊書》、《北史》所載劉晝事，與此正若合契符；劉勰則「容止」既未受嗤，「文華」復為沈約、蕭統所重，以之比附，豈非無的放矢？

據上所論，可知劉勰彥和，不可能是《劉子》的撰主，《劉子》的作者當為劉晝孔昭。

四 餘論

林其錟、陳鳳金論《劉子》作者由劉勰誤為劉晝之過程云：

據楊明照〈梁書劉勰傳箋注〉考證：「顏師古《匡謬正俗》卷

五，忽有『劉軌思《文心雕龍》』之語。考軌思乃北齊渤海人，史祇稱其說詩甚精，天統中任國子博士，他無著述。且與舍人時地俱別，非顏監誤記，即後世傳寫之譌。軌思二字殆勰字之殘誤。」又據王利器〈文心雕龍序錄〉：「比丘德珪〈北山錄注解隨函〉上〈法籍興〉第三『滅惑』條下即云：『劉思協造〈滅惑論〉。』也是誤勰為二字。」又據王重民《敦煌古籍敘錄》：唐寫本《隨身寶》卷內「正有『《流子》劉協注』一則。」可見，在傳鈔和校讐過程中，很可能是：「劉勰」先被殘誤和訛傳為「劉軌思」或「劉思協」，隨後又殘誤和訛傳為「劉協」或「劉思」。「思」與「畫」的俗字「画」及草書體形似，從而轉誤作「劉畫」。又《四庫提要辨證》：「考《後漢書‧鄭玄傳》注引北齊劉畫〈高才不遇傳〉論玄云：『辰為龍，巳為蛇，歲至龍蛇，聖人嗟。』『畫』字亦誤『畫』，可以互證。」這樣就可能從「劉畫」又轉訛為「劉畫」。[97]

二氏的推論輾轉迂迴，備極艱辛，惜純屬推測，故二人也承認：

但是，中間「劉思」、「劉画」尚無實際例證，因而尚須作進一步的探討。[98]

實則由「劉思」誤為「劉画」，正是問題的關鍵所在：「思」訛為「画」的可能性不能說沒有，但卻不大；而由「画」轉為「畫」，再由「畫」訛為「畫」的可能性堪稱微乎其微。

97　林其錟、陳鳳金：〈劉子作者考辨〉，《劉子集校》，頁388-389。

98　同前注，頁389。

《劉子》既是劉晝孔昭所作，何以世人又多以為出自劉勰彥和呢？
宋劉克莊《詩話續集》引張鷟《朝野僉載》云：

> 《劉子》書，咸以為劉勰所撰，乃渤海劉晝所製。晝無位，博
> 學有才，□取其名，人莫知也。[99]

依張鷟之意，《劉子》乃劉晝所撰，而晝書之所以題劉勰之名，乃因
劉晝有才無位，故竊取勰名。余嘉錫取其說，並申之云：

> 晝有才無位，積為時人所輕，故發憤著此，竊用劉彥和之名以
> 行其書，且以避當時之忌諱也。人既莫知，故兩《唐志》及諸
> 傳本皆題劉勰矣。[100]

余氏之說，恐待商榷：劉晝既存心著書以行世留名，又怎會自匿姓
名，託之他人？如此焉能達到留名後世的目的？故張、余之說就情理
言，恐難成立。竊疑《劉子》之誤為劉勰作，乃因《劉子》一書偶闕
題作者，後人不知其為北齊劉晝所撰——晝不僅無名於當代，也泯泯
於後世——而劉勰又為南北朝名士，遂誤題為劉勰耳。

《北齊書·儒林·劉晝傳》云：

> 晝又撰〈高才不遇傳〉三篇，在皇建、大寧之朝，又頻上書，
> 言亦切直，多非世要，終不見收采。自謂博物奇才，言好矜
> 大，每云：「使我數十卷書行於後世，不易齊景之千駟也。」
> 而容止舒緩，舉動不倫，由是竟無仕進。天統中，卒於家，年

---

99 〔宋〕劉克莊：《後村先生大全集》，卷179，頁15上。
100 余嘉錫：《四庫提要辨證》，卷14，〈子部五·雜家類〉「《劉子》」條，頁829-830。

五十二。（《北齊書》，卷44，頁589-590）

《北史‧儒林上‧劉晝傳》亦云：

> 孝昭即位，好受直言，晝聞之，喜曰：「董仲舒、公孫弘可以
> 出矣！」乃步詣晉陽上書，言亦切直，而多非世要，終不見收
> 采。編錄所上之書為《帝道》。河清中，又著《金箱璧言》，蓋
> 以指機政之不良。……

> 晝常自謂博物奇才，言好矜大，每言：「使我數十卷書行於後
> 世，不易齊景之千駟也！」容止舒緩，舉動不倫，由是竟無
> 仕，卒於家。（《北史》，卷81，頁2730）

皇建為北齊孝昭帝高演年號，計二年（560-561）；太寧為北齊武成帝
高湛年號，亦二年（561-562）；河清亦武成帝年號，計四年（562-
565）；天統為北齊高緯年號，凡五年（565-569）：據史傳資料推之，
劉晝蓋卒於天統二年（566）。蓋晝於皇建、太寧之朝屢屢上書，不為
當朝收採，遂著《帝道》以述其意，仍未為當政者所重；河清中，遂
又著《金箱璧言》以求用，仍如石沉大海。此時晝已「日向西峯」，
感於「道業未就」，鴻志難展，於焉歸心道家之清靜，潛心著書，綜
合〈高才不遇傳〉、《帝道》、《金箱璧言》[101]諸書旨意，加以條貫、系
統之理繹，彙為《劉子》一書，推闡其志意，冀以此書行之後世，留
名千古也歟？

（原載《臺大中文學報》，第2期〔1988年11月〕，頁305-340）

---

101 周中孚曾疑《劉子》即《金箱璧言》，說見《鄭堂讀書記》，卷52，頁20上；王師
　　叔岷則疑《劉子‧言苑篇》為《金箱璧言》之部分。

拾肆　王叔岷先生的《左傳》研究

一　弁言

　　王叔岷先生博貫群書，淹通四部，所研理、斠讎、箋證、詮釋之古籍，難以數計，於兼包經史、文學之《左傳》，自不例外，而以一九九五年完稿之《左傳考校》[1]為其總結性著作。先生自十三歲（1925）從尊翁耀卿公讀《左傳》起，[2]至八十三高齡完成《左傳考校》，計七十載於茲。

　　先生之學術，兼及各部，而皆淵博精深，成就斐然；其最為世人推重者，厥在斠讎學之研究。先生既發凡起例，又舉證翔實，誠治學之津逮也。著作中之《斠讎學》、[3]《史記斠證》、[4]《諸子斠證》、[5]《莊子校釋》、[6]《莊子校詮》、[7]《列子補正》、[8]《劉子集證》、[9]《世

1　王叔岷先生：《左傳考校》（臺北：中央研究院中國文哲研究所中國文哲專刊之14，1998年），以下簡稱《考校》。為免繁瑣，本文凡引用《考校》原文，皆僅於文末附誌頁碼，不另加注。又，《考校》之標點或異於今日，引文逕改為現行習慣，不一一註明，讀者察之。

2　王叔岷先生：《慕廬憶往》（臺北：華正書局，1993年），「五、隨父錦城」，頁9；又，〈左傳考校小引〉，《左傳考校》，頁2。

3　先生《斠讎學》於1959年初刊，為中央研究院歷史語言研究所專刊之37；1972年，臺北：臺聯國風出版社重刊；1995年補訂本初版，仍列為中央研究院歷史語言研究所專刊之37。

4　《史記斠證》，臺北：中央研究院歷史語言研究所專刊之78，1983年。

5　《諸子斠證》，臺北：世界書局，1964年。

6　《莊子校釋》，中央研究院歷史語言研究所專刊之26，1947年初版；臺北：臺聯國風出版社，1972年重版。

說新語補正》、[10]《顏氏家訓斠補》、[11]《列仙傳校箋》[12]等書,皆以斠
讎學方法董理古籍之傳世名作。[13]先生曾於〈古書的校釋問題〉論及
校勘、訓釋古籍之重要性與進行方式:

> 研究古書,無論是哲學、史學、文學那方面,必須先有嚴格的
> 校勘和訓釋的訓練。至少要借重經過嚴格校釋的古書,才更可
> 靠。
>
> 校勘的訓練,屬於校勘學,所謂校勘學,最基本的定義,就是
> 訂正古書字句之學。……字句的訓釋,……屬於訓詁學。所謂
> 訓詁學,最基本的定義,就是解釋古書字句之學。
>
> 校勘重在訂正字句,訓釋重在解釋字句。精於校勘的不勉強解
> 釋字句,恐怕字句有錯誤而不知。精於訓釋的,不輕易訂正字
> 句,恐怕字句本可通而未悟。研究古書,應該校勘、訓釋的問
> 題密切配合。否則,本是校勘的問題,卻誤會為訓釋的問題;
> 或本是訓釋的問題,卻誤會為校勘的問題。
>
> 清朝乾隆、嘉慶時代,如王念孫、引之父子,段玉裁、盧文弨

7　《莊子校詮》,臺北:中央研究院歷史語言研究所專刊之88,1988年。

8　《列子補正》,中央研究院歷史語言研究所專刊之31,1948年初版;臺北:臺聯國
　　風出版社,1975年再版。

9　《劉子集證》,臺北:中央研究院歷史語言研究所專刊之44,1961年初版;臺北:
　　臺聯國風出版社,1975年再版。

10　《世說新語補正》,臺北:藝文印書館,1975年。

11　《顏氏家訓斠補》,臺北:藝文印書館,1975年。

12　《列仙傳校箋》,臺北:中央研究院中國文哲研究所中國文哲專刊之7,1995年。

13　此聊舉數種以為例證耳,他如〈尚書斠證〉、〈論語斠理〉、〈孟子斠理〉、〈老子滕
　　義〉(並收入《慕廬雜著》〔臺北:華正書局,1988年〕,頁1-41;43-93;101-134;
　　135-205)等經書、子部之單篇論文,多不勝舉。關於王叔岷先生著作,可參閱陳恆
　　嵩編:〈王叔岷先生著作目錄〉,《王叔岷先生百歲冥誕國際學術研討會論文集》(臺
　　北:國立臺灣大學中國文學系,2015年),頁591-634。

等，都是最傑出的校勘、訓詁人才。……我們吸取他們一點一
滴所累積成的寶貴經驗，應該更邁進一步，應該發揚新的校勘
學和新的訓詁學。校勘學的內容應擴大，訂正字句之外，應該
包括訂正章節、篇第，及輯佚、辨偽等。訓詁學的內容，應該
更精密。我們承襲先賢的舊義外，更應該提出許多新義。[14]

先生於乾嘉諸儒之穩固基礎上邁步前進，無論校勘、訓詁，皆後出轉
精，乃世所公認之海內外斠讎學大師。先生名著《斠讎學》第伍章專
論斠讎之方法，計立七端焉：[15]

（一）選擇底本

（二）廣求輔本

（三）參覈本書注、疏

（四）檢驗古注、類書

（五）佐證關係書

（六）熟悉文例

（七）通達訓詁

《左傳考校》即先生對《春秋古經》[16]與《左傳》之校勘與訓釋，融

14　王叔岷先生：《校讎別錄》（臺北：華正書局，1987年），頁36、37、44、46。

15　王叔岷先生：《斠讎學》（補訂本）（臺北：中央研究院歷史語言研究所專刊之37，
　　1995年修訂版。以下引文，若非另有註明，皆為此本），頁105-208。

16　《漢書‧藝文志》「六藝略‧春秋」載錄《春秋》之「經」云：「《春秋古經》十二
　　篇。《經》十一卷。」（卷30，頁2927）錢大昕《廿二史考異‧漢書二‧藝文志》
　　「春秋古經十二篇」：「謂《左氏經》也。〈劉歆傳〉：『歆校祕書，見古文《春秋左

會訂正古書字句之學的斠讎學與解釋古書字句之學的訓詁學，渾然為
之，就《左氏》經傳之版本、字句、詞語、史實、舊注等進行斠理、
詮解、稽考、輯佚，或自出新意，或訂正舊說，或補充舊說，或探索
杜《注》源流，或揭示古書引經傳文字通例，皆創見特多，使《左
傳》千古疑義，判然冰釋，沾溉後學者多矣。

　　斠理古書須先慎選底本，先生《斠讎學》所列斠讎方法，即以
「選擇底本」為首務，並云：

> 欲斠一書，須先選擇底本以為依據。底本當選較古而完整且少
> 譌誤者，即古、全、善三者兼備。[17]

〈左傳考校小引〉開宗明義指出：

> 考校底本，據清嘉慶二十年江西南昌府學開雕之重栞宋本《左
> 傳注疏》。（頁1）

可知《考校》乃以清南昌府學阮元審定，並附有「校勘記」之重刊宋
本《左傳注疏》為底本。此本雖係時代較晚之清刻宋本，但據阮元
〈春秋左傳注疏校勘記序〉後所附之「引據各本目錄」，可知此本計
引據：

氏傳》』，又云：『《左氏傳》多古字古言』。許慎《五經異義》言：『《今春秋》，公羊
說；《古春秋》，左氏說。』」（陳文和主編：《嘉定錢大昕全集》〔南京：江蘇古籍出
版社，1997年〕，第2冊，卷7，頁176。又陳文和標點許慎《五經異義》作「今《春
秋公羊說》，古《春秋左氏說》」，茲略為改讀）《左氏春秋》乃以秦以前之古文字書
寫於竹簡上，故〈藝文志〉稱之為《春秋古經》，與《公羊》、《穀梁》之為今文經
自有不同。

17　王叔岷先生：《斠讎學》，頁105。

唐石經《春秋》三十卷

不全宋刻《春秋經傳集解》三冊

不全北宋刻小字本《春秋經傳集解》二卷

淳熙小字本《春秋經傳集解》三十卷

南宋相臺岳氏《春秋經傳集解》三十卷

宋纂圖本《春秋經傳集解》三十卷

足利本《春秋經傳集解》

宋本《春秋正義》三十六卷

附釋音《春秋左傳注疏》六十卷

閩本《春秋左傳注疏》六十卷

監本《春秋左傳注疏》六十卷

重脩監本《春秋左傳注疏》六十卷

毛本《春秋左傳注疏》六十卷[18]

等十三種或全或殘之古本《左傳》，謂為集《左傳》古本之大成，洵
不為過。且清刻本《左傳注疏》各卷之末皆附有阮元之《校勘記》，
於各版本已有基本之斠理，對異文之考校頗有助益，《考校》一併引
用，正是採用了古、全、善三者兼備之底本，在此基礎上進行斠理工
作，自能後來居上，邁越前修。

　　《斠讎學》所列斠讎方法之二為「廣求輔本」，先生云：

_____

18 〔清〕阮元：〈春秋左傳注疏校勘記序〉，頁2下-5下。

輔本包括早、晚、全、殘諸本。夫精於斠讎者，舉誼碻鑿，輔
本固不必多。如高郵王氏父子，立說多與未見之本合；段玉裁
《說文注》校正文處，往往與唐寫殘本合。此其所以令人歎服
也。然，輔本多，實有助於判斷。輔本少，難免疏失。[19]

〈左傳考校小引〉對輔本之選擇亦有清楚說明：

> 參考日本竹添光鴻《左傳會箋》。……竹添氏以舊鈔卷子金澤
> 文庫本為底本，……舊鈔卷子本乃隋、唐舊本，最為可貴。考
> 校中頗多引證。（頁1）

〈左傳考校小引〉又述及舊鈔卷子金澤文庫本之外的兩種唐寫本：

> 又岷所引景刊《石經》，乃據臺北世界書局縮景刊《唐石經》。[20]
> 至於巴黎國家圖書館所藏敦煌本，僅見及景攝之襄公、昭公殘
> 卷，偶有佳勝處，亦據以考校。（頁1）

可知《考校》在版本方面，除阮刻本《左傳注疏》所引用之眾本外，
又有竹添氏《左氏會箋》所據之隋、唐舊鈔卷子本及《唐石經》、敦
煌鈔本殘卷等，於版本雖搜羅非全，然善本、古本已囊括殆盡矣。叔
岷師精於斠讎，又慎選底本、輔本，故《考校》舉證碻當，見解精
審，令人歎服。

〈左傳考校小引〉又述及採用之舊說與各家舊說之特色：

---

19 王叔岷先生：《斠讎學》，頁113。
20 《唐石十三經》（臺北：世界書局，1953年），影縮為一頁三欄。

舊說多採清阮元《校勘記》、王引之《經義述聞》、俞樾《羣經平議》，並參考日本竹添光鴻《左傳會箋》。阮氏偏重板本校理，王、俞二氏偏重字句訓釋。王說最精博，惟亦偶有疏失。竹添氏以舊鈔卷子金澤文庫本為底本，會集眾說，或明引，或暗用，頗便初學。（頁1）

可知《考校》引用舊說，以阮元、王引之、俞樾、竹添光鴻四家為主。阮元《校勘記》偏重「版本校理」，王引之、俞樾之書則偏重於「字句訓釋」，竹添氏《會箋》之特色在「會集眾說」；先生《考校》則特重「創見」，〈左傳考校小引〉有云：

《考校》所重，或補充舊說，或訂正舊說，而以創見為主。創見中有關《說文》引《經》《傳》異文，岷以為大都許慎改從《說文》，非許氏所見《經》《傳》舊文如此，與清乾、嘉諸儒之說頗殊。許氏改從《說文》之例，宋徐鍇《說文繫傳》受其影響，引《經》《傳》亦往往改從《說文》。推而廣之，《經》《傳》《注》《疏》中，亦不乏據《經》《傳》改所引之書之例。前賢似未道及，《考校》中頗有舉證。（頁1-2）

關於許慎引《經》《傳》改從《說文》通例，先生雖自云「區區所見，無關閎恉」，[21] 實則此乃小學、經學、史學，乃至整個中國學術極為重大之發現，值得珍視。又，先生於整理舊說中，既涉及版本之校理、字句之訓解，亦旁及史實之考訂、杜《注》源流之探索、舊注之輯錄與校補等。

21　王叔岷先生：《左傳考校》，頁2。

先生於〈史記斠證導論〉中曾述及《史記斠證》之五種體例云：[22]

字句整理

史實探索

陳言佐證

佚文輯錄

舊注斠補

以上五端，《考校》大抵涵攝。又，《考校》特重《左氏》經、傳異文之考訂，並論及諸多與校讎相關之體例與通則，如「古注引經傳，往往改從本書」、「古注引書或據注文改正文」、「古注、類書引書不可盡信」等。本文除大致仿依《史記斠證》體例以述《左傳考校》之體例與貢獻外，復增「異文考校」、「闡明許慎引經傳改從《說文》通例」、「揭示古注、類書引書的各種現象」等章節，以明《考校》之貢獻焉。

先生當代通儒，一生治學不倦，名馳四海，廣受崇敬，而甘守「無味之學」，品嘗「無味之味」。[23]《莊子·逍遙遊》載堯讓天下於許由之寓言，有云：

日月出矣，而爝火不息，其於光也，不亦難乎！時雨降矣，而

---

22 王叔岷先生：〈史記斠證導論〉，《史記斠證》，頁13-23。

23 參王叔岷先生：〈我與斠讎學（演講稿代序）〉，《斠讎學》，頁13；又，〈校書的甘苦〉，《慕廬演講稿》，頁45-55；又收入《校讎別錄》，頁23-24。又，此意先生常於課堂述及，偶亦見諸吟詠，如《舊莊新詠》（臺北：華正書局，1985年）、《寄情吟》（臺北：華正書局，1990年）、《隨感吟》（臺北：藝文印書館，1997年）、《慕廬餘詠》（臺北：大安出版社，2001年）等。

> 猶浸灌，其於澤也，不亦勞乎！（《莊子校詮》，卷1上，頁
> 21）

先生高風亮節，世所共仰，其學術成就正如日月之光、時雨之降。謹述一隅之見，以示對先生之崇敬與嚮往云耳。

二 異文考校

《考校》之一大重點即在對《春秋經》、《左傳》之異文詳加斟理，故本文於「字句之整理與訓解」外，特立「異文考校」一節以述論之。

《考校》對《左氏》經、傳異文，依不同情況而有不同處理方式，或「引古本，依字書或文字學常識解說之」，如莊三十二年《傳》：「鄉者牙曰」，《考校》云：

> 案舊鈔卷子本鄉作嚮，嚮乃鄉向二字之合書，本字作鄉，《爾雅·釋言》、《說文》並云：「嚮，鄉也。」僖二十八年《傳》：「鄉役之三月。」舊鈔卷子本亦作嚮。（頁27）

或「指明異文，逕加解釋」，如莊二十九年《傳》：「凡師有鍾鼓曰伐」，《考校》云：

> 《校勘記》：「《石經》、宋本、岳本、閩本鍾作鐘，下《注》同。」案舊鈔卷子本鍾亦作鐘，下《注》同。鍾為酒器，鐘為樂器，古多通用。此當以作鐘為正。後多此例。（頁25-26）

上述情況，《考校》屢見，先生往往寥寥數言，即清楚指出古書異文之相關問題，限於篇幅，茲不繁舉。

關於異文，《考校》貢獻尤大者厥在下列數端：

或「經傳互證，推定異文與舊說之當否」，如莊三十一年《經》：「齊侯來獻戎捷」，《考校》云：

> 《校勘記》：「《說文》引作『齊人』。」案《說文》：「捷，獵也。軍獲得也。《春秋傳》曰：『齊人來獻戎捷。』」段玉裁《注》：「《左氏》、《公》、《穀》皆作齊侯。按作人近是，不必親來。」惟《傳》書「齊侯來獻戎捷，非禮也。」齊侯親來，固是「非禮」，若原作「齊人」，則非「非禮」矣。（頁26）

先生以《左氏》傳文推定《說文》所引異文與段玉裁說法之不可信據，既切合斠讎學通例，復與《春秋》經傳義例相應，片言決疑，令人歎服。

又如僖十二年《傳》：「夏，楚滅黃」，《考校》云：

> 《校勘記》：「《石經》初刻『楚人滅黃』，後刊去人字。」案作「楚人滅黃」，則與《經》合。（頁44）

案本年《春秋經》作「夏，楚人滅黃」，[24]先生以《經》文證初刻《石經》、《經》、《傳》皆有「人」字，蓋古本如此。凡此皆《經》、《傳》互證，以考定異文者也。

---

24 《左傳正義》，卷13，頁18下。

或「據經書上下文以正異文」，如僖二十四年《傳》：「得罪于母弟之寵子帶」，《考校》云：

> 《校勘記》：「宋本無弟字。《考文提要》據僖五年《正義》弟作氏，是也。」案此當作「母氏」，下文「天子出居于鄭，辟母弟之難也。」（原注：杜《注》：叔帶，襄王同母弟。）其作「母弟」者，疑後人據下文妄改也。……（頁60）

此則運用《斠讎學》「涉上下文而誤」通例以推定異文致誤之由也。[25]

又如文十六年《傳》：「夫人助之施」，《考校》云：

> 《校勘記》：「《石經》、宋本、淳熙本、岳本、纂圖本、足利本作『乃助之施』，不誤。」案舊鈔卷子本亦作「乃助之施」，乃之作「夫人」，涉上「襄夫人」而誤。（頁93-94）

案：文十六年《傳》云：

> 宋公子鮑禮於國人。宋饑，竭其粟而貸之。年自七十以上，無不饋詒也。……公子鮑美而豔，襄夫人欲通之，而不可，夫人助之施。昭公無道，國人奉公子鮑以因夫人。（《左傳正義》，卷20，頁4下-5上）

此亦先生運用《斠讎學》「涉上下文而誤」之通例，以定異文者也。

又如僖二十二年《傳》：「隘而不列」，《考校》云：

---

25 參王叔岷先生：《斠讎學》，第柒章〈通例〉，「三、涉上下文而誤」，頁286-287。

> 《校勘記》：「李善注〈魏都賦〉、〈辨亡論〉、顏延年〈陽給事
> 誄〉、陸士衡〈弔魏武帝文〉引作『隘而不成列』，今諸本無成
> 字。」案舊鈔卷子本亦作「隘而不成列」。此對上文「不鼓不
> 成列」而言，則有成字是。（頁51）

除以經書上下文推定異文外，復益以舊鈔本為證，更具說服力。先生
《斠讎學》有「熟悉文例」一法，[26]以上例證宜可歸之。

或「據輔本中之古本以定舊說之當否」，此則先生《斠讎學》「廣
求輔本」方法之運用也。[27]如隱元年《傳》：「其樂也洩洩」，《考校》
云：

> 阮元《校勘記》：「『洩洩』當作『泄泄』，《考文提要》作『泄
> 泄』。《石經》避太宗諱改。宋以後本皆仍唐刻。」案《釋文》
> 「洩洩」同。日本舊鈔卷子本作「泄泄」，《注》同。惟泄之作
> 洩，恐非避唐太宗諱。襄十四年《傳》：「言語漏洩。」昭五年
> 《傳》：「季孫命杜洩。」二十六年《傳》：「齊子淵捷從洩聲
> 子。」定五年《傳》：「子洩為費宰。」舊鈔卷子本洩字皆同。
> 卷子本為隋、唐舊本，非為避太宗諱而作洩也。朱駿聲云：
> 「泄，字亦作洩。」（原注：《說文通訓定聲》）未言避諱作
> 洩，是也。泄、洩正俗字。（頁3-4）

舊鈔卷子本乃隋、唐舊本，自不須避李世民諱，先生以之證阮元避諱
說之非是，此善用輔本以考正異文者也。

---

26 參王叔岷先生：《斠讎學》，第伍章〈方法〉，「六、熟悉文例」，頁165-180。
27 參王叔岷先生：《斠讎學》，第伍章〈方法〉，「二、廣求輔本」，頁113-122。

又如莊元年《經》:「夫人孫于齊」,《考校》云:

> 《校勘記》:「《釋文》孫作遜,云:『本亦作孫。』段玉裁云:
> 『此二字妄人互易之,昭廿五年《音義》可證。古經典無遜
> 字。』」案舊鈔卷子本孫亦作遜。閔二年《傳》:「閔公之死
> 也,哀姜與知之,故孫於邾。」舊鈔卷子本孫亦作遜。孫、遜
> 古今字。(頁13)

段氏好古,喜言「妄人所改」。蓋古經典雖無遜字,然隋、唐間已用
遜字矣。先生以舊鈔卷子本證其為古今字,最為通達。

或「據他經、古本、古注等,定經文之是否有衍文、奪字、壞
字、誤字」,如襄十年《傳》:「爾車,非禮也」,杜《注》:「言女車猶
多過制。」《考校》云:

> 《校勘記》:「《石經》車下旁增多字。惠棟云:『案《注》,當
> 有多字也。』按云『非禮』,故《注》以『猶多』釋之,非
> 《傳》文本有多字也。」案《正義》:「前已減損其車,復云
> 『爾車非禮』。明是仍嫌車多,言其過制。」甚得杜《注》之
> 意,明《傳》文車下本無多字。(頁186)

此綰合杜預《集解》、孔穎達《正義》以推定經文原貌,正《石經》
「多」字為衍文也。

又如僖九年《經》:「冬,晉里奚克殺其君之子奚齊」,《考校》云:

> 《校勘記》:「各本無上奚字,是也。山井鼎引足利本里下有其
> 字,即奚字之誤。」案里下奚字,涉下奚字而衍。足利本里下

有其字，涉下其字而衍。（頁41）

阮元《校勘記》以為足利本經文「其」字乃「奚」字之誤，先生則以斠讎學常識說明羨文與致誤之由。

又如莊四年《傳》：「紀侯不能下齊，以與紀季」，《考校》云：

> 《校勘記》：「山井鼎云：『足利本及宋本後人記云：以下異本有國字，非。』」案舊鈔卷子本以下有國字。據《注》「盡以國與季」，疑正文以下本有國字。（頁14）

案：杜《注》云：

> 不能降屈事齊，盡以國與季，明季不叛。（《左傳正義》，卷8，頁10上）

先生結合舊鈔本與杜《注》，定《傳》文奪「國」字，碻無可疑。

又如僖十九年《傳》：「退脩教而復伐之」，《考校》云：

> 《校勘記》：「《釋文》云：『一本作「而復伐之」，伐，衍字也。』宋本無。案襄十一年《注》引此文有伐字。《詩·皇矣篇·正義》引同。李善注《文選》陳琳〈為曹洪與魏文帝書〉引作『退而脩德，復伐之。』蓋以意增損也。」案舊鈔卷子本作「退而脩教，而復伐之。」退下有而字，與《文選注》引合。審杜《注》「復往攻之」，以攻釋伐，是正文原有伐字。
> （頁49-50）

案：杜《注》云：

> 復往攻之，備不改前，而崇自服。（《左傳正義》，卷14，頁23）

本段《傳》文乃載宋襄公圍曹，大夫子魚引文王伐崇事以勸襄公脩德而後動。無論周文王伐崇或宋襄公圍曹，重點皆在「伐」，若如《釋文》刪「伐」字，則文意欠明。先生以杜預《左傳注》、李善《文選注》證《左傳》原文與《釋文》一本及《毛詩正義》引《傳》文之不誤，是矣。[28]

又如宣五年《傳》：「故書曰：逆叔姬，即自逆也」，《考校》云：

> 《校勘記》：「補刊《石經》、宋本、岳本、纂圖本、閩本、監本、毛本即作卿，是也。」案舊鈔卷子本即亦作卿。《正義》云：「《傳》言『卿自逆』者，別其與君逆也。」是正文即本作卿矣。即乃卿之壞字。（頁113）

此據古本、古注，考正「即」乃「卿」之「壞字」，此先生《斠讎學》第柒章〈通例〉三三之「因壞而誤為他字」[29]之屬也。先生曾云：

> 凡古籍有注、疏者，其正文之失，尋繹注、疏，往往可以訂正；甚或篇第之先後、分合問題，亦可推知。[30]

---

28 李學勤主編：《春秋左傳正義》，《十三經注疏整理本》據阮元《校勘記》刪「伐」字（見頁453，注1）。

29 參王叔岷先生：《斠讎學》，頁328。

30 王叔岷先生：《斠讎學》，頁122。

凡此，皆《斠讎學》「參覈本書注、疏」方法之運用也。[31]

又如文十六年《傳》：「楚大饑」，《考校》云：

> 《校勘記》：「《釋文》云：『亦作飢，音機。』案穀不熟謂之
> 饑。飢乃飢餓字。」案舊鈔卷子本饑作飢，下文「謂我饑不能
> 師」，及「宋饑」，舊鈔卷子本亦並作飢，皆非。《爾雅‧釋
> 天》：「穀不熟為饑。」古書多誤饑為飢。（頁93）

此以《爾雅》說明舊鈔卷子本亦偶有誤字，即先生《斠讎學》所謂
「不迷信古本」者也。[32]

或「據他經、古本、古注、字書等，定經文之是否使用古今字、
正假字、正俗字」，如僖十二年《傳》：「《詩》曰：愷悌君子」，杜
《注》：「《詩‧大雅》。愷，樂也。悌，易也。」《考校》云：

> 《校勘記》：「《釋文》愷作凱，《注》同。云：本亦作愷。悌，
> 本亦作弟。」案舊鈔卷子本愷作凱，《注》同，與《釋文》本
> 合。《說文》無凱字，當以作愷為正。《說文》亦無悌字，當以
> 作弟為正。《大雅‧旱麓》本作「豈弟君子」，《毛傳》釋「豈
> 弟」為「樂易」。《釋文》：「豈，本亦作愷，又作凱。弟，亦作
> 悌。」《爾雅‧釋詁》：「愷，樂也。弟，易也。」（原注：和易
> 之易。）（頁45）

先生以他經、古本、古注、字書以定異文之為古、今字，並以為當從

31 參王叔岷先生：《斠讎學》，頁122-133。
32 參王叔岷先生：《斠讎學》，第陸章〈態度〉，「三、不迷信古本」，頁226-234。

古字，以合乎經書之年代。

又如閔二年《傳》：「大布之衣，大帛之冠」，《考校》云：

> 《校勘記》：「鄭氏注《雜記》引《春秋傳》曰：『衛文公大布之
> 衣，大白之冠。』《正義》引《傳》亦作『大白』。」案帛、白
> 正假字。《詩·小雅·六月》：「白旆央央。」《公羊疏》引孫炎
> 《爾雅·釋天·注》作「帛旆」，白亦借為帛也。（頁30-31）

此以他經、古注，證異文之屬正、假字也。

又如僖四年《傳》：「王祭不共」，《考校》云：

> 《校勘記》：「《釋文》：『共，本亦作供，下及《注》同。』案
> 《詩·伐木篇·正義》、李善注〈冊魏公九錫文〉、高誘注《淮
> 南子》、顏師古注《漢書·刑法志》作供，《說文》引《傳》亦
> 作供。」案舊鈔卷子本共亦作供，下同。供、共正假字。（原
> 注：僖十二年《傳》：「不共楚職。」舊鈔卷子本亦作供。）《說
> 文》未引《傳》。徐鍇《說文繫傳》乃引《傳》作供。（頁36）

此以古本、古注定異文之為正、假字，並查核原書，以正阮元《校勘
記》誤以許慎《說文解字》引《左傳》，實則為徐鍇《說文繫傳》引
《左傳》也。可見先生治學之淵博、紮實、嚴謹。

又如僖二十八年《傳》：「玈弓矢千」，杜《注》：「玈，黑弓。」
《考校》云：

> 《校勘記》引段玉裁云：「《說文》無玈字，《石經》『矢千』上

後人據別本旁增『十旅』二字，《釋文》云：『本或作「旅弓十、旅矢千」，後人專輒加也。』案《詩‧小雅‧彤弓‧正義》云：『《傳》文直云「旅弓矢千」，定本亦然。故服虔云：「『矢千』則『弓十』。」是本無「十旅」二字，俗本有者誤也。』」案舊鈔卷子本作「旅弓十，旅矢千」，《注》旅亦作旅。《周書‧文侯之命》：「盧弓一，盧矢百。」《北堂書鈔》一二五兩引並作「盧弓矢千」，曹操〈短歌行〉亦稱晉文「受賜盧弓矢千」。旅、盧並借為𪑛，旅乃俗字。《說文》：「𪑛，齊謂黑為𪑛。」段《注》：「經傳或借盧為之，或借旅為之，皆同音假借也。『旅弓、旅矢』，見《尚書》、《左傳》，俗字改作旅。」（頁67）

此以字書與文字學常識定異文乃用俗字也。

或「據古本、古注、類書、關係書[33]等，以定異文與舊說」，如莊九年《經》：「夏，公伐齊納子糾」，《考校》云：

《校勘記》：「臧琳云：『子字衍文，沿唐定本之誤。《正義》於此引賈逵云：「不言公子，次正也。」又於後「九月，齊人取子糾殺之」引賈逵云：「稱子者，愍之。」可證賈景伯本於此無子字。』」案賈景伯本於此無子字，未必原無子字，《管子》作「魯人伐齊，納公子糾」可證也。糾，俗糾字。（頁18）

---

[33] 先生云：「凡一書引用某書，或因襲某書，則二書謂之關係書。凡一書無論其思想內容是否與某書相關，而有引用某書或因襲某書之文，謂之直接關係書；凡一書與某書有偶然相合之文（原注：既非引用，亦非因襲），謂之間接關係書。」（《斠讎學》，頁151）

《管子》乃戰國中、後期之書，[34]先生以《管子》證賈逵本與臧琳說之未必是，甚具說服力，即運用關係書以校定異文也。

又如僖三十年《傳》：「焉用亡鄭以倍鄰」，杜《注》：「陪，益也。」《考校》云：

> 《校勘記》：「《石經》、宋本、淳熙本、岳本、足利本倍作陪，宋本《釋文》亦作陪。案錢大昕云：從𨸇為正。」案舊鈔卷子本倍亦作陪，《藝文類聚》二十五、《御覽》四百六十引並同，與《注》合。《新序》亦作陪。（頁71）

此以古本、古注、類書、關係書等審定異文也。凡此，皆可見先生之淵博、淹通。

三　字句的整理與訓解

《考校》關於字句之整理與訓解，謹依先生〈史記斠證導論〉所示，分為五種，每種各引述二、三例證，以明先生之卓識焉。

（一）證成舊說

「證成舊說」者，乃前人已有相當之說解，先生或加申述，或益以他證證成之，如襄七年《傳》：「委蛇委蛇」，《考校》云：

34　《管子》一書，無論其性質或著作時代，歷來皆異說紛紜，一九七二年山東臨沂銀雀山出土西漢前期墓葬竹簡，中有《管子・七法篇》，可知今本《管子》至少有部分為先秦舊籍。先生以為《管子》乃戰國中期至晚期各家學說之總匯。說詳王叔岷先生：《先秦道法思想講稿》之〈拾壹、附論管子、關尹子及列子〉（頁151-166）〈拾柒、法家總論——附論法家相關人物——管仲、子產、吳起、李悝、李斯等〉（頁275-277）。

《校勘記》：「《石經》初刻作『委委虵虵』。案《詩‧羔羊‧釋文》云：『沈讀作「委委虵虵」。』是沈氏所見本作兩重文也。下『衡而委蛇』。《石經》初亦作虵。」案虵乃俗蛇字。古書疊字，下作二畫以識之。「委虵委虵」之作「委委虵虵」者，蓋本作「委＝虵＝」，應讀作「委虵委虵」，淺人不識，因誤為「委委虵虵」耳。（頁178-179）

先生以古書「疊字」慣例，說明「委蛇委蛇」誤為「委委蛇蛇」之由。本年《左傳》云：

衛孫文子來聘，且拜武子之言，而尋孫桓子之盟。公登亦登。叔孫穆子相，趨進，曰：「諸侯之會，寡君未嘗後衛君，今吾子不後寡君，寡君未知所過。吾子其少安！」孫子無辭，亦無悛容。穆叔曰：「孫子必亡。為臣而君，過而不悛，亡之本也。《詩》曰：『退食自公，委蛇委蛇』，謂從者也。衡而委蛇，必折。」（《左傳正義》，卷30，頁11）

竹添光鴻《左氏會箋》「今吾子不後寡君，寡君不知所過」二句作：

今吾子不後寡＝，君＝未知所過。[35]

舊鈔卷子金澤文庫本猶存古書疊字原貌，先生之言是也。

---

[35] 〔日〕竹添光鴻：《左氏會箋》，卷14，頁40。案《會箋》原讀如此，當依古書疊字之例，讀為「今吾子不後寡君，寡君未知所過」。又，古書疊字多如此作，如隱元年《左傳》：「宋武公生仲子，仲子生而有文在其手」，竹添光鴻《會箋》本即作「宋武公生仲＝。子＝生而有文在其手」（卷1，頁10-11）。其例習見，茲不繁舉。

又如襄三十一年《傳》：「繕完葺牆」，《考校》云：

> 《校勘記》：「〔唐〕李涪《刊誤》云：『「繕完葺」三字，於文
> 為繁。當是「繕宇葺牆」。』以《書》之『峻宇雕牆』為比。
> 段玉裁云：『古三字重疊者時有，安可以今人文法繩之。下文
> 「無觀臺榭」，豈非三字重疊耶？況此篇因壞垣屬辭，士文伯
> 誇垣之好不應見毀，添設宇字，則無謂矣。』」案「繕完葺」三
> 字疊義，王引之《述聞》亦引段說而據內、外《傳》之文以廣
> 其證。[36]《史》《漢》中亦偶有三字疊義之例。如《史記・項羽
> 本紀》：「孤特獨立而欲長存。」《漢書・王莽傳》：「府帑雖未
> 能充，略頗稍給。」「孤特獨」「略頗稍」，並三字疊義。漢詩
> 中亦有三字疊義之例，如漢《樂府・陌上桑》：「為人潔白皙，
> 鬑鬑頗有鬚。」「潔白皙」亦三字疊義也。（頁288）

此益以《史》、《漢》文字與漢樂府詩句，證成段玉裁、王引之之說也。

（二）補充舊說

「補充舊說」者，乃前人對《左傳》之字句雖已有所校理、訓
解，而未盡完善、充足，先生為之補充證據，使臻美善也。如襄十七
年《傳》：「抑君賜不終，姑又使其刑臣禮於士」，杜《注》：「言使賤
人來唁己，是惠賜不終也。」《考校》云：

> 《校勘記》：「《石經》此行君字起刑字止。此行只九字，非初

刻也。」案舊鈔卷子本作「抑君之賜臣不終,姑又使其刑臣禮
於士。」賜上多之字,賜下多臣字。據《注》「惠賜不終」,是
正文賜下本無臣字,蓋涉下「刑臣」而衍。賜上蓋本有之字,
《石經》每行十字,而此行君字起刑字止,只九字。初刻賜
上蓋本有之字,與卷子本同,君字至刑字正十字也。(頁203-
204)

先生據杜《注》,並結合斠讎學常識,定舊鈔卷子本「臣」字為衍
文;復以《石經》刻字每行十字通例,推定「賜」上應有「之」字,
補充《校勘記》之說。

又如襄三十年《傳》:「過諸廷」,杜《注》:「愆期行過王庭
也。」《考校》云:

王念孫云:「過當為遇,字之誤也。儋、括入朝,而愆期遇之
於廷,故曰『遇諸廷』。猶《論語》言『遇諸塗』也。若如杜
《注》云『行過王廷』,則當言『過廷』,不當言『過諸廷』
矣。《論語》:『鯉趨而過庭。』若加一字曰:『鯉趨而過諸
庭』,其可乎!」(原注:《經義述聞》十八引)案王氏謂過為
遇之誤,良是。惜無直接證據。《莊子‧應帝王篇》:「儵與忽
遇於渾沌之地。」《白帖》二引遇誤過。亦遇誤為過之例,可
為旁證。(頁276)

先生肯定王念孫之說,而惜其缺乏版本證據,遂以《白帖》引《莊
子》曾誤「遇」為「過」之例,以為王說佐證。凡此,皆為「補充舊
說」也。

（三）修正舊說

「修正舊說」者，乃前人已有說法，先生以為未盡可取，遂提出論據修正之，如襄三十年《傳》：「與子上盟，用兩珪質于河」，杜《注》：「沈珪於河為信也。」《考校》云：

> 王引之云：「《釋文》出『與子上用兩珪質于河』九字，云：『一本作「與子上盟」絕句，「用兩珪質于河」別為一句也。』[37] 案用上盟字蓋衍文。『用兩珪質于河』，此誓也，非盟也。下文『入盟大夫』，乃言盟耳。〈曲禮〉曰：『約信曰誓，涖牲曰盟。』僖二十四年《傳》：『子犯以璧授公子，請由此亡。公子曰：「所不與舅氏同心者，有如白水。」投其璧于河。』亦是約信而非盟也。故〈晉語〉但言『公子沈璧以質』，而不言盟。（原注：「韋《注》曰：『質，信也。沈璧以自誓為信。』」）自《史記·晉世家》載此事云：『投璧河中，以與子犯盟』，《說苑·復恩篇》亦云：『沈璧而盟』，始誤以誓為盟。蓋西漢時已不知誓與盟之有別矣。杜《注》『投其璧于河』曰：『質信於河』，注此《傳》曰：『沈珪於河為信也。』但云『質信』，云『為信』，則非盟可知。杜所據本蓋無盟字。」（原注：《經義述聞》十八）案王氏謂「杜所據本蓋無盟字」，蓋

阮刻本孔穎達《左傳正義》引《釋文》：「一本作『與子上』絕句，『用兩珪質于河』別為一句也。」（卷40，頁8下）王引之《經義述聞》所引《釋文》作「與子上盟」，多一「盟」字（卷18，〈春秋左傳中〉，頁1082）。若《釋文》一本仍作「與子上，用兩珪質于河」，則非另「一本」矣。宋本《經典釋文》（上海：上海古籍出版社影印北京圖書館藏宋刻本，1985年），卷18，〈春秋左氏音義之四〉，頁19上；盧文弨校抱經堂本《經典釋文》，卷18，〈春秋左氏音義之四〉，頁20上，並有「盟」字，《左傳正義》蓋脫「盟」字。

是。盟字疑涉下文「入盟大夫」而衍。惟王氏謂「《史記・晉
世家》『投璧河中，以與子犯盟』，《說苑・復恩篇》『沈璧而
盟』，始誤以誓為盟」，則尚可商榷。竊以為〈晉世家〉「投璧河
中」是誓。「以與子犯盟」，以猶且也。「以與子犯盟」是盟。
〈復恩篇〉「沈璧而盟」，而亦猶且也。謂投璧為誓之後且盟
也，然則非西漢時已不知誓與盟之有別矣。（頁280-281）

先肯定王念孫「杜預所據之本無盟字」之說，並以斠讎學常識推論其
誤衍之由；再進一步仔細分析盟、誓之別，修正王氏「西漢時已不知
誓與盟之有別」之說，在在可見先生之功力焉。

又如襄二十五年《傳》：「賦車兵徒卒」，杜《注》：「步卒。」《考
校》云：

《校勘記》：「《石經》、宋本、岳本、監本卒作兵。顧炎武云：
『《石經》卒誤作兵。』非也。梁履繩云：『杜於「徒兵」下
《注》云：「步卒。」《釋文》：「卒，子忽反。」若《傳》文為
「徒卒」，則杜不須《注》。陸氏何不舉《傳》文而標《注》字
邪？』案「徒卒」，杜《注》：「步卒。」意在釋徒為步，卒字
不須釋也。卒之作兵，蓋涉上「車兵」而誤。《釋文》不標
《傳》文而標《注》「步卒，子忽反。」僅可證陸氏所見
《傳》文作「徒兵」，與《石經》等本合，不足證明《傳》文
原作「徒兵」也。最早僅唐時有作「徒兵」者耳。（頁236）

先申說杜《注》之意，再進而說明「卒」之誤「兵」，蓋涉上文而
誤，並以《唐石經》、陸德明《經典釋文》之時代，說明作「兵」字

者，最早之可能時代為唐，唐前應作「卒」，修正阮元、梁履繩之說。[38]

又如襄二十九年《傳》：「齊高子容」，《考校》云：

> 《校勘記》：「《石經》本有齊字，後磨去改刊高子容三字，故此行九字。案錢大昕云：『此齊字後人妄加，《石經》磨改本是也。《傳》於列國諸卿，或書國，或不書國，皆有義例。如此篇大叔文子不書衛，高子容不書齊，已見《經》文故也。《經》不書游吉，故子大叔稱鄭以別之。華定書官不書族，故稱宋以別于他國。《左氏傳》不可增損一字如此。』」案《傳》於列國諸卿，書國不書國固有義例。此文高子容《經》文已稱齊，固不必再稱「齊高子容」。惟高子容接上文「晉不鄰矣，其誰云之！」若不稱齊，易誤為晉人，故稱齊以明之。舊鈔卷子本已作「齊高子容」矣。義例似不可執著也。（頁259-260）

案《左傳》「齊高子容」句前，所述乃晉國事，此忽接敘齊事，若不加「齊」字，誠如先生所言，易致誤解——以高子容為晉人——故《傳》文特加齊字以明之；先生並證以舊鈔卷子本，以諟正錢大昕《左傳》義例謹嚴之說。先生知義例而不執著於義例，可見其通達。且《石經》一行十字，有「齊」字正與《石經》每行字數吻合，《傳》文蓋本有「齊」字，先生之說是也。[39]

---

38 李學勤主編：《春秋左傳正義》整理本依阮元《挍勘記》改「卒」為「兵」（頁1180，注1）。楊伯峻《春秋左傳注》亦改作「徒兵」，並注云：「『徒兵』各本作『徒卒』，今從《石經》、宋本訂正。洪亮吉《詁》同此。此兩兵字皆指兵器，車上之戰士與車下之徒卒所執兵器不同，故云車兵徒兵。」（頁1107）

39 李學勤主編：《春秋左傳正義》整理本亦引阮元《挍勘記》、錢大昕之說，唯並未刊去「齊」字（見頁1256，注3）。

又如襄二十九年《傳》:「是盟也,其與幾何」,杜《注》:「言不能久也。」《考校》云:

> 王引之云:「與,語助也。昭元年曰:『主民翫歲而愒日,其與幾何!』又曰:『叔向問子晳於行人揮,對曰:「其與幾何!」』又〈晉語〉曰:『雖謂之挾,而猶以齒牙,口弗堪也,其與幾何!』又曰:『郤子矜其伐而恥國君,其與幾何!』〈吳語〉曰:『民生於地上,寓也,其與幾何!』言其幾何也!」(原注:《經傳釋詞》一)案與非語詞,杜說與為能,是也。昭元年:「主民,翫歲而愒日,其與幾何!」杜《注》亦云:「言不能久也。」「其與幾何」,猶言「其能幾何」。僖二十三年《傳》:「夫有大功而無貴仕,其能靖者與有幾!」能、與互文,與猶能也,其義可徵。(頁272)[40]

以《左傳》互文見義文例,修正王引之「與」為語助之說。

又如昭四年《傳》:「問其姓」,杜《注》:「問有子否?」《考校》云:

> 朱駿聲云:「姓叚借為生。『問其姓』,《釋文》:『謂子也。』《小爾雅·廣言》:『姓,子也。』」(原注:《說文通訓定聲》)案《廣雅·釋親》亦云:「姓,子也。」「問其姓」,與下文「對曰:余子長矣。」相應,姓謂子也。故杜《注》云「問有子否?」《孟子正義》引「問其姓」作「因問其有子」,蓋兼杜

---

40 王叔岷先生:《古籍虛字廣義》(臺北:華正書局,1990年),一「與」字條另舉《國語》〈周語〉、〈晉語〉、〈吳語〉與《文心雕龍·明詩》為證(頁5-6),可並參。

《注》引之。竹添光鴻《箋》云：「不知婦人為誰，故問其姓耳。」以姓為姓氏之姓，失之率矣！（頁327）

此則以《左傳》上下文與朱駿聲《說文通訓定聲》、《廣雅》、杜《注》、孫奭《孟子正義》等說，修正竹添光鴻望文生義的輕率說法。

又如昭五年《傳》：「余甂使人犒師請行，以觀王怒之疾徐」，《考校》云：

竹添光鴻《箋》云：「請行者，問師至之期也。〈聘禮〉：『賓至于近郊，君使下大夫請行。』亦問來至之期也。」案當從師字絕句。「請行」二字屬下讀。行猶因也。「請行以觀王怒之疾徐」，猶言「請因以觀王怒之疾徐」也。哀十六年《傳》：「晉人使諜於子木，請行而期焉。」行亦猶因也，與此同例。《史記・留侯世家》：「乃使良還，行燒絕棧道。」趙蕤《長短經・霸圖篇》自《注》行作因，即行、因同義之證。（頁338）

先生既以訓詁學訓解行、因之義，復以《左傳》、《史記》文字為證，再以《長短經》趙蕤自注，證行、因同義，修正竹添氏失讀之誤。[41]

（四）審定舊說

「審定舊說」者，前賢已有多種說解，先生加以辯駁申論，審定舊說之當否也。如襄二十九年《傳》：「美哉！其細已甚，民弗堪也。是其先亡乎」，杜《注》：「美其有治政之音，譏其煩碎，知不能久。」

---

41 李學勤主編：《春秋左傳正義》整理本（頁1408）、楊伯峻《春秋左傳注》（頁1271）並以「犒師」為句，「請行」以下自為一句，與先生說合。

《考校》云：

> 俞樾云：「『美哉』之下不箸一字，而遽云『其細已甚，民弗堪
> 也』，文義不屬。疑『其細』二字當為一句。『美哉！其細。』
> 蓋美其細也。《說文・糸部》：『細，微也。』《荀子・解蔽篇》
> 楊《注》曰：『微者，精妙之謂也。』是細亦未始非美。但過
> 甚則涉于煩碎矣。故又曰『已甚，民弗堪也。』《詩・正義》
> 引服虔曰：『其風細弱已甚。』亦失之。」[42] 案「美哉」二
> 字，蓋涉上下文「美哉」而衍。《史記・吳世家》無「美哉」
> 二字。《集解》引服虔曰：「其風細弱已甚，攝於大國之閒，無
> 遠慮持久之風，故曰，民不堪，將先亡也。」其說是也。其風
> 細弱已甚，民不堪，何美之有！俞氏謂「細亦未始非美，但過
> 甚則涉於煩碎。」不知「美哉」二字為衍文，而強為之說耳。
> 「其先亡」猶「將先亡」。服虔說其為將，是也。（頁261-
> 262）

案：本段《傳》文，乃述吳公子季札適魯，請觀周樂事，自〈周
南〉、〈召南〉以下，經〈邶〉、〈鄘〉、〈衛〉、〈王〉諸國之樂，季札皆
以「美哉」稱頌，〈鄭〉風以下，又有〈齊〉、〈豳〉、〈魏〉等風，季
札亦皆以「美哉」稱頌；唯歌〈秦〉、〈陳〉二國之樂時，無「美哉」
之頌。然而季札於聆〈陳〉樂後，曰：「國無主，其能久乎！」與其
謂〈鄭〉樂：「其細已甚，民弗堪也。是其先亡乎！」皆為貶抑之
詞，則《傳》文歌〈鄭風〉時所稱之「美哉」，當為衍文。[43]季札乃吳

---

42 見〔清〕俞樾：《羣經平議・春秋左傳平議二》，《春在堂全書》，第1冊，卷26，頁
　31。

43 《左傳》襄公二十九年：「吳公子札來聘……請觀於周樂。使工為之歌〈周南〉、

國賢臣，《史記・吳世家》詳載季札觀樂事，其述鄭國之樂，無「美哉」二字，蓋存古本之舊。[44]先生既以關係書，又結合斠讎學通例，定經文「美哉」二字為衍文，並綰合服虔古注，解說經文，反駁俞樾《平議》之說，肯定服虔說，推論之細密，令人折服。

又如昭二十年《傳》：「以周事子」，杜《注》：「周猶終竟也。」《考校》云：

> 俞樾云：「《說文・口部》：『周，密也。』『以周事子』者，以密事子也。蓋宗魯知齊豹欲殺公孟，而不泄其言，所謂周也。宗魯之意，蓋以不泄報齊豹，而又以一死謝公孟，為兩盡之道矣。杜《解》非是。下文『不蓋不義』，《解》曰：『以周事豹，是蓋不義。』則得之矣。」[45]案宗魯云：「吾將死之，以周事子。而歸死於公孟其可也。」意謂以死報齊豹，且以一死謝公孟為兩盡之道，恐未慮及義與不義也。下文「不蓋不義」，孔子謂君子乃能如此，宗魯之行乃是掩蓋其不義耳。杜《注》釋周為「終竟」，似未為非。釋下文「不蓋不義」為「以周事豹，是蓋不義」，乃就「君子」而言，恐亦無釋周為

〈召南〉，曰：『「美哉！始基之矣……。」為之歌〈邶〉、〈鄘〉、〈衛〉，曰：『美哉，淵乎！……』為之歌〈王〉，曰：『美哉！……』為之歌〈鄭〉，曰：『美哉！其細已甚，民弗堪也。是其先亡乎！』為之歌〈齊〉，曰：『美哉，泱泱乎！……』為之歌〈豳〉，曰：『美哉，蕩乎！……』為之歌〈秦〉，曰：『此之謂夏聲。……』為之歌〈魏〉，曰：『美哉，渢渢乎！……』為之歌〈唐〉，曰：『思深哉！……』為之歌〈陳〉，曰：『國無主，其能久乎！』自〈鄶〉以下無譏焉。』（《左傳正義》，卷39，頁8下-13下）

44 《史記・吳太伯世家》：「吳使季札聘於魯，請觀周樂。……歌〈鄭〉，曰：『其細已甚，民不堪也，是其先亡乎！』」（《史記會注考證》，卷31，頁11-13）

45 見〔清〕俞樾：《羣經平議・春秋左傳平議二》，卷27，頁23下-24上。

密之意。《史記・高祖本紀・贊》：「終而復始。」《禮記・表
記》孔《疏》引《元命苞》、《說苑・修文篇》、荀悅《漢紀》
四，終皆作周。周亦借為終。此文則借周為終，杜《注》「周
猶終竟也」，是也。（頁413-414）

先以經書上下文文意與杜《注》說解，審定俞說之誤；再引經、史、
子部之書，乃至緯書、古注，說明「終」、「周」同義，證成杜預之說。

又如昭二十二年《傳》：「毀其西南」，《考校》云：

《校勘記》：「《石經》南下有『子朝奔郊』四字，非唐刻也。
案顧炎武《九經誤字》云：『四字監本脫，當依《石經》。』惠
棟云：『四字非初刻，當是晁公武據蜀《石經》增入，非杜本
也。』案下《傳》云：『二師圍郊，郊、鄩潰。』杜氏云：『二
邑皆子朝所得。』是杜本無『奔郊』之文。善乎陳樹華之言
曰：『四字書法，與宣公卷相似，疑朱梁時人所為。顧炎武說
欠詳。』（原注：下略）」案舊鈔卷子本南下已無「子朝奔郊」
四字。則此四字恐非唐刻。惟據下《經》云：「晉人圍郊。」
杜《注》：「討子朝也。」是子朝其時已在郊。下《傳》云：
「二師圍郊，郊、鄩潰。」杜《注》：「二邑皆子朝所得。」亦
可證其時子朝已在郊。而惠棟謂「是杜本無『奔郊』之文。」
無「奔郊」之文，子朝何以得郊邪？然則《石經》南下有「子
朝奔郊」四字，或後人補之以與下《經》、《傳》及《注》之文
相應與？（頁432-433）

先以舊鈔卷子本說明「子朝奔郊」四字蓋非唐《石經》所有，肯定惠

棟、陳樹華諸人之說；再以杜《注》證明四字蓋杜本原有，遂疑此四字蓋後人據《經》《傳》與杜預《注》補入者也。

（五）舊說所無

舊說所無者，乃前人少有考校詮解，先生或「引他書異文，加以訓解，益以古書例證證成之」，或「先引各版本異文，再引古書資料詮解證成之」，其中多先生之創見焉，此即先生《斠讎學》方法之七「通達訓詁」之運用也。[46]茲分為「實字」與「虛字」之訓解兩類，謹舉數例以為說明。

《考校》關於「實字」之訓解，如昭元年《傳》：「周公殺管叔而蔡蔡叔」，杜《注》：「蔡，放也。」《考校》云：

> 《校勘記》：「《釋文》云：『上蔡字音素葛反，放也。《說文》作㚒，音同。字從殺下米。』案〈禹貢〉云：『二百里蔡。』鄭氏云：『蔡之言殺，減殺其賦。』古音蔡同殺。張參《五經文字》云：『㚒，《春秋傳》多借蔡為之。』」案杜釋上蔡字為放，《史記》〈周本紀〉、〈魯世家〉、〈管蔡世家〉皆作「放蔡叔」，後定四年《傳》：「王於是乎殺管叔而蔡蔡叔。」杜《注》亦云：「蔡，放也。」蔡借為㚒，《說文》：「㚒，㮣㚒，散之也。」散、放義近。（頁300-301）[47]

此以《史記》與《左傳》文字互參，再以杜《注》、《說文》詮解經文也。

---

46 參王叔岷先生：《斠讎學》，第伍章〈方法〉，「七、通達訓詁」，頁180-208。

47 定四年《傳》有「王於是乎殺管叔而放蔡叔」之文，《考校》亦有說（頁477-478），可相互參證。

又如昭二十二年《傳》：「自憚其犧也」，杜《注》：「畏其為犧牲奉宗廟，故自殘毀」，《考校》云：

> 案〈周語〉下無自字。疑涉上文「自斷其尾」而衍。其猶為也。杜《注》「畏其為犧牲」，於其下增為字以釋之，不知其自有為義也。〈周語〉韋《注》：「言雞自斷其尾者，懼為宗廟所用也。」蓋釋「憚其」為「懼為」，是也。（頁431-432）

先以關係書《國語‧周語》斟定《左傳》「自」字乃衍文，並引韋昭《國語解》，由訓詁學角度說解經文。凡此，皆發前人所未發。

「虛字」之訓解，如隱元年《傳》：「莊公寤生，驚姜氏，故名曰寤生」，《考校》云：

> ……《御覽》三六一引《風俗通》佚文載此文，「故名」作「因名」，下無曰字。故猶因也。《論語‧先進篇》：「求也退，故進之；由也兼人，故退之。」《史記‧魏公子列傳》：「始吾聞平原君賢，故負魏王而救趙。」三故字亦皆與因同義。（頁2）[48]

先以《太平御覽》所引《風俗通義》佚文指出《左傳》「故名曰」之異文為「因名」，並對異文進行訓解，再以《論語》、《史記》等古籍證成之，可見先生之博洽淹通。

又如隱六年《傳》：「長惡不悛，從自及也」，《考校》云：

> 王引之云：「杜《注》曰：『從，隨也。』『隨自及也』殊為不

---

48 並可參王叔岷先生：《古籍虛字廣義》，五七「故」字條，頁159。

詞。從，疑當作徒。言長惡不悛，無害於人徒自害而已。隸書
從字作從，與徒相似，故徒譌作從。（原注：下略）」（原注：
《經義述聞》十七）案王說雖佳，惜無直接證據。劉淇《助字
辨略》釋從為尋，裴學海《古書虛字集釋》釋從為即，並不改
字。岷以為從猶因也，言長惡不止，因以害自及也。《淮南
子‧繆稱篇》：「黃帝曰：『芒芒昧昧，從天之道。』」（原注：
王念孫《雜志》：道本作戚，戚者德也。）〈泰族篇〉及《呂氏
春秋‧應同篇》、《文子‧上仁篇》從皆作因，明其義相同。
（頁6）[49]

王引之改字說經，因無版本以為佐證，故先生不遽信之；又引劉淇
《辨略》、裴學海《虛字集釋》之說，仍以為未盡周洽，遂益以古籍
相關資料，提出看法，可見先生立論之矜慎。

又如僖七年《傳》：「心則不競，何憚於病」，《考校》云：

吳昌瑩云：「則猶若也，如也。」（原注：《經詞衍釋》八）案
則猶既也，下文「既不能彊」，承「心則不競」而言，則與既
同義。《顏氏家訓‧勉學篇》：「射則不能穿札，筆則纔記姓
名。」《說郛》本上則字作既，則猶既也。《書‧洪範》：「鯀則
殛死，禹乃嗣興。」《史記‧循吏列傳》：「文公曰：子則自以
為有罪，寡人亦有罪邪？」兩則字亦並與既同義。（原注：此
義前人未發）（頁40）[50]

---

[49] 王叔岷先生：《古籍虛字廣義》，一五一「從」字條（頁401-402），引證尤詳，可互參。
[50] 王叔岷先生：《古籍虛字廣義》，一二九「則」字條，另舉《荀子‧禮論》、《史記‧
刺客列傳‧荊軻傳》為證（頁348），可與本文互參。

先生不以吳昌瑩之說為是，遂自提新說，而益以說郭本《顏氏家訓》
異文，並以《尚書》、《史記》文字證成之。

又如昭十一年《傳》：「單子其將死乎」，《考校》云：

> 《校勘記》：「臧琳云：『《漢書‧五行志》無將字。乎作虖。
> 虖，古乎字。』」案「其將」，複語，其猶將也。可略其一，故
> 〈五行志〉無將字。襄二十九年《傳》：「民弗堪也，是其先亡
> 乎！」《史記‧吳世家‧集解》引服虔《注》：「民不堪，將先
> 亡也。」說其為將。昭三年《傳》：「吾弗知，齊其為陳氏
> 矣。」杜《注》：「不知其他，唯知齊將為陳氏。」亦說其為
> 將。並其、將同義之證。（頁365-366）[51]

又如昭十二年《傳》：「能來會吾喪，豈憚日中」，《考校》云：

> 案能猶若也。「能來會吾喪」，猶「若來會吾喪」。《史記‧伍子
> 胥列傳》：「太子能為我內應，而我攻其外，滅鄭必矣。」〈蘇
> 秦列傳〉：「子能以燕伐齊，則寡人舉國委子。」〈范雎列傳〉：
> 「公能出我，必厚謝公。」諸能字皆與若同義。（原注：此新
> 義）昭二十六年《傳》：「能貨子猶為高氏後，粟五千庾。」
> 「能貨子猶」，猶「若貨子猶」。杜《注》：「言若能為我行貨於
> 子猶。」能上增若字以釋之，不知能即有若義也。（頁367）[52]

51 王叔岷先生：《古籍虛字廣義》，八〇「其」字條，另舉《禮記‧檀弓》、《史記》〈孝文本紀〉、〈魯世家〉、〈楚世家〉、〈陳杞世家〉、〈賈生列傳〉等文為證（頁204），可與本條參看。
52 王叔岷先生：《古籍虛字廣義》，一〇九「能」字條說之尤詳（頁280-282），可參看。

以上五例皆屬古書虛字之訓解。以訓解虛字解決古籍異文與字句問題，乃叔岷師得意之學，略可由先生《古書虛字新義》、[53]《古籍虛字廣義》二書見其一斑。而古書虛字之研究，實叔岷師學術創見之尤待重視與肯定者也，學長洪國樑先生〈王叔岷先生《古籍虛字廣義》對《經傳釋詞》一系虛字研究著述的繼承和發展〉[54]有精闢的議論。

四　史實探索

　　《左傳》既為經書，又是春秋時代最完整、最重要的史書。《考校》於《左傳》所載史實或加補充、或以他書記載互為參證，茲聊舉數例述說之。

（一）史實補充

　　「史實補充」者，以他書所載補充《左傳》載錄也。如昭七年《傳》：「昔堯殛鯀于羽山」，《考校》云：

> 《校勘記》：「《釋文》云：『殛，本又作極。』段玉裁云：『極，窮也。《孟子》言「極之於所往。」是也。凡作殛者，皆極字之假借也。』」案《書・洪範》：「鯀則殛死。」《釋文》亦云：「殛，本或作極。」《楚詞・天問》謂鯀「永遏在羽山。」（原注：鮌與鯀同）王逸《注》：「遏，絕也。言堯長放鮌於羽山，絕在不毛之地。」遏與極義亦相符。《國語・晉語》八：「昔者鯀違帝命，殛之于羽山。」韋《注》：「殛，放

53 王叔岷先生：《古書虛字新義》，臺北：聯經出版事業公司，1978年。

54 收入《王叔岷先生學術成就與薪傳研討會論文集》（臺北：國立臺灣大學中國文學系，2001年），頁47-88。

而殺也。」敦煌本唐虞世南《帝王略論》:「鯀治洪水九年,其
功不成。帝放之於羽山。」但言放,不言殺。《路史・後紀》
十三:「《書》:『殛于羽山。』殛者,致之死地而不返云爾。」
亦不言殺。(頁351)

先生引《尚書・洪範》、《楚辭・天問》與王逸《注》、《國語・晉
語》、唐虞世南《帝王略論》、宋羅泌《路史》等書以補充《左傳》
「堯殛鯀於羽山」之史實。

又如定十四年《傳》:「夫差使人立於庭,苟出入,必謂己曰:夫
差!而忘越王之殺而父乎!」《考校》云:

> ……〈伍子胥列傳〉作「闔廬病創將死。謂太子夫差曰:『爾
> 忘句踐殺爾父乎!』」〈越世家〉作「闔廬且死,告其子夫差
> 曰:『必毋忘越!』」皆是闔廬謂夫差之辭,與《傳》作夫差使
> 人謂己之辭不同。史公蓋別有所本。《說苑・正諫篇》作「闔
> 廬謂太子夫差曰:『爾忘句踐殺而父乎!』」蓋從《史記》。(頁
> 497)

此則以《史記》〈吳世家〉、〈越世家〉與《說苑・正諫》補充《左
傳》所載夫差史事。

(二)史實參證

「史實參證」者,乃以他書不同記載與《左傳》所載史事互為參
證。如莊十九年《傳》:「秋,五大夫奉子頹以伐王,不克,出奔
溫」,《考校》云:

案《史記》〈周本紀〉、〈十二諸侯年表〉、〈燕世家〉、〈衛世家〉、〈鄭世家〉皆言「王出奔溫」，與《左傳》言子頹出奔溫異。（頁22）

王子頹之亂，《左傳》與《史記》所載有異，梁玉繩《史記志疑》以《左傳》質疑史公，[55]叔岷師僅言《左傳》、《史記》記載有異，而謂「疑史公別有所本」，[56]最為通達。因古書於同一史實常有不同記載，時或難以遽斷是非，即如僖二十三年《傳》云：

狄人伐廧咎如，獲其二女叔隗、季隗，納諸公子。公子取季隗，生伯儵、叔劉。以叔隗妻趙衰，生盾。（《左傳正義》，卷15，頁9）

晉獲二狄女事，《左傳》、《史記》所載亦異。此事因牽涉晉文公年壽，故《左傳》、《史記》載所獲狄女之長幼亦因之而有異。晉文公重耳之年壽，《左傳》與《史記·晉世家》所載相差達二十六歲，歷代學者或從《左傳》，或依〈晉世家〉，[57]而《考校》云：

---

55 〔清〕梁玉繩：《史記志疑》（臺北：臺灣學生書局影印清光緒十三年〔1887〕廣雅書局刻本，1970年），卷8，〈十二諸侯年表第二〉，頁41下-42上；又，卷19，〈燕召公世家第四〉，頁4下，並有說。

56 見王叔岷先生：《史記斠證·十二諸侯年表》，卷14，頁526；又，卷34，〈燕召公世家〉，頁1369。

57 關於晉文公年壽之爭論，自漢何休以下，經晉杜預、清閻若璩、梁玉繩、朱大韶等，以至近代學者顧頡剛、王玉哲、張師以仁諸先生，皆有所論述，可參拙作：《晉文公復國定霸考》緒言，頁29-30，附註35-48。叔岷師亦有說，見《史記斠證·晉世家》，卷39，頁1466-1467。

案《史記·晉世家》作「得二女。以長女妻重耳,生伯儵、叔
劉。以少女妻趙衰,生盾。」是季隗為長女,叔隗為少女,與
《左傳》異。……(頁52)

先生僅指出二書之異,以供參證,而不執著於考訂其是非。凡此,並
可見先生態度之通達、立說之審慎。

又如定九年《傳》:「鄭駟歂殺鄧析,而用其竹刑」,《考校》云:

案《淮南子·氾論篇》:「子產誅鄧析,而鄭國之姦禁。」高誘
《注》:「鄧析詭辯,姦人之雄也。子產誅之,故姦禁也。
《傳》曰:『鄭駟遄殺鄧析,而用其竹刑。』鄧析制刑,書之
于竹,鄭國用之,不以人廢言也。」高氏兼取子產誅鄧析,駟
遄殺鄧析兩說。駟遄《傳》本作駟歂,歂、遄並諧耑聲,古字
通也。《淮南子·詮言篇》:「鄧析巧辯而亂法。」許慎《注》:
「鄧析教鄭人以訟,訟不俱回,子產誅之也。」則專言子產。
《呂氏春秋·離謂篇》稱子產殺鄧析。《列子·力命篇》亦稱
子產誅鄧析。惟《列子》張湛《注》:「此傳云子產誅鄧析。
《左傳》云:『駟歂殺鄧析而用其竹刑。』子產卒後二十年而
鄧析死也。」殷敬順《釋文》亦云:「《列子》及孫卿並云子產
殺鄧析。據《左傳》,昭公二十年子產卒。定公九年駟歂殺鄧
析而用其竹刑。則非子產所殺也。」又《荀子·不苟篇》楊倞
《注》:「劉向云:『鄧析好刑名,操兩可之說,設無窮之辭,
數難子產為政,子產執而戮之。』案《左氏傳》:『鄭駟歂殺鄧
析而用其竹刑。』而云子產戮之,恐誤也。」據張、殷、楊諸
說,則《傳》稱「駟歂殺鄧析」,較可信據矣。(頁485-486)

先生爬梳各家說法之異同，以《淮南子》與高誘《注》、許慎《注》、《呂氏春秋》、《列子》張湛《注》與殷敬順《釋文》、《荀子》楊倞《注》等說，以參證《左傳》鄧析被殺事，具見先生之淵博通達。

五　陳言佐證

《左傳》中之陳言，屢為後人引用，《考校》亦偶引古書文字以佐證《左傳》陳言，如襄二十九年《傳》：

> 如天之無不幬也，如地之無不載也。（《左傳正義》，卷39，頁18下）

《考校》云：

> 《禮記‧中庸》：「辟如天地之無不持載，無不覆幬。」……《莊子‧德充符篇》亦云：「夫天無不覆，地無不載。」（頁269）

引《禮記》、《莊子》之文以佐證《左傳》之陳言。

又如昭二十四年《傳》：

> 〈大誓〉曰：紂有億兆夷人，亦有離德；余有亂臣十人，同心同德。（《左傳正義》，卷51，頁1下）

杜《注》：

言紂眾億兆，兼有四夷，不能同德，終敗亡。武王言我有治臣
十人，雖少，同心也。今〈大誓〉無此語。(《左傳正義》，卷
51，頁1下-2上)

《考校》云：

> ……偽〈泰誓〉云：「受有億兆夷人，離心離德；予有亂臣十
> 人，同心同德。」本此《傳》。《管子・法禁篇》引〈泰誓〉
> 曰：「紂有臣億萬人，亦有億萬之心；武王有臣三千，而一
> 心。」蓋本古〈泰誓〉。日本古鈔卷子本《淮南子・兵略篇》：
> 「紂之卒百萬，而有百萬之心；武王之卒三千人，皆專而為
> 一。」(原注：今本〈兵略篇〉有脫文) 或直本《管子》。(頁
> 434)

引《尚書》偽〈泰誓〉、《管子・法禁》所引〈泰誓〉及日本古鈔卷子
本《淮南子》等書所載文字，以與《傳》文陳言互為參證。

六　舊注斠補

　　自杜預《春秋經傳集解》行世，各家《左傳》古注即多散亡。
《考校》或探尋杜《注》源流，或輯補佚注。茲各舉數例以明之。

(一) 探索杜《注》立說所本

　　孔穎達謂杜預《春秋經傳集解》乃因「聚集經傳，為之作解」，

遂名「集解」，[58]實則杜《注》亦兼有「聚集眾家之說，以為《左傳》作解」之意。[59]既是聚集眾家之說，則其注自有本於前人者，《考校》或據舊注以探索杜《注》源流，如桓十八年《傳》：「周公欲弒莊王而立王子克」，杜《注》云：

> 莊王，桓王太子。王子克，莊王弟子儀。（《左傳正義》，卷7，頁26下）

《考校》云：

> 案《史記・周本紀》「王子克」下《集解》：「賈逵曰：莊王弟子儀也。」蓋杜《注》所本。（頁11）

賈逵乃東漢《左傳》名家，杜預亦自述其《左傳注》有取於賈逵之說，故杜預引用賈逵說以注《左傳》，固其宜也。

又如僖九年《傳》：「里克、丕鄭欲納文公，故以三公子之徒作亂」，杜《注》：

> 丕鄭，晉大夫。三公子，申生、重耳、夷吾。（《左傳正義》，卷13，頁12上）

58　〔唐〕孔穎達等《左傳正義》：「杜言『集解』，謂聚集經傳，為之作解。何晏《論語集解》，乃聚集諸家義理，以解《論語》，言同而意異也。」（《左傳正義》，卷1，頁21下）

59　〔晉〕杜預〈春秋經傳集解序〉自述其書體例云：「劉子駿創通大義，賈景伯父子、許惠卿，皆先儒之美者也；末有潁子嚴者，雖淺近，亦復名家。故特舉劉、賈、許、潁之違，以見同異。分經之年與傳之年相附，比其義類，各隨而解之，名曰『經傳集解』。」（《左傳正義》，卷1，頁21）

《考校》云：

> 《晉世家·集解》引賈逵曰：「邳鄭，晉大夫。三公子，申
> 生、重耳、夷吾也。」蓋杜《注》所本。（頁41-42）

以《史記·晉世家》裴駰《集解》所引賈逵《注》，指出杜《注》之
可能來源。

又如文二年《傳》：「祀爰居」，杜《注》：

> 海鳥曰爰居，止於魯東門外，文仲以為神，命國人祀之。（《左
> 傳正義》，卷18，頁14下）

《考校》云：

> 案《國語·魯語》上：「海鳥曰爰居，止於魯東門之外，三
> 日。臧文仲使國人祭之。」韋《注》：「文仲不知以為神也。」
> 杜《注》云云，兼本〈魯語〉及韋《注》。（頁78）

《國語》舊稱《春秋外傳》，三國吳韋昭之《國語解》乃最佳之《國
語》注本，杜預必曾見及，其糾合《國語》原文與韋《注》以解《左
傳》，合情入理。

又如宣二年《傳》：「使鉏麑賊之」，杜《注》：

> 鉏麑，晉力士。（《左傳正義》，卷21，頁10上）

《考校》云：

> ……《史記・晉世家・集解》引賈逵曰：「鉏麛，晉力士。」
> 蓋杜《注》所本。《國語・晉語》五韋《注》亦云：「鉏麛，力
> 士。」（頁104）

以《史記・晉世家》裴駰《集解》所引賈逵《注》與《國語・晉語
五》韋昭《注》，指出杜《注》之可能來源。

（二）佚注拾補

　　《左傳》舊注之輯佚，清人已啟其端，且有豐厚之基礎與成果，
如洪亮吉《春秋左傳詁》、[60]李貽德《春秋左傳賈服注輯述》、[61]劉文
淇《春秋左氏傳舊注疏證》。[62]先生將「輯佚」歸入「廣義的校勘
學」，故《考校》亦偶為佚注拾補，如莊七年《經》「夜恆星不見」，
《考校》云：

> 案《玉燭寶典》四引賈逵《注》：「恆星，北斗也。一說南方朱
> 鳥也。」（頁15）

又如莊七年《傳》：「夏，恆星不見，夜明也。星隕如雨，與雨偕
也」，《考校》云：

60　〔清〕洪亮吉著，李解民點校：《春秋左傳詁》，北京：中華書局，1987年。

61　〔清〕李貽德：《春秋左傳賈服注輯述》，《清經解續編》（臺北：復興書局影印清光
　　緒十四年〔1888〕王先謙南菁書院刊本，1972年），第12冊，卷757-776。

62　〔清〕劉文淇：《春秋左氏傳舊注疏證》，臺北：明倫出版社，1970年。

案《玉燭寶典》四「夜明也」下引服虔《注》:「恆,常也。天官列宿常見之星也。言夜明甚,常見火星皆不見也。」又「與雨偕也」下引《注》云:「星隕,隕星如雨。如,而也。偕,俱也。言隕星如雨與雨俱下也。」蓋亦服《注》。(頁16)

又如哀元年《傳》:「以收夏眾,撫其官職」,《考校》云:

案《吳世家‧集解》引服虔曰:「因此基業,稍收取夏遺民餘眾,撫修夏之故官憲典。」(頁503)

賈逵、服虔二人皆為《左傳》名家,杜預《集解》流傳後,賈、服二人之《左傳注》遂皆散佚,[63]其佚文略見於古注、類書中。先生博覽群書,淹通舊籍,遂得以拾補珍貴之片語隻文,為佚注拾遺補闕焉。

又如莊二十二年《傳》:「是謂觀國之光,利用賓于王」,杜《注》:

此《周易‧觀》卦六四〈爻辭〉。《易》之為書,六爻皆有變象,

---

63 據《後漢書‧鄭范陳賈張列傳》,賈逵乃《左傳》名家,其父賈徽從劉歆受《左氏春秋》,兼習《國語》、《周官》,又學古文《尚書》、《毛詩》,著有《左氏條例》二十一篇;逵悉傳父業,弱冠即能誦《左氏傳》與「五經」本文,尤明《左傳》、《國語》,為之解詁五十一篇(《後漢書》,卷36,頁1234-1235)。《隋書‧經籍志》著錄賈逵關於《春秋》與《左傳》之著作有《春秋左氏長經》二十卷、《春秋左氏解詁》三十卷、《春秋釋訓》一卷、《春秋左氏經傳朱墨例》一卷、《春秋三家經本訓詁》十二卷(《隋書》,卷32,頁928、932)。又據《後漢書‧儒林列傳‧服虔傳》,服虔著有《春秋左氏傳解》,「又以《左傳》駁何休所駁之漢事六十條」(《後漢書》,卷79下,頁2583)。《隋書‧經籍志》著錄服虔關於《春秋》與《左傳》之著作有《春秋左氏傳解誼》三十一卷、《春秋左氏膏肓釋痾》十卷、《春秋成長說》九卷、《春秋塞難》三卷(《隋書》,卷32,頁928、930)。

又有互體，聖人隨其義而論之。(《左傳正義》，卷9，頁25上)

《考校》云：

> ……《史記・田完世家・正義》引杜《注》「爻辭」下亦有也字。也下更有「四為諸侯，變而之〈乾〉，有國朝王之象」十四字。(頁23)

杜預《左傳注》流傳久遠，偶亦不免殘損，先生據《史記・田完世家》張守節《正義》所引十四字杜《注》，可補今本杜《注》之缺。

另先生亦間及杜《注》對後世注家之影響，如桓十八年《傳》：「周公弗從，故及」，杜《注》：「及於難也。」《考校》云：

> 案《史記・周本紀・索隱》引作「周公不從，故及於難」，弗猶不也。「於難」二字蓋據杜《注》加。(頁12)

案：《史記・周本紀・索隱》云：

> 《左傳》曰：「初，子儀有寵於桓王，桓王屬諸周公。辛伯諫曰：『竝后匹嫡，兩政耦國：亂之本也。』周公不從，故及於難。」(《史記會注考證》，卷4，頁68)

古注引書，常合引正、注文。《史記索隱》乃唐司馬貞所作，必見及杜預《左傳注》，師言是也。

七　闡明許慎引經傳改從《說文》通例

　　《考校》除對《左傳》之異文、史實、舊注進行斠理、詮解、補充、輯佚外，其另一大發明為：闡明許慎《說文解字》援引經傳文字，往往改從《說文》之事實。如僖二十三年《傳》：「曹共公聞其駢脅，欲觀其裸，浴，薄而觀之」，杜《注》：「薄，迫也。駢脅，合脅。」《考校》云：

　　　　案〈晉語〉四「駢脅」作「骿脅」。韋《注》：「骿，并榦。」
　　　　《正義》引〈晉語〉作「駢脅」，蓋依《傳》文改之。古注引
　　　　書，往往依正文改所引之書。當以作骿為正。《說文》：「骿，
　　　　并脅也。晉文公骿脅。」段《注》：「見《左傳》僖廿三年、
　　　　〈晉語〉。」〈晉語〉乃作「骿脅」，《左傳》本作「駢脅」也。
　　　　骿、駢正假字。《說文》稱「晉文公骿脅」，如係直本於《左
　　　　傳》，則是改引借字為本字。《說文》引書往往如此。……（頁
　　　　54）

指明許慎《說文》引《左傳》，改借字為本字以從《說文》也。

　　又如哀八年《經》：「夏，齊人取讙及闡」，《考校》云：

　　　　《校勘記》：「諸本作讙。《漢書・地理志》引作酄，《說文》亦
　　　　作酄。」案《說文》：「酄，魯下邑。《春秋傳》曰：齊人來歸
　　　　酄。」見定十年《傳》。《傳》酄本作讙，與此《傳》同。段
　　　　《注》：「許作酄，容許所據異也。」許蓋改從《說文》，恐非
　　　　所據異也。……（頁517）

段《注》於《說文》引經、傳文字,往往以許慎所據乃異本或後人妄改說之,先生多輕輕點出,說明應為許慎改經傳文字以從《說文》者,並未直斥段說之非,[64]如文四年《傳》:「諸侯敵王所愾而獻其功」,《考校》云:

> 《校勘記》:「《說文》引《傳》愾作鎎。」案《說文》:「鎎,怒戰也。《春秋傳》曰:諸侯敵王所鎎。」又「愾,大息也。」鎎、愾正假字。《春秋傳》本作愾,《說文》引《經》《傳》,往往改從《說文》,改借字為本字,此例甚多。段氏不知,改《說文》所引《春秋傳》之「所鎎」為「所愾」,云:「愾,各本作鎎,今正。《春秋傳》者,文公四年《左傳》文(原注:下略)。」恐未明許慎引書之恉也。(頁81)

段玉裁於《說文解字注》十四篇上「鎎」字下,改《說文》引《春秋傳》「諸侯敵王所『鎎』」為「愾」,並於注末云:

---

64 昭十九年《傳》:「駟氏聳」,杜《注》:「聳,懼也。」《考校》云:「《按勘記》:『諸本作聳。《說文》慫字自注引《傳》作慫。張載注〈魏都賦〉引同。段玉裁云:「作聳,後人所易也。」』案《說文》:『慫,懼也。从心,雙省聲。《春秋傳》曰:駟氏慫。』段《注》:『昭公十九年《左傳》文。今本作聳,後人所易也。〈魏都賦〉:「吳、蜀二客,慫焉相顧。」張載《注》:「慫,懼也。」引《左傳》「駟氏慫」,張用《說文》也。俗本譌為瞿。』張載《注》用《說文》作慫,段說是。惟《傳》文作聳,段氏以為後人所改,則未必然。竊以為《傳》本作聳,《說文》引作慫,許氏改從《說文》也。」(頁407)又,昭二十六年《傳》:「貫瀆鬼神」,杜《注》:「貫,習也。」《考校》云:「《按勘記》:『諸本作貫。《說文》引《傳》作摜。』案《說文》:『摜,習也。《春秋傳》曰:摜瀆鬼神。』段《注》:『昭二十六年《左傳》文。今本作貫。』段氏之意,《說文》引《春秋傳》作摜,乃古本也。竊以為《傳》本作貫,《說文》引作摜,改從《說文》耳。摜、貫正假字。」(頁449)皆其比。

許於愍下云：「从心、氣，氣亦聲。」是謂氣即气字。此作从
金、氣。《春秋傳》「敵王所愍」，亦無不合。凡此校正，私謂
必符許意，知我、罪我，所不計也。[65]

誠如先生所言，段玉裁改正《說文》，多與舊本合，[66]然段氏於此不免
顯示其自信，而不自知其自信過度，遂流於專斷。《考校》僅節錄段
說，不忍直斥其誤，先生之溫柔敦厚如此。

又如襄三十年《傳》：「或叫于宋大廟，曰：譆譆出出」，杜
《注》：「叫，呼也。譆譆，熱也。出出，戒伯姬。」《考校》云：

《釋文》：「『出出』，鄭注《周禮》引此作『詘詘』。劉昌宗亦
音出。」《校勘記》：「宋本、明翻岳本叫作叫，《釋文》同。
《石經》作呌。惠棟云：『叫，《說文》引作訆，云：「大呼
也。」傅遜曰：《說文》云：譆，痛也。」案《說文》：「誒，
可惡之辭。」引《傳》云：「誒誒出出。從言，矣聲。」「譆，
痛也。從言喜聲。」蓋許意謂《左》作「誒誒」即「譆譆」之
假借字也。其所見《左氏》作誒，與他家作譆者異耳。鄭氏
《周禮注》引作「譆譆詘詘」。』」案舊鈔卷子本叫亦作呌，
《注》同。叫、呌正俗字。《說文》引作訆，改從《說文》
也。《說文》引《傳》「譆譆」作「誒誒」，亦改從《說文》，非
許氏所見《說文》[67]作「誒誒」，與他家異也。《說文》引
《經》《傳》之例大都如此。……（頁277-278）

---

65 段玉裁：《說文解字注》，14篇上，頁24下。
66 王叔岷先生：《斠讎學》，頁113。
67 獻案：《說文》疑為《左傳》之訛。

除《說文解字》外，其他字書亦有如《說文》引書改字之慣例者，如宣十二年《傳》：「訓之以若敖、蚡冒篳路藍縷，以啟山林」，杜《注》：「篳路，柴車。藍縷，敝衣。」《考校》云：

> 《正義》：「《方言》云：楚謂凡人貧衣破醜敝為藍縷。」案《方言》三：「凡人貧衣被醜弊或謂之襤褸。故《左傳》曰：篳路襤褸，以启山林。」《正義》所引《方言》「衣破」蓋「衣被」之誤。又引「襤褸」作「藍縷」，蓋從此正文作「藍縷」改之也。《史通・敘事篇》引「篳路」作「蓽輅」，篳之作蓽，與《方言》引《左傳》同，乃篳之俗變。路、輅古今字。《說文》褸下《繫傳》引《左傳》曰：「蓽輅藍褸」，與《史通》引「蓽輅」同，縷之作褸，則因從《說文》作褸改之也。「藍縷」當以作「襤褸」為正。《說文》：「禍謂之襤褸。襤，無緣衣也。」段《注》：「《方言》曰：『禍謂之襤。』郭《注》：『祇禍，敝衣，亦謂襤褸。』《方言》又曰：『無緣之衣謂之襤。楚謂無緣之衣曰襤。』」（頁120-121）[68]

此指出西漢揚雄《方言》引《左傳》亦改從《方言》文字也。

又如襄十九年《傳》：「荀偃癉疽」，《考校》云：

> 《校勘記》：「案《玉篇》疽字下引《左氏傳》云：『荀偃疽疽，生瘍於頭。』疽疽，惡創也。亦作癉。」案《玉篇》引傳癉作疽，改從《玉篇》作疽也。（頁211）

此指明南朝梁顧野王《玉篇》引《左傳》亦改從本書也。

又如成二年《傳》:「余姑翦滅此而朝食」,《考校》云:

> 《校勘記》:「……案《說文繫傳》引『翦滅』作『揃滅』,似
> 不可為典要。」案舊鈔卷子本而下亦無後字。《說文》:「揃,
> 搣也。」《繫傳》:「《春秋左傳》:『楚王曰:姑揃搣此』,借翦
> 字。」《繫傳》所稱楚王,乃齊侯之誤。引《傳》之「翦滅」
> 為「揃搣」,改從《說文》也。謂「借翦字」,是所見《傳》文
> 揃本作翦矣。(頁141-142)

此揭示宋徐鍇《說文繫傳》引《左傳》亦改從《說文》也。

先生於《考校》中屢屢舉證說明許慎《說文》引《經》《傳》文
字改從《說文》之現象,蓋乾嘉諸儒皆以《經》《傳》文字本如《說
文》所引,遂多誤解;或強為之說,而流於迂曲,或竟妄為改字。先
生有鑑於此,《考校》中多所抉發,並以其他字書,乃至以古注、類
書(詳下節)之例加以佐證,諄諄然為後學示例,其苦口婆心,深值
後學者多所措意焉。

八 揭示古注、類書引書的各種現象

古注、類書誠為斠理古書之淵藪,唯問題亦復不少,若不能善加
利用而過度迷戀,將產生嚴重之後果。先生長年運用古注、類書以斠
理群書,知其長,亦知其短,[69]故於《考校》中亦多指出古注、類書

---

69 先生論古注、類書之有助於斠讎者,可參《斠讎學》第伍章〈方法〉之四、「檢驗
古注、類書」(頁134-151);又〈類書薈編序〉,收入《校讎別錄》(頁59-81)。先生

之種種現象，指點後學迷津，如揭示「古注引經傳，於他書相關之字，往往改從本書」，[70]如定十四年《經》：「天王使石尚來歸脤」，《考校》云：

> 《校勘記》：「諸本作脤。《說文》作裖。鄭注《周禮·地官》『掌蜃』引作蜃。」案《說文》：「裖，社肉。盛之以蜃，故謂之裖。天子所以親遺同姓。《春秋傳》曰：石尚來歸裖。」案《傳》本作脤。《說文》引作裖，改從《說文》也。《周禮》「掌蜃」鄭《注》引作蜃，從正文作蜃改之也。裖、脤正俗字。（頁495）

此說明鄭玄《周禮注》引《左傳》改從《周禮》本文也。可見古注引書未必全依原書，正宜查核原文，以資徵信。

又如襄三十一年《傳》：「高其閈閎」，杜《注》：「閎，門也。」《考校》於引述王引之《經義述聞》之說後，云：

> ……案《說文》：「閎，閎也。」今本閎作門，段《注》本已改作閎。《說文》：「閎，里門也。」《爾雅·釋宮》：「所以止扉謂之閎。」郭《注》：「《左傳》曰：高其閈閎。」郭《注》之所以引《傳》閎作閎，誤從〈釋宮〉正文作閎改之，非郭氏所見誤本《傳》文閎有作閎者也。〈釋宮〉正文本作閎，而此《傳》

論古注、類書之不可輕信，可參《斠讎學》第陸章〈態度〉之五、「不迷信古注、類書」（頁243-262）；又，《斠讎學》附錄之〈伍、斠證史記運用古注、類書的新經驗〉（頁457-461）；又，〈類書薈編序〉等。

70 關於此點，《考校》引證頗詳，為免繁瑣，各書皆僅略引一例（且以文字簡短者優先），以概其餘。

《釋文》引作閣者，從此《傳》正文本作閣改之，非陸氏所見
〈釋宮〉閣本有作閣者也。古人注書，往往據本書之文以改所
引之書，此習見之例。而自許慎《說文》引《經》《傳》之
文，往往改從《說文》始。前賢似皆未達也。（頁287-288）

先生以許慎引《經》《傳》之文，往往改從《說文》為基礎，說明郭
璞《爾雅注》所引《左傳》，乃改從《爾雅》，非《左傳》原文；又指
出陸德明《左傳·釋文》引《爾雅》乃改〈釋宮〉以從《左傳》，進
而說明古人注書，多有據本書之文以改所引之書的現象。

又如宣二年《傳》：「公嗾夫獒焉」，《考校》云：

《校勘記》：「獒，《史記》作敖。」案〈晉世家〉作敖，獒、
敖正假字。《集解》引何休曰：「犬四尺曰獒。」所引乃《公
羊》何休《注》。惟《公羊》正文及何《注》並作獒，《集解》
引何《注》作敖，因〈晉世家〉正文作敖而改之也。古人引
書，往往因本書之字而改所引書之字，即改從本書。此大可注
意者。亦猶《說文》引《經》《傳》，往往改從《說文》也。
（頁105）

此說明南朝劉宋裴駰《史記集解》引《公羊傳》與何休《春秋公羊解
詁》而改從《史記》原文也。

又如襄二十年《傳》：「賦〈常棣〉之七章以卒」，《考校》云：

《校勘記》：「《釋文》亦作常。《石經》此處刊缺。淳熙本作
棠，非。」案《詩·小雅》有〈常棣篇〉。《文選》曹子建〈求

通親親表〉：「中詠〈棠棣〉匪他之誠」，李善《注》：「〈毛詩序〉曰：〈棠棣〉，燕兄弟也。」《詩》棠本作常，曹植引作棠。棠、常正假字。〈詩序〉本作常，李《注》引作棠，依彼正文作棠改之也。（頁215-216）

曹植引《詩經》「常棣」作「棠棣」，李善注曹植文引〈詩序〉遂亦改作「棠棣」以從曹植文。

又如昭二十年《傳》：「乃見鱄設諸焉」，杜《注》：「鱄諸，勇士。」《考校》云：

《校勘記》：「諸本作鱄。陳樹華云：『《史記索隱》云：「《左傳》作鱄設諸。」是也。《公羊》、《史記》、《吳越春秋》、《賈子》作專諸。《索隱》又云：「專，或作剸。」《漢書》、《文選》司馬相如〈子虛賦〉並作剸諸。』」案〈吳世家〉、〈伍子胥列傳〉、〈刺客列傳〉皆作專諸。《吳世家·索隱》：「專，或作剸。《左傳》作剸設諸。」《伍子胥列傳·索隱》云：「《左傳》謂之專設諸。」蓋正文作專諸，因改引《傳》之剸為專耳。昭二十七年《傳》作鱄設諸，而孔《疏》引〈吳世家〉作鱄諸，蓋從《傳》文改引〈世家〉之專為剸[71]耳。……（頁413）[72]

---

[71] 「剸」當作「鱄」，蓋手民之誤。昭二十七年《左傳》：「鱄設諸寘劍於魚中以進，抽劍刺王」，孔穎達《正義》曰：「〈吳世家〉云：『鱄（案：〈吳世家〉作「專」，見《史記會注考證》，卷31，頁27）諸置匕首於炙魚之中以進食，手匕首刺王僚。』」（《左傳正義》，卷52，頁17下）

[72] 「鱄設諸」，又見昭二十七年《傳》，孔穎達《左傳正義》引《史記·吳世家》作「鱄」，而〈吳世家〉作「專」（文並見上注），先生謂孔《疏》乃「從此正文作鱄改之也。」（《考校》，頁456）並可參昭二十年《傳》「若琴瑟之專壹」條（《考校》，頁423）。

此揭示唐司馬貞《史記索隱》引《左傳》而改從《史記》，而孔穎達《左傳正義》引《史記》則又改從《左傳》之例也。

又如定四年《傳》：「其使祝佗從」，杜《注》：「祝佗，大祝子魚。」《考校》云：

> 《校勘記》：「諸本作佗。《詩・下泉・正義》、《書・舜典・正義》、《論語・疏》引《傳》並作鮀。」案《漢書・人表》亦作祝佗。《論語・雍也篇》作祝鮀，邢昺《疏》引此《傳》亦作祝鮀，從彼正文作鮀改佗為鮀也。……（頁474）

此指明宋邢昺《論語注疏》引《左傳》而改從《論語》也。

又如莊十二年《經》：「宋萬弒其君捷及其大夫仇牧」，《考校》云：

> ……《史記・宋世家》仇牧同，《鶡冠子・備知篇》作裘牧，陸佃《注》引《史記》亦作裘牧，蓋改從《鶡冠子》正文，非所見《史記》本作裘牧也。（頁20）[73]

此揭示宋陸佃引《史記》以注《鶡冠子》，而改從《鶡冠子》原文也。

《考校》又闡明「古注引書，或引注文為傳文」，如成十二年《傳》：「享以訓共儉」，杜《注》：

> 享有體薦，設几而不倚，爵盈而不飲，肴乾而不食，所以訓共儉。（《左傳正義》，卷27，頁7上）

---

73 亦見《史記斠證・宋微子世家》，卷38，頁1437。

《考校》云：

> ……《儀禮・燕禮》賈《疏》：「《左氏傳》云：『饗以訓恭儉，
> 設几而不倚，爵盈不不飲。』『設几而不倚，爵盈不不飲』二
> 句，據杜《注》增入也。」（頁153-154）

此考明賈公彥《儀禮疏》引杜預《注》文為《左傳》文也。

先生又闡明「古人引書或據注文改字以明文意」，如定五年
《傳》：「夏，歸粟於蔡，以周亟矜無資」，杜《注》：「亟，急也。」
《考校》云：

> 《校勘記》：「《石經》資字下後人旁增也字。《書・武成・正
> 義》引作『歸粟於蔡，以賙急矜無資也。』似一本有也字。」
> 案《書・正義》引周作賙，周、賙古今字。引亟作急，從杜
> 《注》改之也。古人引書，往往據《注》文改字以明文意。
> （頁480）

此指明孔穎達等《尚書正義》引《左傳》文，而據杜《注》改《傳》
文「周亟」為「賙急」，以明文意也。

《考校》又闡明「古注引書往往以訓詁字代本字」，如僖二十五
年《傳》：「掖以赴外」，《考校》云：

> 《校勘記》：「《詩・衡門篇・正義》引作『持以赴外』，謂持其
> 臂而投之城外也。案《說文》：『掖，持臂也。』《詩・正義》
> 作『持』，以意改。段玉裁云：『赴當為仆字之誤，謂兩持其臂

脅自城上投諸城下也。作赴，則義未顯。』」案古注引書，往
往以訓詁字代替本字，《詩‧正義》引此文掰作持，掰有持
義，即此類也。段氏謂赴為仆之誤，赴、仆並諧卜聲，蓋可通
用，赴乃仆之借字也。（頁60）

又如成十七年《傳》：「言之之莫而卒」，《考校》云：

《校勘記》：「《詩‧秦風‧渭陽‧正義》引作『言之至莫而
卒』。」案《詩‧正義》引下之字作至。之即至也。古人引書
往往以訓詁字代替原字，使文意較明。（頁167）

上引二例，乃以孔穎達等《毛詩正義》，說明古注引書或有以訓詁字
代本字的現象。

　　先生又闡明「古注、類書引書往往有所省略」，如襄十九年
《傳》：「其為未卒事於齊故也乎」，《考校》云：

《校勘記》：「《石經》也字起，一行計十二字。惜碑刊缺不可
考矣。」王念孫云：「乎字後人所加，也與邪同。後人不知古
字之假借，故又加乎字耳。《後漢書‧袁譚傳‧注》、《太平御
覽‧人事部》七、〈禮儀部〉二十八，引此皆無乎字。又昭七
年《傳》：『子產曰：晉為盟主，其或者未之祀也乎？』也亦與
邪同，乎字亦後人所加。《太平御覽‧鬼神部》三引此有乎
字，亦後人依俗本《左傳》加之。其〈人事部〉三十八、〈器
物部〉一及《王制‧正義》、《後漢書‧儒林傳‧注》引此皆無
乎字。〈晉語〉作『其或者未舉夏郊邪？』《說苑‧辨物篇》作

『其或者未舉夏郊也？』則也即邪字明矣。」（原注：《經義述聞》十八引）案也固與邪同。也亦猶乎也。「也乎」連文，乃複語。古書固多複語，乎字未必為後人所加。昭七年之「其或者未之祀也乎？」「也乎」連文，與此同例。也與乎同義，連文同義，故可略其一。古注、類書引書往往有省略，未可盡信。《孟子・滕文公篇》：「是尚能充其類也乎！」亦「也乎」連文之例。……（頁211-212）

此則以古注、類書引書或有省略通例，說明不宜輕易據之以改本書。

《考校》又闡明「類書引書，或有增字，或兼引兩書」，如哀十六年《傳》：「君兩失之」，《考校》云：

《校勘記》：「《冊府元龜》七百九十六引此篇『稱余一人，非名也。君兩失之。亡國之風。』較多五字（獻案：指「余」、「亡國之風」五字）。又引服虔《注》：『天子自謂一人，非諸侯所當名也。』然則其所據乃服本也。」案「亡國之風」四字，不似正文，蓋後人所增。〈世家〉「稱余一人，非名也。」下《集解》即引服虔《注》云云。《元龜》於「非名也」下兼引《傳》「君兩失之」句，又引服《注》耳。類書引書，有時兼兩書引之，《白帖》中亦有類似之例。（頁536）

案：哀十六年《左傳》載孔子之卒云：

夏四月己丑，孔丘卒。公誄之，曰：「旻天不弔，不憖遺一老，俾屏余一人以在位，煢煢余在疚。嗚呼哀哉尼父！無自

律。」子贛曰：「君其不沒於魯乎！夫子之言曰：『禮失則昏，
名失則愆。失志為昏，失所為愆。』生不能用，死而誄之，非
禮也；稱一人，非名也。君兩失之。」（《左傳正義》，卷60，
頁2）

《傳》文無「余」、「亡國之風」五字。又，《冊府元龜》所引服虔
《注》，杜預《左傳注》、孔穎達《左傳正義》並不載。先生以《元
龜》引《左傳》而兼引《傳》文與服《注》，說明類書引書，或有增
字，或有兼引兩書的現象。凡此，非唯提供運用資料之基本常識，更
提示面對古注、類書之正確態度，其於學術之啟迪與貢獻，曷可計數
哉！

九　結語

　　王叔岷先生《左傳考校》，乃由斠讎學與訓詁學雙重角度著手，
奠基前人基礎，以斠理《左氏》經傳異文，訓解字句、探索史實、佐
證陳言、斠補舊注；或憑廣博之學識功力，發為創見，指引後學迷
津；抑又有進者：先生憑藉長年累積之校書經驗，闡明許慎引《經》
《傳》文字，往往改從《說文》。此一發現，既關涉文字學之研究，
復與古籍之斠理有極密切之關聯，又可啟發相關之研究，值得學界重
視、珍惜焉；先生復揭示古注、類書引書之諸多現象，提供學者運用
資料之基本常識與正確態度：凡此，皆大有助於學術之研治焉。本文
所述，僅及其毫末耳。

　　先生於民國四十八年（1959）完成《斠讎學》，[74]書中舉證以諸子

74　參王叔岷先生：〈斠讎學序〉，《斠讎學》（臺北：臺聯國風出版社，1972年），頁1-
　　4；補訂本《斠讎學》，頁15-21。

書為多，經書例證恨少；《左傳考校》正可補《斠讎學》經書例證略少之憾，其有功於斠讎之學，自不待言。再者，由上述可知，《考校》一書非僅有功於《左傳》，更樹立諸多學術通則，其足供後學效法者，固難以言宣也。

（原載《王叔岷先生學術成就與薪傳研討會論文集》〔臺北：國立臺灣大學中國文學系，2001年〕，頁1-45）

拾伍　張以仁先生的《春秋》「左傳學」
──以經學研究為重心

一　前言

　　先師張以仁先生，湖南醴陵人，臺灣大學中國文學系學士、碩士，中央研究院歷史語言研究所研究員，自一九六七年（先生38歲）起任教臺灣大學中國文學系三十餘年。曾教授《國語》、《左傳》、「訓詁學」、「溫韋詞」、「花間詞」、「國語左傳比較研究」等課程，著有專書六種，論文百餘篇。先生治學勤謹，博覽群經、諸史、小學、辭賦、說部、雜文，乃至翻譯名著，以經、史與文籍考訂、訓詁之學名世，尤精《國語》、《左傳》。[1]

　　先生著作既多且精，本文僅略述先生之《春秋》「左傳學」，並就經學一端，說明先生對經學研究之貢獻與影響。茲謹依先生論著所及，別為二大主題：「春秋學」研究、《左傳》與《國語》的關係。

　　先生之「春秋學」研究，主要聚焦於孔子有無修作《春秋》。先生曾於中央研究院舉辦的第二屆國際漢學會議發表〈孔子與春秋的關

1　參考洪國樑：〈張以仁先生傳〉，《國立臺灣大學中國文學系系史稿》（臺北：國立臺灣大學中國文學系，2014年），〈捌、傳記〉，頁785-789。

係問題商榷〉，²後修改為〈孔子與春秋的關係〉。³與此議題相關者，尚有〈關於左傳「君子曰」的一些問題〉。⁴本文之〈二〉即就此二文，述論先生對孔子與《春秋》關係的認識與辯證。

關於《左傳》與《國語》的關係，先生乃接續「古史辨」學者揭舉的相關議題進行辯證與討論，其成果主要見於下列三文：

1. 〈論國語與左傳的關係〉，《中央研究院歷史語言研究所集刊》第33本（1962年6月），頁233-286；收入《國語左傳論集》，⁵頁19-108；又收入《張以仁先秦史論集》，⁶頁1-72。

2. 〈從文法、語彙的差異證《國語》、《左傳》二書非一人所作〉，《中央研究院歷史語言研究所集刊》第34本上冊（1962年12月），頁333-366；收入《國語左傳論集》，頁109-162；又收入《張以仁先秦史論集》，頁73-114。

3. 〈從國語與左傳本質上的差異試論後人對國語的批評〉，原為二篇，上篇原載《漢學研究》1卷2期（1983年12月），頁419-453；下篇原載《漢學研究》2卷1期（1984年6月），頁1-22。後合為一篇，收入《春秋史論集》，頁105-182。⁷

---

2 張以仁先生：〈孔子與春秋的關係問題商榷〉，中央研究院主編：《中央研究院第二屆國際漢學會議論文集（文學組）》（臺北：中央研究院，1989年），頁91-126。
3 收入張以仁先生：《春秋史論集》（臺北：聯經出版事業公司，1990年），頁1-59。
4 原載《孔孟月刊》第3卷第3期（1964年11月），頁29-30，收入張以仁先生：《張以仁語文學論集》（上海：上海古籍出版社，2012年），頁333-336。
5 張以仁先生：《國語左傳論集》，臺北：東昇出版事業公司，1980年。
6 張以仁先生：《張以仁先秦史論集》，上海：上海古籍出版社，2010年。
7 本文之〈三〉綜述先生對《左傳》與《國語》之關係、文獻性質、經學意義等層面的討論與辨析。本文雖主在討論《國語》的性質與歷代評價，但仍涉及先生對《左

　　先生治春秋史，多旁徵博引，頗涉及《左傳》、《國語》二書之內容、議題的論證與考訂，[8]然此類研究屬「史學」範疇，限於篇幅與主題，只能割愛。又先生精研《國語》，以《國語》為主之著作甚豐，唯多側重《左》、《國》二書之關係，以及《國語》舊注輯校與商榷、舊音考校、語詞使用與訓解等面向，[9]與本文「經學」、「春秋學」議題較乏關聯，亦暫置不論，有待來者。

二　張以仁先生的「春秋學」研究

　　先生撰寫〈孔子與春秋的關係〉，起因於學界自古史辨疑古學風以降，多有主張《春秋》為魯史舊文，否定孔子曾刪削魯史以成《春秋》之說。文中特標楊伯峻《春秋左傳注》為此一論點之集大成者，且甚受學界推崇，影響深廣，而其中頗多似是而非之論，故先生此文即以楊說為主要辯駁對象，偶亦兼及錢玄同等人之說，主在反駁孔子未刪述《春秋》之說：先檢討早期文獻有關孔子修作《春秋》之載述，再針對楊伯峻之說逐一反駁，進而肯定孔子確曾修作《春秋》。

　　傳》與《國語》二書文獻特色與價值的解讀，故於討論相關議題時本文亦將加以徵引述論。

8　如〈晉文公年壽辨誤〉，原載《中央研究院歷史語言研究所集刊》第36本上冊（1965年12月），頁295-307；又收入《張以仁先秦史論集》，頁558-574；〈晉文公年壽問題的再檢討〉，《鄭因百先生八十壽慶論文集》（臺北：臺灣商務印書館，1985年），頁65-108；又收入《張以仁先秦史論集》，頁575-614。

9　先生於《國語》有專書《國語虛詞集釋》（臺北：中央研究院歷史語言研究所專刊之55，1968年）、《國語斠證》（臺北：臺灣商務印書館，1969年）、《國語引得》（臺北：中央研究院歷史語言研究所，1976年）；另有〈《國語》札記〉等系列專文，收入《張以仁語文學論集》，頁199-269。論文方面則有〈國語虛詞訓解商榷〉（《中央研究院歷史語言研究所集刊》第37本上冊〔1967年3月〕，頁389-419）、〈國語辨名〉、〈國語舊注範圍的界定及其佚失情形〉、〈國語舊音考校〉，以上三文均收入《國語左傳論集》（頁1-18；163-182；183-277）。

全文反覆辨析，論證翔實，層次分明，極具說服力。

（一）早期文獻有關孔子修作《春秋》的記載

先生〈孔子與春秋的關係〉先探究早期文獻載錄孔子修作《春秋》的各種說法，匯集三《傳》與先秦諸子明確指陳孔子修作《春秋》之說，以證楊說之誤。共羅列《左傳》三條、《公羊》五條、《穀梁》二條、《孟子》二條、《莊子》一條以為佐證。

先生既詳細羅列先秦文獻載述孔子修作《春秋》之說，並個別舉例申述，其文繁複，難以詳引，茲僅略舉數例以見其梗概。[10]如《左傳》釋僖公二十八年《春秋》「天王狩于河陽」曰：

> 是會也，晉侯召王，以諸侯見，且使王狩。
>
> 仲尼曰：「以臣召君，不可以訓。」故書曰「天王狩于河陽」，言非其地也，且明德也。（《左傳正義》，卷16，頁30上-31上）

學界向有「仲尼曰」以下乃孔子之言之說，並以此為孔子所見之魯史即作「天王狩于河陽」之證。先生則以為「故書曰」乃謂「故仲尼書曰」，《左傳》作者乃藉此闡釋《春秋》書法，明《春秋》為孔子所作，並對晉文公有所褒貶。先生之解讀怡然理順，層次分明，其重要輔證為《史記·孔子世家》：

> 子曰：「弗乎，弗乎，君子病沒世而名不稱焉。吾道不行矣，吾何以自見於後世也哉！」乃因史記作《春秋》，上至隱公，下訖哀公十四年，十二公。據魯、親周、故殷，運之三代。約

---

10 先生原書俱在，至盼好學深思者詳讀先生原書，多加取資，寔所盼禱焉。

其文辭而指博。故吳、楚之君自稱「王」，而《春秋》貶之曰
「子」；踐土之會，實召周天子，而《春秋》諱之曰「天王狩
於河陽」。推此類以繩當世貶損之義，後有王者，舉而開之。
《春秋》之義行，則天下亂臣賊子懼焉。（《史記會注考證》，
卷47，頁82-84）

史遷明言《春秋》為孔子所修作，故富有書法，如晉文召天子會諸
侯，而《春秋》書「天王狩於河陽」以「諱之」。《史記》多敘孔子修
作《春秋》之說，散見〈孔子世家〉、〈十二諸侯年表〉、〈太史公自
序〉諸篇，先生皆詳引以為孔子修作《春秋》之旁證，[11]藉以推論
《左傳》肯定孔子曾修作《春秋》。先生有云：

> 《左傳》作者以《經》為孔子所修，並不止上述的幾處，譬如
> 「不書」之例，[12]也強烈的顯示這一點。《左傳》作者認為
> 《春秋》有不書之例，譬如隱公元年《左傳》云：「夏四月，
> 費伯帥師城郎，不書，非公命也。」費伯帥師城郎之事，不見
> 於《春秋》經文，《左傳》以為費伯未奉公命，專意而行，故
> 《春秋》不記此事，如果據楊伯峻所說，是史筆如此，而非孔
> 子所刪，那麼史既無文，《左傳》作者又根據什麼事來補這一
> 事以說明史筆呢？顯見《左傳》作者是以魯史原文（原注：也

---

11 先生以為司馬遷之說學者雖常引用，但究非先秦資料，故文中附於《左傳》之下論
　　述，不另立專節。

12 「不書」之例，指《春秋經》不記載，《左傳》則有載述者，亦即「無經之傳」。
　　《傳》文解釋《春秋經》「不書」的原因，如隱公元年：「夏四月，費伯帥師城郎。
　　不書，非公命也。」（《左傳正義》，卷2，頁15上）《左傳》另有「不書□／□□」，
　　以解釋《春秋經》不稱□或□□之因，如「不書即位」、「不書爵」、「不書日」之類。

即魯《春秋》）核對孔子《春秋》而提出此「不書」之例。[13]

先生之說確無可疑，足以為《左傳》肯定孔子作《春秋》之堅實論據。

《公羊傳》方面，先生則據莊公七年《春秋》：「夏，四月，辛卯夜，恆星不見，夜中星霣如雨」，《公羊》釋之曰：

> 不脩《春秋》曰：「雨星不及地尺而復。」君子脩之曰「星霣如雨」。「何以書？」「記異也。」（《公羊注疏》，卷6，頁19下-20上）

《公羊傳》既言不脩《春秋》載其實況為「雨星不及地尺而復」，且謂君子據以修撰為「星霣如雨」，可見不脩《春秋》當指未經刪修的魯《春秋》，足證今傳《春秋》乃經孔子修作而成。針對此條堅強證據，楊伯峻曾提出懷疑：

> 「星霣（原注：亦作「隕」）如雨」是紀實。流星雨也有不曾達到地面而消滅的現象，那是西漢成帝永始二年，即西元前十五年三月二十五日的天琴流星雨，即《公羊傳》所謂不脩《春秋》「雨星不及地尺而復」，而不是公元前六八七年的流星雨。[14]

楊氏以為《公羊傳》之釋並非《春秋》實錄，乃混淆西漢成帝流星雨現象，不能作為孔子修作《春秋》之證。先生頗不以楊說為然：

> 他認為「不脩《春秋》」所載的「雨星不及地尺而復」的現象

---

13 張以仁先生：〈孔子與春秋的關係〉，《春秋史論集》，頁25-26。
14 楊伯峻：《春秋左傳注·前言》，頁7。

與漢成帝永始二年所發生的天琴流星雨現象相同，不是西元前687年春秋時的流星雨。……他是否認為「不脩《春秋》」是漢成帝永始二年後的偽作呢？但《公羊傳》著於竹帛早在漢初，是誰能夠把這一段文字竄入舉世矚目的國定經典中而盡矇天下的耳目呢？我們無法了解楊氏這種自相矛盾的意見，只是因此更加肯定《公羊》之說，覺得它之所謂「不脩《春秋》」才是魯之舊史，孔子沒有見過「雨星不及地尺而復」的奇異現象，或因而脩改得比較合乎常情常理些。[15]

先生以為漢代以前《公羊傳》已口耳相傳，其具體成書更早在西漢初年，[16]傳文自無混入後世說解而不為西漢經師察覺之理。先生有效反駁楊伯峻因不諳漢代經學之發展軌跡與實況，而產生的錯謬之論。凡此皆具見《公羊傳》以《春秋》為孔子所修作。

　　《穀梁傳》方面，先生舉僖公十九年《春秋》載「梁亡」條為證，《穀梁傳》釋之曰：

> 梁亡，鄭棄其師。我無加損焉，正名而已矣。（《穀梁注疏》，卷9，頁1下-2上）

對此楊伯峻表示：

> 「我無加損焉」，這也是《穀梁傳》作者偽託孔丘的話的自供

---

15 張以仁先生：〈孔子與春秋的關係〉，《春秋史論集》，頁27-28。

16 有關《公羊傳》的傳授、流傳與成書過程，可參拙作〈公羊傳概說〉第一節「公羊傳的傳授、撰作者與寫定年代」，收入葉國良、夏長樸、李隆獻：《經學通論》，第二編第九章，頁331-334。

狀，說明孔丘對《魯春秋》原文並沒有增減。至于「正名而已矣」，不過為孔子修《春秋》作一調停之筆罷了。[17]

先生反駁云：

「我無加損」，正可說明孔子有時是有所加損的。……楊氏的解釋完全是主觀的臆想。[18]

先生認為「梁亡，鄭棄其師」，《穀梁》作者謂「我無加損焉」，正足以證明其他史書「我」是「有加損」的。[19]先生就上下文意串講，全然符契前人敘述背景；楊說立論確出臆想，不足以反駁《穀梁傳》認為《春秋》乃孔子修作之說。

先生於檢討三《傳》論《春秋》為孔子修作後，進而舉《孟子》之說為證。《孟子》論及孔子作《春秋》者凡二：

世衰道微，邪說暴行有作。臣弒其君者有之，子弒其父者有之。孔子懼，作《春秋》。《春秋》，天子之事也，是故孔子曰：「知我者，其惟《春秋》乎！罪我者，其惟《春秋》乎！」（《孟子·滕文公下》，《孟子注疏》，卷6下，頁4下）

王者之迹熄而《詩》亡，《詩》亡然後《春秋》作。晉之《乘》、楚之《檮杌》、魯之《春秋》，一也。其事則齊桓、晉

---

17 楊伯峻：《春秋左傳注·前言》，頁12。

18 張以仁先生：〈孔子與春秋的關係〉，《春秋史論集》，頁30。

19 楊士勛《疏》：「仲尼脩《春秋》，亦有改舊義以見褒貶者，亦有因史成文以示善惡者。……故傳云『我無加損焉，正名而已矣。』」（《穀梁注疏》，卷9，頁2上）

文，其文則史，孔子曰：「其義則丘竊取之矣。」（《孟子・離婁下》，《孟子注疏》，卷8上，頁12上）

前者以《春秋》原為天子之事，孔子鑑於春秋亂世，為使亂臣賊子有所警懼，故不得已僭越而撰作《春秋》；後者則直指《春秋》文字隱含褒貶深義。《孟子》之說，歷來頗有質疑，先生文中即引述顧頡剛之言，謂「孟子的話本是最不可信」。對此先生以為：

> 我們無法保證那位亞聖孟子決不會說假話，我們卻也不相信他句句都是假話，我們更不能用這樣一個主觀的籠統的理由，排拒若干不利於己說的資料，除非能拿出證據來。[20]

先生之說堪稱「實事求是」，「有幾分證據說幾分話」。楊伯峻對此條則舉證質疑：

> 孔丘自己說過「述而不作」（原注：《論語・述而》），孟軻硬說他「作《春秋》」，豈不和孔聖人自己的話矛盾嗎？[21]

先生對此有極為深入而圓融透闢的詮釋：

> 孔子藉魯史之形態，述齊桓晉文之事，而刪削其辭，寓以己意，這種方式，說他是「脩」也可，說他是「作」也未嘗不可。孔子以為自己只是據舊史以刪削，並非造作。其中可能尚

---

20 張以仁先生：〈孔子與春秋的關係〉，《春秋史論集》，頁31。
21 楊伯峻：《春秋左傳注・前言》，頁8。

含有一分自謙的態度在，孟子則認為這種方式也是創作。因此孔子的「述而不作」與孟子的「孔子作《春秋》」，只是說者的身分與認知角度不同，實質則未變，二者並不衝突，因此，我們並不能用孔子的話推翻孟子的話。[22]

先生詮釋合情入理，孔子可能出於謙遜而稱自己「述而不作」，但對孟子而言卻已屬「創作」，二說並不矛盾，正如〈太史公自序〉載上大夫壺遂之問與史公之答：

> 壺遂曰：「孔子之時，上無明君，下不得任用，故作《春秋》，垂空文以斷禮義，當一王之法。今夫子上遇明天子，下得守職，萬事既具，咸各序其宜，夫子所論，欲以何明？」
>
> 太史公曰：「唯唯、否否，不然！余聞之先人曰：『伏羲至純厚，作《易》八卦。堯、舜之盛，《尚書》載之，禮樂作焉。湯、武之隆，詩人歌之。《春秋》采善貶惡，推三代之德，褒周室，非獨刺譏而已也。』漢興以來至明天子，……且余嘗掌其官，廢明聖盛德不載，滅功臣世家賢大夫之業不述，墮先人所言，罪莫大焉。余所謂述故事，整齊其世傳，非所謂作也，而君比之於《春秋》，謬矣。」（《史記會注考證》，卷130，頁25-27）

史公雖謙言「述故事」，「非所謂作也」，但其承《春秋》著書之意顯然，觀〈太史公自序〉、〈報任少卿書〉皆言欲「成一家之言」可見。孔子之「修」《春秋》，亦當如是觀，此乃古代史書常例，今人或以後世著作觀念衡之，實未諳先秦、兩漢「著作」觀念有以致之。

---

22 張以仁先生：〈孔子與春秋的關係〉，《春秋史論集》，頁31。

　　除先秦儒家肯定孔子修作《春秋》外，道家的《莊子》亦曾論及孔子與《春秋》的關係，〈齊物論〉有云：

> 六合之外，聖人存而不論；六合之內，聖人論而不議。《春秋》經世，先王之志，聖人議而不辯。（《莊子集釋》，卷1下，頁83）

文中所言之聖人，歷來皆以為指孔子。先生進一步申述曰：

> 〈天下篇〉的「《春秋》以道名分」，尤與孔子正名之說相合，二者比而觀之，可以看出莊子確認《春秋》為孔子脩作。[23]

先生肯定《莊子》認為孔子修作《春秋》，當無疑義。

　　以上略舉數例，即可具見先生〈孔子與春秋的關係〉由先秦文獻記載證成孔子修作《春秋》之堅實。其中《孟子》之語，或許可由根本懷疑而不予承認，但一來此說純出猜測，並無確證，二來《孟子》只是眾多先秦文獻肯定孔子與《春秋》關係之一，不僅三《傳》與《孟子》，道家之《莊子》亦持此說。眾說匯集，環環相扣，實難攻破。故先生總結早期資料之檢討云：

> 無論《春秋》三傳，以及《孟子》、《莊子》，他們都是一致認為孔子是脩作過《春秋》的，《史記》更不必說。若干論者想推翻他們的說法而加以別解，認為他們沒有那樣的意見，顯然

23　張以仁先生：〈孔子與春秋的關係〉，《春秋史論集》，頁36。

並未成功。[24]

肯定孔子確實根據魯國舊史而修作《春秋》。

(二) 反駁楊伯峻的各項論述

既有眾多先秦文獻為證，實已足以論斷孔子修作《春秋》之說不可易，但先生以為楊伯峻乃否定孔子作《春秋》用功最深、影響最大者，不宜忽視、漠視，故特闢「楊伯峻之說的檢討」節，對其諸多論點提出反駁。文中主要歸納六點詳加批評：1.「孔子不可能於兩年之內成此巨著」、2.「《史記》的說法自相矛盾」、3.「《論語》沒有提到《春秋》」、4.「《春秋》文風體例前後不一致」、5.「《春秋》稱『王』某月，並非孔子的特筆，三代及諸侯皆然，足證《公羊》所謂『大一統』之說不可信」、6.「由《左傳》及其他資料的比較，知《春秋》未經孔子修改」。[25]

茲略舉數點述論之，以見先生論學之嚴謹：

「孔子不可能於兩年之內成此巨著」節，楊伯峻認為：

> 孔丘在什麼時代脩或者作《春秋》呢？《史記‧孔子世家》列之於哀公十四年西狩獲麟以後。……如果這話可信，孔丘作《春秋》，動機起於獲麟。而孔丘於二年後即病逝。以古代簡策的繁重，筆寫刀削，成二百四十二年的史書，過了七十歲的老翁，僅用兩年的時間，未必能完成這艱巨任務罷。[26]

---

24 張以仁先生：〈孔子與春秋的關係〉，《春秋史論集》，頁37。

25 同前注，頁37-55。

26 楊伯峻：《春秋左傳注‧前言》，頁8。

楊伯峻認為根據《史記》所言，孔子乃因西狩獲麟而作《春秋》，距其辭世僅短短兩年，以當時孔子之年邁與簡策之繁重，斷不可能成此壯舉。先生駁之云：

> 孔子究心於《春秋》，大概由來已久。……《公羊傳》昭公十二年卻記有他討論「伯于陽」的事，在側者問他，既然知道「伯于陽」是「公子陽生」之誤，何以不改？那時他只二十三歲。他正式作《春秋》雖然只有兩年，準備時間應該不只兩年，這是一；《春秋》之經，雖然記了二百四十二年的事，但一則有魯史為據，並非憑空創作；二則文字不多，還不足兩萬字，楊氏「成二百四十二年的史書」一語產生了龐大壓力之幻象，實則以兩年功夫寫不到兩萬字的經（原注：可能還只是就歷史增改）應該不是困難的事，這是二；《論語·衛靈公篇》載：「子張問行。子曰：『言忠信，行篤敬，雖蠻貊之邦行矣。……』子張書諸紳。」子張急於將夫子的話記下來，所以寫在紳帶之上，可見當時書寫的情況也不如我們想像的艱難，即使寫在簡策之上，簡策大概也是製作好的，不必臨時剖竹刳木，這是三。因此，關於這一點，我不認為成問題。[27]

先生提出孔子策畫作《春秋》可能由來以久、《春秋》內容並不繁重且乃根據舊史修改、當時的書寫狀況並不如想像艱困等三點理由回應，頗能切中楊說偏弊。事實上楊氏過於強調孔子獨力完成《春秋》大業，而忽略孔子有不少弟子隨侍在側，雖然《春秋》的內容「子夏之徒不能贊一辭」，[28]弟子卻可以協助編修等基礎工作，兩年內無法完

---

27 張以仁先生：〈孔子與春秋的關係〉，《春秋史論集》，頁38。
28 語出《史記·孔子世家》，《史記會注考證》，卷47，頁84。

成《春秋》之說，實失理據，不足採信。

關於「《史記》的說法自相矛盾」，楊伯峻認為：

> 同樣是司馬遷做的《史記》，〈十二諸侯年表序〉卻說：「是以
> 孔子明王道，干七十餘君莫能用，故西觀周室，論史記舊聞，
> 興於魯而次《春秋》。」這一段話又和〈孔子世家〉相矛盾。
> 〈世家〉記孔丘到周王朝，在孔丘三十歲以前，其後未載再去
> 周室。孔丘三十歲以前去周室，在魯昭公之世，如何能作《春
> 秋》至哀公之世？[29]

楊氏認為〈孔子世家〉載孔子因西狩獲麟而作《春秋》，〈十二諸侯年
表序〉則謂孔子三十歲赴周而作《春秋》，兩者不但自相矛盾，且據
〈十二諸侯年表序〉之說，若當時已作《春秋》，怎能記至哀公之
世。針對此一質疑，先生回應云：

> 我們固不知孔子有否再去周室的事，《史記》沒有記載並不表
> 示沒有，史闕有間這一點道理我們是應該懂得的。我們也不知
> 道孔子三十歲以前去周室，僅是如〈世家〉所說問禮於老子
> 呢？還是同時也觀了周史？我們也不知道他是三十歲以前去周
> 室，還是五十一歲？……總之，這件事情真相難明，《史記》
> 之說，不過其中之一。然而，即使是三十歲以前，即使當時所
> 觀的是周史，也不能說就在當地作成了《春秋》，〈年表〉的文
> 字看不出這種意思，〈年表〉作「而次《春秋》」，而非「作
> 《春秋》」，「次」有編次之意。他可能開始在做些編次排比的

---

29 楊伯峻：《春秋左傳注・前言》，頁8-9。

工作，回來再繼續從事刪脩，直到獲麟才正式完成，〈年表〉還是可以講得通。何況〈年表〉下文還有「上記隱，下至哀之獲麟」兩句呢？[30]

先生指出：孔子究竟幾歲赴周、至周有無觀周史、是否再次赴周等問題皆頗有疑問與異說。[31]姑且拋卻諸異說與質疑，順從楊伯峻以孔子僅三十歲赴周一次的觀點，〈十二諸侯年表序〉並未與〈孔子世家〉相悖，因孔子西觀周室時是「次《春秋》」，乃進行編輯排比，而非「作《春秋》」。此正契合前文謂孔子作《春秋》乃歷經長久規畫與安排，至哀公時方始完成的觀點。先生固未全然尊奉《史記》，但也主張不應在未有確證下輕疑《史記》，「恐怕我們只有調整自己的讀法以就《史記》，不能堅持我們的可憐證據以懷疑作者」，[32]展露先生尊重史料，實事求是的史家態度。

「《論語》沒有提到《春秋》」節，楊伯峻說：

> 《論語》是專記孔丘和他門下弟子言行的書，卻沒有一個字提到《春秋》，更不曾說孔丘修或作過《春秋》。《論語》中記載孔子讀過《易》，而且引用過《詩》和《書》，並且自己說：「吾自衛反魯，然後樂正，〈雅〉、〈頌〉各得其所。」（原注：

30　張以仁先生：〈孔子與春秋的關係〉，《春秋史論集》，頁39-40。
31　關於孔子西觀周室、見老子之爭議，可參崔述〈洙泗考信錄〉「辨問禮老子之說」、「《家禮》載問禮事尤謬」、「年譜記訪樂問禮之年不可信」三條，見〔清〕崔述：《考信錄：洙泗考信錄》，《崔東壁遺書》，第2冊，卷1「初仕節」，頁19-24、26-27。楊義由《史記·孔子世家》載「南宮敬叔向魯昭公請與孔子適周」及《禮記·曾子問》載孔子言及老聃助葬於巷黨，遭逢日食二事，推斷孔子赴周問禮於老子在魯昭公三十一年（前511），時孔子四十二歲。說見氏著：《論語還原》（北京：中華書局，2015年），〈年譜編：孔子暨《論語》年譜〉，頁763-768。
32　張以仁先生：〈孔子與春秋的關係〉，《春秋史論集》，頁40。

〈子罕〉）那麼，他確實整理過《詩經》的〈雅〉和〈頌〉的
篇章。他若寫了或者修了《春秋》，這比整理〈雅〉、〈頌〉篇
章貢獻還大，為什麼他和他學生都一字不提呢？[33]

楊氏以《論語》為孔子與門弟子之言行實錄，卻無隻字片語提及孔子
作《春秋》，不免啟人疑竇。對此，先生認為不見於載籍之事，不代
表不存在或沒有，先生舉王力因先秦文獻未見「褲」字，遂以為先秦
人不穿褲子的謬誤推論為例，[34]說明先秦史料得以留存者已是少數，
加上文獻性質的限制，後人實難據以窺探先秦歷史之全貌。先生特引
束世澂之說為證：

> 有人因為《論語》上未見「春秋」名稱，從而否認孔子曾作
> 《春秋》。這是使用「默證法」。《論語》一書，並不是孔子及
> 其門弟子的全部語錄，使用此法，未必是正確的。[35]

束氏精確指出「《論語》上未見『春秋』名稱，從而否認孔子曾作
《春秋》」此一論點的謬誤，《論語》未提及《春秋》實不足據以論證
孔子未修《春秋》。除了此一推論上的謬誤外，先生尚提及今傳《論
語》曾經改動、增刪、合併，問題相當複雜，[36]是以若單純據《論
語》而懷疑三《傳》與《孟子》謂孔子作《春秋》之說，恐欠妥當：

---

33 楊伯峻：《春秋左傳注・前言》，頁9。

34 張以仁先生：〈孔子與春秋的關係〉，《春秋史論集》，頁40-41。文長不錄。

35 同前注，頁41。束氏之說見：〈孔子《春秋》〉，「孔子作《春秋》」注3，收入上海師
範大學歷史系中國史學史研究室主編：《中國史學史論集（一）》（上海：上海人民
出版社，1980年），頁31。

36 有關《論語》之撰作、編纂，可參拙作：〈論語概說〉，收入《經學通論》，第二編
第十一章，頁398-405；楊義：《論語還原》，〈內編〉，頁63-285。

《論語》有否提到《春秋》，在這問題上並不那麼重要。因為它本身就是一本成於後人之手，經過多次併湊的殘缺且頗多可疑的資料的書。它沒有記載的事，並不表示不存在，別的先秦資料的可信度至少不應比它低。[37]

先生指出先秦文獻複雜，未必早期文獻即絕對可靠，足以否定後世文獻，若觀點偏差即可能產生錯誤的推論，援引為證當格外謹慎。此小節充分顯現先生既嫻熟先秦文獻內容與後世因流傳而衍生之問題，同時又能抱持敬慎引用的態度，足為治學典範。

以上略舉「楊伯峻之說的檢討」節的引證與討論，皆可具見先生既不輕疑先秦史料，也不隨意輕信，而重在區分文獻性質，並注意後世因流傳而衍生的問題，凡此，先生皆透過縝密的比對分析方據以立說，故皆堅實可信，令人折服。

（三）〈孔子與春秋的關係〉對其他學術面向的開拓

先生〈孔子與春秋的關係〉雖為反駁孔子未曾修作《春秋》之說而作，然其學術貢獻遠不止此。先生往往在反駁辯證中，亦涉論其他重要學術面向，如「參、早期資料的檢討」節論證《左傳》之說時，引僖公二十八年《春秋》「天王狩于河陽」，《左傳》之釋為說：

是會也，晉侯召王，以諸侯見，且使王狩。

仲尼曰：「以臣召君，不可以訓。」故書曰「天王狩于河陽」，言非其地也，且明德也。（《左傳正義》，卷16，頁30上-31上）

37　張以仁先生：〈孔子與春秋的關係〉，《春秋史論集》，頁43-44。

此條《經》文除關涉孔子是否修作《春秋》外，亦涉及《左傳》的「君子曰」、「仲尼曰」是否為劉歆偽作等問題。先生以頗多篇幅進行論析，大量引述童書業考論「君子曰」與《左傳》在忠、節、義等思想的一致性，[38]推定「君子曰」並非劉歆偽造，先生云：

> 劉歆如果蓄意偽造，在文章上或者能修飾得和《左傳》一樣，但要在觀念上也和《左傳》一致，恐怕就不會有這種警覺性了。《左傳》中的「君子曰」不一定出於孔子之口，當時的君子以及《左傳》的作者「魯君子左丘明」皆有可能，但決不會是劉歆。[39]

先生以為劉歆已至西漢末年，「君子曰」若屬偽造，絕難契合《左傳》觀念；而《左傳》的「君子曰」、「仲尼曰」雖未必皆屬孔子之言，可能為時人或《左傳》作者藉仲尼之口代言。為反對「君子曰」乃劉歆偽造之說，先生進一步舉《史記》多用《左傳》之說而稍作修改者為證，如《史記‧宋微子世家》載：

> 穆公九年，病，召大司馬孔父，謂曰：「先君宣公，舍太子與夷而立我，我不敢忘。我死，必立與夷也。」孔父曰：「羣臣皆願立公子馮。」穆公曰：「毋立馮，吾不可以負宣公。」於是穆公使馮出居于鄭。八月庚辰，穆公卒，兄宣公子與夷立，是為殤公。
>
> 君子聞之，曰：「宋宣公可謂知人矣，立其弟以成義，然卒其

---

38 童書業：《春秋左傳研究》（上海：上海人民出版社，1980年），「春秋時與後世不同之倫理觀念」條，頁269-271。

39 張以仁先生：〈孔子與春秋的關係〉，《春秋史論集》，頁20。

子復享之。」（《史記會注考證》，卷38，頁24）

此實本之隱公三年《左傳》：

> 宋穆公疾，召大司馬孔父而屬殤公焉，曰：「先君舍與夷而立
> 寡人，寡人弗敢忘。若以大夫之靈，得保首領以沒，先君若問
> 與夷，其將何辭以對？請子奉之，以主社稷，寡人雖死，亦無
> 悔焉。」對曰：「羣臣願奉馮也。」公曰：「不可。先君以寡人
> 為賢，使主社稷。若弃德不讓，是廢先君之舉也，豈曰能賢？
> 光昭先君之令德，可不務乎？吾子其無廢先君之功！」使公子
> 馮出居於鄭。八月庚辰，宋穆公卒，殤公即位。
>
> 君子曰：「宋宣公可謂知人矣，立穆公，其子饗之，命以義夫。
> 〈商頌〉曰：『殷受命咸宜，百祿是荷』，其是之謂乎？」（《左
> 傳正義》，卷3，頁7下-8下）

《史記》據《左傳》而改為簡約淺白，因襲之跡顯然。《史記》襲用
《左傳》之例不煩枚舉。先生總結曰：

> 凡此種種，皆顯示《史記》採《左傳》的可能性遠比劉歆改
> 《史記》竄入《左傳》的可能性大得多。而且就一般情形來
> 說，多半是由繁刪簡易，由簡增繁難，如果《左傳》「君子
> 曰」是劉歆據《史記》增繁，一則須無中生有；二則須與《左
> 傳》文筆風格圓融無間；三則須要找出劉歆增繁的原因。今文
> 家如劉逢祿康有為輩，認為劉歆為了幫助王莽篡漢而偽造《左
> 傳》，「君子曰」的增加部分是否有這樣的作用？很少見過這方

面具體的意見。[40]

先生之論精要碻當，足以否定晚清以降今文學家視《左傳》為劉歆偽造之說。

《左傳》「君子曰」的問題既得釐清，其史料價值自無疑義，先生門弟子亦有賡續此研究領域，進一步考抉、開拓《左傳》「君子曰」、「仲尼曰」之相關問題與意義者，如龔慧治：《左傳「君子曰」問題研究》即對「君子曰」的相關問題有更深入的探討；[41]又如拙作：〈《左傳》「仲尼曰」敘事芻論〉、〈試論《左傳》「仲尼曰」敘事的經史學意涵〉，[42]亦致力於考論《左傳》「仲尼曰」的敘事意涵及其相關問題。先生沾溉後學之功，於此可見。

〈孔子與春秋的關係〉除涉及《左傳》「君子曰」的真偽問題外，對先秦史籍之敘事往往受作者立場與史籍性質影響亦多所關注，並曾加申論。如楊伯峻為反駁僖公二十八年《春秋》「天王狩于河陽」經孔子修改，而謂：

> 根據杜預《春秋經傳集解・後序》所引《竹書紀年》，《紀年》作「周襄王會諸侯于河陽」，既沒有以臣召君的文字，不知魯史原先怎樣敘述的。……《紀年》是以晉和魏為主的史書，自然可能和魯史不一樣。[43]

---

40 張以仁先生：〈孔子與春秋的關係〉，《春秋史論集》，頁24。
41 龔慧治：《左傳「君子曰」問題研究》，臺北：國立臺灣大學中國文學研究所碩士論文，裴溥言、張以仁教授指導，1988年。
42 二文合併修改後，收入《先秦兩漢歷史敘事隅論》之〈玖、《左傳》「仲尼曰敘事」芻論〉，頁425-503。
43 楊伯峻：《春秋左傳注・前言》，頁7。

楊氏據《竹書紀年》未見「召王」之說，懷疑原始史籍之載錄本即如此，遂謂《春秋》之文未經改動。楊氏雖也懷疑《竹書紀年》乃記載晉、魏為主之史書，故原始魯史可能未必與其相同，但先生頗覺楊說避重就輕：

> 楊氏運用這樣的類比方法，在邏輯上是有可議的。因為晉、魯兩國，立場不同，背景各別，就此事說，晉為當事人，魯則旁觀者，並非同「類」，實無法相提並論，類推比附。晉的史官，為君為國而有所顧忌，想必不能寫「召王」的字樣；魯史則自有書法：晉侯召王，既屬事實，照事直書，無用隱諱；孔子則從大處著眼，與人為善，故刪其「召王」字樣。[44]

今日雖已無從窺見魯史《春秋》之原始樣貌，但先生之推論著眼於各國史書自有立場，可謂合情合理。此一論點揭櫫之意義實指向先秦史籍之載事即便相同，但敘事書法未必一致，且往往呈現不同旨趣。筆者近年研究重心之一即在剖析不同先秦、兩漢敘史文獻在相同歷史事件載錄上，針對「情節鋪陳」、「人物形象」、「觀點與意義」等敘事要素，詮釋其各自的面向與意義，進而探論各家之敘事立場／敘事意圖的差異，闡論先秦兩漢歷史敘事與文化記憶的多重樣貌。[45]此一研究進徑，即踵承先生此一思惟理路而發。

　　以上略舉二例，已足見先生學問之精博縱深，頗能開拓學術研究

---

44 張以仁先生：〈孔子與春秋的關係〉，《春秋史論集》，頁15。
45 如拙作：〈《左傳》「弒君敘事」舉隅——以趙盾、崔杼為例〉，〈先秦傳本／簡本敘事舉隅——以晉「三郤之亡」為例〉，及〈先秦敘史文獻「敘事」與「體式」隅論——以晉「欒氏之滅」為例〉，三文分別收入《先秦兩漢歷史敘事隅論》之〈參〉、〈伍〉、〈陸〉。

面向,啟迪後學進行相關研究,其沾溉之功,實難言宣。

三 論證《左傳》與《國語》的關係

先生對《左》、《國》二書關係的討論,主要見於〈論國語與左傳的關係〉、〈從文法、語彙的差異證國語、左傳二書非一人所作〉二文,主在釐清《左傳》、《國語》二書的關係,透過實際的舉證,說明二書在史事內容、文法語彙上的差異。先生另有〈從國語與左傳本質上的差異試論後人對國語的批評〉,主在釐清、辨析後世學者對《國語》的種種批評,其主旨與本文較不相關,唯其〈壹、《春秋》、《左傳》與《國語》本質上的差異〉節則可一窺先生對《春秋》、《左傳》與《國語》三書關係之卓識,亦能呼應上述二文之部分觀念,故亦列入討論。

(一)釐清問題層次

先生〈論國語與左傳的關係〉,主要著力於辨析諸家有關《左》、《國》二書關係之說。筆者以為,先生之能爬梳眾說而條理井然,根源於其論事邏輯清晰,問題意識明確。首先,先生區分歷代對二書的各種說法為四:

    1.二書同為一人所作:主要為《史記》以降的傳統說法;

    2.二書為一書之分化:主要持論者有宋司馬光、[46]清趙翼、[47]俞

---

46 〔宋〕司馬光:〈述國語〉,《溫國文正司馬公文集》(臺北:臺灣商務印書館《四部叢刊初編》影印常熟瞿氏鐵琴銅劍樓藏宋紹熙刊本,1965年),卷68,頁6。

47 〔清〕趙翼:〈國語非左邱明所撰〉,《陔餘叢考》,卷2,頁47-49。

樾、[48]劉逢祿、[49]民國康有為、[50]錢玄同[51]等人；

3. 二書非一人所作：主要持論者有西晉傅玄、[52]宋陳振孫、[53]清崔述，[54]以及西方學者高本漢、[55]卜德[56]等人；

4. 二書非一書分化：主要持論者為近代學者，有崔述、[57]卜德、[58]孫海波[59]等人。[60]

由上述分類，清楚可見先生認為討論《左傳》、《國語》二書之關係，應將「是否為一人所作」與「是否為一書分化」兩個層次分開。先生謂：

如果所舉證據能夠證明二書是一書化分，或二書非一人所作。大抵便可同時證明二書是一人所作，或二書非一書分化。但如

48　〔清〕俞樾：《羣經平議・春秋外傳國語一》，卷28，頁21下。

49　〔清〕劉逢祿：《左氏春秋考證》，《清經解》，第19冊，卷1295，頁2下。

50　康有為：《新學偽經考》，臺北：世界書局，1969年。

51　錢玄同：〈重印新學偽經考序〉，後改題〈重論經今古文學問題〉，收入顧頡剛等編著：《古史辨》（臺北：明倫出版社，1970年），第5冊，頁22-101。

52　見哀十三年《左傳》孔《疏》引（《左傳正義》，卷59，頁8下）。

53　〔宋〕陳振孫著，徐小蠻、顧美華點校：《直齋書錄解題》，卷3，〈春秋類〉「國語」條，頁54。

54　〔清〕崔述：《考信錄・洙泗考信餘錄》，《崔東壁遺書》，第2冊，卷3，頁3。

55　〔瑞典〕高本漢（Bernhard Karlgren）：〈左傳真偽考〉，收入〔瑞典〕高本漢著，陸侃如譯：《左傳真偽考及其他》（上海：商務印書館，1936年），頁36-95。

56　〔美〕卜德（Derk Bodde）：〈左傳與國語〉，《燕京學報》第16期（1934年12月），頁161-167。

57　〔清〕崔述：《考信錄・洙泗考信餘錄》，《崔東壁遺書》，第2冊，卷3，頁3。

58　〔美〕卜德：〈左傳與國語〉，頁161-167。

59　孫海波：〈國語真偽考〉，《燕京學報》第16期（1934年12月），頁169-193。

60　張以仁先生：〈論國語與左傳的關係〉，《國語左傳論集》，頁19-31。

果所舉的證據僅足以證明二書非一書分化，便想兼論非一人所作，或二書是一人所作，便想兼論是一書分化，卻是不可以的。因為，同一個人，由於時間或環境的種種變遷，可以採取兩種不同甚至相反的素材寫成兩部書……但將一部書分作兩部卻不可能如此。它們既然曾是一部書，其間必然有它們的一貫性以及共同性。[61]

《左傳》、《國語》之關係，堪稱聚訟紛唲，然而先生面對眾多立場互異之論述，仍邏輯清晰而能客觀處理、分類相關議題。先生自言「原則上我只能同意其中的第四類」，[62]即「二書非一書分化」。進一步則對「無法同意」的其他諸說一一辯證、說明。以下分別述論之。

首先，先生先就「二書為一書之分化」說進行辯駁。針對康有為、錢玄同之說，先生指出：若堅持二書為一書分化，則情節應該「此有彼無」，彼此互補；實際上二書重複之處甚多，而康、錢二氏對此現象均無合理解釋，顯有思慮未周之處。先生雖然指稱康、錢二人「主觀太重」，卻也詳細說明二人對《左》、《國》二書的看法，認為《左傳》由《國語》分出與「《國》、《左》係一人所作」的概念應加分辨，不宜混為一談：

細細體味他們的說法，實在只是針對劉歆分經比傳的目標上說話，而重點似乎並不在分辨二書的同異，尤未顧及它們的作者是否同一人的問題。[63]

---

61 張以仁先生：〈論國語與左傳的關係〉，《國語左傳論集》，頁31。
62 同前注，頁32。
63 同前注，頁36。

此一論斷看似附帶提及，卻充分顯示先生讀書之細膩深入。時至今日，康、錢二氏之說，學者不論贊同或反對，大都只會稍加提及或簡略徵引，往往忽略二人提出此說的目的與論述重點，也未辨析「二書同異」或「作者是否一人」的差異。先生則不然，儘管不同意其說，卻仍對其論述仔細閱讀、審慎理解，甚至進而深入釐析其作意，充分展現先生就事論事，客觀細膩的為學風格。

其次，則討論「二書非一人所作」之論點。先生指出：不論從文體、文章、詞語使用習慣或文法的不同，欲認定《左》、《國》非一人所作都有證據太少的問題，無法完全確證二書一定是不同作者所為。先生尤其重視近代與西方學者的論述，〈從文法、語彙的差異證國語、左傳二書非一人所作〉即針對此一議題，對高本漢、卜德、馮沅君、洪焀蓮、[64]童書業[65]等學者所提出的文法、語彙證據，仔細介紹、討論，甚至加以訂補，提出更多證據，以補足其說。先生雖對此一論點持保留態度，然仍耗費心力，為其補充更多證據。先生於〈從文法、語彙的差異證國語、左傳二書非一人所作〉文末結語乃言：

> 我在〈論國語與左傳的關係〉那篇文章裡，雖然曾對高本漢先生的「如、若」一證作過頗有保留的批評，但面對本文這許多證據，卻不能不承認高氏之說的正確。沒有一個人能寫出兩本題材類似而在文法、語彙方面有如許差別的大書。除非他使用兩種不同的文字。不然，即使《國語》是左丘明失明以後口述

---

64 洪業：〈春秋經傳引得序〉，《春秋經傳引得》（劍橋：哈佛燕京學社，1937年），頁lxxvii-lxxxvi。

65 童書業：〈國語與左傳問題後案〉，《浙江省圖書館館刊》第4卷第1期（1935年2月），頁1-15。

與其門人子侄輩筆錄成書的也不行！[66]

〈論國語與左傳的關係〉成文於一九五九年，二文分別發表於一九六二年中央研究院《歷史語言研究所集刊》第三十三、三十四本，相去不遠，先生在〈論國語與左傳的關係〉質疑文法、語彙之證據太少，不足以支持「非一人所作」之說，後文卻肯定「沒有一個人能寫出兩本題材類似而在文法、語彙方面有如許差別的大書」。讀者或許不免質疑先生前後論述似有枘鑿。鄙意以為，先生治學嚴謹，立論矜慎，堅持「站在自己所得到的證據上講話」，[67]故在發表〈論國語與左傳的關係〉時，對於文法、語彙之相關例證可能尚在爬梳、求證，故只能暫時做出「證據太少」的判斷；而當資料充足，再發表〈從文法語彙的差異證國語、左傳二書非一人所作〉時，便能肯定此一面向的證據，從而肯定「《國語》、《左傳》二書非一人所作」之說。較為可惜的是，二文發表後，儘管在近五十年後重新收入《張以仁先秦史論集》，但並未有太多修訂，所以儘管先生乃先同意「二書非一書分化」，稍後也贊同「二書非一人所作」，但並未進一步整合此二意見，徒留先生治學與思辯過程，不免稍有遺憾。[68]

先生對最為傳統的說法，即「二書為一人所作」，並沒有多加反駁或討論，或許因為在上述二文的詳細舉證後，該論點已不攻自破，

---

66 張以仁先生：〈從文法、語彙的差異證國語、左傳二書非一人所作〉，《國語左傳論集》，頁157。

67 張以仁先生：〈論國語與左傳的關係〉，《國語左傳論集》，頁37。

68 二文收錄於一九八〇年出版之《國語左傳論集》。二〇〇八年先生編訂《張以仁先秦史論集》，由上海古籍出版社重新梓行（2010年）。新版改訂幅度不大，蓋因先生生前十年苦於肝疾，長期治療，備嘗苦辛，故先生雖躬自手訂，而實未暇多所修潤，且竟未及見該書之出版。忝為先生大弟子，誠不能辭其咎。又，因《國語左傳論集》乃先生手贈，陳之左右三十餘年，故援引仍用舊編，以誌不忘。

無須多言。實則二書無論文法、語彙、文風,乃至著作宗旨皆迥然不同,二書之非一人所作,確實無需詞費。

(二)舉證論析

〈論國語與左傳的關係〉第二部分,針對二書「非一書之分化」詳加論證,最可見先生之功力。先生先指出《左傳》與《國語》「著作宗旨」不同;次則討論二書史事之差異,舉證二書「同述一事而史實有差異」,並分析載錄內容「《國語》有而《左傳》無以及二書全同」二層面的差異。

就著作宗旨言,先生刻意強調二書性質的差異:

> 我們一向把《國語》和《左傳》相提並論,稱它為「外傳」,認為與《左傳》有同樣的歷史價值。我覺得,這恐怕是一項重大的錯誤。……
>
> 讀《國語》所得的印象是倫理方面的;……讀《左傳》所得的印象純粹是史實方面的;……這完全是兩種作風的書,我們怎麼可以說它們是一書分開來的呢?[69]

讀者不免疑惑,先生將「著作宗旨」分為「倫理」與「史實」二端,以此作為二書之分判,似乎稍嫌武斷,因《左傳》內容也並非全無「倫理」意涵。不過,先生於〈從國語與左傳本質上的差異試論後人對國語的批評〉之〈壹、《春秋》、《左傳》與《國語》本質上的差異〉節已清楚說明:

---

69 張以仁先生:〈論國語與左傳的關係〉,《國語左傳論集》,頁38-39、41。

《春秋》一經，含有聳善抑惡的意義。左氏之傳，則係以史證
經，發明《春秋》的義理；而《國語》之書，其旨在於明德，
它和《春秋》經傳，不僅在表達方式上有很大的不同，在本質
上也是頗有距離的。……

「春秋」和「語」是屬於不同的知識範圍，有不同的作用。

《左傳》重點在事的記述，《國語》則在言的鋪張。有時言辭
之首，或書史事以交代其背景。言辭之末，或附史事以為之徵
驗，皆無非是增加其說理的效果而已。[70]

由此可知，先生對《左傳》之認識，乃基於其為「以史證經」的《春
秋》之《傳》；相對的，先生透過引證〈楚語上〉所見的古代知識系
統，說明「語」類文獻與「春秋」類文獻來自不同知識體系，故《國
語》不論其來源或性質，皆與「《春秋》經傳」有明顯區隔。由此可
以具見，先生對所謂「著作宗旨」的理解，並非只是區隔「倫理」或
「史事」，同時也包含對不同知識體系的認識。[71]

就「史實敘述」言，先生就每一細項包含時、地、人、事等，皆
舉證翔實、洋洋灑灑，共舉出：二書「時」的差異二十四處、「地」
的差異十四處、「人」的差異三十七處、「事」的差異一一六處，總計

---

70 張以仁先生：〈從國語與左傳本質上的差異試論後人對國語的批評〉，《春秋史論
集》，頁106-107、109

71 先生摯友美國史丹佛大學東亞學系退休教授王靖宇先生則由敘事學觀點，指出先生
「《左傳》重敘事，《國語》重記言」之說，不免偏頗。說可參王靖宇：〈再論《左
傳》與《國語》的關係〉，收入氏著：《中國早期敘事文研究》（上海：上海古籍出
版社，2003年），頁180-188。《國語》確如先生所言，以「語」為主，唯亦有如王靖
宇先生所言，事、語並重者，如〈晉語〉、〈吳語〉、〈越語〉，然就整體而言，《國
語》確如先生所言，側重「語」而較不重「事」，乃兩個不同的知識系統。筆者近
年多次撰文闡述此一觀念。

一九一條例證。[72]而在比較差異的同時，先生也指出這些可相互比較的例證，正是二書重出之處。先生指出，若如康有為、錢玄同主張，《左傳》是由《國語》分出，則不應有近兩百處的重出；且上述舉證在在說明，《左傳》與《國語》之差別不僅只是錢玄同所稱「文辭」上的瑣碎枝蔓，而牽涉客觀史實的差異，由此具體可證二書並非一書之分化。[73]

先生又進一步比對《左》、《國》二書載錄史事之重複與否，總計舉出七十六則「《國語》有而《左傳》無」的事項，與十六則「二書全同」的事項。[74]對於前者，先生認為某些史事「《國語》有而《左傳》無」，應可說明二書原非一書，因其選材本即不同。對於後者，則可說明二書選擇材料有同有異，非但看不出遭人「割裂為二」的痕跡，也明確指出相信「二書分化」說的學者對「二書全同」的材料避而不談。先生之言，頗能切中肯綮。

最後，先生討論《史記》可與《國語》、《左傳》互參的十三則事例，在詳加分析後，[75]進而指出：

> 《史記》於《國》、《左》重出而互相差異之處，則或取《左傳》（原注：約六十餘處），或用《國語》（原注：約三十餘處），足證史公所見《國語》、《左傳》為兩部書。[76]

---

72 張以仁先生：〈論國語與左傳的關係〉，《國語左傳論集》，頁41-77。文長不具引。

73 上海古籍出版社點校之《國語》，全書計二一○篇。據筆者粗略統計，《國語》與《左傳》重出者凡一四三篇，或可為「二書非一書分化」說之旁證。

74 張以仁先生：〈論國語與左傳的關係〉，《國語左傳論集》，頁77-88。文長不具引。

75 同前注，頁89-100。文長不錄。

76 同前注，頁104。

凡此，均可具見先生分析細膩，舉證翔實，不避繁瑣，細心與耐心並具之為學態度。

此外，先生又舉另一旁證——「汲塚竹書」的發掘為證。先生認為《晉書‧束皙傳》記錄當時發掘內容有「國語三篇，言楚、晉事」，[77]其所謂「國語」當即今日所見《國語》，所謂「言楚、晉事」則自然就是今日所見的〈晉語〉與〈楚語〉之部分。由此可證《國語》在魏安釐王時已有一定程度的編輯，且其名稱已經確定。另外該次發掘紀錄又有〈師春〉一篇，「書《左傳》諸卜筮」而未及《國語》，顯然《左傳》、《國語》分明二書。[78]平心而論，先生對「汲塚」所出「國語」的認定，以現今觀點衡之，似有商榷餘地。就今日出土文獻種類觀之，可稱為「語」類的文獻頗多，「言楚、晉事」的內容也相當常見，[79]先生以為「資料中並未說到與當時傳本《國語》有何出入，可見並無差異」，[80]此一推論就今日出土文獻觀之，似待商榷；而「汲塚」出土之內容，除《竹書紀年》保有部分輯佚成果外，餘則皆已散佚，以此論定《國語》之編成，恐非具體證據，是以此項僅列於「旁證」。[81]

〈從文法、語彙的差異證國語、左傳二書非一人所作〉則針對「二書非一人所作」議題，特就文法語彙議題，詳加引介、討論高本

---

77 〔唐〕房玄齡等撰：《晉書‧束皙傳》，卷51，頁1433。
78 張以仁先生：〈論國語與左傳的關係〉，《國語左傳論集》，頁100-103。
79 如近年發表之《郭店楚簡》、《上海博物館藏戰國楚竹書》、《清華大學藏戰國竹簡》、《北京大學藏西漢竹書》等，其內容頗常見採君臣對問形式以論說事理的「語」類篇章；如《清華簡‧繫年》之內容即多半以晉、楚史事為主。
80 張以仁先生：〈論國語與左傳的關係〉，《國語左傳論集》，頁101-102。
81 不過，以「後見之明」論前賢之說，實欠忠厚。於此僅表示「吾愛吾師，吾更愛真理」的學術原則，此一原則乃先生念茲在茲、耳提面命者，爰此亦不嫌冒犯，先生或能點頭稱是歟。

漢、馮沅君、卜德等中、外學者之說。

　　「文法」方面，先生以高本漢〈左傳真偽考〉、馮沅君〈論左傳與國語的異點〉[82]二文為基礎展開論述。先生先細讀二文對《左》、《國》二書在文法運用上的歸納與論點，並指出當代學者對高文斷章取義的現象；其次則補充二文之論據，並詳加覆按，對同意處不吝讚賞，而難以贊同處亦詳敘原因，進而補足資料。對高、馮二氏所提出《左》、《國》文法使用的細項，逐一比對、詳查原文，提出各項統計有所不一之處，並分析、歸納其差異原因為：一、所據版本不同；二、材料範圍有異；三、材料分類出入；四、漏收。[83]先生之考察與分析皆極為縝密精審。另外，先生亦跟隨高、馮的研究進路，進一步補充文法方面的新證據。先生以「左有國無」、「國有左無」、以及「二書皆有而用法不同」三種類型為判，分別提出數項新證據，總計歸納為：特定文法「左有國無」者，補充十一項；特定文法「國有左無」者，補充四項；「二書皆有而用法不同」者補充十二項。[84]先生為學之勤篤緻密，由此可以具見。

　　誠如先生所言「要在兩本歷來被誤認為是同一人所作甚至同一書分化的作品中，找出它們文法上的差異，並不是一件輕而易舉的事」，[85]而先生竟能憑一己之力，在僅有《春秋經傳引得》而無電腦檢索的年代，猶找出上述二十七項《左傳》、《國語》的差異，有些甚至是相當常見的用字，如「諸」、「意」等詞，而皆能指出其各種文法分別適用於《左》、《國》的情形，若非平時即已對二書嫻熟胸懷，且閱

82　馮沅君：〈論左傳與國語的異點〉，收入《左傳真偽考及其他・附錄三》，頁129-181。
83　張以仁先生：〈從文法、語彙的差異證國語、左傳二書非一人所作〉，《國語左傳論集》，頁119-123。
84　同前注，頁127-148。
85　同前注，頁128。

讀精深、考察細膩，絕不可能如此舉重若輕。此乃我輩以及後進學者徒靠電子檔案成文，所宜深思警惕者。

「語彙」方面，先生則引介美國學者卜德〈左傳與國語〉所指出「帝」與「上帝」在二書使用的差異為證，進一步條列例證，舉出「百姓／民」、「天王」、「純固」、「神祇／鬼神」、「慆淫」及其他相關詞、「郵／尤」、「泰／汰（汏）」等《左傳》、《國語》用語方面的差異。[86] 卜德僅舉一項，先生則洋洋灑灑列出七大項，卻依然不敢掠美而推崇卜德之貢獻，足見先生學術之公心。當然，其中部分語彙如「百姓」等，不僅是語彙選擇問題，且涉及觀念發展史，實已超出《左傳》、《國語》涵蓋的範圍。由於先生專就「比較差異」進行討論，故對二書反映的先秦特定觀念字、詞未有太多篇幅論及其觀念演變，然先生所提出之項目，仍可作為學者後續研究之重要參考。[87]

綜觀〈論國語與左傳的關係〉、〈從文法、語彙的差異證國語、左傳二書非一人所作〉二文之討論與研究方法，可見先生乃認定《左傳》與《國語》二書各自獨立，非由一書分化，且應非一人所作；若再結合〈從國語與左傳本質上的差異試論後人對國語的批評〉所論，則可說先生乃認為《左傳》與《國語》基本上來自古代不同的知識系統。此一認定在今日學界，或非新穎特異之論，但能如先生提出上百條例證，並善加論析、仔細辯證者，仍屬罕見。就經學史層面言，《左傳》、《國語》並稱《春秋》內、外傳，二書關係長期以來為學者所關注，並引發諸多議題與爭論；近世之古史辨學者一度主張二書為一書之分化，立論雖似新穎，卻治絲益棼，徒生爭端。先生既能釐清

---

86 張以仁先生：〈從文法、語彙的差異證國語、左傳二書非一人所作〉，《國語左傳論集》，頁149-156。

87 近年來國立臺灣大學中文系退休教授、現任香港教育大學文化史講座教授鄭吉雄先生頗致力於先秦「觀念字」研究，其成果指日可待。

問題，復能詳細舉證，對二書之關係提出堅實的論證，確實廓清了複雜的學術爭議。先生能有如此貢獻，一方面得力於細膩勤謹的治學態度，另方面則得益於長期以來對《國語》的深厚研究。先生長期精研《國語》，由舊注、舊音之考校，到作者、性質之討論，莫不深入鑽研，甚至獨力編纂《國語引得》。雖然先生之《國語》研究超出本文特定之「經學」範疇，不過若非對《國語》熟稔無比，恐也無法與《左傳》進行實質的參較，此則筆者對年輕學者之期許與厚望。

四　結語

以上謹就張以仁先生《春秋》「左傳學」研究之建樹稍加述論，〈二〉簡介先生之「春秋學」相關論述，指出先生針對「孔子與《春秋》的關係」議題，實有深入的討論與辯證；其次指出先生提示諸多新的研究方向，如「君子曰」等議題，對後進研究者頗有啟發、沾溉之功。〈三〉則簡介先生之《左傳》研究：就經學層面言，先生致力於論析《左》、《國》二書的性質與關係，並在詳細論證中，充分展現先生邏輯思辯清晰，引證翔實緻密的治學風格。

先生之《春秋》「左傳學」研究，於學界之貢獻固無待筆者贊一詞；然透過再次閱讀先生之相關論文，跟隨其思惟理路，企望藉此短文，強調先生足以為學界仿效的幾個治學特色，既自我惕勵，亦與同道共勉：

（一）嚴謹細膩的治學態度

先生之治學態度首重實事求是，有一分證據說一分話，是故面對諸如「孔子與《春秋》之關係」、「《左傳》與《國語》之關係」等纏訟千年、眾說紛紜的學術議題，均能以通透的思惟理路，條分縷析、

切中肯綮的呈顯議題之層次、述評諸家之論點,進而嚴謹翔實的考證辨析;同時,面對清末民初以降,來自西方漢學界,乃至近代考古發掘等各種令人目不暇給的新理論、新材料,先生一方面維持開放的態度,一方面亦審慎去取而不人云亦云。凡見解有所同者,必詳加述評,以示不敢掠美;而意見苟有所異,則詳加辯證,絕不放過。凡此皆足為吾輩治學之表率。

(二)博而能精的學術成就

先生學問,植根於經史而不限於經史,本文僅以先生之《春秋》「左傳學」為重心進行探研,礙於篇幅與主題,無法述及先生小學、文學等面向之學術成就。然透過上文亦可略窺先生學術興趣既廣博又精深,能入能出、實事求是的研究精神。先生對各項重大經學、文學議題,皆具備通透的理解,並能深入淺出的闡釋,而不流於抽象臆斷,此乃先生細膩、仔細的治學風格有以致之,足供吾人效法。

(三)承先啟後的研究格局

先生關注之學術議題,不論「孔子與《春秋》之關係」、「《左傳》與《國語》之關係」,或《春秋》、《左傳》、《國語》等書的性質,皆屬傳統經學史爭論不休的議題;而在近代出土材料頻繁面世,以及「古史辨」運動的推波助瀾下,學界對此類議題又衍生出不少新的論述與研究進路。處理此等議題,必須面對數量龐大、種類繁多的各項前人研究,並對之有通透、完整的認識。先生所論《春秋》、《左傳》、《國語》之相關議題,充分展現其對歷來各項研究論述謹慎而通達的見解,故其引證辨析,皆信手拈來而揮灑自如,且在論證時無形中揭示了諸多新的研究面向。這些議題部分由先生指導之學生繼續開展,對於經學、史學、觀念史甚至敘事學等研究面向,均有所開拓,

啟迪後學，功不唐捐。[88]

（宣讀於中央研究院中國文哲研究所主辦：「戰後臺灣的經學研究：第四次學術研討會」，2016年7月10-11日）

---

88 先生指導之學生，承先生餘澤而發揮、深研，自成一家者頗眾，具體可見先生對臺灣經學研究之貢獻。相關統計與論述可參楊晉龍：〈張以仁先生與臺灣經學研究：以學位論文為對象的考徵〉，發表於中央研究院中國文哲研究所主辦：「戰後臺灣的經學研究」第一次學術研討會（2015年7月13日）；後改以〈張以仁先生與臺灣傳統學術研究：以學位論文為對象的考徵〉為題，發表於《中國文哲研究通訊》第25卷第4期（2015年12月），頁137-158。

引用書目

壹、古籍

一、經部

群經

《唐石十三經》，臺北：世界書局，1953年。

〔唐〕陸德明：《經典釋文》，上海：上海古籍出版社影印北京圖書館藏宋刻本，1985年。

〔唐〕陸德明：《經典釋文》，臺北：漢京文化事業公司影印清乾隆五十六年（1791）盧文弨抱經堂重雕本，1980年。

〔清〕徐乾學輯，〔清〕納蘭成德校訂：《通志堂經解》，臺北：漢京文化事業公司影印鍾謙鈞重刊本，1979年。

〔清〕阮元主編：《清經解》，臺北：復興書局影印清咸豐十年（1860）補刊阮元學海堂本，1972年。

〔清〕王先謙主編：《清經解續編》，臺北：復興書局影印清光緒十四年（1888）王先謙南菁書院本，1972年。

易學

〔三國魏〕王弼、〔晉〕韓康伯注，〔唐〕孔穎達等疏：《周易正義》，臺北：藝文印書館影印清嘉慶二十年（1815）阮元江西南昌府學開雕之《十三經注疏》刻本，1976年。

書學

舊題〔漢〕孔安國注,〔唐〕孔穎達等疏:《尚書正義》,臺北:藝文
　　印書館影印清嘉慶二十年（1815）阮元江西南昌府學開雕之《十
　　三經注疏》刻本,1976年。

詩學

〔漢〕毛亨傳,〔漢〕鄭玄箋,〔唐〕孔穎達等疏:《毛詩正義》,臺
　　北:藝文印書館影印清嘉慶二十年（1815）阮元江西南昌府學開
　　雕之《十三經注疏》刻本,1976年。

禮學

〔漢〕鄭玄注,〔唐〕賈公彥疏:《周禮注疏》,臺北:藝文印書館影
　　印清嘉慶二十年（1815）阮元江西南昌府學開雕之《十三經注
　　疏》刻本,1976年。

〔漢〕鄭玄注,〔唐〕賈公彥疏:《儀禮注疏》,臺北:藝文印書館影
　　印清嘉慶二十年（1815）阮元江西南昌府學開雕之《十三經注
　　疏》刻本,1976年。

〔漢〕鄭玄注,〔唐〕孔穎達等疏:《禮記正義》,臺北:藝文印書館
　　影印清嘉慶二十年（1815）阮元江西南昌府學開雕之《十三經注
　　疏》刻本,1976年。

〔漢〕鄭玄注,〔唐〕孔穎達等疏:《禮記正義》,李學勤主編:《十三
　　經注疏標點整理本》,臺北:臺灣古籍出版公司,2001年。

〔宋〕司馬光:《溫公書儀》,臺北:藝文印書館《百部叢書集成》影
　　印《學津討原》本,1966年。

〔宋〕朱熹：《家禮》，臺北：臺灣商務印書館影印《文淵閣四庫全書》，經部第142冊，1983年。

〔清〕王聘珍：《大戴禮記解詁》，北京：中華書局，1983年。

〔清〕孫希旦撰，沈嘯寰、王星賢點校：《禮記集解》，北京：中華書局，1989年。

〔清〕孫詒讓撰，王文錦、陳玉霞點校：《周禮正義》，北京：中華書局，1987年。

〔清〕秦蕙田：《五禮通考》，臺北：臺灣商務印書館影印《文淵閣四庫全書》，經部第138冊，1983年。

〔清〕張汝誠：《家禮會通》，臺北：大立出版社，1984年。

春秋學

〔晉〕杜預集解，〔唐〕孔穎達等疏：《左傳正義》，臺北：藝文印書館影印清嘉慶二十年（1815）阮元江西南昌府學開雕之《十三經注疏》刻本，1976年。

〔晉〕杜預集解，〔唐〕孔穎達等疏：《左傳正義》，李學勤主編：《十三經注疏標點整理本》，臺北：臺灣古籍出版公司，2001年。

〔漢〕何休解詁，〔唐〕徐彥疏：《公羊注疏》，臺北：藝文印書館影印清嘉慶二十年（1815）阮元江西南昌府學開雕之《十三經注疏》刻本，1976年。

〔晉〕范甯集解，〔唐〕楊士勛疏：《穀梁注疏》，臺北：藝文印書館影印清嘉慶二十年（1815）阮元江西南昌府學開雕之《十三經注疏》刻本，1976年。

〔晉〕杜預、〔宋〕林堯叟：《春秋左傳杜林合注》，臺北：學海出版社，1975年。

〔宋〕王晳：《春秋皇綱論》，《通志堂經解》，第19冊，臺北：漢京文
　　化事業公司影印鍾謙鈞重刊本，1979年。

〔宋〕呂大奎：《春秋或問》，《通志堂經解》，第23冊，臺北：漢京文
　　化事業公司影印鍾謙鈞重刊本，1979年。

〔宋〕呂祖謙：《左氏傳說》，《通志堂經解》，第22冊，臺北：漢京文
　　化事業公司影印鍾謙鈞重刊本，1979年。

〔宋〕呂祖謙：《春秋左氏傳續說》，《續金華叢書》，第2冊，臺北：
　　藝文印書館，1972年。

〔宋〕呂祖謙：《足本東萊左氏博議》，臺北：廣文書局影印清光緒十
　　四年（1888）錢塘瞿氏校刊足本，1973年。

〔宋〕沈棐：《春秋比事》，臺北：臺灣商務印書館影印《文淵閣四庫
　　全書》，經部第153冊，1983年。

〔宋〕胡安國：《春秋胡氏傳》，《四部叢刊續編》，上海：商務印書館
　　影印常熟瞿氏鐵琴銅劍樓藏宋刊本，1934年。

〔宋〕孫復：《春秋尊王發微》，《通志堂經解》，第19冊，臺北：漢京
　　文化事業公司影印鍾謙鈞重刊本，1979年。

〔宋〕家鉉翁：《春秋集傳詳說》，《通志堂經解》，第24冊，臺北：漢
　　京文化事業公司影印鍾謙鈞重刊本，1979年。

〔宋〕崔子方：《崔氏春秋經解》，臺北：臺灣商務印書館影印《文淵
　　閣四庫全書》，經部第148冊，1983年。

〔宋〕張洽：《春秋集註》，《通志堂經解》，第23冊，臺北：漢京文化
　　事業公司影印鍾謙鈞重刊本，1979年。

〔宋〕陳傅良：《春秋後傳》，《通志堂經解》，第21冊，臺北：漢京文
　　化事業公司影印鍾謙鈞重刊本，1979年。

〔宋〕葉夢得：《石林春秋傳》，《通志堂經解》，第21冊，臺北：漢京
　　文化事業公司影印鍾謙鈞重刊本，1979年。

〔宋〕葉夢得：《春秋三傳讞》，臺北：臺灣商務印書館影印《文淵閣
　　四庫全書》，經部第149冊，1983年。

〔宋〕趙鵬飛：《春秋經筌》，《通志堂經解》，第20冊，臺北：漢京文
　　化事業公司影印鍾謙鈞重刊本，1979年。

〔宋〕劉敞：《春秋權衡》，《通志堂經解》，第19冊，臺北：漢京文化
　　事業公司影印鍾謙鈞重刊本，1979年。

〔宋〕戴溪：《春秋講義》，《叢書集成續編》，史地類第270冊，1989
　　年。

〔宋〕魏了翁：《春秋左傳要義》，臺北：臺灣商務印書館影印《文淵
　　閣四庫全書》，經部第153冊，1983年。

〔元〕李廉：《春秋諸傳會通》，《通志堂經解》，第26冊，臺北：漢京
　　文化事業公司影印鍾謙鈞重刊本，1979年。

〔元〕汪克寬：《春秋胡傳附錄纂疏》，臺北：臺灣商務印書館影印
　　《文淵閣四庫全書》，經部第165冊，1983年。

〔元〕趙汸：《春秋集傳》，《通志堂經解》，第25冊，臺北：漢京文化
　　事業公司影印鍾謙鈞重刊本，1979年。

〔元〕趙汸：《春秋屬辭》，《通志堂經解》，第26冊，臺北：漢京文化
　　事業公司影印鍾謙鈞重刊本，1979年。

〔清〕方苞：《春秋直解》，《續修四庫全書》，經部第140冊，上海：
　　上海古籍出版社影印清乾隆刻本，2002年。

〔清〕毛奇齡：《春秋毛氏傳》，《清經解》，第2冊，臺北：復興書局
　　影印清咸豐十年庚申（1860）補刊阮元學海堂本，1972年。

〔清〕李貽德：《春秋左傳賈服注輯述》,《清經解續編》,第12冊,臺北：復興書局影印清光緒十四年（1888）王先謙南菁書院本,1972年。

〔清〕姚際恆：《春秋通論》,收入林慶彰主編：《姚際恆著作集》,第4冊,臺北：中央研究院中國文哲研究所,1994年。

〔清〕段玉裁：《春秋左氏古經》,《段玉裁遺書》,臺北：大化書局影印清道光元年（1821）經韵樓刻本,1977年。

〔清〕洪亮吉著,李解民點校：《春秋左傳詁》,北京：中華書局,1987年。

〔清〕徐廷垣：《春秋管窺》,臺北：臺灣商務印書館影印《文淵閣四庫全書》,經部第176冊,1983年。

〔清〕馬驌撰,徐連城校點：《左傳事緯》,濟南：齊魯書社,1992年。

〔清〕高士奇：《左傳紀事本末》,北京：中華書局,1979年。

〔清〕焦袁熹：《春秋闕如編》,臺北：臺灣商務印書館影印《文淵閣四庫全書》,經部第177冊,1983年。

〔清〕馮李驊：《左繡》,臺北：文海出版社,1967年。

〔清〕劉文淇：《春秋左氏傳舊注疏證》,臺北：明倫出版社,1970年。

〔清〕劉逢祿：《左氏春秋考證》,《清經解》,第19冊,臺北：復興書局影印清咸豐十年（1860）補刊阮元學海堂本,1972年。

〔清〕顧棟高：《春秋大事表》,臺北：廣學社印書館影印清同治癸酉（1873）重雕山東尚志堂藏版,1975年。

〔日〕安井衡：《左傳輯釋》,臺北：廣文書局,1967年。

〔日〕竹添光鴻：《左氏會箋》，臺北：古亭書屋影印明治四十四年
（1911）日本明治講學會重刊本，1969年。

四書

〔三國魏〕何晏集解，〔宋〕邢昺疏：《論語注疏》，臺北：藝文印書
館影印清嘉慶二十年（1815）阮元江西南昌府學開雕之《十三經
注疏》刻本，1976年。

〔漢〕趙岐章句，〔宋〕孫奭疏：《孟子注疏》，臺北：藝文印書館影
印清嘉慶二十年（1815）阮元江西南昌府學開雕之《十三經注
疏》刻本，1976年。

〔宋〕朱熹：《四書章句集注》，臺北：大安出版社，1996年。

〔清〕劉寶楠：《論語正義》，北京：中華書局，1990年。

小學

〔晉〕郭璞注，〔宋〕邢昺疏：《爾雅注疏》，臺北：藝文印書館影印
清嘉慶二十年（1815）阮元江西南昌府學開雕之《十三經注疏》
刻本，1976年。

〔漢〕許慎撰，〔清〕段玉裁注：《說文解字注》，臺北：藝文印書館
影印清嘉慶戊辰（1808）經韵樓藏版，1974年。

〔漢〕揚雄：《輶軒使者絕代語釋別國方言》，臺北：臺灣商務印書館
影印明刊本《古今逸史》，1969年。

〔南朝梁〕顧野王撰：《大廣益會玉篇》，臺北：新興書局影印宋大中
祥符六年（1013）刻本，1968年。

〔唐〕釋慧琳：《一切經音義》，《續修四庫全書》，經部第197冊，上

海：上海古籍出版社影印日本元文三年至延享三年（1738-1746）
　　獅谷白蓮社刻本，2002年。

〔宋〕陳彭年等：《校正宋本廣韻》，臺北：藝文印書館，1991年。

〔元〕黃公紹、〔元〕熊忠著，甯忌浮整理：《古今韻會舉要》，北
　　京：中華書局，2000年。

〔明〕張自烈撰：《正字通》，《續修四庫全書》，經部第234冊，上
　　海：上海古籍出版社影印清康熙二十四年（1685）清畏堂刻本，
　　2002年。

〔清〕王念孫撰：《廣雅疏證》，《續修四庫全書》，經部第191冊，上
　　海：上海古籍出版社影印清嘉慶元年（1796）刻本，2002年。

〔清〕朱駿聲：《說文通訓定聲》，臺北：藝文印書館，1966年。

〔清〕郝懿行撰，王其和、吳慶峰、張金霞點校：《爾雅義疏》，北
　　京：中華書局，2017年。

孝經

〔唐〕唐玄宗注，〔宋〕邢昺疏：《孝經注疏》，臺北：藝文印書
　　館影印清嘉慶二十年（1815）阮元江西南昌府學開雕之《十三
　　經注疏》刻本，1976年。

其他

〔清〕王引之：《經傳釋詞》，臺北：河洛圖書出版社，1980年。

〔清〕王引之撰，虞思徵、馬濤、徐煒君校點：《經義述聞》，上海：
　　上海古籍出版社，2016年。

〔清〕俞樾：《羣經平議》，《春在堂全書》，第1冊，臺北：中國文獻
　　出版社影印清光緒二十五年（1899）重定本，1968年。

二、史部

〔漢〕司馬遷著，〔日〕瀧川資言考證：《史記會注考證》，東京：東京文化學院東京研究所，1932-1934年。

〔漢〕班固撰，〔清〕王先謙補注，上海師範大學古籍整理研究所整理：《漢書補注》，上海：上海古籍出版社，2008年。

〔南朝宋〕范曄著，〔唐〕李賢注：《後漢書》，臺北：鼎文書局影印北京中華書局標點本，1974年。

〔唐〕房玄齡等：《晉書》，臺北：鼎文書局影印北京中華書局標點本，1974年。

〔唐〕房玄齡等著，吳士鑑、劉承幹斠注：《晉書斠注》，臺北：藝文印書館影刻本，1975年。

〔唐〕魏徵等：《隋書》，臺北：鼎文書局影印北京中華書局標點本，1974年。

〔後晉〕劉昫等：《舊唐書》，臺北：鼎文書局影印北京中華書局標點本，1974年。

〔宋〕歐陽脩、宋祁等：《新唐書》，臺北：鼎文書局影印北京中華書局標點本，1974年。

〔元〕脫脫等：《宋史》，臺北：鼎文書局影印北京中華書局標點本，1974年。

〔元〕脫脫等：《金史》，臺北：鼎文書局影印北京中華書局標點本，1974年。

〔清〕張廷玉：《明史》，臺北：鼎文書局影印北京中華書局標點本，1974年。

〔宋〕司馬光撰，〔元〕胡三省音注，標點資治通鑑小組校點：《資治通鑑》，臺北：華世出版社影印北京中華書局本，1987年。

〔漢〕劉向：《列仙傳》，臺北：臺灣商務印書館影印明刊本《古今逸史》，1969年。

〔漢〕劉向著，〔清〕王照圓注，虞思徵點校：《列女傳補注》，上海：華東師範大學出版社，2012年。

〔漢〕劉向著，〔清〕梁端校注：《列女傳》，臺北：臺灣中華書局《四部備要》據汪氏振綺堂補刊本校刊，1966年。

〔漢〕劉向集錄，范祥雍箋證，范邦瑾協校：《戰國策箋證》，上海：上海古籍出版社，2006年。

舊題〔漢〕趙曄著，周生春撰：《吳越春秋輯校彙考》，上海：上海古籍出版社，1997年。

〔三國吳〕韋昭注，上海師範大學古籍整理研究所點校：《國語》，上海：上海古籍出版社，1998年。

〔晉〕皇甫謐：《高士傳》，臺北：臺灣商務印書館影印明刊本《古今逸史》，1969年。

〔晉〕崔豹：《古今注》，臺北：臺灣商務印書館影印明刊本《古今逸史》，1969年。

〔北魏〕酈道元注，楊守敬、熊會貞疏，段熙仲點校，陳橋驛復校：《水經注疏》，南京：江蘇古籍出版社，1989年。

〔唐〕余知古撰：《渚宮舊事》，臺北：藝文印書館《百部叢書集成》影印《平津館叢書》本，1968年。

〔唐〕杜佑：《通典》，北京：中華書局，1992年。

〔唐〕劉知幾撰，〔清〕浦起龍釋：《史通通釋》，臺北：里仁書局，1980年。

〔宋〕王溥：《唐會要》，臺北：世界書局，1960年

〔宋〕徐天麟：《西漢會要》，北京：中華書局，1998年。

〔宋〕劉恕：《資治通鑑外紀》，臺北：臺灣商務印書館《四庫叢刊正
　　編》影印明刊本，1979年。

〔宋〕鄭樵：《通志》，臺北：臺灣商務印書館《十通》本，1987年。

〔宋〕羅泌：《路史》，臺北：臺灣商務印書館影印《文淵閣四庫全
　　書》，史部第383冊，1983年。

〔元〕馬端臨：《文獻通考》，臺北：臺灣商務印書館《十通》本，
　　1987年。

〔明〕申時行等重修：《明會典》，北京：中華書局縮印1936年商務印
　　書館萬有文庫本排印明萬曆重修本，1989年。

〔明〕胡應麟著，顧頡剛點校：《四部正譌》，臺北：華聯出版社，
　　1968年。

〔明〕凌稚隆輯校，〔明〕李光縉增補，〔日〕有井範平補標：《史記
　　評林》，臺北：蘭臺書局，1968年。

〔清〕王士濂輯：《左女彙記》，《叢書集成續編》，史地類第272冊，
　　臺北：新文豐出版公司，1989年。

〔清〕王士濂輯：《左淫類紀》，《叢書集成續編》，史地類第272冊，
　　臺北：新文豐出版公司，1989年。

〔清〕朱右曾：《逸周書集訓校釋》，臺北：藝文印書館影印清道光二
　　十六年（1846）刻本，1958年。

〔清〕周廣業：《經史避名彙考》，臺北：明文書局，1981年。

〔清〕姚際恆：《古今偽書考》，收入林慶彰主編：《姚際恆著作集》，
　　第5冊，臺北：中央研究院中國文哲研究所，1994年。

〔清〕馬驌撰，王利器整理：《繹史》，北京：中華書局，2002年。

〔清〕高宗敕撰：《清朝通典》，臺北：臺灣商務印書館《十通》本，1987年。

〔清〕梁玉繩：《史記志疑》，臺北：臺灣學生書局影印清光緒十三年（1887）廣雅書局刻本，1970年。

〔清〕梁玉繩撰，吳樹平、王佚之、汪玉可點校：《人表考》，收入《史記漢書諸表訂補十種》，北京：中華書局，1982年。

〔清〕章學誠著，葉瑛校注：《文史通義校注》，北京：中華書局，1985年。

〔清〕蔣良騏撰，林樹惠、傅貴九點校：《東華錄》，北京：中華書局，1980年。

〔清〕錢大昕：《廿二史考異》，陳文和主編：《嘉定錢大昕全集》，第2冊，南京：江蘇古籍出版社，1997年。

《蓮社高賢傳》，臺北：藝文印書館《百部叢書集成》影印《漢魏叢書》本，1968年。

目錄

〔宋〕晁公武著，孫猛校證：《郡齋讀書志校證》，上海：上海古籍出版社，1990年。

〔宋〕陳振孫著，徐小蠻、顧美華點校：《直齋書錄解題》，上海：上海古籍出版社，1987年。

〔宋〕趙希弁：《讀書附志》，收入〔宋〕晁公武著，孫猛校證：《郡齋讀書志校證》，上海：上海古籍出版社，1990年。

〔清〕丁日昌撰，路子強、王雅新標點：《持靜齋書目》，上海：上海古籍出版社，2008年。

〔清〕丁丙:《善本書室藏書志》,《續修四庫全書》,史部第927冊,
　　上海:上海古籍出版社影印清光緒二十七年（1901）錢塘丁氏刻
　　本,2002年。

〔清〕周中孚:《鄭堂讀書記》,《續修四庫全書》,史部第924冊,上
　　海:上海古籍出版社影印民國十年（1921）刻《吳興叢書》本,
　　2002年。

〔清〕季振宜藏並編:《季滄葦藏書目‧延令宋板書目》,《中國著名
　　藏書家書目匯刊‧明清卷》,第20冊,北京:商務印書館影印清
　　嘉慶十年（1805）黃氏士禮居刻本,2004年。

〔清〕邵懿辰撰,〔清〕邵章續錄:《增訂四庫簡明目錄標注》,上
　　海:上海古籍出版社,2000年。

〔清〕姚振宗:《隋書經籍志考證》,《歷代史志書目叢刊》,第6冊,
　　北京:國家圖書館出版社,2009年。

〔清〕紀昀等撰:《四庫全書總目》,臺北:藝文印書館影印清同治七
　　年（1868）刻本,1979年。

〔清〕彭元瑞撰:《欽定天祿琳琅書目後編》,《續修四庫全書》,史部
　　第917冊,上海:上海古籍出版社影印清光緒十年（1884）長沙
　　王氏刻本,2002年。

〔清〕黃丕烈:《蕘圃藏書題識》,臺北:廣文書局《書目叢編》影印
　　民國八年（1919）刊本,1967年。

〔清〕錢謙益:《絳雲樓書目》,《續修四庫全書》,史部第920冊,上
　　海:上海古籍出版社影印清嘉慶二十五年（1820）劉氏味經書屋
　　抄本,2002年。

〔清〕瞿鏞編纂:《鐵琴銅劍樓藏書目錄》,上海:上海古籍出版社,
　　2000年。

方志

〔清〕不著輯人，林勇校訂：《安平縣雜記》，《中國方志叢書》，臺灣
地區第36號，臺北：成文出版社，1983年。

〔清〕余文儀等主修，〔清〕王瑛曾總纂：《重修鳳山縣志》，《中國方
志叢書》，臺灣地區第14號，臺北：成文出版社，1983年。

〔清〕李廷璧主修，〔清〕周璽總纂：《彰化縣誌》，《中國方志叢
書》，臺灣地區第16號，臺北：成文出版社，1983年。

〔清〕周鍾瑄主修，〔清〕陳夢林總纂：《諸羅縣志》，《中國方志叢
書》，臺灣地區第7號，臺北：成文出版社，1983年。

〔清〕陳壽祺等撰：《福建通志》，《中國省志彙編之九》，臺北：華文
書局，1968年。

〔清〕嵇曾筠等監修，沈翼機等編纂：《浙江通志》，臺北：臺灣商務
印書館影印《文淵閣四庫全書》，史部第521冊，1983年。

〔清〕劉薊植纂修：《安吉州志》，《稀見中國地方志匯刊》，北京：中
國書店，1992年。

黃履思等纂：《平潭縣志》，《中國方志叢書》，第79號，臺北：成文出
版社，1983年。

三、子部

〔春秋〕墨翟著，〔清〕孫詒讓撰，孫以楷點校：《墨子閒詁》，臺
北：華正書局影印北京中華書局標點本，1987年。

〔戰國〕莊周著，〔清〕郭慶藩輯，王孝魚點校：《莊子集釋》，臺
北：華正書局影印北京中華書局標點本，1982年。

〔戰國〕荀況著,〔清〕王先謙撰:《荀子集解》,北京:中華書局,
　　1988年。

〔戰國〕韓非著,張覺校疏:《韓非子校疏》,上海:上海古籍出版
　　社,2010年。

〔戰國〕呂不韋等編著,王利器注疏:《呂氏春秋注疏》,成都:巴蜀
　　書社,2002年。

〔漢〕王充著,黃暉撰:《論衡校釋》,北京:中華書局,1990年。

〔漢〕高誘註,〔日〕服部宇之吉校:《淮南鴻烈解》,東京:富山
　　房,1915年。

〔漢〕揚雄著,汪榮寶撰,陳仲夫點校:《法言義疏》,北京:中華書
　　局,1987年。

〔漢〕董仲舒著,蘇輿撰,鍾哲點校:《春秋繁露義證》,北京:中華
　　書局,1992年。

〔漢〕劉向撰,〔日〕武井驥注:《劉向新序纂註》,臺北:廣文書
　　局,1981年。

〔三國魏〕王弼等:《老子四種》,臺北:大安出版社,1999年。

〔晉〕葛洪著,楊明照撰:《抱朴子外篇校箋》,北京:中華書局,
　　1991年。

〔南朝梁〕劉勰撰,林其錟、陳鳳金集校:《劉子集校》,上海:上海
　　古籍出版社,1985年。

〔南朝梁〕釋僧祐撰:《弘明集》,臺北:臺灣商務印書館《四部叢刊
　　正編》影印明汪道昆本,1979年。

〔北齊〕劉晝撰,王叔岷集證:《劉子集證》,臺北:中央研究院歷史
　　語言研究所專刊之44,1961年初版;臺北:臺聯國風出版社,
　　1975年再版。

〔唐〕徐堅:《初學記》,臺北:新興書局影印明刊本,1966年。

〔唐〕虞世南輯:《北堂書鈔》,《續修四庫全書》,子部第1213冊,上海:上海古籍出版社影印清光緒十四年(1888)孔氏三十三萬卷堂刻本,2002年。

〔唐〕趙蕤撰:《長短經》,臺北:廣文書局,1988年。

〔唐〕歐陽詢撰,汪紹楹校:《藝文類聚》,上海:上海古籍出版社,1982年。

〔唐〕釋道宣:《廣弘明集》,臺北:臺灣商務印書館《四部叢刊正編》影印明汪道昆本,1979年。

〔宋〕王應麟:《玉海》,臺北:華文書局影印元後至元三年(1337)慶元路儒學刊本,1967年。

〔宋〕王應麟著,〔清〕翁元圻等注,欒保群、田松青、呂宗力校點:《困學紀聞》,上海:上海古籍出版社,2008年。

〔宋〕江少虞撰:《宋朝事實類苑》,上海:上海古籍出版社,1981年。

〔宋〕吳曾:《能改齋漫錄》,臺北:木鐸出版社,1982年。

〔宋〕李昉等撰:《太平御覽》,臺北:臺灣商務印書館影印日本帝室圖書寮京都東福寺東京岩崎氏靜嘉堂文庫藏南宋蜀刊本,1986年。

〔宋〕沈括:《夢溪筆談校證》,臺北:世界書局,1961年。

〔宋〕周密撰,張茂鵬點校:《齊東野語》,北京:中華書局,1997年。

〔宋〕洪邁撰,孔凡禮點校:《容齋隨筆》,北京:中華書局,2006年。

〔宋〕章如愚撰：《群書考索》，臺北：新興書局影印明正德三年戊辰
　　（1508）建陽劉氏慎獨齋刊鈔補本，1971年。

〔宋〕程顥、程頤著，〔朝鮮〕宋時烈分類重編，〔韓〕徐大源校勘標
　　點：《程書分類》，上海：上海辭書出版社，2006年。

〔宋〕黃震：《黃氏日抄》，京都：中文出版社影印清乾隆三十二年
　　（1767）汪佩鍔校刊本，1979年。

〔宋〕葉廷珪：《海錄碎事》，上海：上海辭書出版社影印明萬曆卓顯
　　卿刻本，1989年。

〔明〕宋濂著，顧頡剛標點：《諸子辨》，北平：樸社，1928年。

〔明〕沈津：《百家類纂》，《四庫存目叢書》，子部第128冊，臺南：
　　莊嚴文化事業公司影印明隆慶元年（1567）含山縣儒學刻本，
　　1995年。

〔明〕孫鑛評本：《劉子》，臺北：國家圖書館藏明抄本。

〔明〕焦竑：《焦氏筆乘》，臺北：藝文印書館《百部叢書集成》影印
　　《粵雅堂叢書》本，1966年。

〔明〕楊慎：《丹鉛雜錄》，臺北：藝文印書館《百部叢書集成》影印
　　《函海》本，1969年。

〔清〕何焯撰，崔高維點校：《義門讀書記》，北京：中華書局，1987
　　年。

〔清〕吳騫：《尖陽叢筆》，《續修四庫全書》，子部第1139冊，上海：
　　上海古籍出版社影印清抄本，2002年。

〔清〕林雲銘撰，〔日〕秦鼎增註：《增註莊子因》，臺北：廣文書
　　局，1968年。

〔清〕俞樾：《諸子平議》，《春在堂全書》，第2冊，臺北：中國文獻
　　出版社影印清光緒二十五年（1899）重定本，1968年。

〔清〕孫志祖:《讀書脞錄》,《續修四庫全書》,子部第1152冊,上海:上海古籍出版社影印清嘉慶刻本,2002年。

〔清〕孫詒讓著,梁運華點校:《札迻》,北京:中華書局,1989年。

〔清〕陳立:《白虎通疏證》,北京:中華書局,1994年。

〔清〕陳澧:《東塾讀書記》,北京:生活‧讀書‧新知三聯書店,1998年。

〔清〕趙翼:《陔餘叢考》,北京:中華書局,1963年。

〔清〕盧文弨:《群書拾補》,《續修四庫全書》,子部第1149冊,上海:上海古籍出版社影印清《抱經堂叢書》本,2002年。

〔清〕蘇時學:《爻山筆話》,《四庫未收輯刊》,第柒輯第11冊,北京:北京出版社影印清同治三年(1864)五羊城味經堂刻本,2000年。

〔清〕顧炎武:《原抄本日知錄》,臺北:明倫出版社,1970年。

〔清〕顧炎武著,黃汝成集釋,欒保群、呂宗力校點:《日知錄集釋》,上海:上海古籍出版社,2006年。

《重廣補注黃帝內經素問》,臺北:臺灣商務印書館《四部叢刊正編》影印明顧氏翻宋本,1979年。

四、集部

〔三國魏〕阮籍:《阮嗣宗集》,臺北:華正書局,1979年。

〔三國魏〕嵇康著,戴明揚校注:《嵇康集校注》,臺北:河洛圖書出版社,1978年。

〔晉〕陶潛撰,〔宋〕李公煥箋:《箋注陶淵明集》,臺灣:臺灣商務印書館《四部叢刊正編》影印宋刊巾箱本,1979年。

〔晉〕陶潛撰，〔宋〕曾集輯：《陶淵明雜文》，《續修四庫全書》，集
　　部第1304冊，上海：上海古籍出版社影印宋紹熙三年（1192）刻
　　本，2002年。

〔南朝梁〕劉勰著，范文瀾注：《文心雕龍注》，臺北：臺灣明倫出版
　　社，1974年。

〔南朝梁〕蕭統著，俞紹初校注：《昭明太子集校注》，鄭州：中州古
　　籍出版社，2001年。

〔南朝梁〕蕭統輯，〔唐〕李善注，〔清〕方廷桂評點：《昭明文選集
　　成》，臺北：國立臺灣大學藏烏石山房文庫收清乾隆三十年
　　（1765）倣范軒刊本。

〔南朝梁〕蕭統輯，〔唐〕李善注，〔清〕何焯評，〔清〕葉樹藩參
　　訂：《文選》，臺北：國立臺灣大學藏烏石山房文庫收清乾隆三十
　　七年（1772）長沙葉氏海錄軒刊硃墨套印本。

〔南朝梁〕蕭統輯，〔唐〕李善注：《文選（附考異）》，臺北：藝文印
　　書館影印清胡克家重刻宋淳熙本，1972年。

〔南朝梁〕蕭統輯，〔唐〕李善注：《文選》，臺北：中央研究院傅斯
　　年圖書館藏美國國會圖書館攝製北平圖書館藏元池州路同知張伯
　　顏刊本膠片。

〔南朝梁〕蕭統輯，〔唐〕李善等注：《文選》，臺北：中央研究院傅
　　斯年圖書館藏美國國會圖書館攝製北平圖書館藏宋紹興間贛州州
　　學刊元明修補本膠片。

〔南朝梁〕蕭統輯，〔唐〕李善等注：《六臣注文選》，臺北：臺灣商
　　務印書館《四部叢刊正編》影印宋刊本，1979年。

〔南朝梁〕蕭統輯，〔唐〕李善等注：《增補六臣註文選》，臺北：華
　　正書局影印宋末刊本，1974年。

〔唐〕白居易著，朱金城箋校：《白居易集箋校》，上海：上海古籍出
　　版社，1988年。

〔唐〕柳宗元：《柳宗元集》，臺北：華正書局，1990年。

〔宋〕孔延之編：《會稽掇英總集》，臺北：臺灣商務印書館影印《文
　　淵閣四庫全書》，集部第1345冊，1983年。

〔宋〕尤袤：《文選攷異》，臺北：藝文印書館《叢書集成三編》影印
　　《常州先哲遺書》本，1971年。

〔宋〕王暐：《道山清話》，臺北：藝文印書館《百部叢書集成》影印
　　《百川學海》本，1965年。

〔宋〕司馬光：《溫國文正司馬公文集》，臺北：臺灣商務印書館《四
　　部叢刊初編》影印常熟瞿氏鐵琴銅劍樓藏宋紹熙刊本，1979年。

〔宋〕洪興祖：《楚辭補註》，臺北：藝文印書館，1973年。

〔宋〕郭茂倩編撰：《樂府詩集》，臺北：里仁書局，1981年。

〔宋〕劉克莊：《後村先生大全集》，臺北：臺灣商務印書館《四部叢
　　刊正編》影印舊鈔本，1979年。

〔宋〕歐陽脩著，李逸安點校：《歐陽脩全集》，北京：中華書局，
　　2001年。

〔宋〕蘇轍撰，曾棗莊、馬德富校點：《欒城集》，上海：上海古籍出
　　版社，1987年。

〔明〕吳訥等：《文體序說三種》，臺北：大安出版社，1998年。

〔明〕周子義：《交翠軒佚稿》，臺北：漢學研究中心影印日本內閣文
　　庫藏明刊本，1990年。

〔明〕周履靖：《五柳賡歌》，臺北：藝文印書館《百部叢書集成》影
　　印《夷門廣牘》本，1968年。

〔明〕張溥編:《漢魏六朝百三家集》,臺北:新興書局,1963年。

〔明〕馮夢龍,〔清〕蔡元放編:《東周列國志》,北京:人民文學出版社,1979年。

〔明〕黃文煥:《楚辭聽直》,《續修四庫全書》,集部第1301冊,上海:上海古籍出版社影印明崇禎十六年(1643)清順治十四年(1657)增修本,2002年。

〔清〕方廷珪評點,〔清〕陳雲程增補,〔清〕邵晉涵等批校:《增訂昭明文選集成詳注》,北京:國家圖書館出版社,2015年。

〔清〕方宗誠:《陶詩真詮》,臺北:藝文印書館《叢書集成三編》影印《柏堂遺書》本,1971年。

〔清〕方東樹:《昭昧詹言》,臺北:漢京文化事業公司,1985年。

〔清〕王念孫等撰,羅振玉輯印:《高郵王氏遺書》,南京:江蘇古籍出版社,2000年。

〔清〕王昶:《春融堂集》,《續修四庫全書》,集部第1438冊,上海:上海古籍出版社影印清嘉慶十二年(1807)塾南書舍刻本,2002年。

〔清〕朱珔:《文選集釋》,臺北:廣文書局《選學叢書》,1966年。

〔清〕余蕭客:《文選紀聞》,《叢書集成續編》,文學類第103冊,臺北:新文豐出版公司,1989年。

〔清〕吳楚材輯,王文濡校勘:《精校評註古文觀止》,臺北:華正書局,1979年。

〔清〕汪中著,王清信、葉純芳點校:《汪中集》,臺北:中央研究院中國文哲研究所籌備處,1990年。

〔清〕林雲銘:《古文析義合編》,臺北:廣文書局影印宣統己酉(1909)刊本,1981年。

〔清〕林雲銘：《楚辭燈》，臺北：廣文書局影刻本，1963年。

〔清〕胡紹煐：《文選箋證》，臺北：廣文書局《選學叢書》，1966年。

〔清〕孫志祖輯：《文選考異》，臺北：廣文書局《選學叢書》影印《讀書齋叢書》本，1966年。

〔清〕崔述：《崔東壁遺書》，臺北：河洛圖書出版社，1975年。

〔清〕張廷玉：《澄懷園語》，《叢書集成續編》，社會科學類第60冊，臺北：新文豐出版公司，1989年。

〔清〕張雲璈：《選學膠言》，臺北：廣文書局《選學叢書》影印《聚學軒叢書》本，1966年。

〔清〕梁章鉅：《文選旁證》，臺北：廣文書局《選學叢書》影印清光緒八年（1882）吳下重刻本，1966年。

〔清〕許巽行：《文選筆記》，臺北：廣文書局《選學叢書》影印杭州任有容齋刻本，1966年。

〔清〕陳鱣：《簡莊文鈔續編》，《續修四庫全書》，集部第1487冊，上海：上海古籍出版社影印清光緒十四年（1888）羊復禮刻本，2002年。

〔清〕陶澍注，戚煥塤校：《靖節先生集》，臺北：華正書局影印1956年古籍刊行社排印本，1975年。

〔清〕劉師培著，萬仕國點校：《儀徵劉申叔遺書》，揚州：廣陵出版社，2014年。

〔清〕蔣驥：《山帶閣注楚辭》，臺北：洪氏出版社，1975年。

〔清〕盧文弨：《抱經堂文集》，北京：中華書局，1990年。

〔清〕嚴可均：《鐵橋漫稿》,《續修四庫全書》,集部第1488冊,上海：上海古籍出版社影印清道光十八年（1838）四錄堂刻本,2002年。

《古文苑》,上海：商務印書館《四部叢刊》影印常熟瞿氏鐵琴銅劍樓藏宋刊本,1936年。

《全唐詩》,北京：中華書局,1996年。

〔明〕程榮輯：《漢魏叢書》,京都：中文出版社影印明萬曆壬辰年（1592）刻本,1978年。

〔清〕王謨輯：《增訂漢魏叢書附遺書鈔》,臺北：大化書局影印清乾隆五十六年（1791）金谿王氏刻八十六種本,1983年。

〔清〕嚴可均校輯：《全上古三代秦漢三國六朝文》,北京：中華書局,1958年。

貳、近人研究

一、專書

《中國風俗辭典》,上海：上海辭書出版社,1990年。

丁世良、趙放主編,白玉新等編：《中國地方志民俗資料匯編》,北京：書目文獻出版社,1991年。

丁仲祜：《陶淵明詩箋注》,臺北：藝文印書館影印民國十六年（1927）醫學書局排印本,1960年。

中文大辭典編纂委員會編：《中文大辭典》,臺北：中國文化大學出版部,1993年。

中國社會科學院考古研究所編：《殷周金文集成‧修訂增補本》，北
　　京：中華書局，2007年。

方勇：《莊子學史》，北京：人民出版社，2008年

王叔岷：《莊子校釋》，中央研究院歷史語言研究所專刊之26，1947年
　　初版；臺北：臺聯國風出版社，1972年再版。

王叔岷：《列子補正》，中央研究院歷史語言研究所專刊之31，1948年
　　初版；臺北：臺聯國風出版社，1975年再版。

王叔岷：《斠讎學》，臺北：中央研究院歷史語言研究所專刊之37，
　　1959年初版；臺北：臺聯國風出版社，1972年再版。

王叔岷：《諸子斠證》，臺北：世界書局，1964年。

王叔岷：《世說新語補正》，臺北：藝文印書館，1975年。

王叔岷：《陶淵明詩箋證稿》，臺北：藝文印書館，1975年。

王叔岷：《顏氏家訓斠補》，臺北：藝文印書館，1975年。

王叔岷：《古書虛字新義》，臺北，聯經出版事業公司，1978年。

王叔岷：《史記斠證》，臺北：中央研究院歷史語言研究所專刊之78，
　　1983年。

王叔岷：《舊莊新詠》，臺北：華正書局，1985年。

王叔岷：《校讎別錄》，臺北：華正書局，1987年。

王叔岷：《莊子校詮》，臺北：中央研究院歷史語言研究所專刊之88，
　　1988年。

王叔岷：《慕廬雜著》：臺北，華正書局，1988年。

王叔岷：《古籍虛字廣義》，臺北：華正書局，1990年。

王叔岷：《寄情吟》，臺北：華正書局，1990年。

王叔岷：《先秦道法思想講稿》，臺北：中央研究院中國文哲研究所中國文哲專刊之2，1992年。

王叔岷：《慕廬憶往》，臺北：華正書局，1993年。

王叔岷：《列仙傳校箋》，臺北：中央研究院中國文哲研究所中國文哲專刊之7，1995年。

王叔岷：《斠讎學（補訂本）》，臺北：中央研究院歷史語言研究所專刊之37，1995年。

王叔岷：《隨感吟》，臺北：藝文印書館，1997年。

王叔岷：《左傳考校》，臺北：中央研究院中國文哲研究所中國文哲專刊之14，1998年。

王叔岷：《慕廬餘詠》，臺北：大安出版社，2001年。

王欣夫：《文獻學講義》，臺北：文史哲出版社，1987年。

王重民：《敦煌古籍敘錄》，北京：中華書局，2010年。

王國維：《古史新證——王國維最後的講義》，北京：清華大學出版社，1994年。

王貴民、楊志清：《春秋會要》，北京：中華書局，2009年。

王貴民：《中國禮俗史》，臺北：文津出版社，1993年。

王靖宇：《中國早期敘事文研究》，上海：上海古籍出版社，2003年。

王夢鷗：《禮記校證》，臺北：藝文印書館，1976年。

王鍔：《《禮記》成書考》，北京：中華書局，2007年。

北京大學出土文獻研究所：《北京大學藏西漢竹書》，上海：上海古籍出版社，2012年。

田鳳台：《王充思想析論》，臺北：文津出版社，1988年。

田鳳台:《呂氏春秋探微》,臺北:臺灣學生書局,1986年。

向宗魯:《說苑校證》,北京:中華書局,1987年。

朱東潤:《史記考索》,香港:太平書局,1974年。

牟鐘鑒:《《呂氏春秋》與《淮南子》思想研究》,濟南:齊魯書社,
　　　1987年。

何新文:《《左傳》人物論稿》,北京:中國社會科學出版社,2004年。

何聯奎、衛惠林:《臺灣風土志》,臺北:臺灣中華書局,1956年。

余嘉錫:《世說新語箋疏》,臺北:華正書局,1984年。

余嘉錫:《四庫提要辨證》,臺北:藝文印書館,1965年。

吳則虞:《晏子春秋集釋》,臺北:鼎文書局,1977年。

吳闓生:《左傳微》,臺北:臺灣中華書局,1970年。

呂思勉:《先秦學術概論》,昆明:雲南人民出版社,2005年。

李峰著,徐峰譯:《西周的滅亡:中國早期國家的地理和政治危機》,
　　　上海:上海古籍出版社,2007年。

李隆獻:《晉文公復國定霸考》,臺北:國立臺灣大學文史叢刊之78,
　　　1988年。

李隆獻:《晉史蠡探:以兵制與人事為重心》,臺北:國立臺灣大學中
　　　國文學系博士論文,張以仁教授指導,1992年;修定稿收入王明
　　　蓀主編:《古代歷史文化研究輯刊》六編第4冊,新北:花木蘭文
　　　化出版社,2011年。

李隆獻:《先秦兩漢歷史敘事隅論》,臺北:臺灣大學出版中心,2017
　　　年。

李學勤:《走出疑古時代》,瀋陽:遼寧大學出版社,1997年。

李學勤：《簡帛佚籍與學術史》，臺北：時報文化出版公司，1994年。

邢文：《著乎竹帛──中國古代思想與學派》，臺北：蘭臺出版社，2005年。

周鳳五：《朋齋學術文集：戰國竹書卷》，臺北：臺灣大學出版中心，2016年。

周錫保：《中國古代服飾史》，北京：中國戲劇出版社，1986年。

屈守元：《韓詩外傳箋疏》，成都：巴蜀書社，1996年。

屈萬里：《先秦文史資料考辨》，《屈萬里先生全集》，第4冊，臺北：聯經出版事業公司，1985年。

林其錟、陳鳳金輯校：《敦煌遺書劉子殘卷集錄》，上海：上海書店，1988年。

林慶彰編：《中國經學史論文選集》，臺北：文史哲出版社，1993年。

侯文學、李明麗：《清華簡《繫年》與《左傳》敘事比較研究》，上海：中西書局，2015年。

姚彥渠：《春秋會要》，北京：中華書局，1955年。

姜廣輝：《中國經學思想史》，北京：中國社會科學出版社，2003年。

胡戟：《中國古代禮儀》，西安：陝西人民出版社，1994年。

胡適：《中國哲學史大綱（上卷）》，上海：商務印書館，1947年。

荊門市博物館：《郭店楚墓竹簡》，北京：文物出版社，1998年。

馬之驌：《中國的婚俗》，臺北：經世書局，1981年。

馬其昶：《屈賦微》，臺北：神州書局，1959年。

馬承源主編：《上海博物館藏戰國楚竹書（四）》，上海：上海古籍出版社，2004年。

馬楠：《清華簡《繫年》輯證》，上海：中西書局，2015年。

高方：《左傳女性研究》，哈爾濱：黑龍江大學出版社，2010年。

崔載陽：《初民心理與各種社會制度之起源》，《中山大學民俗叢書》，
　　第1冊，臺北：福祿圖書公司，1969年。

常金倉：《周代禮俗研究》，臺北：文津出版社，1993年。

康有為：《新學偽經考》，臺北：世界書局，1969年。

張心澂：《偽書通考》，臺北：明倫出版社，1971年。

張以仁：《國語虛詞集釋》，臺北：中央研究院歷史語言研究所專刊之
　　55，1968年。

張以仁：《國語斠證》，臺北：臺灣商務印書館，1969年。

張以仁：《國語引得》，臺北：中央研究院歷史語言研究所，1976年。

張以仁：《國語左傳論集》，臺北：東昇出版事業公司，1980年。

張以仁：《春秋史論集》，臺北：聯經出版事業公司，1990年。

張以仁：《張以仁先秦史論集》，上海：上海古籍出版社，2010年。

張以仁：《張以仁語文學論集》，上海：上海古籍出版社，2012年。

張仲清：《越絕書校注》，北京：國家圖書館出版社，2009年。

張舜徽：《四庫提要敘講疏》，收入氏著：《舊學輯存》，山東：齊魯書
　　社，1988年。

張敬註譯：《列女傳今註今譯》，臺北：臺灣商務印書館，1994年。

清華大學出土文獻研究與保護中心編，李學勤主編：《清華大學藏戰
　　國竹簡（貳）》，上海：中西書局，2011年。

許嘉璐主編：《中國古代禮俗辭典》，北京：中國友誼出版公司，1991
　　年。

郭紹虞：《學文示例》，臺北：臺灣開明書局，1969年。

郭紹虞輯：《宋詩話輯佚》，臺北：華正書局，1981年。

陳垣：《中國佛教史籍概論》，北京：中華書局，1977年。

陳瑞庚：《王制著成之時代及其制度與周禮之異同》，臺北：嘉新水泥公司文化基金會，1972年。

陳麗桂：《漢代道家思想》，臺北：五南圖書出版公司，2013年。

游國恩：《楚辭概論》，臺北：九思出版社，1978年。

童書業：《春秋左傳研究》，上海：上海人民出版社，1980年。

逯欽立：《陶淵明集》，臺北：里仁書局，1979年。

黃侃：《文心雕龍札記》，香港：新亞書院中國文學系，1962年。

黃叔琳注，李詳補注，楊明照校注拾遺：《增訂文心雕龍校注》，北京：中華書局，2005年。

黃葦等著：《方志學》，上海：復旦大學出版社，1993年。

黃雲眉：《古今偽書考補證》，臺北：文海出版社，1972年。

黃懷信：《大戴禮記彙校集注》，西安：三秦出版社，2005年。

楊伯峻：《列子集釋》，北京：中華書局，1979年。

楊伯峻：《春秋左傳注》，北京：中華書局，1990年。

楊明照校注，陳應鸞增訂：《增訂劉子校注》，成都：巴蜀書社，2008年。

楊勇：《陶淵集明校箋》，香港：吳興記書局，1971年。

楊建華：《春秋戰國時期中國北方文化帶的形成》，北京：文物出版社，2004年。

楊義：《論語還原》，北京：中華書局，2015年。

楊蔭瀏:《中國古代音樂史稿》,臺北:丹青圖書公司,1985年。

葉國良、李隆獻、彭美玲合著:《漢族成年禮及其相關問題研究》,臺北:大安出版社,2004年。

葉國良、夏長樸、李隆獻:《經學通論》(修訂三版),臺北:大安出版社,2014年。

葉國良:《經學側論》,新竹:清華大學出版社,2005年。

葉國良:《禮學研究的諸面向》,新竹:清華大學出版社,2010年。

裴學海:《古書虛字集釋》,臺北:廣文書局,1971年。

劉文典撰,馮逸、喬華點校:《淮南鴻烈集解》,北京:中華書局,2010年。

劉咸炘:《劉咸炘學術論集(子學編)》,桂林:廣西師範大學出版社,2007年。

劉家立:《淮南集證》,臺北:廣文書局,1978年。

劉詠聰:《女性與歷史——中國傳統觀念新探》,臺北:臺灣商務印書館,1995年。

劉詠聰:《德‧才‧色‧權——論中國古代女性》,臺北:麥田出版公司,1998年。

劉德漢:《東周婦女問題研究》,臺北:臺灣學生書局,1990年。

黎翔鳳撰,梁運華整理:《管子校注》,北京:中華書局,2004年。

盧昌德:《紅燭白蝶——宮廷人生禮儀》,昆明:雲南人民出版社,1992年。

蕭公權:《中國政治思想史》,臺北:聯經出版事業公司,1982年。

錢穆:《先秦諸子繫年》,香港:香港大學出版社,1956年。

錢鍾書:《管錐編》,北京:生活‧讀書‧新知三聯書店,2001年。

鍾柏生、陳昭容、黃銘崇、袁國華編：《新收殷周青銅器銘文暨器影彙編》，臺北：藝文印書館，2006年。

韓席籌：《左傳分國集註》，臺北：華世出版社，1975年。

羅振玉：《殷虛書契考釋》，臺北：藝文印書館，1969年。

羅聯添編：《中國文學史論文選集（二）》，臺北：臺灣學生書局，1978年。

蘇建洲、吳雯雯、賴怡璇編著：《清華二《繫年》集解》，臺北：萬卷樓圖書公司，2013年。

顧實：《重考古今偽書考》，上海：大東書局，1926年。

〔日〕宮城谷昌光著，孫智齡譯：《夏姬春秋》，臺北：實學社出版公司，1995年。

〔日〕淺野裕一著，佐藤將之監譯：《戰國楚簡研究》，臺北：萬卷樓圖書公司，2004年。

〔日〕池田知久著，曹峰譯：《池田知久簡帛研究論集》，北京：中華書局，2006年。

〔美〕楊曉能著，唐際根、孫亞冰譯：《另一種古史：青銅器紋飾、圖形文字與圖像銘文的解讀》，北京：生活・讀書・新知三聯書店，2008年。

〔英〕弗雷澤（J. G. Frazer）著，汪培基譯：《金枝——巫術與宗教之研究》，臺北：桂冠圖書公司，1991年。

〔德〕利普斯（Julius E. Lipps）著，汪寧生譯：《事物的起源》，成都：四川民族出版社，1980年。

〔德〕揚・阿斯曼（Jan Assmann）著，金壽福、黃曉晨譯：《文化記憶：早期高級文化中的文字、回憶與政治身份》，北京：北京大學出版社，2015年。

〔德〕羅泰（Lothar von Falkenhausen）著，吳長青、張莉、彭鵬等譯，王藝等審校：《宗子維城：從考古材料的角度看公元前1000年至前250年的中國社會》，上海：上海古籍出版社，2017年。

Vizedom, Morika B. and Gabrielle L. Caffee trans. *The Rites of Passage*. Chicago: University of Chicago Press, 1960.

二、書籍篇章

王文化：〈劉勰身世與士庶區別問題〉，收入氏著：《文心雕龍創作論》，上海：上海古籍出版社，1979年。

王叔岷：〈校書的甘苦〉，收入氏著：《慕廬演講稿》，臺北：藝文印書館，1981年；又收入氏著：《校讎別錄》，臺北：華正書局，1987年。

王叔岷：〈談「好讀書不求甚解」〉，收入氏著：《慕廬演講稿》，臺北：藝文印書館，1981年。

王叔岷：〈論陶潛的閑情賦與林逋的惜別詞〉，收入氏著：《慕廬雜著》，臺北：華正書局，1988年。

王叔岷：〈論莊子所了解之孔子〉，收入氏著：《慕廬雜稿》，臺北：大安出版社，2001年。

王暉：〈秦惠文王行年問題與先秦冠禮年齡的演變〉，《秦文化論叢》第2輯，西安：西北大學出版社，1993年。

王靖宇：〈再論《左傳》與《國語》的關係〉，收入氏著：《中國早期敘事文研究》，上海：上海古籍出版社，2003年。

朱鋒：〈臺南的七夕〉，收入氏著：《南臺灣民俗》，《國立北京大學中國民俗學會編民俗叢書》，第33冊，臺北：東方文化書局，1971年。

江瑔：〈論九流之名稱〉，收入氏著：《讀子卮言》，臺北：泰順書局，
　　1971年。

束世澂：〈孔子《春秋》〉，上海師範大學歷史系中國史學史研究室主
　　編：《中國史學史論集（一）》，上海：上海人民出版社，1980年。

周何：〈冠禮〉，收入氏著：《古禮今談》，臺北：國文天地雜誌社，
　　1992年。

屈萬里：〈關於所謂周公旦「踐阼稱王」問題敬復徐復觀先生〉，收入
　　氏著：《屈萬里先生文存》第2冊，《屈萬里先生全集》，第17冊，
　　臺北：聯經出版事業公司，1985年。

林庚：〈招魂解〉，收入氏著：《詩人屈原及其作品研究》，上海：上海
　　古籍出版社，1981年。

林素清：〈上博四《內禮》篇重探〉，武漢大學簡帛研究中心主辦：
　　《簡帛（第一輯）》，上海：上海古籍出版社，2006年。

洪國樑：〈張以仁先生傳〉，《國立臺灣大學中國文學系系史稿》，臺
　　北：國立臺灣大學中國文學系，2014年。

胡念貽：〈宋玉作品的真偽問題〉，《文史集林》，臺北：木鐸出版社，
　　1980年。

胡適：〈《三俠五義》序〉，收入氏著：《中國古典小說研究》，《胡適作
　　品集》，第13冊，臺北：遠流出版社，1986年。

徐復觀：〈有關周公踐阼稱王問題的申復〉，收入氏著：《兩漢思想史
　　（一）》，臺北：臺灣學生書局，1978年。

徐復觀：〈與陳夢家屈萬里兩先生商討周公旦曾否踐阼稱王的問題〉，
　　收入氏著：《兩漢思想史（一）》，臺北：臺灣學生書局，1978年。

徐復觀：〈呂氏春秋及其對漢代學術與政治的影響〉，收入氏著：《兩
　　漢思想史（卷二）》，臺北：臺灣學生書局，1989年。

張以仁：〈國語辨名〉，收入氏著：《國語左傳論集》，臺北：東昇出版
　　事業公司，1980年。

張以仁：〈國語舊注範圍的界定及其佚失情形〉，收入氏著：《國語左
　　傳論集》，臺北：東昇出版事業公司，1980年。

張以仁：〈國語舊音考校〉，收入氏著：《國語左傳論集》，臺北：東昇
　　出版事業公司，1980年。

張以仁：〈孔子與春秋的關係〉，收入氏著：《春秋史論集》，臺北：聯
　　經出版事業公司，1990年。

張以仁：〈從國語與左傳本質上的差異試論後人對國語的批評〉，收入
　　氏著：《春秋史論集》，臺北：聯經出版事業公司，1990年。

張以仁：〈從鄶亡於叔妘說到密須與鄎之亡亦與女禍有關〉，收入氏
　　著：《春秋史論集》，臺北：聯經出版事業公司，1990年。

張以仁：〈鄧曼亡鄧之說的檢討〉，收入氏著：《春秋史論集》，臺北：
　　聯經出版事業公司，1990年。

張光直：〈商周神話之分類〉，收入氏著：《中國青銅時代》，臺北：聯
　　經出版事業公司，1983年。

梁啟超：〈屈原研究〉，收入氏著：《飲冰室文集》，臺北：臺灣中華書
　　局，1960年。

梁啟超：〈評胡適之《中國哲學史大綱》〉，收入氏著：《梁任公學術講
　　演集第一輯》，上海：商務印書館，1927年。

陳奇猷：〈《呂氏春秋》成書的年代與書名的確立〉，收入氏著：《晚翠
　　園論學雜著》，上海：上海古籍出版社，2008年。

陳寅恪：〈桃花源記旁證〉，收入氏著：《金明館叢稿初編》，《陳寅恪
　　先生文集（一）》，臺北：里仁書局，1981年。

陳寅恪：〈魏書司馬叡傳江東民族條釋證及推論〉，收入氏著：《金明館
　　叢稿初編》，《陳寅恪先生文集（一）》，臺北：里仁書局，1981年。

陸侃如：〈宋玉評傳〉，郁達夫主編：《中國文學研究》，臺北：清流出
　　版社，1976年。

馮沅君：〈論左傳與國語的異點〉，收入〔瑞典〕高本漢著，陸侃如譯：
　　《左傳真偽考及其他・附錄三》，上海：商務印書館，1936年。

楊寬：〈「冠禮」新探〉，收入氏著：《古史新探》，北京：中華書局，
　　1965年。

葉國良：〈笄冠之禮中取字的意義及其與先秦禮制的關係〉，葉國良、
　　李隆獻、彭美玲合著：《漢族成年禮及其相關問題研究》，臺北：
　　大安出版社，2004年；又收入氏著：《禮學研究的諸面向》，新
　　竹：清華大學出版社，2010年。

裘錫圭：〈中國古典學重建中應該注意的問題〉，收入氏著：《中國出
　　土古文獻十講》，上海：復旦大學出版社，2004年。

劉大白：〈宋玉賦辨偽〉，郁達夫主編：《中國文學研究》，臺北：清流
　　出版社，1976年。

錢玄同：〈重論經今古文學問題〉，顧頡剛等編著：《古史辨》，第5
　　冊，臺北：明倫出版社，1970年。

羅振玉：〈劉子校記序〉，收入氏著：《永豐鄉人雜箸續編》，《羅雪堂
　　先生全集・初編》，第3冊，臺北：文海出版公司，1968年。

譚其驤：〈地方志不可偏廢舊志資料不可輕信〉，吉林省圖書館學會地
　　方史志研究組編：《中國地方志論集（1950-1983）》，長春：吉林
　　省地方志編纂委員會、吉林省圖書館學會，1985年。

嚴靈峯：〈辨老子書不後於莊子書〉，收入氏著：《無求備齋學術論
　　集》，臺北：臺灣中華書局，1969年。

饒宗頤：〈劉勰文藝思想與佛教〉，收入氏編：《文心雕龍研究專號》，
　　臺北：明倫出版社，1971年。

〔日〕福田哲之：〈上博楚簡《內禮》的文獻性質——以與《大戴禮
　　記》之《曾子立孝》、《曾子事父母》比較為中心〉，武漢大學簡
　　帛研究中心主辦：《簡帛（第一輯）》，上海：上海古籍出版社，
　　2006年。

〔美〕柯馬丁（Martin Kern）著，李芳、楊治宜譯：〈方法論反思：
　　早期中國文本異文之分析與寫本文獻之產生模式〉，陳致主編：
　　《當代西方漢學研究集萃（上古史卷）》，上海：上海古籍出版
　　社，2012年。

〔瑞典〕高本漢（Bernhard Karlgren）：〈左傳真偽考〉，收入〔瑞典〕
　　高本漢著，陸侃如譯：《左傳真偽考及其他》，上海：商務印書
　　館，1936年。

三、期刊論文

尹雪華：〈《左傳》中的女性——男性敘事話語中的沉默者〉，《福建師
　　範大學學報（哲學社會科學版）》2007年第2期，2007年3月。

方勇：〈論《莊子》中孔子形象的多面性與解說者的偏執〉，《中國文
　　學研究》1994年第2期（總33期），1994年4月。

毛漢光：〈唐代婦女家庭角色的幾個重要時段——以墓誌銘為例〉，
　　《國家科學委員會研究彙刊：人文及社會科學》第1卷第2期，
　　1991年7月。

任振鎬：〈《莊子》的孔子人物形象論〉，《江蘇教育學院學報（社會科
　　學版）》1998年第2期，1998年4月。

向柏松：〈哭嫁習俗的成年禮意義〉，《中南民族學院學報（哲學社會科學版）》1991年第5期（總50期），1991年10月。

朱曉海：〈劉向《列女傳》文獻學課題述補〉，《臺大中文學報》第24期，2006年6月。

朱曉海：〈論劉向《列女傳》的婚姻觀〉，《新史學》第18卷第1期，2007年3月。

何樂士：〈《左傳》前八公與後四公的語法差異〉，《古漢語研究》1988年第1期（創刊號），1988年4月。

余光弘：〈A. van Gennep生命儀禮理論的重新評價〉，《中央研究院民族學研究所集刊》第60期，1986年12月。

李琴、朱倩：〈《莊子》中的孔子形象及其意義〉，《安康學院學報》第22卷第5期，2010年10月。

李隆獻：〈歷代成年禮的特色與沿革——兼論成年禮衰微的原因〉，《臺大中文學報》第18期，2003年6月。

李隆獻：〈先秦傳本／簡本敘事舉隅——以「三郤之亡」為例〉，《臺大中文學報》第32期，2010年6月。

李隆獻：〈《左傳》「仲尼曰」敘事芻論〉，《臺大中文學報》第33期，2010年12月。

李隆獻：〈《左傳》「弒君敘事」舉隅——以趙盾、崔杼為例〉，《國文學報》第48期，2010年12月。

李隆獻：〈先秦敘史文獻「敘事」與「體式」芻論——以晉「欒氏之滅」為例〉，《臺大文史哲學報》第80期，2014年5月。

李隆獻：〈先秦漢初文獻中的「孔子形象」〉，《文與哲》第25期，2014年12月。

李隆獻：〈試論《左傳》「仲尼曰」敘事的經史學意涵〉，《經學文獻研究集刊》第13輯，2015年4月。

李隆獻：〈《莊子》、《列子》中的「孔子形象」〉，《東亞觀念史集刊》第8期，2015年6月。

李隆獻：〈「晉悼復霸」說芻論〉，《臺大中文學報》第57期，2017年6月。

李隆獻：〈先秦漢初文獻中的「夏姬敘事」與國際局勢〉，全國高等院校古籍整理研究工作委員會《中國典籍與文化》編輯部：《中國典籍與文化論叢》第19期，南京：鳳凰出版社，2018年7月。

李樹桐：〈唐代婦女的婚姻〉，《師大學報》第18期，1973年6月。

李霞、李峰：〈從《莊子》中的孔子形象看先秦儒道衝突〉，《安徽史學》1996年第1期，1996年1月。

沈綉卿：〈潛藏的傳道者——試論《莊子》中孔子形象的兩面性及其轉變〉，《大眾文藝》2011年第17期，2011年9月。

周淑舫：〈簡論《莊子》書中孔子形象的文學價值〉，《吉林廣播電視大學學報》1994年第3、4期合刊，1994年11月。

周鳳五：〈上博五〈姑成家父〉重編新釋〉，《臺大中文學報》第25期，2006年12月。

尚建飛：〈寓言化的孔子形象與莊子哲學主題〉，《西北大學學報（哲學社會科學版）》第37卷第3期，2007年5月。

侯文學、宋美霖：〈《左傳》與清華簡《繫年》關於夏姬的不同敘述〉，《吉林師範大學學報（人文社會科學版）》第4期，2015年7月。

姚海燕：〈試析《莊子》一書對孔子形象的改塑〉，《湘潮（下半月）》2007年第12期，2007年12月。

胡穎佳：〈從《莊子》內篇看莊子眼中的孔子形象〉,《西南農業大學
　　學報（社會科學版）》第9卷第8期，2011年8月。

唐桃：〈從《莊子》內篇看莊周心中的孔子〉,《曲靖師範學院學報》
　　第27卷第5期，2008年9月。

孫海波：〈國語真偽考〉,《燕京學報》第16期，1934年12月。

徐克謙：〈莊子與老年孔子〉,《許昌師專學報》第19卷第6期，2000年
　　12月。

徐聖心：〈「莊子尊孔論」系譜綜述 ── 莊學史上的另類理解與閱
　　讀〉,《臺大中文學報》第17期，2002年12月。

徐福全：〈成年禮的淵源與時代意義〉,《臺北文獻》直字第95期，
　　1991年3月。

殷南根：〈對《莊子》書中的孔子形象的分析〉,《復旦學報（社會科
　　學版）》1990年第3期，1990年4月。

秦瑞：〈論《莊子‧內篇》中的孔子〉,《語文學刊》2008年第11期，
　　2008年11月。

馬麗婭：〈試論孔子在《莊子》中的形象〉,《浙江師範大學學報（社
　　會科學版）》第28卷第4期（總126期），2003年8月。

高方：〈男權視角與夏姬之名〉,《綏化學院學報》第34卷第9期，2014
　　年9月。

高慶榮、黃發平：〈《莊子》中不同的孔子形象分析〉,《通化師範學院
　　學報》第25卷第1期，2004年1月。

張以仁：〈論國語與左傳的關係〉,《中央研究院歷史語言研究所集
　　刊》第33本，1962年6月。

張以仁：〈從文法、語彙的差異證《國語》、《左傳》二書非一人所

作〉，《中央研究院歷史語言研究所集刊》第34本上冊，1962年12月。

張以仁：〈關於左傳「君子曰」的一些問題〉，《孔孟月刊》第3卷第3期，1964年11月。

張以仁：〈晉文公年壽辨誤〉，《中央研究院歷史語言研究所集刊》第36本上冊，1965年12月。

張以仁：〈從國語與左傳本質上的差異試論後人對國語的批評（上）〉，《漢學研究》第1卷第2期，1983年12月。

張以仁：〈從國語與左傳本質上的差異試論後人對國語的批評（下）〉，《漢學研究》第2卷第1期，1984年6月。

張宇衛：〈《上博四‧內禮》「負」字新釋與簡序考──兼以〈內禮〉版本探大、小戴《禮》傳承等問題〉，《雲漢學刊》第13期，2006年6月。

張岩：〈由儒而道及道家的代言人──《莊子》中的孔子形象分析〉，《遼寧工程技術大學學報（社會科學版）》第1卷第2期，1999年6月。

張嚴：〈劉子五十五篇作者辨正〉，《大陸雜誌》第27卷第1期，1963年7月。

曹小晶：〈從《莊子‧內七篇》中兩個不同的孔子形象談莊子之思想〉，《西安石油學院學報（社會科學版）》第10卷第1期，2001年2月。

梁濤：〈上博簡《內禮》與《大戴禮記‧曾子》〉，《中國思想史研究通訊》第6輯，2005年8月。

陳來：〈朱子《家禮》真偽考議〉，《北京大學學報（哲學社會科學版）》1989年第3期，1989年6月。

陳林群：〈莊子筆下的孔子〉，《社會科學論壇（學術評論卷）》2008年11期，2008年11月。

陳林群：〈《莊子》外雜篇孔子形象疏證〉，《社會科學論壇（學術評論卷）》2009年9期，2009年9月。

陳品川：〈《莊子》中的孔子形象〉，《汕頭大學學報（人文科學版）》第10卷第3期，1994年8月。

陳惠齡：〈從《左傳》中的夏姬鏡像開展複調式多聲部的文化闡釋〉，《政大中文學報》第2期，2004年12月。

陳夢家：〈西周銅器斷代（一）〉，《考古學報》第9冊，1955年9月。

陶晉生、鮑家麟：〈北宋的士族婦女〉，《國家科學委員會研究彙刊：人文及社會科學》第3卷第1期，1993年1月。

彭美玲：〈臺俗「做十六歲」之淵源及其原因試探〉，《臺大中文學報》第11期，1999年5月。

程薇：〈清華簡《繫年》與夏姬身份之謎〉，《文史知識》2012年第7期，2012年7月。

童書業：〈國語與左傳問題後案〉，《浙江圖書館館刊》第4卷第1期，1935年2月。

黃俊郎：〈冠禮的起源及其意義〉，《孔孟月刊》第19卷第2期，1980年10月。

黃樸民：〈晉悼公復霸〉，《文史天地》2014年第11期，2014年11月。

楊志剛：〈《司馬氏書儀》和《朱子家禮》研究〉，《浙江學刊》1993年第1期，1993年3月。

楊晉龍：〈張以仁先生與臺灣傳統學術研究：以學位論文為對象的考徵〉，《中國文哲研究通訊》第25卷第4期，2015年12月。

楊博涵：〈美女破國與醜女興邦的二重奏——《列女傳》的女性觀及其文學表現〉，《學術交流》2008年第4期，2008年4月。

葉國良：〈冠笄之禮的演變與字說興衰的關係——兼論文體興衰的原因〉，《臺大中文學報》第12期，2000年5月。

葉國良：〈郭店儒家著作的學術譜系問題〉，《臺大中文學報》第13期，2000年12月。

葉國良：〈上博楚竹書《孔子詩論》劄記六則〉，《臺大中文學報》第17期，2002年12月。

葉國良：〈公孫尼子及其論述考辨〉，《臺大中文學報》第25期，2006年12月。

董常保、熊剛：〈淺析《列女傳》對夏姬形象的改造〉，《蘭臺世界》2011年第13期，2011年6月。

漆娟：〈《左傳》的女性悲劇形象〉，《宜賓學院學報》2004年第3期，2004年5月。

齊益壽：〈五柳先生傳注〉，《古今文選》新313期，臺北：國語日報社，1974年1月25日。

劉予希：〈淺議《莊子‧內篇》中的孔子形象〉，《魅力中國》2009年第35期，2009年12月。

潘俊杰：〈先秦雜家的特徵〉，《西北大學學報（哲學社會科學版）》第38卷第1期，2008年1月。

潘重規：〈聖賢群輔錄新箋〉，《新亞書院學術年刊》第7期，1965年9月。

蔡瑩瑩：〈《清華簡‧繫年》楚國紀年五章的敘事特色管窺〉，《成大中文學報》第55期，2016年12月。

燕鋒：〈試析《莊子》中的孔子形象〉，《作家》2009年10期，2009年
　　10月。

霍松林、霍建波：〈論《孟子》、《莊子》中的孔子形象〉，《蘭州大學
　　學報（社會科學版）》第32卷第4期，2004年7月。

謝祥皓：〈略談《莊子》中的孔子形象〉，《齊魯學刊》1985年5期，
　　1985年10月。

魏慈德：〈《清華簡‧繫年》與《左傳》中的楚史異同〉，《東華漢學》
　　第17期，2013年6月。

顧頡剛：〈武王的死及其年歲和紀元〉，《文史》第18輯，1983年7月。

〔日〕淺野裕一：〈新出土資料と諸子百家研究〉，《中國研究集刊》
　　第38號，2005年12月。

〔美〕卜德（Derk Bedde）：〈左傳與國語〉，《燕京學報》第16期，
　　1934年12月。

四、學位論文

王敏芳：《左傳女子的資鑑意涵》，臺北：國立臺灣師範大學國文學系
　　碩士論文，劉正浩教授指導，2007年。

呂敦華：《唐代婚禮研究》，臺北：國立臺灣大學中國文學研究所碩士
　　論文，葉國良教授指導，1995年。

李沁芳：《晉國六卿研究》，長春：吉林大學古籍研究所碩士論文，呂
　　文郁教授指導，2012年。

官翰玫：《左傳婦女形象初探》，臺北：國立政治大學中國文學研究所
　　碩士論文，簡宗梧教授指導，1985年。

邱衍文：《冠禮研究（上）》，臺北：中國文化大學中國文學研究所碩
　　士論文，高明教授指導，1970年。

莊映雪：《《左傳》女性傳記藝術研究》，高雄：國立高雄師範大學國
　　文學系碩士論文，周虎林教授指導，2006年。

陳凰珠：《左傳人物性格刻畫舉隅》，臺中：逢甲大學中國文學研究所
　　碩士論文，劉正浩教授指導，1992年。

魏千鈞：《夷夏觀研究：從春秋歷史到《春秋》經傳的考察》，臺北：
　　國立臺灣大學中國文學系博士論文，何澤恆教授指導，2013年。

龔慧治：《左傳「君子曰」問題研究》，臺北：國立臺灣大學中國文學
　　研究所碩士論文，裴溥言、張以仁教授指導，1988年。

五、研討會論文、論文集

李隆獻：《儀禮士冠禮研究（二）——先秦成年禮與後世成年禮的比
　　較研究》，國科會專題計畫成果報告，1998年。

李隆獻：〈近代方志所見民間成年禮及其傳承與變化〉，《張以仁先生
　　七秩壽慶論文集》，臺北：臺灣學生書局，1999年。

周鳳五：〈郭店竹簡的形式特徵及其分類意義〉，《郭店楚簡國際學術
　　研討會論文集》，武漢：湖北人民出版社，2000年。

洪國樑：〈王叔岷先生《古籍虛字廣義》對《經傳釋詞》一系虛字研
　　究著述的繼承和發展〉，《王叔岷先生學術成就與薪傳研討會論文
　　集》，臺北：國立臺灣大學中國文學系，2001年。

張以仁：〈晉文公年壽問題的再檢討〉，《鄭因百先生八十壽慶論文
　　集》，臺北：臺灣商務印書館，1985年。

張以仁：〈孔子與春秋的關係問題商榷〉，中央研究院主編：《中央研
　　究院第二屆國際漢學會議論文集（文學組）》，臺北：中央研究
　　院，1989年。

許木柱：〈男性成年禮的功能與現代生活——一個人類學的探討〉，
　　《生命禮俗研討會論文集》，臺北：中華文化復興運動推行委員
　　會，1984年。

陳恆嵩編：〈王叔岷先生著作目錄〉，《王叔岷先生百歲冥誕國際學術
　　研討會論文集》，臺北：國立臺灣大學中國文學系，2015年。

彭美玲：〈說「奉觴上壽」〉，《張以仁先生七秩壽慶論文集》，臺北：
　　臺灣學生書局，1999年。

楊晉龍：〈張以仁先生與臺灣經學研究：以學位論文為對象的考徵〉，
　　中央研究院中國文哲研究所主辦：「戰後臺灣的經學研究」第一
　　次學術研討會，2015年7月13日。

葉國良：《儀禮士冠禮研究（一）——經學與文化人類學的綜合考
　　察》，國科會專題計畫成果報告，1995年。

葉國良：〈二重證據法的省思〉，葉國良、鄭吉雄、徐富昌主編：《出
　　土文獻研究方法論文集初集》，臺北：臺灣大學出版中心，2005
　　年。

廖名春：〈楚竹書〈內禮〉、〈曾子立孝〉首章的對比研究〉，葉國良、
　　鄭吉雄、徐富昌主編：《出土文獻研究方法論文集初集》，臺北：
　　臺灣大學出版中心，2005年。

索引

五劃

十六劃

外國人名

經學研究叢書·臺灣經學叢刊 0505001

歷史敘事與經典文獻隅論

作　　者　李隆獻
書名題簽　陳瑞庚
責任編輯　呂玉姍
特約校對　龔家祺
校　　對　傅凱瑄、石兆軒、李隆獻

發 行 人　林慶彰
總 經 理　梁錦興
總 編 輯　張晏瑞
編 輯 所　萬卷樓圖書股份有限公司
排　　版　林曉敏
印　　刷　森藍印刷事業有限公司
封面設計　菩薩蠻數位文化有限公司
發　　行　萬卷樓圖書股份有限公司
　　　　　臺北市羅斯福路二段 41 號 6 樓之 3
　　　　　電話 (02)23216565
　　　　　傳真 (02)23218698
　　　　　電郵 SERVICE@WANJUAN.COM.TW
香港經銷　香港聯合書刊物流有限公司
　　　　　電話 (852)21502100
　　　　　傳真 (852)23560735

ISBN 978-986-478-321-2
2020 年 10 月
定價：新臺幣 1200 元

如何購買本書：
1. 劃撥購書，請透過以下郵政劃撥帳號：
　　帳號：15624015
　　戶名：萬卷樓圖書股份有限公司
2. 轉帳購書，請透過以下帳戶
　　合作金庫銀行 古亭分行
　　戶名：萬卷樓圖書股份有限公司
　　帳號：0877717092596
3. 網路購書，請透過萬卷樓網站
　　網址 WWW.WANJUAN.COM.TW
大量購書，請直接聯繫我們，將有專人為
您服務。客服：(02)23216565 分機 610

如有缺頁、破損或裝訂錯誤，請寄回更換

國家圖書館出版品預行編目資料

歷史敘事與經典文獻隅論 / 李隆獻著. -- 初
版. -- 臺北市 ：萬卷樓, 2020.10
　　面 ；　公分. -- (經學研究叢書. 臺灣經學叢
刊 ；505001)
ISBN 978-986-478-321-2(平裝)
1.經學　2.文集

090.7　　　　　　　　　　　　　　108017966